특허받은 분해조립식 한자 사람篇

공앤박 한자연구소 **박건호** 著

KONG & PARK

특허받은 분해조립식한자 사람篇

초판발행 2016년 1월 1일
저자 박건호 · 공앤박 한자연구소
발행인 공경용

발행처 공앤박㈜
출판등록 2008년 9월 2일 · 제300-2008-82호
주소 05116 서울시 광진구 광나루로56길 85, 프라임센터 1518호
전화 02-565-1531
팩스 02-3445-1080
전자우편 info@kongnpark.com
홈페이지 www.kongnpark.com

© 공앤박㈜, 2016

ISBN 978-89-966216-1-4 14700
      978-89-966216-0-7(세트)

머리말

　‘무연 휘발유’의 ‘무연’은 무슨 뜻인가? ‘개기일식’이란 正確히 무엇을 가리키는 말일까? 혜초가 인도를 다녀와 썼다는 기행문인 왕오천축국전의 ‘왕오천축국’은 무슨 뜻일까? ‘不定詞’란? 소수(素數)란 무엇인가? 이런 식으로 질문을 받으면 대답하기 困難한 語彙들이 꽤 됨을 알고 내가 이렇게도 우리말에 무지 했던가 할 것이다.

　그러나 실은 우리말에 무지한 것도 맞지만 漢字語에 대한 지식 부족이기도 한 것이다.

　우리말의 주요 부분인 명사의 대부분은 사실 漢字語이다.
　韓國語나 日本語는 공히 언어의 대부분 특히 주요부분인 명사는 漢字語이고 助詞나 前置詞 接續詞와 같은 부분만 순수 자국어에 지나지 않는다.

　한국에서는 한글 優待政策으로 1969년에 漢字가 廢止되고 말았다.

　漢字를 폐지했다고 우리 한국 사람들이 더 愛國者가 된 것도 아니고 오히려 어떤 면에서는 文盲을 부추긴 꼴이 되고 말았다.

　勿論 한자어를 모른다고 無識하다거나 세상을 뒤처지는 것은 아니다, 미국사람이나 서양 사람들이 漢字를 모른다고 우리보다 더 무식한 것은 결코 아니다.

　蔽一言하고 漢字語는 결코 外來語로 볼 수 없고 우리말로 봐야 한다고 筆者는 생각한다.
　따라서 漢字학습은 우리말 深化學習이므로 母國語를 정확히 驅使하기 위해서는 반드시 漢字語에 대한 학습이 竝行되어야 한다고 감히 主張하고 싶다.

　1969년도에 한글학자들이 무슨 생각으로 漢字를 廢止했는지는 모르나 이들은 분명 漢字를 中國語나 漢文과 同一視했기 때문일 것이다. 무식함의 發露였던 것이다.

　오랫동안 漢字가 庶子취급을 받아온 데는 千字文식 學習方法과 敎習방법이 一助를 했다고 본다. 가르치는 것도 엄연히 技術인데 개발 發展시켜오지 못한 우리 선배들의 責任이 크다 아니 할 수 없다.

　筆者는 앞으로 漢字를 가르쳐야 될 선생님들이 먼저 제대로 된 漢字敎育을 받고 나름대로 더 유지 발전시켜 後學들을 가르쳤으면 하는 바람으로 감히 이 ‘組立 分解 漢字’를 세상에 내 놓기로 하였다.

　不足한 부분이 적지 않음을 率直히 認定하므로 필자도 계속 努力을 기울이겠지만 이 책을 접할 先後輩 여러분들의 眞心어린 助言이나 協助를 부탁드린다.

조립분해한자의 창안자 朴 乾 晧
2009년 5월

차 례

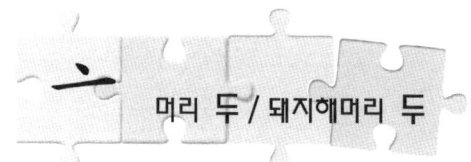

머리 두 / 돼지해머리 두

✎ 사람이면 머리 / 건물이면 꼭대기 / 사물의 윗부분

京(경)　　高(고)　　交(교)　　文(문)　　衣(의)

京 　훈음 서울 경　부수 돼지해밑 亠(두)　▶▶▶ 머리 亠(두) + 口 + 小 ➡ 크고 우뚝 솟은 집의 지붕
여기서 머리 亠(두)는 말뚝(小)을 박고 지을 정도로 우뚝 솟은 망대나 큰 집의 지붕을 가리키며, 후대에 크고 높은 곳이라 하여 서울 京(경)이라는 글자가 만들어졌다.
•••••　東京(동경)/北京(북경)/上京(상경)/歸京(귀경)

高 　훈음 높을 고　부수 제 부수　▶▶▶ 亠 + 口 + 冂(경) + 口 ➡ 대궐이나 성곽의 높고 웅장한 지붕
여기서도 머리 亠(두)는 지하 창고나 드나드는 문(冂)이 마치 큰 성이나 대궐 같은 건물의 꼭대기나 지붕을 가리키며, 그러한 큰 규모의 건물의 모습에서 '높다'의 뜻이 파생됐다.
•••••　高層(고층)/高等學校(고등학교)/高級(고급)/高架(고가)

交 　훈음 사귈 교　부수 머리 亠(두)　▶▶▶ 머리 두(亠) + 아비 부(父) ➡ 사람의 머리
여기서 亠(두)는 다리를 꼬고(乂) 서 있는 혹은 교접하는 남녀의 머리(亠) 부분을 강조하여 만들어진 글자다.
•••••　交際(교제)/交換(교환)/交戰(교전)/交易(교역)/交流(교류)

文 　훈음 무늬 문　부수 제 부수　▶▶▶ 머리 두(亠) + 벨 예(乂) ➡ 사람의 머리
여기서 亠(두)는 사람의 머리 혹은 사람을 가리키며 가슴을 칼로 베어(乂) 즉 몸에 칼집을 내어 문신을 만들었다 하여 무늬 文(문)자가 만들어졌다.
•••••　文身(문신)/文化(문화)/文盲(문맹)/文明(문명)/文武(문무)

衣 　훈음 옷 의　부수 제 부수
▶▶▶ 머리 두(亠) + 옷 의(衣) 의 아랫부분 ➡ 옷깃(물체의 상단부-꼭대기)의 상형
펼쳐 놓은 저고리 모양으로 여기서 두(亠)는 옷 가운데서 가장 윗부분인 옷깃의 상형이다.
•••••　衣裳(의상)/衣類(의류)/衣食住(의식주)/脫衣室(탈의실)

亥(해)　骸(해)　該(해)　咳(해)　核(핵)　劾(핵)　刻(각)　邂(해)

亥 　훈음 돼지 해　부수 제 부수　▶▶▶ 살점이 붙어있지 않은 짐승의 뼈대
짐승을 잡아 살을 발라내고 뼈만 남은 모습으로 여러 글자들에 뼈대/뼈라는 뜻으로 의미기여를 하지만 자형(字形)은 돼지 시(豕)와 비슷하여 산짐승의 한 부류인 멧돼지로 여겨져 붙여진 이름이 돼지 해(亥)
•••••　亥時(해시)/亥月(해월)/亥日(해일)

骸 훈음 뼈 해 부수 뼈 骨(골) ▶▶▶ 뼈 골(骨) + 돼지 해(亥) ➡ 짐승의 뼈
뼈대/뼈의 의미였던 해(亥)가 돼지 해(亥)로 사용되자, 뼈 골(骨)을 첨가하여 의미를 분명히 한 글자가 해골(骸骨)의 뼈 해(骸)
••••• 遺骸(유해)/殘骸(잔해)

該 훈음 그 해 부수 말씀 言(언) ▶▶▶ 말씀 언(言) + 돼지 해(亥) ➡ 뼈 있는 말
뼈(亥) 있는 말(言)은 해당(該當)/해박(該博)의 그 해(該)
••••• 該氏(해씨)/當該(당해)

咳 훈음 기침 해 부수 입 口(구) ▶▶▶ 입 구(口) + 돼지 해(亥) ➡ 뼈까지 울리는 기침
기침(口)을 하면 뼈(亥)까지 울리는 것이 해수(咳嗽)의 기침 해(咳)
*해수(咳嗽)-해소는 해수가 변한 말
••••• 咳喘(해천)/咳唾(해타)

核 훈음 씨 핵 부수 나무 木(목) ▶▶▶ 나무 목(木) + 돼지 해(亥) ➡ 나무의 근본
나무(木)의 뼈(亥)라는 의미로 핵심(核心)의 씨 핵(核)
••••• 核武器(핵무기)/核果(핵과)/精核(정핵)

劾 훈음 캐물을 핵 부수 힘 力(력) ▶▶▶ 힘 력(力) + 돼지 해(亥) ➡ 근본까지 드러냄
근본(亥)까지 드러내기 위해 힘(力)쓰는 것을 탄핵(彈劾)의 캐물을 핵(劾)
••••• 劾論(핵론)

刻 훈음 새길 각 부수 칼 刀(도) ▶▶▶ 칼 도(刂) + 돼지 해(亥) ➡ 뼈에다 새김
뼈(亥)에다 칼(刂)로 글이나 그림을 새기던 당시의 풍습이 남아있는 글자가 각골난망(刻骨難忘)의 새길 각(刻)
••••• 刻本(각본)/刻薄(각박)/刻印(각인)/時時刻刻(시시각각)

亡(망)　　妄(망)　　忘(망)　　忙(망)　　望(망)　　盲(맹)
茫(망)　　荒(황)　　慌(황)　　罔(망)　　網(망)

亡 훈음 망할/잃을 망 부수 머리 두(亠)
▶▶▶ 머리 두(亠) + ㄴ ➡ 사람의 머리/칼의 손잡이 부분(윗부분)
부서진 칼날/지팡이 짚고 있는 노인 등의 설이 있으나 확실치 않으며, 현재의 글자로 보면 꼿꼿하던(丨) 사람(亠)이 쭈그러들었다(ㄴ)는 것은 '망했다거나 죽었다는 것'이므로 '망할 망'자가 생겼다.
••••• 滅亡(멸망)/敗亡(패망)/死亡(사망)/逃亡(도망)

妄 훈음 허망할 망 부수 계집 女(여) ▶▶▶ 망할 亡(망) + 계집 여(女) ➡ 여자 때문에 망함
계집 즉 여자 때문에 패가망신하였다면 그 얼마나 허망하겠는가? 따라서 두 글자 모두 의미요소이며 망할 亡(망)이 발음기호이다.
••••• 虛妄(허망)/妄靈(망령)/妄發(망발)/輕擧妄動(경거망동)/被害妄想(피해망상)

忘 훈음 잊을 망 부수 마음 心(심) ▶▶▶ 망할 亡(망) + 마음 심(心) ➡ 마음에서 지움
아무리 억울한 일도 빨리 마음(心(심))에서 지워야지(亡(망)) 그렇지 않으면 화병 생기는 경우도 많다. 마음(心)에 남아 있지 않다(亡) 즉 '잊다'를 의미하는 글자다.
••••• 忘却(망각)/健忘症(건망증)/背恩忘德(배은망덕)

忙

훈음 바쁠 망 　부수 마음 ↑(심)변

▶▶▶ 망할 亡(망) + 마음 ↑(심) ➡ 마음에 여유가 없음

마음이 바쁜 모습으로 우리가 흔히 "마음이 바빠 죽겠다"라고 할 때나 "정신없이 바쁘다"고 할 때의 상황 묘사로 두 글자 모두 의미요소임을 알 수 있다.

●●●●● 忙中閑(망중한)/公私多忙(공사다망)

望

훈음 바랄 망 　부수 달 月(월)

▶▶▶ 없을 亡(망) + 달 월(月) + 정(壬) ➡ 고향에 두고 온 가족에 대한 그리움

발꿈치(壬)를 들고 선 사람의 눈(目)을 그린 글자로 높이 또는 멀리 '보다'라는 글자였으나, 후대에 오면서 망(亡)을 발음기호로 하여 고향 쪽을 향해 크고 높게 떠오른 보름달을 보며 고향에 돌아갈 날을 손꼽아 기다리는 장면을 연출하여 바라다/원망하다로 발전했다.

※ 아홉째 천간 壬(임)과 壬(정)의 꼴은 똑같으나 壬(임)은 베틀의 모습이고 壬(정)은 발꿈치를 들고 서 있는 또는 발돋움하여 혹은 받침대 위에 올라서서 기다리는 사람의 모습이다.

●●●●● 希望(희망)/望鄕(망향)/望樓(망루)/望夫石(망부석)

盲

훈음 소경 맹 　부수 눈 目(목) 　 ▶▶▶ 없을 亡(망) + 눈 목(目) ➡ 눈은 있으나마나

눈(目)이 망한 혹은 없는(亡) 사람을 맹인 또는 소경이라고 한다.

●●●●● 盲人(맹인)/盲啞學校(맹아학교)/盲目的(맹목적)/盲信(맹신)

茫

훈음 아득할 망 　부수 풀 艸(초) 　 ▶▶▶ 망할 亡(망) + 풀 초(艸) + 물 수(氵) ➡ 끝없이 펼쳐진 초원

초원이 마치 드넓은 바다나 호수 같이 넓어 그 끝이 보이지 않음을 일컫는 표현으로 글자 모두가 다 의미 요소이며 없을 亡(망)이 발음기호이다.

●●●●● 茫茫大海(망망대해)/茫然自失(망연자실)

荒

훈음 거칠 황 　부수 풀 艸(초) 　 ▶▶▶ 망할 巟(황) + 풀 초(艹) ➡ 풀 한포기 제대로 자라지 않는 황량한 곳

물도 흐르지 않는(巟) 들판의 초원(艹)이야 오죽하겠는가 나무들은 말라 죽기 일보 직전이고 건조한 대지는 온통 흙먼지로 뒤덮인 거친 荒野(황야)가 떠오르는가?

●●●●● 荒廢(황폐)/荒蕪地(황무지)/荒凉(황량)

罔

훈음 없을 망 　부수 그물 网(망)

▶▶▶ 망할 망(亡) + 그물 망(网) ➡ 새 잡는 그물

새나 물고기를 잡는 그물을 의미하였으나 훗날 발음요소인 없을 망(亡)의 뜻을 하게 되자 그 의미를 분명히 하기 위해 아래 글자인 그물 망(網)을 만들었다.

●●●●● 罔極(망극)/奇怪罔測(기괴망측)/罔極之痛(망극지통)

網

훈음 그물 망 　부수 실 糸(사)

▶▶▶ 그물 망(罔) + 실 사(糸) ➡ 새나 고기를 잡는 그물

그물의 재료인 끈이나 밧줄을 의미하는 실 사(糸)를 첨가하여 이 網(망)자가 그물임을 분명히 한 글자로, 두 글자 모두 의미요소이며 罔(망)이 발음기호이다.

●●●●● 網絲(망사)/搜査網(수사망)/網羅(망라)/投網(투망)/一網打盡(일망타진)/魚網(어망)

首(수)   道(도)   導(도)   縣(현)   懸(현)   自(자)
臭(취)   嗅(후)   鼻(비)   息(식)   憩(게)   邊(변)

훈음 머리 수 **부수** 제 부수
▶▶▶ 풀 卄(초) + 스스로 自(자) ➡ 머리카락을 강조한 머리 부분
얼굴(自) 위의 머리카락(卄)만을 그려 넣어 머리를 나타낸 글자로 풀 卄(초)가 머리카락을 가리킨다.
●●●●● 首都(수도)/首席(수석)/首肯(수긍)/首腦(수뇌)/首丘初心(수구초심)

道

훈음 길 도 **부수** 쉬엄쉬엄 갈 辶(착) ▶▶▶ 갈 辶(착) + 머리 首(수) ➡ 머리가 향하면 따라가라
"머리(首)가 간다(辶)" "길이 아니면 가지마라" 머리(首)는 자신을 그리고 우리 모두를 올바른 길로 인도(辶)할 책임이 있다.
●●●●● 道路(도로)/正道(정도)/步道(보도)/道理(도리)

導

훈음 이끌 도 **부수** 마디 寸(촌) ▶▶▶ 길 道(도) + 마디 寸(촌) ➡ 부축하여 인도함
연장자나 어린아이들을 부축(寸)한다거나 손(寸)을 내밀어 올바로 길(道)을 가도록 한다.
●●●●● 引導(인도)/傳導(전도)/誘導(유도)/盲導犬(맹도견)

縣

훈음 고을 현 **부수** 실 糸(사)현 ▶▶▶ 머리 首(수) + 이을 系(계) ➡ 처형하여 거꾸로 매단 모습
무시무시한 글자로 왼편의 글자는 머리 수(首)를 거꾸로 한 것이고, 오른편의 이을 계(系)는 목을 매달아 줄(糸)에 매어 놓은 모양으로, 여러 사람을 겁주기 위하여 흉악범의 목을 베어 높은 곳에 매달아 놓은 모습에서 만들어진 글자로 그러한 권위를 가진 사람을 가리킨다.
●●●●● 縣監(현감)

懸

훈음 매달/상을 걸 현 **부수** 마음 心(심) ▶▶▶▶ 고을 縣(현) + 마음 心(심) ➡ 범인의 심장까지 전시함
목을 매달다의 뜻을 갖는 매달 현(縣)자가 고을을 뜻하는 글자로 쓰이게 되자, 본뜻을 살리기 위해 마음 심(心)을 더하여 심장까지 꺼내어 전시한다는 더욱 공포심을 심어주는 무시무시한 글자를 만들었다.
●●●●● 懸案(현안)/懸賞金(현상금)/懸垂橋(현수교)

自

훈음 스스로 자 **부수** 제 부수
얼굴 윤곽 중 가장 두드러지는 코를 본뜬 글자로 자신을 가리킬 때 코를 만졌기 때문에 '나, 자신' 등의 의미도 가지게 됐다.
●●●●● 自然(자연)/自畵自讚(자화자찬)/自身(자신)/自他(자타)

臭

훈음 냄새 취 **부수** 스스로 自(자) ▶▶▶ 스스로 自(자) + 개 犬(견) ➡ 개 코
냄새 잘 맡는 사람을 개(犬) 코(自)라고 하는 데서 만들어진 글자다.
●●●●● 惡臭(악취)/口臭(구취)/口尙乳臭(구상유취)

훈음 맡을 후　**부수** 입 口(구)
▶▶▶ 입 口(구) + 냄새 臭(취) → 코의 냄새 맡는 기능을 강조
개가 코(自)와 입(口)을 들이밀며 냄새를 맡는 행위를 묘사한 글자로 모두 의미요소로 쓰였다.
●●●●● 嗅覺(후각)

훈음 코 비　**부수** 제 부수　▶▶▶ 스스로 自(자) + 줄 畀(비) → 신체기관인 코를 가리킴
自(자)가 코의 의미보다는 스스로/나/자신 등의 뜻으로 쓰이자, 그 의미를 더욱 확실히 하기 위해 줄 畀(비)를 추가하여 코 鼻(비)를 만들어 낸 글자로 스스로 自(자)가 의미요소이다.
●●●●● 耳鼻咽喉科(이비인후과)/耳目口鼻(이목구비)

훈음 숨쉴 식　**부수** 마음 心(심)
▶▶▶ 코 自(자) + 마음 心(심) → 호흡할 때 코로 숨을 들이쉼
코(自)와 폐(心)로 숨을 쉬는 모양을 본떠 만든 글자로 두 글자 모두 의미요소이다.
●●●●● 安息(안식)/棲息(서식)/休息(휴식)/窒息(질식)/子息(자식)

훈음 쉴 게　**부수** 마음 心(심)　▶▶▶ 혀 舌(설) + 숨쉴 息(식) → 숨을 헐떡이며 쉬고 있다
혀(舌)를 헐떡헐떡거리며 숨쉰다(息)는 것은 힘든 일을 한 후 활력을 찾기 위해 쉬고 있는 모습으로 '쉬다'라는 글자가 파생되었다.
●●●●● 休憩室(휴게실)/休憩所(휴게소)

훈음 가 변　**부수** 쉬엄쉬엄 갈 辶(착)　▶▶▶ 갈 辶(착) + 코의 상형 自(자) + 丙(병) + 모 方(방)
갈 辶(착)이 의미요소로 냄새를 잘 맡는 개가 코(自)로 사방팔방(方) 냄새를 맡으며, 건물이면 구석으로 길이면 길가로 나아가는 모습에서 가장자리, 끝 등의 의미가 있다.
●●●●● 邊方(변방)/海邊(해변)/身邊(신변)/邊境(변경)

頁(혈)　頂(정)　項(항)　頭(두)　顏(안)　額(액)　須(수)

頁

훈음 머리 혈　부수 제 부수　▶▶▶ 머리 首(수) + 사람 儿(인) → 머리통이 강조된 그림글자

사람의 머리를 강조해서 만들어진 글자로, 사람의 다리 위에 머리와 얼굴을 얹어 놓아 사람의 머리통을 강조한 글자로 단독 사용은 없고 타글자와 함께 쓰여 의미에 기여한다.

*首(수)의 古字

頂

훈음 정수리 정　부수 머리 頁(혈)　▶▶▶ 천간 丁(정) + 머리 혈(頁) → 머리에서도 가장 윗부분

머리(頁) 정 한가운데 즉 정수리를 강조한 글자로, 발음기호인 丁(정)과 합자로 가장 높은 곳, 꼭대기 등의 의미로 확대되었다.

* 亭(정) - 정자 정/酊(정) - 술 취할 정

●●●●● 頂上(정상)/頂門一鍼(정문일침)/頂點(정점)

項

훈음 목 항　부수 머리 頁(혈)　▶▶▶ 장인 工(공) + 머리 혈(頁) → 머리와 이어지는 목 부분

신체와 머리(頁) 부분을 이어주는 목 뒷덜미 부분과 발음요소인 工(공)자의 합자로 '항목'으로 의미 확대됐다.

* 肛門(항문)/缸(항)-항아리 항 - 工(공)이 항으로 발음되는 글자들

●●●●● 項目(항목)/事項(사항)/項羽壯士(항우장사)

頭

훈음 머리 두　부수 머리 頁(혈)　▶▶▶ 콩/제기/제단 모양 豆(두) + 머리 頁(혈) → 머리를 나타내는 글자

제단(豆)의 모습과 우뚝 솟은 머리(頁)의 모습이 비슷하여 豆(두)를 발음기호로 사용하여 '머리 두'라는 글자를 만들어냈다.

●●●●● 頭腦(두뇌)/街頭(가두)/出頭(출두)/魚頭肉尾(어두육미)/白頭大幹(백두대간)

顏

훈음 얼굴 안　부수 머리 頁(혈)　▶▶▶ 선비 彦(언) + 머리 頁(혈) → 머리 부분과 함께 있는 얼굴

얼굴은 머리의 일부분이므로 머리 頁(혈)을 의미요소로 선비 彦(언)을 발음기호로 해서 '얼굴'이라는 글자를 만들어 냈다.

●●●●● 顏色(안색)/顏面(안면)/紅顏(홍안)/童顏(동안)

額

훈음 이마 액　부수 머리 頁(혈)　▶▶▶ 손 客(객) + 머리 頁(혈)

사람의 얼굴 중에서 가장 두드러진 부분 중의 하나인 '이마'를 뜻하기 위해 머리 頁(혈)을 의미요소로 손 客(객)을 발음기호로 해 만든 글자다. 이마가 얼굴 중에서도 앞으로 튀어나와 있고 가장 두드러지므로 '액수나 액자'와 같은 단어가 파생되었다.

●●●●● 額面(액면)/定額(정액)/額數(액수)/額字(액자)

須

훈음 수염/기다릴/마땅히 수　부수 머리 頁(혈)

▶▶▶ 터럭 彡(삼) + 머리 頁(혈) → 얼굴에 난 턱수염을 가리킴

남자는 머리(頁)에 머리카락 외에도 모름지기 '구레나루'와 같은 털(彡)이 있어야 하는 법이다.

●●●●● 必須(필수)/必須科目(필수과목)

頃(경)　傾(경)　順(순)　頻(빈)　煩(번)　類(류)　濕(습)　顯(현)

頃
훈음 밭넓이 단위/잠깐 경 **부수** 머리 頁(혈)　▶▶▶ 비수 匕(비) + 머리 頁(혈) ➡ 머리가 기울다
거꾸러진 사람(匕)의 모양과 머리 頁(혈)을 합하여 머리가 비스듬하게 기울어 지다를 나타내려고 하였으나 잠시/잠깐 등으로 차용됐다. 그래서 사람 亻(인)을 첨가하여 그 의미를 살려 놓은 글자가 아래 기울 경이라는 글자다.
●●●●● 頃刻(경각)/萬頃蒼波(만경창파)

傾
훈음 기울 경 **부수** 사람 인(亻)　▶▶▶ 사람 인(亻) + 잠깐 경(頃) ➡ 머리가 기우는 사람
노인(匕)이 되면 그냥 가만히 있어도 자연스레 머리(頁)가 비스듬히 기울어지는 서글픈 모습을 그림으로 담아낸 글자로 '기울다'가 본뜻이며 '위태롭다' 등으로 의미 확대됐다.
●●●●● 傾斜(경사)/傾國之色(경국지색)/傾聽(경청)/右傾(우경)

順
훈음 순할 순 **부수** 머리 頁(혈)　▶▶▶ 내 川(천) + 머리 頁(혈) ➡ 머리(대장)를 좇아감
물(川) 흘러가듯 머리(頁)가 지시하는 대로 순순히 따르는 것이 순리고 바람직하다 하여 만들어진 글자다. 두 글자 모두 의미요소이며 내 川(천)이 발음에 영향을 주었을 것이다.
●●●●● 順從(순종)/順産(순산)/順序(순서)/順理(순리)/順調(순조)

頻
훈음 자주 빈 **부수** 머리 頁(혈)　▶▶▶ 걸음 步(보) + 머리 頁(혈) ➡ 머릿속이 복잡함
머리(頁)가 걷는다(步)는 것은 머리가 이 생각 저 생각 사이를 왔다 갔다 한다는 것으로 이쯤되면 당연히 머리가 복잡할 것이다. 두 글자 모두 의미요소이다.
●●●●● 頻煩(빈번)/頻度(빈도)/頻發(빈발)/頻煩(빈번)

煩
훈음 괴로워할 번 **부수** 불 火(화)　▶▶▶ 머리 頁(혈) + 불 火(화) ➡ 열 받은 머리
머리(頁)에 쥐난다(火), 머리가 폭발하기 일보직전이다, 머리에 열이 난다 등등 모두 괴로운 상황을 말하는 것으로 참으로 적절하게 만들어진 글자인 것 같다.
●●●●● 煩惱(번뇌)/煩悶(번민)/煩雜(번잡)/頻煩(빈번)

類
훈음 무리 류 **부수** 머리 頁(혈)
▶▶▶ 쌀 米(미) + 개 犬(견) + 머리 頁(혈) ➡ 머리가 비슷비슷한 놈들
곡식 알갱이(米)와 개(犬)와 사람의 머리(頁) 등은 섞여 있으면 대충 비슷하다 하여 생긴 글자다.
●●●●● 類別(유별)/種類(종류)/分類(분류)/類類相從(유유상종)

濕
훈음 축축할 습 **부수** 물 氵(수)　▶▶▶ 물 氵(수) + 해 日(일) + 실 사(絲)
물기를(氵) 머금은 실이나 천(絲)이 햇살(日)을 받아 마르는 모습에서 만들어진 글자로 모든 글자가 다 의미요소에 기여하고 있다.
●●●●● 濕氣(습기)/濕地(습지)/濕疹(습진)/高溫多濕(고온다습)

顯
훈음 나타날 현 **부수** 머리 頁(혈)
▶▶▶ 해 日(일) + 실 사(絲) + 頁(見의 변형) ➡ 환한 대낮이 되면 백일하에 드러남
해(日)가 떠올라 환해지면서 밤새 작업한 천(絲)이나 실의 질을 더욱 분명히 살펴볼 수(見) 있다 하여 '나타나다, 환하다, 드러나다'의 뜻으로 파생된 글자로, 모두 의미요소이며 볼 見(견)이 발음에 영향을 미쳤을 것으로 추정된다.
●●●●● 顯著(현저)/顯微鏡(현미경)

頌(송)　預(예)　頑(완)　領(령)　題(제)　願(원)　頗(파)　顧(고)

頌

훈음 기릴 송　부수 머리 頁(혈)　▶▶▶ 공변될 公(공) + 머리 頁(혈) ➡ 만민 앞에 얼굴을 드러냄

칭송하고 기린다는 것은 모든 사람 앞에 드러내는 것을 의미하므로, 두 글자 모두 의미요소고 공변될 公(공)이 발음요소도 겸하고 있다.

●●●●● 稱頌(칭송)/頌德碑(송덕비)/讚頌歌(찬송가)

預

훈음 미리/맡길 예　부수 머리 頁(혈)　▶▶▶ 나/줄 予(자) + 머리 頁(혈) ➡ 머리를 내맡김

머리(頁)를 준다(予)는 것은 중요한 것을 맡겨버려 '편해진 머리' 즉 머리가 편하다는 것을 나타내려 하였으나 한국에서는 '맡기다'로도 많이 쓰이는 글자다. 줄 予(여)가 발음요소로 작용한 것 같으며 '미리 혹은 맡기다'의 뜻으로 굳어졌다.

●●●●● 預金(예금)/預託(예탁)/預言(예언)

頑

훈음 완고할 완　부수 머리 頁(혈)

▶▶▶ 근원/으뜸 元(원) + 머리 頁(혈) ➡ 머리가 굳은 사람

지역사회든 가정에서든 으뜸(元)되는 머리(頁) 즉 가장 연장자나 연로자들은 고루하고 완고한 경우가 많다.

●●●●● 頑固(완고)/頑强(완강)

領

훈음 거느릴 령　부수 머리 頁(혈)　▶▶▶ 영 令(령) + 머리 頁(혈) ➡ 머리가 명령을 내림

명령(令)을 내리는 우두머리(頁)가 본뜻으로 '다스리다, 두목, 중요하다, 옷깃' 등의 의미로 파생된 글자다. 두 글자 모두 의미요소고 영 令(령)이 발음을 겸했다.

●●●●● 領袖(영수)/大統領(대통령)/領土(영토)/領海(영해)

題

훈음 표제 제　부수 머리 頁(혈)　▶▶▶ 옳을 是(시) + 머리 頁(혈) ➡ 맨 앞머리인 이마

이마를 뜻하기 위해서 머리 頁(혈)을 의미요소로 옳을 是(시)를 발음기호로 하여 만든 글자다. '이마'란 맨 앞머리를 가리키므로 가장 앞서 나오는 '표제, 주제' 등으로 의미 확대되었다. 표제란 옳은(是) 것을 앞(頁) 세우는 것이고 바람직(是)한 방향(頁)을 제시하는 것이다.

●●●●● 題目(제목)/表題(표제)/課題(과제)/出題(출제)/難題(난제)

願

훈음 원할 원　부수 머리 頁(혈)

▶▶▶ 근원 原(원) + 머리 頁(혈) ➡ 욕망의 시발점인 머리

모든 욕심과 욕망의 근원을 마음(心)보다 머리(頁)라고 생각해서 나온 글자다.

●●●●● 願望(원망)/所願(소원)/念願(염원)/歎願書(탄원서)

頗

훈음 자못/치우칠 파　부수 머리 頁(혈)

▶▶▶ 가죽 皮(피) + 머리 頁(혈) ➡ 견물생심 – 머리가 기울어짐

가죽(皮)옷 쪽으로 머리(頁)가 기울다/가죽옷처럼 귀중한 것에 마음이 쏠린다 하여 생긴 글자다.

※ 破(파) – 깨뜨릴 파/波(파) – 물결 파

●●●●● 偏頗(편파)/頗多(파다)

顧

훈음 돌아볼 고　부수 머리 頁(혈)

▶▶▶ 고용할/품살 雇(고) + 머리 頁(혈) ➡ 대장의 할 일 – 식솔들을 돌봐주는 것

품꾼을 고용했으면(雇) 주인은(頁) 품삯을 포함 여러 가지 것들을 보살펴 주어야 한다. 그러한 것은 머리가 할 일이므로 머리 頁(혈)이 의미요소로 품살 雇(고)는 발음기호로 쓰였다.

●●●●● 三顧草廬(삼고초려)/回顧(회고)/顧客(고객)

8 ＊ 사람

白(구)　兒(아)　舊(구)　寫(사)　陷(함)　毀(훼)　諂(첨)

臼

훈음 절구 구　**부수** 제 부수

곡식을 넣고 빻거나 찧는 절구의 모습을 그린 글자이나 속이 텅 비어 있어 아직 다 여물지 않은 즉 속이 조금은 비어 있는 어린아이의 두뇌를 상징하기도 하고, 글자의 모양이 닮아 깍지 낄 국(臼 - 맨 아래의 선 (一)이 갈라진 글자가 두 손 국)자와 혼용되기도 하여 절구 臼(구)자의 부수에 속하긴 하나 '손 특히 양손' 과 관련된 글자임을 유의하자.

兒

훈음 아이 아　**부수** 사람 儿(인)발　▶▶▶ 절구 臼(구) + 사람 儿(인)발 ➡ 어린아이의 땋은 머리 강조

아직 다 여물지 않은 즉 속이 조금은 비어 있는 머리(臼)를 가진 사람(儿)이 어린아이이므로, 양쪽으로 땋은 머리를 하고 있는 어린이의 모습이라는 설도 있는 글자이다.

●●●●● 兒童(아동)/迷兒(미아)/幼兒園(유아원)/育兒(육아)

舊

훈음 예/오랠 구　**부수** 절구 臼(구)　▶▶▶ 풀 卝(초) + 새 隹(추) + 절구 臼(구) ➡ 낡고 오래된 부엉이의 집

雈(추) - 풀 무성할 추 - 위의 풀 卝(초) 대신에 쌍상투 卝(관)이 들어가면 부엉이 화, 절구 臼(구)를 聲部 (성부)로 하여 오랠/예 구(舊)자가 만들어졌다. 부엉이는 오래 사는 새이므로 오래란 뜻으로 확대되어 '헌것, 옛' 등의 뜻으로 가차되자, 부엉이 소리라는 본뜻을 기리기 위해 수리부엉이 鵂(휴)자가 만들어졌다.

●●●●● 親舊(친구)/新舊(신구)/舊式(구식)/舊面(구면)

寫

훈음 베낄 사　**부수** 집 宀(면)　▶▶▶ 집 宀(면) + 신/까치 舃(석/작) ➡ 같은 종류의 새집은 다 똑같다

새집은 다 똑같이 생겼다 즉 까치(舃)집(宀)은 베낀 것처럼 다 똑같다 해서 생긴 글자다.

●●●●● 寫眞(사진)/複寫(복사)/寫本(사본)/描寫(묘사)/寫生(사생)

陷

훈음 빠질 함　**부수** 언덕 阝(부)

▶▶▶ 언덕 阝(부) + 사람 人(인) + 절구 臼(구) ➡ 언덕에 만들어 놓은 구덩이

언덕(阝(부))에 몰래 구덩이(臼)를 파 놓고 사람이나(人) 동물을 빠지게 한다.

●●●●● 陷穽(함정)/陷落(함락)/陷沒(함몰)/謀陷(모함)/缺陷(결함)

毀

훈음 헐 훼　**부수** 창/몽둥이 殳(수)

▶▶▶ 절구 臼(구) + 흙 土(토) + 창/몽둥이 殳(수) ➡ 처마 밑에 달린 새·벌의 집

사람이 까치발(工-壬)을 하고 처마 밑에 달린 벌집(臼)이나 새집(臼) 등을 몽둥이(殳)로 때려부수는 모습을 그린 글자다.

●●●●● 毀損(훼손)/毀謗(훼방)

諂

훈음 아첨할 첨　**부수** 말씀 言(언)

▶▶▶ 말씀 言(언) + 사람 人(인) + 절구 臼(구) ➡ 사람을 함정에 빠지게 하는 달콤한 말

아첨은 말(言)로 사람(人)을 함정(臼)에 빠뜨리게 하는 것이므로 조심해야 한다.

●●●●● 阿諂(아첨)

面(면) ⇒ 耳(이) – 目(목) – 口(구) – 鼻(비)

낮/얼굴 面(면)

耳目口鼻(이목구비)를 포함한 얼굴 모양을 그린 글자

⇓

귀 耳(이)

귀의 모습을 단순 간결하게 그린 글자

|

눈 目(목)

옆으로 된 눈 모양을 죽간에 적기 위해 세로로 세운 모습으로
눈동자를 강조한 글자

|

입 口(구)

입의 모양을 그린 글자

|

코 鼻(비)

코를 나타내는 글자

耳 귀 이

耳(이)   取(취)   最(최)   娶(취)   聚(취)   趣(취)   撮(촬)   聯(연)

耳
훈음 귀 이   부수 제 부수
귀와 귓구멍의 모습을 단순 간결하게 정리한 그림글자로 타글자와 함께 쓰이면서 '귀'와 귀의 역할인 '듣다'가 의미요소로 작용했다.
●●●●● 馬耳東風(마이동풍)/耳鼻咽喉科(이비인후과)/耳鳴(이명)

取
훈음 취할 취   부수 또 又(우)   ▶▶▶ 귀 耳(이) + 또 又(우) ➡ 전리품으로 귀를 자름
전리품으로 적군의 귀(耳)를 취하던(又) 풍습에서 만들어진 글자로 모두 의미요소이다.
●●●●● 取捨(취사)/爭取(쟁취)/取得稅(취득세)/奪取(탈취)

最
훈음 가장 최   부수 가로 曰(왈)   ▶▶▶ 가로 曰(왈) + 取(취) ➡ 적의 장수의 귀를 베어오다
전리품으로 적군의 귀(耳)를 자르며(又) 함성을 질러대는(曰) 한껏 기분이 고조된 병사들의 모습이 떠오르는가? 원래는 敵將(적장)의 귀를 베어오는 모습을 그린 글자다.
●●●●● 最高(최고)/最新(최신)/最初(최초)/最强(최강)

娶
훈음 장가들 취   부수 계집 女(녀)
▶▶▶ 취할 取(취) + 계집 女(여) ➡ 여자를 취하여 아내로 삼음
장가란 여자(女)를 취하는(取) 것을 말하므로 모두가 다 의미요소로 쓰였다.
●●●●● 娶嫁(취가)/再娶(재취)/後娶(후취)

聚
훈음 모일/모을 취   부수 귀 耳(이)   ▶▶▶ 취할 取(취) + 세 사람(人) ➡ 여러 사람이 모임
세 사람(衆) 즉 많은 무리를 취하다(取)에서 '모이다, 취하다'로 의미 확대된 글자다.
●●●●● 聚合(취합)/聚落(취락)

趣
훈음 달릴 취   부수 달릴 走(주)   ▶▶▶ 달릴 走(주) + 취할 取(취) ➡ 승전보를 전하기 위해 뛰어가는 병사
전쟁에서 승리한 후 전리품을 챙긴(取) 병사가 자랑하기 위해 얼마나 빨리 고향으로 달려가고(走) 싶었겠는가? 그 모습이 얼마나 멋졌던지 '멋' '풍치' 등으로 발전한 글자다.
●●●●● 趣味(취미)/情趣(정취)

撮
훈음 취할 촬   부수 손 扌(수)   ▶▶▶ 손 扌(수) + 가로 曰(왈) + 취할 取(취) ➡ 적장의 귀를 잘라오다
가장 最(최)가 적장(最)의 귀를 베어오는 글자였고, 이것이야말로 최고의 전공이었으므로 최고라는 뜻으로 쓰였다. '적장의 귀를 베어오다'라는 원뜻을 살리기 위해 손 扌(수)를 첨가하여 만든 글자다.
●●●●● 撮影(촬영)

聯
훈음 잇닿을 연   부수 귀 耳(이)   ▶▶▶ 귀 耳(이) + 실 絲(사) ➡ 전리품인 귀를 엮어 놓은 모습
포로들의 귀(耳)를 잘라(取) 끈(絲)으로 묶어 늘어놓으니 마치 '조기나 양미리'를 새끼줄에 엮어 놓은 것처럼 보여 '잇닿다/연하다'의 뜻으로 발전한 글자다.
●●●●● 聯合(연합)/聯立(연립)/聯盟(연맹)/聯想(연상)/關聯(관련)

聞(문)　聲(성)　聰(총)　聽(청)　聖(성)　聾(농)　恥(치)　攝(섭)

聞
훈음 들을 문　부수 귀 耳(이)　▶▶▶ 문 門(문) + 귀 耳(이) ➡ 정보가 드나드는 곳
귀(耳)는 정보가 드나드는 곳으로 사람의 신체 가운데 문(門)에 해당한다. 정보는 들음에서 시작한다.
●●●●● 見聞(견문)/所聞(소문)/百聞不如一見(백문불여일견)

聲
훈음 소리 성　부수 귀 耳(이)　▶▶▶ 경쇠 磬(경) + 귀 耳(이) ➡ 경쇠 소리/악기 소리
막대기(殳)를 쥐고 石磬(석경)을 쳐서 울리는 소리를 귀(耳)로 듣고 있는 모습에서 생긴 글자다. '소리' '음
악 소리' '목소리' '평판' 등으로 의미가 발전했다.
* 경쇠 磬(경)란 쇳소리가 강하게 나는 째지는 듯한 중국 전통악기임. 실로폰처럼 크기가 다른 철판을 매달
아 놓고 두들기면 소리가 나는 악기.
●●●●● 聲量(성량)/名聲(명성)/肉聲(육성)/音聲(음성)/擴聲器(확성기)

聰
훈음 귀 밝을 총　부수 귀 耳(이)　▶▶▶ 귀 耳(이) + 바쁠 悤(총) ➡ 잘 알아듣는 귀(의미 파악이 빠르다)
귀(耳)가 바쁘다는(悤) 것은 알아듣는 것이 빠르다. 즉 머리 회전이 빠르고, 좋고 총명하다라는 뜻이다.
* 悤(총) - 바쁠 총 - 마음 심
●●●●● 聰明(총명)/聰氣(총기)

聽
훈음 들을 청　부수 귀 耳(이)
▶▶▶ 귀 耳(이) + 壬(임) + 덕 悳(덕) ➡ 남의 이야길 잘 들음 - 덕 있는 사람
덕(悳) 있는 관리는 까치발을(壬) 해 가며까지 백성의 작은 소리에도 귀(耳)기울여 들으려고 한다.
●●●●● 聽聞會(청문회)/聽覺(청각)/視聽(시청)/傾聽(경청)

聖
훈음 성스러울 성　부수 귀 耳(이)
▶▶▶ 귀 耳(이) + 입 口(구) + 壬(정) ➡ 까치발을 하여 잘 듣는 사람
커다란 귀(耳)를 가진 사람(壬)이 남의 말(口)을 듣고 있는 모습으로, 경청한다는 것이 얼마나 성스러운 것
인지를 알려준다.
●●●●● 聖賢(성현)/聖經(성경)/聖誕(성탄)/聖殿(성전)

聾
훈음 귀머거리 농　부수 귀 耳(이)　▶▶▶ 임금 龍(용) + 귀 耳(이) ➡ 귀머거리 귀
"임금님(龍) 귀(耳)는 당나귀 귀"라고 하듯 백성의 소리를 제대로 듣지 못하는 임금님(龍) 귀(耳)를 귀머거
리 귀라고 한다.
●●●●● 聾兒(농아)/聾盲(농맹)

恥
훈음 부끄러워 할 치　부수 마음 心(심)
▶▶▶ 마음 心(심) + 귀 耳(이) ➡ 마음에 까지 들리는 소리
자식이 바깥에서 나쁜 짓을 하게 되고 부모의 마음(心)에 그 소리가 들리게(耳)되면 얼마나 부끄럽겠는가.
●●●●● 羞恥(수치)/恥辱(치욕)/廉恥(염치)

攝
훈음 당길 섭　부수 손 手(수)
▶▶▶ 손 扌(수) + 귀 耳(이) ➡ 모든 사람의 귀를 잡아당기다
이사람 저사람 귀를 잡아당기는(扌) 모습으로 여러 사람으로부터 들어야 한다와 모든 이에게 한 마디씩 해
야 직성에 풀리는 모습을 그렸다하여 섭리(攝理)의 당길 섭(攝)
●●●●● 攝取(섭취)/攝理(섭리)/攝政(섭정)/攝生(섭생)

耽(탐)　　耽(탐)　　聘(빙)　　職(직)　　識(식)　　織(직)　　茸(용)

耽
훈음 즐길 탐　부수 귀 耳(이)　▶▶▶ 귀 耳(이) + 머뭇거릴 尤(유) ➡ 주변 이야길 다 들음
여기저기 기웃기웃(尤)하면서 별 애기 다 들으며(耳) 시간을 즐겁게 보내는 한량을 일컫는다.
●●●●● 虎視耽耽(호시탐탐)

聘
훈음 부를/장가들 빙　부수 귀 耳(이)
▶▶▶ 귀 耳(이) + 부를 甹(병)[(由+丂(어조사 우)] ➡ 승낙 여부를 확인해라
부를 병(甹)은 물건이 가득찬 광주리를 메고 있는 사람의 모습으로 사돈댁이나 중요한 사람에게 幣帛(폐백)
을 보내어 조정으로 불러들인다는 招聘(초빙)의 뜻으로 만들어진 글자다. "오실 수 있는지 여쭙다"에서 귀
耳(이)는 승낙 여부를 듣는 역할을 말한다.
●●●●● 聘母(빙모)/ 招聘(초빙)

職
훈음 벼슬 직　부수 귀 耳(이)　▶▶▶ 귀 耳(이) + 찰진 흙 시(戠) ➡ 제대로 알아들어야 일을 하고
찰진 흙 시(戠)가 발음요소로 '귀(耳)가 밝아 잘 알아듣다'라는 뜻이었으나, 후에 잘 알아들어야 할 수 있는
일이라 하여 '일' '벼슬' 등으로 의미 확대된 글자다.
●●●●● 職分(직분)/兼職(겸직)/職業(직업)/閒職(한직)/天職(천직)

識
훈음 알 식　부수 말씀 言(언)
▶▶▶ 말씀 言(언)　+ 찰진 흙 시(戠) ➡ 알아야 말을 하고
찰진 흙 시(戠)가 발음요소로 "무엇을 알아야 말(言)을 한다" 하여 '알다' '인정하다'의 뜻이 생겼다.
●●●●● 識別(식별)/知識(지식)/識字憂患(식자우환)/無識(무식)

織
훈음 짤 직　부수 실 糸(사)
▶▶▶ 실 糸(사) + 찰진 흙 시(戠) ➡ 실이 있어야 천을 짠다
천을 짜기 위해 필요한 실 糸(사)를 의미요소로 찰진 흙 시(戠)를 발음기호로 만든 글자다.
●●●●● 組織(조직)/織物(직물)/紡織(방직)

茸
훈음 무성할 용　부수 풀 艸(초)　▶▶▶ 풀 艹(초) + 귀 耳(이) ➡ 귀 위로 솟아난 뿔
사슴 등의 뿔이 귀 위로 높이 솟아나 무성한 풀처럼 보이는 모습에서 무성할 茸(용)자이며 나무 목(木)을
더하면 나무에서 자라는 버섯을 가리켜 송이(松栮)의 목이 이(栮)
●●●●● 鹿茸(녹용)

目 눈목

目(목)　眉(미)　相(상)　盾(순)　眼(안)　着(착)
盲(맹)　看(간)　眩(현)　眺(조)　瞬(순)　眠(면)

目

훈음 눈 목　부수 제 부수

옆으로 된 눈 모양을 죽간에 기록하기 위해 세로로 세워 글자꼴을 수직으로 늘려놓은 모습으로 '눈동자'를 강조한 글자다.

••••• 目前(목전)/目標(목표)/眼目(안목)/項目(항목)/一目瞭然(일목요연)/刮目相對(괄목상대)/目不識丁(목불식정)

眉

훈음 눈썹 미　부수 눈 目(목)　▶▶▶ 巴(파)의 변형 + 눈 目(목) ➡ 눈썹

눈(ㅐ)두덩 위에 난 털 즉 눈썹을 그린 글자로 두 글자 모두 의미요소로 쓰였다.

••••• 眉間(미간)/白眉(백미)

相

훈음 서로 상　부수 눈 目(목)　▶▶▶ 나무 木(목) + 눈 目(목) ➡ 나무의 눈

봄철에 나무줄기나 가지에 돋아나는 움 즉 눈(ㅐ)은 서로서로를 향하고 있다.

••••• 相生(상생)/相對(상대)/相扶相助(상부상조)/名實相符(명실상부)/相應(상응)/相通(상통)

盾

훈음 방패 순　부수 눈 目(목)

방패를 눈(ㅐ) 높이 정도로 들고 있는 모습으로, 즉 눈이 상징하는 얼굴을 방패 뒤에 숨기고 있는 모습을 그린 그림글자다.

••••• 矛盾(모순)

眼

훈음 눈 안　부수 눈 目(목)　▶▶▶ 눈 目(목) + 어긋날/그칠/어려워 할 艮(간) ➡ 두 눈

얼굴에 있는 두 눈을 가리키는 글자로 눈 ㅐ(목)이 의미요고, 돌아본다는 뜻의 艮(간)은 발음요소이나 "두 눈(ㅐ)은 서로 어긋나(艮) 있지만 한곳을 본다"는 의미에서 뜻에도 기여한 글자다.

••••• 眼鏡(안경)/眼目(안목)/老眼(노안)

着

훈음 붙을 착　부수 눈 目(목)

▶▶▶ 양 羊(양) + 삐침 ノ(별) + 눈 目(목) ➡ 앞으로 튀어 나올 것 같은 양의 눈동자

양(羊)의 뿔(ノ) 밑에 붙어 있는 눈(ㅐ)이 앞으로 튀어나오려 해서 마치 눈알을 붙여 놓은 것 같은 모양에서 생긴 글자다.

••••• 着陸(착륙)/到着(도착)/着服(착복)/着工(착공)/執着(집착)

盲

훈음 소경 맹　부수 눈 目(목)　▶▶▶ 망할 亡(망) + 눈 目(목) ➡ 눈이 안 보이는 사람

눈(ㅐ)이 망한 혹은 없는(亡) 사람을 맹인 또는 소경이라고 한다.

••••• 盲人(맹인)/盲兒(맹아)/文盲(문맹)/盲目的(맹목적)

看 훈음 볼 간 부수 눈 目(목) 손 手(수) + 눈 目(목) ➠➠ ➡ 눈 위에 손을 대고 자세히 봄
눈(目) 위에 손(手)을 얹고 자세히 보는 자세에서 만들어진 그림글자다.
●●●●● 看護(간호)/看破(간파)/看守(간수)/看過(간과)/看板(간판)

眩 훈음 아찔할 현 부수 눈 目(목) ➠➠➠ 눈 目(목) + 검을/그윽할 玄(현) ➡ 어릿어릿하게 보일 때
눈(目)이 갑자기 흐릿(玄)해질 때가 있는데 우리는 이런 경우를 아찔한 순간이라 한다.
●●●●● 眩氣症(현기증)/眩惑(현혹)

眺 훈음 바라볼 조 부수 눈 目(목) ➠➠➠ 눈 目(목) + 조짐 兆(조) ➡ 멀리 바라봄
조짐 兆(조)자는 점괘를 나타내는 거북의 등에 난 금을 가리키는 글자로 그 갈라진 금을 본다(目)에서 '바라보다'로 발전한 글자이나 '멀리 바라보다'로 더 많이 쓰인다.
●●●●● 眺望(조망)/眺望權(조망권)/眺望施設(조망시설)

瞬 훈음 눈 깜짝할 순 부수 눈 目(목)
➠➠➠➠ 눈 目(목) + 메꽃/무궁화 舜(순) ➡ 식물의 빠른 성장에 놀라는 장면
"무궁화꽃이 피었습니다"라는 숨바꼭질을 할 때 "눈 깜박할 사이에 아이들이 숨는" 것처럼 무궁화꽃과 비슷한 메꽃(舜)이 마치 눈(目)을 한 번 깜박이고 나니 피어난다고 하여 생긴 글자다.
●●●●● 瞬間(순간)/瞬息間(순식간)

眠 훈음 잠잘 면 부수 눈 目(목) ➠➠➠ 눈 目(목) + 백성 民(민) ➡ 눈을 감은 것이나 마찬가지
자는 것은 눈을 감고 있는 것인데 백성 民(민)자가 포로의 눈을 찌르는 모습이므로 보이지 않게 된 눈(目)이라는 뜻의 글자다. 감은 눈 나아가 '잠자다, 눈 감다'로 의미 진화하였으며, 백성 民(민)이 발음기호를 겸한다.
●●●●● 睡眠(수면)/冬眠(동면)/不眠症(불면증)

直(직) 植(식) 殖(식) 値(치) 置(치) 悳(덕) 德(덕) 聽(청) 廳(청)

直 훈음 곧을 직 부수 눈 目(목) 부 ➠➠➠ 열 十(십) + 눈 目(목) + ㄴ ➡ 똑바른가 살펴보는 눈
목수가 막대기(丨)를 들고 곧은지(十) 살펴보는(目) 모습에서 '곧다, 올바르다'라는 뜻이 생겼다.
●●●●● 直言(직언)/率直(솔직)/直線(직선)/直接(직접)/垂直(수직)

植 훈음 심을 식 부수 나무 木(목) ➠➠➠ 나무 木(목) + 곧을 直(직) ➡ 곧은 나무
나무(木)는 똑바로(直) 심어야만 材木(재목)으로 쓸 수 있다. "세 살적 버릇 여든까지"라는 속담처럼 人材(인재)로 키우려면 어릴 때부터 올곧게(直) 키워야 한다는 데서 만들어진 글자다.
●●●●● 植木日(식목일)/移植(이식)/植民地(식민지)/植樹(식수)

殖 훈음 번성할 식 부수 부서진 뼈 歹(알)
➠➠➠ 부서진 뼈 歹(알) + 곧을 直(직) ➡ 한 알의 씨앗이 많은 곡식을 생산함
올바르게(直) 살다 간(歹) 사람들의 후손들은 번성할 가능성이 높다.
●●●●● 繁殖(번식)/生殖(생식)/增殖(증식)

値 훈음 값 치 부수 사람 亻(인)변 ➠➠➠ 사람 亻(인) + 곧을 直(직) ➡ 곧은 사람이 가치 있는 사람
곧은(直) 사람(亻)이란 고리타분한 사람을 말하는 것이 아니고, 우리 사회에 정말로 필요한 가치 있는 사람을 말한다.
●●●●● 價值(가치)/數値(수치)/近似値(근사치)

置

훈음 둘 치 **부수** 그물 罒(망)부 ▶▶▶ 그물 罒(망) + 곧을 直(직) ➡ 정직한 사람에게 물건을 맡김

곧은(直) 사람에게 가치 있는 것을 맡겨 둔다(罒). 망태기(罒)에 참으로 귀중한 것이 들어 있다면 당신은 누구에게 그 귀한 것을 맡길 것인가? 당연히 올곧은(直) 사람이 아니겠는가? 따라서 두 글자 모두 의미요소이다.

●●●●● 置重(치중)/放置(방치)/拘置所(구치소)/倒置(도치)

惪

훈음 덕 덕 **부수** 마음 心(심) ▶▶▶ 곧을 直(직) + 마음 心(심)

곧은(直) 마음(心)이 곧 "덕"인 것이다.

* 德(덕)자의 古字, * 이름 등에 많이 쓰임

德

훈음 덕 덕 **부수** 두 彳(인)변 ▶▶▶ 조금 걸을 彳(척) + 덕 惪(덕)

똑바른(直) 마음(心)을 가진 사람의 인생행로(彳) 또는 똑바로(直) 살려고(彳) 하는 마음(心)이 곧 德(덕)을 의미한다.

●●●●● 德望(덕망)/德談(덕담)/道德(도덕)/背恩忘德(배은망덕)

聽

훈음 들을 청 **부수** 귀 耳(이)변

▶▶▶ 귀 耳(이) + 壬(정) + 덕 惪(덕) ➡ 마음이 올바라야 남의 이야길 들을 수 있다

덕(惪) 있는 사람이야말로, 남의 말에 귀(耳)를 쫑긋 세워(壬) 또는 까치발(壬)을 하여 귀(耳)를 높이 갖다 대고 잘 듣는다. 높은 사람이 겸손(惪)하지 못하면 절대로 아랫사람의 말을 들으려고 하지 않을 것이다.

●●●●● 聽覺(청각)/視聽(시청)/聽講生(청강생)/敬聽(경청)

廳

훈음 관청 청 **부수** 집 广(엄)호

▶▶▶ 집 广(엄) + 들을 聽(청) ➡ 백성의 소리에 귀기울여 들을 책임 있는 공직자들

억울한 사람이나 백성의 소리에 진정으로 귀기울여 들어야(聽) 할 사람들이야말로 나라의 녹을 먹는 높은 관리들이다. 바로 그런 공직자들이 일하는 큰 집(广)을 가리키는 글자에서 '관청'이라는 뜻이 파생되었다. 따라서 두 글자 모두 의미요소이며 들을 聽(청)이 발음을 겸한다.

●●●●● 官廳(관청)/市廳(시청)/廳舍(청사)

省(생)　　　　眞(진)　　　　縣(현)　　　　懸(현)

省

훈음 덜 생 / 살필 성 **부수** 눈 目(목) ▶▶▶ 적을 少(소) + 눈 目(목) ➡ 자세히 보다

눈(目)대중으로 대충 얼마를(少) 덜어내다 혹은 세세한(少) 곳까지 보다(目)에서 '덜다, 살피다'라는 뜻으로 파생된 글자로 두 글자 모두 의미요소이다.

●●●●● 省略(생략)/省察(성찰)/省墓(성묘)/歸省(귀성)

眞

훈음 참 진 **부수** 눈 目(목) ▶▶▶ 비수 匕(비) + 눈 目(鼎의 변형)

옛글자는 눈 목(目)이 아니라 솥 정(鼎)으로 제관이 제사에 바칠 솥에 담긴 음식을 한 숟갈 떠서 神(신)이 좋아할 만큼 맛있게 만들어졌는지 맛보는 진지한 모습에서 '참, 진실' 등의 뜻이 생겼다.

●●●●● 眞理(진리)/眞實(진실)/眞價(진가)/眞面目(진면목)/眞談(진담)/眞僞(진위)/眞髓(진수)/眞心(진심)

縣

훈음 고을 현 **부수** 실 糸(사)현 ▶▶▶ 머리 首(수) + 이을 系(계) ➡ 처형하여 거꾸로 매단 모습

무시무시한 글자로 왼편의 글자는 머리 수(首)를 거꾸로 한 것이고, 오른편의 이을 계(系)는 목을 매달아 줄(糸)에 매어 놓은 모양으로, 여러 사람을 겁주기 위하여 흉악범의 목을 베어 높은 곳에 매달아 놓은 모습에서 만들어진 글자로 그러한 권위를 가진 사람을 가리킨다.

●●●●● 縣監(현감)

懸
[훈음] 매달/상을 걸 현 **[부수]** 마음 心(심) ▶▶▶▶ 고을 縣(현) + 마음 心(심) ➡ 범인의 심장까지 전시함
목을 매달다의 뜻을 갖는 매달 현(縣)자가 고을을 뜻하는 글자로 쓰이게 되자, 본뜻을 살리기 위해 마음 심(心)을 더하여 심장까지 꺼내어 전시한다는 더욱 공포심을 심어주는 무시무시한 글자를 만들었다.
●●●●● 懸案(현안)/懸賞金(현상금)/懸垂橋(현수교)

舜(순)　瞬(순)　盾(순)　循(순)　遁(둔)　曼(만)　慢(만)　漫(만)

[훈음] 순임금/메꽃 순 **[부수]** 어그러질 舛(천) ▶▶▶▶ 손톱 爪(조) + 덮을 冖(멱) + 어그러질 舛(천)
불타는 듯한 꽃이 덩굴의 좌우로(舛) 엉키며 갈라져 피어오르는 모습에서 메꽃과 비슷한 그러한 성질을 갖는 무궁화꽃 등을 말한다.

[훈음] 눈 깜짝할 순 **[부수]** 눈 目(목) ▶▶▶▶ 눈 目(목) + 메꽃/뛰어날/무궁화 舜(순) ➡ 순식간에 피어남
눈을 깜빡하고 뜨고 감은 순간을 나타내는 말로 눈 目(목)이 의미요소고, 메꽃 舜(순)이 발음기호나 순식간에 피어나는 메꽃의 특성이 의미요소에 기여한 글자다.
"무궁화꽃이 피었습니다"라는 숨바꼭질을 할 때 "눈 깜박할 사이에 아이들이 숨는" 것처럼 무궁화꽃과 비슷한 메꽃(舜)이 마치 눈(目)을 한번 깜박이고 나니 피어난다고 하는 뜻이다.
●●●●● 瞬間(순간)/瞬息間(순식간)

[훈음] 방패 순 **[부수]** 눈 目(목)
방패(厂)를 눈(目) 높이 정도로 들고 즉 눈이 상징하는 얼굴을 방패 뒤에 숨기고 있는 모습이다.
●●●●● 矛盾(모순)

[훈음] 좇을 순 **[부수]** 걸음/길 갈 彳(척) ▶▶▶ 걸을 彳 + 방패 盾(순) ➡ 방패로 앞을 가리고 쳐들어감
방패 盾(순)을 발음기호로 걸을 彳(척)을 의미요소로 '길을 따라가다' '좇다' '돌아다니다'라는 뜻으로 사용된다. '방패를 들고 적을 좇아가다'로 연상하면 두 글자 모두 의미요소이다.
●●●●● 循行(순행)/循環(순환)/循次(순차)

[훈음] 달아날 둔 **[부수]** 갈 辶(착) ▶▶▶ 갈 辶 + 방패 盾(순) ➡ 달아나는 군사
전쟁터에서 방패(盾)로 몸을 가리고 도망치는 군사의 모습을 그렸다. 盾(순)은 발음기호이다.
●●●●● 遁甲(둔갑)

[훈음] 끌 만 **[부수]** ▶▶▶ 日(爪의 변형) + 눈 목(目) + 오른손 우(又)
양손(日→爪+又)으로 눈을 벌리거나 문질러서 잘 보이게 하는 모습의 글자로 단독으로 쓰이지 않고 발음요소로만 사용됐다.

[훈음] 게으를 만 **[부수]** 마음 忄(만) ▶▶▶ 마음 忄 + 끌 曼 ➡ 눈 뜨기조차 싫어함
게으름은 마음(忄)의 요소이므로 마음 심(忄)을 의미요소로 사용했고, 만(曼)을 발음기호로 하여 만든 글자이다. 이 曼(만)자가 갖는 특성인 '두 손으로 눈을 벌리다'에서 얼마나 게으르면 저절로 떠지는 눈을 두 손으로 벌려 뜨게 했을까에서 '게으르다'라는 의미가 파생됐다.
●●●●● 怠慢(태만)/自慢(자만)/慢性(만성)/倨慢(거만)

[훈음] 질펀할 만 **[부수]** 물 氵(수) ▶▶▶ 물 氵 + 끌 만(曼) ➡ 눈물이 흘러내림
끌 曼(만)은 발음기호고 물 氵(수)가 의미요소로 억지로 눈을 벌리게 하니 얼마나 많은 눈물이 쏟아졌겠는가? 흐르는 눈물이 질펀하다 하여 두 글자 모두 의미요소로 쓰였다.
●●●●● 漫畵(만화)/漫評(만평)/浪漫(낭만)/散漫(산만)/漫談(만담)

見 볼 견

見(견)   規(규)   視(시)   親(친)   觀(관)   覺(각)   現(현)

見
훈음 볼 견 부수 제 부수 ▶▶▶눈 目(목) + 사람 儿(인) ➡ 앞을 뚫어져라 쳐다보는 눈
사람(儿) 위에 눈(目)만 덩그러니 얹어서 '보다'를 강조한 글자로 두 글자 모두 의미요소이다.
●●●●● 見解(견해)/見物生心(견물생심)/見學(견학)/識見(식견)

規
훈음 법규 규 부수 볼 見(견) ▶▶▶ 아비 夫(부) + 볼 見(견) ➡ 아버지의 시각
아버지가(夫) 보는 것(見)이 곧 바람직한 것이고 자녀가 따라야 할 법규이다.
●●●●● 規範(규범)/規模(규모)/規格(규격)/規則(규칙)/規律(규율)

視
훈음 볼 시 부수 볼 見(견) ▶▶▶ 보일/땅 귀신 示(시) + 볼 見(견) ➡ 신처럼 봐라
단순히 보이는 것만 보는 것(見)이 아니라 하느님이(示) 보시는 것처럼, 사물의 이면도 봐(見)야 똑바로 보는 것이지만 여기서는 그냥 눈의 역할인 '보다'의 뜻으로 사용됐다.
●●●●● 視覺(시각)/視聽覺(시청각)/視線(시선)/監視(감시)/視野(시야)

親
훈음 친할 친 부수 볼 見(견)
▶▶▶ 설 立(립) + 나무 木(목) + 볼 見(견) ➡ '보다'라는 것은 돌보다의 뜻도 있음
나무(木)가 제대로 자라도록(立) 곁에서 보살펴(見) 주어야 하듯, 부모는 자녀가 사회의 기둥이 될 수 있도록 곁에서 잘 보살펴 주어야 한다는 교훈을 담고 있다. 조금만 방심하면 나무가 뒤틀어지듯 우리의 자녀들도 비뚤어질 것이다.
●●●●● 兩親(양친)/父親(부친)/母親(모친)

觀
훈음 볼 관 부수 볼 見(견) ▶▶▶ 황새/백로 藋(관) + 볼 見(견) ➡ 목을 길게 빼고 둘러보다
목을 길게 빼고 주위를 둘러보는(見) 황새나 백로(藋)의 자태가 떠오른다.
●●●●● 觀光(관광)/觀客(관객)/觀衆(관중)/達觀(달관)/明若觀火(명약관화)/袖手傍觀(수수방관)/坐井觀天(좌정관천)

覺
훈음 깨달을 각 부수 볼 見(견) ▶▶▶ 배울 學(학)의 축약형 + 볼 見(견) ➡ 보고 배움
어린아이들이 어른들의 지붕 잇는 것(學)을 잘 봐야(見) 배우고 깨닫게 된다는 글자다.
●●●●● 覺醒(각성)/幻覺(환각)/自覺(자각)/大悟覺醒(대오각성)

現
훈음 나타날 현 부수 구슬 玉(옥) ▶▶▶ 구슬 玉(옥) + 볼 見(견) ➡ 푸른빛이 보임
자세히 보면(見) 옥(玉)에서 푸른빛을 포함 여러 가지 빛이 나타난다 하여 구슬 玉(옥)이 의미요소고, 볼 見(견)은 발음 겸 의미보조이다.
●●●●● 現代(현대)/現在(현재)/實現(실현)/表現(표현)/現狀(현상)/現象(현상)/現像(현상)/現況(현황)/出現(출현)

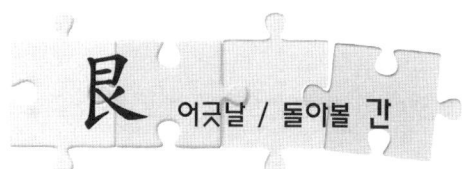

艮 어긋날 / 돌아볼 간

艮(간)   墾(간)   懇(간)

艮
훈음 어긋날 간/돌아볼 간 **부수** 제 부수
볼 見(견)이 앞을 주시하는 글자라면 艮(간)은 뒤돌아보는 모습을 그린 글자다.

墾
훈음 따비할 간 **부수** 흙 土(토) ▶▶▶ 豸(발 없는 벌레 치) + 艮(간) + 土(토)
잡초나 나무뿌리 등을 뽑아내거나 들추어내어 밭을 경작하기 좋은 상태로 만드는 것을 따비한다고 하는데 흙 土(토)를 넣어 의미요소로 그칠 艮(간)이 발음기호로 사용됐다. 벌레 豸(치)가 사용된 것은 벌레들이 흙(土)을 비옥하게 한다는 뜻도 있을 것으로 보여 진다.
●●●●● 開墾(개간)

懇
훈음 정성 간 **부수** 마음 心(심) ▶▶▶ 豸(발 없는 벌레 치) + 艮(간) + 마음 心(심)
경작 가능한 밭으로 만들기 위해 따비 질 하는 데도 정성껏 해야 한다 하여 마음 心(심)이 의미요소로 그칠 艮(간)은 발음기호로 쓰였다.
●●●●● 懇請(간청)/懇切(간절)히

眼(안)   銀(은)   艱(간)   根(근)   恨(한)   限(한)   退(퇴)   良(량)

眼
훈음 눈 안 **부수** 눈 目(목) ▶▶▶ 눈 目(목) + 어긋날/그칠/어려워 할 艮(간) ➡ 눈동자를 의미
눈동자를 의미하는 글자였으므로 눈 目(목)이 의미요소로 그칠 艮(간)은 발음기호로 쓰였다. 후에 '눈·보다' 등으로 의미 확대된 글자다.
●●●●● 眼鏡(안경)/眼目(안목)/老眼(노안)/血眼(혈안)

銀
훈음 은 은 **부수** 쇠 金(금) ▶▶▶ 쇠 金(금) + 어긋날/그칠 艮(간) ➡ 금과 다른 금속
모양은 비슷하나 금(金)과 성질이 다른 즉 어긋나는(艮) 금속으로 쇠 金(금)이 의미요소고, 그칠 艮(간)은 발음기호이다.
●●●●● 銀粧刀(은장도)/銀色(은색)/銀河水(은하수)/銀貨(은화)

艱
훈음 어려울 간 **부수** 어긋날 艮(간) ▶▶▶ 노란 진흙 堇(근) + 어긋날 艮(간) ➡ 견디기 어려움
진흙 堇(근)의 옛글자는 가마에 무엇인가를 끓이거나 삶는 모습으로, 만약 그 안에 동물이나 새 등이 들어 있다면 참으로 '견디기 어렵다'에서 만들어진 글자로 艮(간)은 발음기호이다.
●●●●● 艱難(간난) - 힘들고 고생스러움

훈음 뿌리 근 **부수** 나무 木(목) ▶▶▶ 나무 木(목) + 어긋날/그칠 艮(간) ➡ 뿌리를 돌아봄
나무(木)뿌리나 그루터기를 나타내는 글자로 나무 木(목)을 의미요소로 돌아볼 간(艮)은 발음요소로 사용됐다.
●●●●● 根據(근거)/根幹(근간)/根源(근원)/根絶(근절)/根性(근성)

훈음 한할 한 **부수** 마음 忄(심) ▶▶▶ 마음 忄(심) + 어긋날/그칠 艮(간) ➡ 돌아보는 마음
어긋난 혹은 돌아보는(艮) 마음(忄)이라 '지나간 한 많은 세월을 돌아본들' 무슨 소용이 있을까!
●●●●● 恨歎(한탄)/痛恨(통한)/怨恨(원한)/悔恨(회한)

훈음 한계 한 **부수** 좌 阝(부)변 ▶▶▶ 언덕 阝(부) + 어긋날 艮(간) ➡ 언덕(장애물)을 뒤돌아보다
어긋날 艮(간)자는 볼 見(견)자와 비슷한 글자로 見(견)자가 앞을 바라보는 모습이라면 艮(간)자는 뒤 돌아
보는 모습으로 장벽이나 한계(阝)로 인해 더 이상 나아갈 수 없는 상황에서 물러나는 모습을 그린 글자가
限(한)자로 '제한/경계/한도' 등으로 의미 확대되었다.
●●●●● 限界(한계)/制限(제한)

훈음 물러날 퇴 **부수** 책받침 辶(착) ▶▶▶ 쉬엄쉬엄 갈 辶(착) + 어긋날/그칠 艮(간) ➡ 뒤돌아옴
오랜 세월 몸담았던 곳을 뒤로(艮) 하고 물러나올(辶) 때의 심정이 어떨까?
●●●●● 退去(퇴거)/敗退(패퇴)/退職(퇴직)/隱退(은퇴)

훈음 좋을 량 **부수** 어긋날 艮(간) ▶▶▶ 삐침 丿(별) + 어긋날 艮(간)
艮(간)과는 아무 관련이 없는 글자로 긴 주랑(柱廊) 즉 궁궐의 긴 복도의 모습 혹은 성벽 위로 길게 이어진
길[回廊(회랑)]의 모습을 본뜬 글자다. '좋다, 어질다'로 사용되며 다른 글자의 발음요소에 많이 기여한다.
* 보다 - 다양한 각도에서 분석함.
●●●●● 良質(양질)/良好(양호)/良心(양심)/選良(선량)

臣(신) – 民(민) – 見(견) – 艮(간) – 省(성) – 觀(관)

＊臣(신)-치켜뜨고 올려다보는 눈
신하가 눈을 치뜨고 올려다보는 모습

＊民(민)-한 쪽 눈이 안 보이는 사람
포로로 잡아온 사람들을
영구히 종으로 삼기 위해 눈을 찌르는 모습에서
백성 民(민)

＊見(견)-앞을 바라 본다
사람(儿) 위에 덩그러니 눈(目)만 그려서
눈(目)을 강조한 글자로 무엇인가를 뚫어지게 보고 있는 모습에서
볼 見(견)

＊艮(간)-뒤를 돌아다본다는 글자
日(일)＋衣(의)의 아랫부분＝目(목)＋儿(인)
日(일)은 目(목)의 변형으로 볼 見(견)이 앞을 응시하는 모습이라면
艮(간)은 아쉬워하며 뒤돌아보는 모습에서
돌아볼/아쉬워할 艮(간)

＊省(성)-구석구석 살펴본다는 의미
少(소)＋目(목)
살핀다는 것은 아주 사소(少)한 부분까지도 자세히 살펴본다(目)는 의미에서
살필 省(성)

＊觀(관)-관광하듯 주위를 둘러본다는 뜻
雚(관)＋見(견)
목이 긴 황새나 백로(雚)가 목을 길게 뽑아 들고 사방을 살펴보는(見) 모습에서
볼 觀(관)

臣 신하 신

| 臣(신) | 臥(와) | 監(감) | 鑑(감) | 覽(람) | 濫(람) |
| 藍(람) | 籃(람) | 襤(람) | 鹽(염) | 臨(임) | |

臣
훈음 신하 신　부수 제 부수

포로로 잡혀와 결박된 채로 무릎을 꿇고 고개 숙인 채 위로 치켜뜬 '전쟁포로의 눈'을 상형화한 글자다. 눈을 치켜뜨다 보니 눈동자가 굉장히 크게 그려진 글자로 눈동자가 큰 관계로 이 역시 자세히 보다와 많은 관련이 있다.

●●●●● 臣下(신하)/姦臣(간신)/忠臣(충신)/史臣(사신)/君臣(군신)

臥
훈음 누울/엎드릴 와　부수 신하 臣(신)
▶▶▶▶ 신하 臣(신) + 사람 人(인) ➡ 누운 사람

마치 누운 사람이 서 있는 사람을 쳐다봐야 된다 하여 위로 치켜뜬 눈의 상형인 신하 臣(신)과 사람 人(인)을 더하여 만든 글자로, '눕다, 엎드리다'의 의미로 발전했다.

●●●●● 臥病(와병)/臥薪嘗膽(와신상담)

監
훈음 볼 감　부수 그릇 皿(명)
▶▶▶▶ 엎드릴 臥(와) + 丶(주) + 그릇 皿(명) ➡ 몸을 앞으로 굽혀(臥) 대야 속의 얼굴을 바라봄

옛 글자는 눈을 크게 뜨고(臣) 물 담긴 대야(皿)에 자기 얼굴(丶)을 뚫어지게 내려다보는 사람(人)을 그린 글자로 '자세히 보다, 살펴보다'는 뜻으로 발전됐다.

●●●●● 監視(감시)/監督(감독)/監査(감사)/監獄(감옥)/校監(교감)

鑑
훈음 거울 감　부수 쇠 金(금)　▶▶▶▶ 쇠 金(금) + 볼 監(감) ➡ 청동거울

대야의 재질이 청동임을 밝히는 쇠 金(금)을 더하여 이 글자가 사물을 비춰 보는(監) 청동거울임을 알 수 있다. 반짝반짝하게 윤이 나게 닦아서 오늘날의 거울 대용으로 사용됐다.

●●●●● 龜鑑(귀감)/鑑別師(감별사)/鑑定(감정)/鑑識(감식)/鑑賞(감상)

覽
훈음 볼 람　부수 볼 見(견)　▶▶▶▶ 볼 監(감) + 볼 見(견) ➡ 주위를 둘러봄

보고(見) 살펴보고(監) 참으로 철저히 보는 것을 말하는 것으로 모든 글자가 다 의미요소이며 볼 監(감)이 발음요소이다.

●●●●● 觀覽(관람)/閱覽室(열람실)/展覽(전람)/回覽(회람)

濫
훈음 퍼질/넘칠 람　부수 물 氵(수)
▶▶▶▶ 물 氵(수) + 볼 監(감) ➡ 대야에 물이 넘침

볼 監(감)을 발음요소라 하였으나 대야(皿)에 물이 넘치면 거울의 역할도 할 수 없음을 나타내기 위해 물 氵(수)를 첨가하여 '강물이 넘치다'는 뜻을 나타냈다.

●●●●● 氾濫(범람)/濫用(남용)

훈음 쪽 람 **부수** 풀 ⺾(초) ▶▶▶ 풀 ⺾(초) + 볼 監(감) ➡ 푸른 풀

볼 監(감)을 발음요소로 풀 ⺾(초)를 의미요소로 하여 푸른 물감 채취용으로 쓰이는 풀 즉 쪽을 나타낸 글자이며, 풀 ⺾(초) 대신 대 竹(죽)을 넣으면 대나무로 만든 搖籃(요람)의 바구니 籃(람)자가 되며 옷 의(衣)를 더하면 襤褸(남루)의 누더기 남(襤)자가 된다.

◆◆◆◆◆ 靑出於藍(청출어람)/搖籃(요람)/藍色(남색)

※ 쪽빛 – 푸른빛과 자줏빛의 사이의 빛으로 하늘빛보다 진한 빛깔.

※ 靑出於藍(청출어람) – 쪽에서 나온 푸른 물감(빛)이 쪽보다 더 푸르다하여 "제자나 후배가 스승이나 선배보다 낫다"라는 뜻이다.

 훈음 소금 염 **부수** 소금 鹵(로) ▶▶▶ 볼 監(감) + 소금 鹵(로) ➡ 소금의 모양

소금을 뜻하는 글자이므로 소금의 결정체들이 모이는 소금밭의 상형인 소금 鹵(로)가 의미요소이며 監(감)은 발음기호이다.

◆◆◆◆◆ 鹽田(염전)/鹽分(염분)

 훈음 임할 림 **부수** 신하 臣(신) ▶▶▶ 누울 臥(와) + 물건 品(품) ➡ 몸소 몸을 굽혀 살펴봄

많은 물건(品)들을 자세히 보기 위해 몸소 머리를 숙이는 장면에서 '임하다, 다다르다'의 뜻이 발생됐다. 따라서 두 글자 모두 의미요소이나 엎드릴 臥(와)가 주 의미요소이다.

◆◆◆◆◆ 再臨(재림)/臨時變通(임시변통)/枉臨(왕림)/臨迫(임박)

口_{입 구}

☞ 입 관련된 대표 글자들

口(구) 齒(치) 牙(아) 欠(흠) 舌(설) 曰(왈) 音(음) 言(언) 辛(신)

口

훈음 입 구 **부수** 제 부수

입의 모양을 단순 간결하게 정리한 글자로 '말하고 먹고' 하는 대표적인 것을 포함해 '입'이 가진 여러 기능이 타 글자와 어우러져 사용되고 있다.

••••• 口頭(구두)/食口(식구)/入口(입구)/口腔(구강)

齒

훈음 이 치 **부수** 제 부수

앞 이빨을 나타낸 글자였으나 후에 모든 이빨을 묘사하는 글자가 되었다.

••••• 齒科(치과)/齒石(치석)/齒痛(치통)/齒牙(치아)

牙

훈음 어금니 아 **부수** 제 부수

입 속 가장 깊이 위치한 위아래의 두 어금니 즉 송곳니가 맞물려 있는 모양을 본뜬 글자다.

••••• 牙城(아성)/齒牙(치아)/象牙(상아)

欠

훈음 하품 흠 **부수** 제 부수

사람이 입을 벌리고 있는 모양을 본떠 '입을 벌리다 하품하다'라는 뜻의 글자가 만들어졌다.

••••• 欠伸(흠신)/欠缺(흠결)

舌

훈음 혀 설 **부수** 제 부수

입에서 혀를 내민 모양을 그린 글자로 타 글자에 들어가서 혀(舌)가 하는 역할을 나타내 '말하다/먹다' 등의 意味(의미)요소로 사용됐다.

••••• 舌戰(설전)/口舌數(구설수)/舌禍(설화)

曰

훈음 가로 왈 **부수** 제 부수

갑골문에서 입 모양 위에 가로획이 하나 굽어져 있어 입에서 나가는 '말'을 의미한다. 의미 있는 말보다는 단순히 '소리'라는 뜻으로 사용된다.

••••• 曰可曰否(왈가왈부)

音

훈음 소리 음 **부수** 제 부수

言(언)과 音(음)이 처음엔 구별 없이 사용되다가, 후에 音(음)은 소리를 言(언)은 내용을 강조하는 것으로 틀 잡혀졌다.

••••• 音樂(음악)/騷音(소음)/音聲(음성)

言

훈음 말씀 언 **부수** 제 부수

혀가 입 밖으로 길게 나온 모습으로 열심히 말을 하고 있음을 나타내는 글자로 '의미 있는 말'을 의미한다.

••••• 言及(언급)/言辯(언변)/言行(언행)/有口無言(유구무언)

辛
훈음 매울 신 **부수** 제 부수
위의 言(언)이나 音(음)과 비슷한 모양의 글자로 '언어폭력'에서 보듯이 함부로 찌르는 듯한 말을 상징하기 위해서였다는 설과 문신을 새길 때의 '송곳' 같은 날카로운 도구로써 실제로 사람을 찌르는 고문이나 형벌의 도구라는 설이 있다.
●●●●● 辛勝(신승)/辛味(신미)/千辛萬苦(천신만고)/辛辣(신랄)

☞ **입이 하는 일/입이 나타내는 것을 살펴보자**
品(품) 咠(집) 問(문) 歌(가) 哭(곡) 鳴(명) 吹(취) 吸(흡) 味(미) 谷(곡) 同(동)

品
훈음 물건 품 **부수** 입 口(구) ▶▶▶ 입 口(구) + 口(구) + 口(구) ➡ 품평하다 – 말 + 품평(내용)
여러 사람의 입(口) 즉 삼세 번 따라서 어떤 물건이나 사건에 대한 사람들의 종합적인 평을 의미하며 그러한 평가를 받는 대상인 물건/물품으로도 의미 확대됐다.
●●●●● 品評(품평)/商品(상품)/品質(품질)/性品(성품)/人品(인품)

咠
훈음 소곤거릴/참소할 집 **부수** 입 口(구) ▶▶▶ 입 口(구) + 귀 耳(이) ➡ 귓속말하다
귀(耳)에다 입을(口) 갖다 대고 소곤거리며 말하는 모습을 나타낸 글자로 단독 사용은 없다.

問
훈음 물을 문 **부수** 입 口(구) ▶▶▶ 입 口(구) + 문 門(문) ➡ 물어 보다
지나가는 객이 대문(門)을 열고 물어(口) 보는 모습에서 만든 글자로 문 門(문)이 발음기호로 쓰였다.
●●●●● 問答(문답)/問題(문제)

歌
훈음 노래 가 **부수** 하품 欠(흠) ▶▶▶ 옳을 可(가) + 하품 欠(흠) ➡ 노래하다
입(口) 벌려(欠) 노래하는 모습으로 하품 欠(흠)이 의미요소고, 옳을 可(가)가 발음기호이다.
●●●●● 歌手(가수)/歌曲(가곡)/聖歌(성가)/飮酒歌舞(음주가무)

哭
훈음 울 곡 **부수** 입 口(구) ▶▶▶ 입 口(구) + 개 犬(견) ➡ 개가 울부짖다
개(犬)가 밥 달라고 울부짖을(口) 때 그 소린 마치 상갓집의 통곡 소리에 가까울 것이다.
●●●●● 痛哭(통곡)/哀哭(애곡)/放聲痛哭(방성통곡)/哭聲(곡성)

鳴
훈음 울 명 **부수** 입 口(구) ▶▶▶ 입 口(구) + 새 鳥(조) ➡ 새가 울다
새(鳥)가 운다(口)는 것은 새가 노래하는 것을 말한다.
●●●●● 自鳴鐘(자명종)/悲鳴(비명)/孤掌難鳴(고장난명)

吹
훈음 불 취 **부수** 입 口(구) ▶▶▶ 입 口(구) + 하품 欠(흠) ➡ 피리를 불다
입(口) 벌려(欠) 피리와 같은 관악기를 부는 모습에서 만들어진 글자다.
●●●●● 鼓吹(고취)/吹奏樂(취주악)

吸
훈음 숨 들이쉴 흡 **부수** 입 口(구) ▶▶▶ 입 口(구) + 미칠 及(급) ➡ 숨을 들이쉼
숨 쉬는 것을 나타내는 글자로 숨도 입을 통해 내쉬므로 입 口(구)가 의미요소고, 미칠 及(급)은 발음기호이다.
●●●●● 呼吸(호흡)/吸煙(흡연)/吸入(흡입)/吸血鬼(흡혈귀)

味 훈음 맛 미 부수 입 口(구) ▶▶▶ 입 口(구) + 아닐 未(미) ➡ 맛을 봄
맛보는 일도 입(口)의 기능이므로 입 口(구)를 의미요소로 아닐 未(미)는 발음기호로 만든 글자다.
●●●●● 味覺(미각)/調味料(조미료)/意味(의미)/妙味(묘미)/甘味(감미)

谷 훈음 골 곡 부수 제 부수 ▶▶▶ 여덟 八(팔) + 입 口(구) ➡ 입 주위
계곡(八)의 입구(口) 모양이 입(口) 주변의 모습과 비슷하여 만들어진 글자다.
●●●●● 溪谷(계곡)/峽谷(협곡)/進退維谷(진퇴유곡)/深山幽谷(심산유곡)

同 훈음 한가지 동 부수 입 口(구)
▶▶▶ 입 口(구) + 한 一(일) + 멀 冂(경) ➡ 한목소리를 내는 사람들
문자적으로 같은(一) 곳 혹은 뜻을 함께(一)하는 사람(口)들의 집단(冂)을 가리킨다.
●●●●● 同一(동일)/同鄕(동향)/草綠同色(초록동색)/同門(동문)

古(고)	固(고)	個(개)	痼(고)	姑(고)	枯(고)
故(고)	苦(고)	胡(호)	湖(호)	瑚(호)	糊(호)

古 훈음 옛 고 부수 입 口(구) ▶▶▶ 열 十(십) + 입 口(구) ➡ 옛날이야기
많은(十) 이야기(口), 십(十)대를 내려온 이야기(口) 등 옛날이야기에서 '오래되다'의 뜻으로 발전했다.
●●●●● 中古(중고)/古宮(고궁)/東西古今(동서고금)/古蹟(고적)

固 훈음 굳을 고 부수 에울 위(囗) ▶▶▶ 입 口(구) + 옛/오랠 古(고) ➡ 오래 가둬 둠
갇혀서(囗) 오래(古)되면 모든 게 굳어지며, 오래(古) 가둬(囗) 두어도 굳어진다하여 만들어진 글자가 굳을
固(고)자이며 사람(亻)마다 각자 굳어진(固) 것이 個性(개성)의 낱 個(개)자이며 오래 굳어진 질병(疒)이 痼
疾(고질) 痼(고)자이다.
●●●●● 固着(고착)/頑固(완고)/堅固(견고)/固守(고수)/固有(고유)

姑 훈음 시어미 고 부수 계집 女(여) ▶▶▶ 계집 女(여) + 옛 古(고) ➡ 오래된 여자
집안에서 가장 오래된(古) 여자(女)는 고리타분(?)한 시어머니를 이른 데서 생긴 글자다.
●●●●● 姑婦(고부)/姑母(고모)/姑從四寸(고종사촌)

枯 훈음 마를 고 부수 나무 木(목)
▶▶▶ 나무 木(목) + 옛 古(고) ➡ 말라 비틀어진 나무
오래된(古) 나무(木)라 말라 비틀어진, 수분 공급이 안 되어 말라 버린 나무를 가리킨다.
●●●●● 枯渴(고갈)/枯木(고목)/枯死(고사)

故 훈음 옛/연고 고 부수 칠 攵(복) ▶▶▶ 옛 古(고) + 칠 攵(복) ➡ 불알 친구
예전(古)에 함께 치고 박고(攵) 놀던 고향의 옛친구가 그립다.
●●●●● 故鄕(고향)/故人(고인)/故障(고장)/故事成語(고사성어)

苦 훈음 쓸 고 부수 풀 艹(초) ▶▶▶ 풀 艹(초) + 옛 古(고) ➡ 약초는 쓰다
풀(艹)도 말려서 오래(古) 두면 약처럼 써진다.
●●●●● 苦盡甘來(고진감래)/苦痛(고통)/苦言(고언)/苦心(고심)

胡 훈음 턱밑살/오랑캐 호 부수 고기 肉(육) ▶▶▶ 옛 古(고) + 肉(육)달 月(월) → 축 처진 턱밑살
오래된(古) 살(月=肉)이란 축 처진 살로써 사람 몸에서 그런 곳은 턱밑살을 말한다. 아무리 숨기려 해도 턱밑 주름살은 숨길 수 없다.
●●●●● 胡國(호국)

湖 훈음 호수 호 부수 물 氵(수) ▶▶▶ 물 氵(수) + 턱 밑살 胡(호) → 물결 이는 호수
호숫가에 생기는 물결(氵)이 턱밑에 잡히는 턱밑 주름살(胡)과 같다고 하여, 턱밑살 호(胡)를 발음기호로 물 氵(수)를 의미요소로 하여 '호수'라는 글자를 만들어 냈다.
●●●●● 湖水(호수)/湖畔(호반)/江湖之樂(강호지락)

瑚 훈음 산호 호 부수 구슬 玉(옥) ▶▶▶ 구슬 玉(옥) + 턱 밑살 胡(호) → 구슬의 일종인 산호
물속에 오랫(古)동안 닦이고 닦여 진주처럼 보석이 된 산호를 가리키는 글자로 구슬 玉(옥)이 의미요소고 胡(호)가 발음기호이며 구슬 玉(옥)대신 쌀 米(미)를 쓰면 糊口之策(호구지책)의 풀 糊(호)자가 된다.
●●●●● 珊瑚(산호)/糊塗(호도)/曖昧模糊(애매모호)/糊口之策(호구지책)

☞ 여기서 입 口(구)는 흩어진 여럿을 한데 묶는다는 의미로 사용됨 – 입과는 무관

帝(제)　啇(적)　敵(적)　滴(적)　摘(적)　適(적)　嫡(적)　滴(적)

帝 훈음 임금 제 부수 수건 巾(건)
제단을 만들기 위해 통나무를 X자 모양으로 엮어(巾) 놓은 모습 혹은 틀(冂) 속에 X자 모양으로 통나무를 꽂아 놓은 모습으로, 그 위에 신에게 바칠 제물을 놓고 태우는 풍습에서 신의 계시를 받는 '땅의 임금'의 뜻으로 발전됐다.
※ 수건 巾(건)이나 설 立(립)과는 아무 관련이 없다.
●●●●● 皇帝(황제)/上帝(상제)/帝國(제국)

啇 훈음 밑둥/뿌리 적 부수 입 口(구)
▶▶▶ 임금 帝(제) + 입 口(구) → 나무뿌리를 묶어 놓음
나무뿌리는 여러 가닥(帝)이므로 그것을 확실히 묶는(口) 모습에서 밑둥/뿌리를 나타냈다.

敵 훈음 원수 적 부수 칠 攵(복) ▶▶▶ 밑둥/뿌리 啇(적) + 칠 攵(복) → 뿌리를 쳐서 없앰
원수란 쳐부셔야 할 대상이므로 칠 攵(복)을 의미요소로 뿌리 啇(적)을 발음요소로 쓰였다. 쳐서(攵) 물리쳐야 할 원수는 대개 자신 속에 뿌리(啇)박고 있는 나쁜 생각이나 태도이다.
●●●●● 敵意(적의)/對敵(대적)/敵陣(적진)/仁者無敵(인자무적)

摘 훈음 따다 적 부수 손 扌(수)변 ▶▶▶ 손 扌(수) + 밑둥 啇(적) → 과일을 따다
열매나 과일 등을 손으로 따다가 본의미이므로 손 扌(수)를 의미요소로 啇(적)을 발음기호로 사용했다.
●●●●● 摘發(적발)/指摘(지적)/摘要(적요)

適 훈음 갈/마땅할 적 부수 辶(착)받침 ▶▶▶ 쉬엄쉬엄 갈 辶(착) + 밑둥 啇(적) → 제대로 가다/근본에서 시작하다
간다는 의미를 나타내려고 갈 辶(착)을 의미요소로 啇(적)은 발음기호로 쓰였다. 뿌리(啇)에서 출발(辶)해야 제대로 갈 수 있다는 뜻에서 생긴 글자다.
●●●●● 適當(적당)/適任(적임)/適材適所(적재적소)

嫡

훈음 정실 적　부수 계집 女(여)

▶▶▶▶ 계집 女(여) + 밑둥 商(적) ➡ 뿌리가 같은 조강지처 – 본부인

정실부인이란 본부인을 말하는 것으로 계집 女(여)를 의미요소로 商(적)을 발음요소로 만들었다. 본부인이란 처음에 함께한 여자를 말하므로 뿌리 商(적)이 같은 여자(女)에서 보듯 의미요소에도 관여했음을 알 수 있다.

••••• 嫡子(적자)/嫡妾(적첩)/摘出(적출)/嫡出(적출)↔庶出(서출)

滴

훈음 물방울 적　부수 물 氵(수)

▶▶▶▶ 물 氵(수) + 밑둥 商(적) ➡ 물방울

물방울을 나타내기 위해 물 氵(수)를 의미요소로 商(적)을 소리부수로 사용했다.

••••• 硯滴(연적)/水滴穿石(수적천석)

聑(집)	輯(집)	叫(규)	糾(규)	后(후)	叱(질)

輯

훈음 모을 집　부수 수레 車(거)

▶▶▶▶ 수레 車(거) + 귓속말할 聑(집) ➡ 소문을 실어나름

사람들이 소곤거리며 하는 귓속말(聑)을 모아들인다 하여 사람이나 물건을 모아 실어나르는 수레 거(車)와 귓속말할 聑(집) 모두를 의미요소로 하여 모을/모일 輯(집)자가 탄생했다.

••••• 編輯(편집)

叫

훈음 부르짖을 규　부수 입 口(구)

▶▶▶▶ 입 口(구) + 丩

목구멍 저 깊숙한 곳에서 올라오는 울부짖는 찢어진 소리를 나타낸 글자다. 叫(규)의 오른편(丩)은 새끼 꼰 모습으로 비틀면서 올라오는 찢어진 목소리(口)를 잘 나타낸 글자이며 의미 겸 발음요소로도 사용됐다.

••••• 阿鼻叫喚(아비규환)/絕叫(절규)

糾

훈음 꼬다/모으다/얽히다 규　부수 실 糸(사)

▶▶▶▶ 실 糸(사) + 丩 ➡ 새끼줄을 꼬는 모습

실 糸(사)가 의미요소로 '실타래를 풀어야 한다/새끼줄을 꼬아야 한다'에서처럼 꼬아야 하는 대상(丩)을 넣어서 만든 글자로 새끼줄을 꼬고 있는 모습의 글자이다.

••••• 糾合(규합)/糾明(규명)/糾彈(규탄)

后

훈음 임금 후　부수 입 口(구)

▶▶▶▶ 사람 人(인) + 입 口(구) ➡ 명령을 내리는 사람

명령을 내리는(口) 사람(人)이라 하여 왕비/임금 후로 발전된 글자다.

••••• 王后(왕후)/皇后(황후)

叱

훈음 꾸짖을 질　부수 입 口(구)

▶▶▶▶ 입 口(구) + 비수 匕(비) ➡ 비수처럼 꽂히는 말

사방팔방으로 베어버리는(匕) 말(口)이란 꾸짖고 야단치는 것을 말한다.

••••• 叱責(질책)/叱咤(질타)

司(사)　　伺(사)　　嗣(사)　　詞(사)　　祠(사)　　飼(사)

司
훈음 맡을 사　부수 입 口(구)
▶▶▶ 한 一(일) + 옳을 可(가) = 사람 人(인) + 입 口(구) ➡ 명령을 받는 사람
임금 后(후)와 좌우대칭의 꼴(司)로 임금이 내리는 명을(口) 받아서 실행에 옮겨야 하는 신하를 가리키는
글자로, "명을 받았다/임무를 맡았다" 하여 맡을 司(사)자가 만들어졌다.
●●●●● 司令官(사령관)/司會者(사회자)/上司(상사)/司祭(사제)

伺
훈음 엿볼 사　부수 사람 亻(인)　▶▶▶ 사람 亻(인) + 맡을 司(사) ➡ 사람 담당
사람(亻)을 맡아(司)서 '돌보다, 살피다, 그 사람의 진의를 파악하다'에서 엿보다가 파생됐다.
●●●●● 伺察(사찰)

嗣
훈음 후사 사　부수 입 口(구)　▶▶▶ 입 口(구) + 책 冊(책) + 맡을 司(사) ➡ 족보를 맡아 관리할 사람
족보(冊)를 맡아(司)서 돌보는 사람이란 대를 잇는 사람(口) 곧 후사를 말한다.
●●●●● 後嗣(후사)

詞
훈음 말씀 사　부수 말씀 言(언)　▶▶▶ 말씀 言(언) + 맡을/관리 司(사) ➡ 상부의 지시
임금이나 신의 계시(言)를 맡아서(司) 담당자들에게 전달할 때 그 교시나 훈시는 말보다 높여진 표현인 "말
씀"에 해당된다.
●●●●● 品詞(품사)/歌詞(가사)/動詞(동사)/詞兄(사형)

祠
훈음 사당/제사 사　부수 보일 示(시)　▶▶▶ 보일/땅 귀신 示(시) + 맡을 司(사)➡ 제사를 담당하는 곳
제사(示)를 맡아(司) 지내는 곳이 곧 사당이요, 신의(示) 뜻을 맡아(司) 받들어야 하는 행위는 제사를 의미한다.
●●●●● 祠堂(사당)

飼
훈음 먹일/기를 사　부수 먹을 食(식)　▶▶▶ 밥 食(식) + 맡을 司(사) ➡ 음식 담당
밥(食) 즉 식량을 맡았다(司)는 것은 식품 담당자로 궁내에서 일하는 사람이나 동물들을 먹이고 기르고 해
야 함을 의미한다.
●●●●● 飼料(사료)/飼育(사육)

可(가)　　何(하)　　河(하)　　呵(가)　　荷(하)　　歌(가)

可
훈음 옳을 가　부수 입 口(구)
입(口)을 크게 벌리고 소리치고 있는 모습의 글자다. 큰소리 칠 수 있다는 것은 잘못한 게 없다는 것이고,
자기가 옳다는 것을 의미하고, 옳은 것은 '가'하다 즉 '허락하다'의 뜻이 파생됐다.
●●●●● 可否(가부)/可能(가능)/可望(가망)/可決(가결)/許可(허가)

何
훈음 어찌 하　부수 사람 亻(인)　▶▶▶ 사람 亻(인) + 옳을 可(가)
어깨에 긴 창 혹은 짐을 메고 있는 사람의 모습의 글자였으나, '어찌, 무엇' 등으로 차용되자 본뜻은 연 荷
(하)가 담당하게 됐다. 可(가)는 발음기호이다.
●●●●● 幾何學(기하학)/何等(하등)/抑何心情(억하심정)

河
[훈음] 강 이름/물 하 [부수] 물 氵(수) ▶▶▶ 물 氵(수) + 옳을 可(가)
可(가)를 발음기호로 氵(수)를 의미요소로, 입을 크게 벌리는(可) 것처럼 물(氵)가가 넓은 내를 강이라 하며
아래로 내려갈수록 강폭이 넓어져서 생긴 글자다.
••••• 沿河(연하)/河口(하구)/山河(산하)

呵
[훈음] 꾸짖을 가 [부수] 입 口(구) ▶▶▶ 입 口(구) + 옳을 可(가) ➡ 큰 소리로 꾸짖거나 웃는다
크게 입을 벌리고(口) 소리(可)친다는 것은 야단을 친다는 이야기인데, 可(가)가 '옳다, 허락하다' 등으로 쓰
이자 입 口(구)를 하나 더 추가하여 '꾸짖고 소리치다'라는 원뜻을 살린 글자로 두 글자 모두 의미요소이며
옳을 可(가)가 발음기호 역할을 한다.
••••• 呵責(가책)/呵呵大笑(가가대소)

荷
[훈음] 멜/연 하 [부수] 풀 艸(초) ▶▶▶ 풀 艸(초) + 어찌 何(하)
어깨에 물건을 메고 있는 형상이 어찌 何(하)의 본뜻이므로 그 뜻을 살리기 위해 풀 艸(초)를 더하였으므로
이 경우는 두 글자 모두 의미요소고 어찌 何(하)는 발음기호이다.
　　호수 위로 연 이어 떠 있는 다년생 수초인 연꽃을 가리키는 말도 되므로 이 경우 풀 艸(초)가 의미요소
고 어찌 何(하)는 역시 발음기호이다.
••••• 賊反荷杖(적반하장)/荷役(하역)/荷重(하중)/負荷(부하)

歌
[훈음] 노래 가 [부수] 하품 欠(흠) ▶▶▶ 옳을 可(가) + 하품 欠(흠) ➡ 노래하는 모습
입을 하품(欠)하듯 크게 연달아(可+可) 벌린다는 것은 노래하는 모습을 담은 글자로, 두 글자 모두 의미요
소이며 옳을 可(가)가 발음기호이다.
••••• 歌手(가수)/歌曲(가곡)/歌舞(가무)/戀歌(연가)

苛
[훈음] 매울/독할 가 [부수] 풀 艸(초) ▶▶▶ 풀 艸(초) + 옳을 可(가) ➡ 매운 풀
쓴 풀이나 매운맛 나는 풀을 의미하는 글자이므로 풀 艸(초)는 의미요소고 옳을 可(가)는 발음기호다.
••••• 苛酷(가혹)/苛斂誅求(가렴주구)/苛責(가책)/苛虐(가학)

奇
[훈음] 기이할 기 [부수] 큰 大(대) ▶▶▶ 큰 大(대) + 옳을 可(가) ➡ 특이한 사람
특이한 일을 하는 사람을 우리는 奇人(기인)이라 부르는데 바로 그러한 사람이나 일을 뜻하므로 큰 人(대)
를 의미요소로 옳을 可(가)는 발음기호로 쓰였다.
••••• 奇異(기이)/奇蹟(기적)/奇怪罔測(기괴망측)/奇妙(기묘)/奇智(기지)/新奇(신기)/奇想天外(기상천외)

寄
[훈음] 부칠 기 [부수] 집 宀(면)
▶▶▶ 집 宀(면) + 기이할 奇(기) ➡ 줄을 잘 서라 - 비빌 언덕
비빌 언덕이 있어야 비빈다고 참으로 기이한 일 즉 큰일을 할 수 있는 사람이나 그런 사람이 있는 집(宀)
에 "부탁하러 가도 가야지/빌붙어도 붙어야지"라는 뜻을 갖고 있다.
••••• 寄託(기탁)/寄稿(기고)/寄宿(기숙)

崎
[훈음] 험할 기 [부수] 뫼 山(산) ▶▶▶ 뫼 山(산) + 기이할 奇(기) ➡ 험한 산
산이(山) 크고 험할수록 기이한(奇) 일들이 많다/기이(奇)한 일이 많이 일어나는 산(山)이 곧 험한 산이므로
두 글자 모두 의미요소이고 기이할 奇(기)가 발음기호이다.
••••• 崎嶇(기구)한 삶

騎
[훈음] 말 탈 기 [부수] 말 馬(마) ▶▶▶ 말 馬(마) + 기이할 奇(기) ➡ 말 탄 군사
말 탄 군인을 나타내는 말로 말 馬(마)가 의미요소고 기이할 奇(기)는 발음기호이다. 옛날에 말을 탄다는
것은 주로 전쟁과 관련되었고 군사들과 관련되었기에 그러한 단어가 많다.
••••• 騎手(기수)/騎兵(기병)/騎馬兵(기마병)/騎士(기사)

召(소) 沼(소) 昭(소) 照(조) 紹(소) 招(초) 超(초) – 술병 대용/신을 부

召
훈음 부를 소 부수 입 口(구) ▶▶▶ 칼 刀(도) + 입 口(구) ➡ 손님을 부르다
손님을 '불러' 대접하기 혹은 손님을 '초대하여' 연회를 베풀기 위해 술독에서 술을 퍼내는 장면의 글자였으나 술병(酉)은 입 口(구)로 간략화 되었고 술 뜨는 기구인 구기(勹)는 칼 刀(도)로 변형되었다. 따라서 원뜻은 '접대하기 위해 손님을 부르다'이다.
●●●●● 召喚(소환)/召集(소집)/召命(소명)/遠禍召福(원화소복)

沼
훈음 늪 소 부수 물 氵(수) ▶▶▶ 물 氵(수) + 부를 召(소) ➡ 물을 빨아 당기는 곳
물(氵)을 부르는(召) 곳 즉 물을 불러들여서 한 번 들어가면 물이 나오지 않는 늪을 말하며, 물 氵(수)가 의미요소고 부를 召(소)는 발음기호이다.
●●●●● 沼澤地(소택지)/沼湖(소호)

昭
훈음 밝을 소 부수 해 日(일) ▶▶▶ 날 日(일) + 부를 召(소) ➡ 속에 있는 것을 불러 백일하에 드러냄
어둔 밤에 해(日)를 불러내면(召) 당연히 천지가 밝아지지 않겠는가? 광명체인 해 日(일)이 의미요소고 부를 召(소)가 발음기호이다.
●●●●● 昭明(소명)/昭詳(소상)/勿秘昭示(물비소시)

照
훈음 비출 조 부수 불 灬(화)발 ▶▶▶ 밝을 昭(소) + 불 灬(화) ➡ 불 밝혀 살펴보다
횃불(灬)을 밝혀 캄캄한 밤중을 비추면 주위가 대낮처럼 밝아(昭)져 모든 것이 명백히 드러날 것이므로 두 글자 모두 의미요소고 밝을 昭(소)가 발음기호 역할을 한다.
●●●●● 照明(조명)/照準(조준)/照會(조회)/參照(참조)/對照(대조)

紹
훈음 이을 소 부수 실 糸(사) ▶▶▶ 실 糸(사) + 부를 召(소) ➡ 둘을 불러 연결시켜 줌
사람과 사람 또는 신과 사람을 연결시켜 주는 것을 말하므로, 묶는 재료인 실 糸(사)를 의미요소로 부를 召(소)는 발음 겸 의미보조로 쓰였다.
●●●●● 紹介(소개)

招
훈음 부를 초 부수 손 扌(수) ▶▶▶ 손 扌(수) + 부를 召(소) ➡ 손짓으로 오라고 함
손짓으로(扌) 사람을 오라고(召) 부르는 모습을 분명히 하기 위해 손 扌(수)를 추가한 글자로 두 글자 모두 의미요소이다.
●●●●● 招待(초대)/招請(초청)/招魂(초혼)/招聘(초빙)

超
훈음 뛰어넘을 초 부수 달릴 走(주) ▶▶▶ 달릴 走(주) + 부를 召(소) ➡ 공중을 붕붕 날아다님
무당이 신을 부르면서(召) 공중으로 뛰어오르는 행위에서, 달릴 走(주)를 의미요소로 부를 召(소)를 발음기호로 하여 '뛰어 넘는다'는 글자를 만들어 냈다.
●●●●● 超越(초월)/超現實(초현실)/超過(초과)/超然(초연)

各(각) 格(격) 恪(각) 咯(각) 略(략) 絡(락)
烙(락) 落(락) 路(로) 賂(뢰) 客(객) 閣(각)

各 훈음 각각 각 부수 입 口(구) ▶▶▶ 뒤져서 올 夊(치) + 입 口(구) ➡ 집으로 돌아오는 발걸음

거꾸로 그린 발(夊)과 움집의 상형(冂)으로 보는 설과 입 口(구)로 보는 설이 있는데, 말하는 방식과 걸음걸이가 사람마다 제 각각이어서 각각 각이 되었나? 날 出(출)이 움막을 떠나는 모습이라면 각각 各(각)은 집으로 돌아오는 발걸음으로 신을 부르는 모습으로도 여겨진다.

••••• 各各(각각)/各國(각국)/各自(각자)/各個戰鬪(각개전투)

格 훈음 바로잡을 격 부수 나무 木(목) ▶▶▶ 나무 木(목) + 각각 各(각) ➡ 나무를 바로잡아줌

'바로잡는다는 것'은 보통 나무(木)를 재목으로 쓰기 위해서 부목을 대어 주는 것을 말하며, 또한 나무마다 가지마다 각각(各) 바로잡아 주어야 하므로 나무 木(목)을 의미요소로 各(각)은 발음기호로 쓰였다.

••••• 格式(격식)/適格(적격)/品格(품격)/骨格(골격)

恪 훈음 삼갈 각 부수 마음 忄(심) ▶▶▶ 마음 忄(심) + 각각 各(각) ➡ 마음가짐을 조심함

신을 부를(各) 때의 마음(忄) 자세를 소리부수인 各(각)과 함께 써서 삼갈 恪(각)자이며 신 앞에서 벌을 받아 피를 토하며 쓰러지는 장면이 입 口(구)를 더한 咯血(각혈)의 토할 咯(각)자이다.

••••• 恪別(각별)

略 훈음 다스릴/빼앗을/간략할 약(략) 부수 밭 田(전)

▶▶▶ 밭 田(전) + 각각 各(각) ➡ 농작물을 탈취하여 재산이 줄어듦

소리부수인 各(각)을 이용, 탈취의 대상인 농작물을 상징하는 밭 전(田)은 의미부수로 사용했다. 탈취당하면 농작물이 없어지거나 소출이 줄거나 하므로 '빼앗다, 줄어들다'로 의미 확대된 글자다.

••••• 大略(대략)/略圖(약도)/戰略(전략)/簡略(간략)/謀略(모략)/省略(생략)/黨利黨略(당리당략)

絡 훈음 맥락 락 부수 실 糸(사) ▶▶▶ 실 糸(사) + 각각 各(각) ➡ 각각을 연결하여 줌

쌍방을 이어주는 끈 역할을 강조하는 실 糸(사)와 소리부수인 各(각)을 이용하여 양쪽을 연결해 주는 뜻을 갖는 '이을/맥락 락'을 만들어 냈다.

••••• 連絡(연락)/脈絡(맥락)/經絡(경락)

烙 훈음 지질 락(낙) 부수 불 火(화) ▶▶▶ 불 火(화) + 각각 各(각) ➡ 불로 지짐

소리부수인 各(각)을 이용하여 불에다 달군 쇳덩이로 소나 말가죽에 낙인을 찍는다 하여 의미요소로, 쇠를 달구는 "불 火(화)"를 첨가하여 불로 지진다는 글자가 탄생했다.

••••• 烙印(낙인)

落 훈음 떨어질 락 부수 풀 艹(초) ▶▶▶ 풀 艹(초) + 물 氵(수) + 각각 各(각) ➡ 시간이 가면 떨어지는 것들

소리부수인 各(각)을 이용 떨어지는 요소인 나뭇잎(艹)과 물(氵)방울을 의미요소로 사용하여 떨어질 落(락)자를 만들어 냈다.

••••• 落榜(낙방)/墜落(추락)/暴落(폭락)

路 훈음 길 로(노) 부수 발 足(족) ▶▶▶ 발 足(족) + 각각 各(각) ➡ 사람들이 오가는 길/신이 오는 길

各(각)이 움집(冂)으로 돌아오는 발(夊)을 통해 길이라는 의미도 가졌다. 그러나 점차 각각이라는 뜻으로 사용되자 발 足(족)을 첨가하여 사람들이 왕래하며 오가는 길이라는 의미를 분명히 한 글자로 각각 各(각)이 발음요소임은 뇌물 줄 賂(뇌)에서도 엿볼 수 있다.

••••• 旅路(여로)/活路(활로)/路上(노상)/路線(노선)/歸路(귀로)/岐路(기로)/君子大路(군자대로)/進路(진로)

賂 훈음 뇌물 줄 뢰 부수 조개 貝(패) ▶▶▶ 조개 貝(패) + 각각 各(각) ➡ 각자에게 뇌물을 주다

돈(貝)을 필요한 곳에 다다르게(各) 하다, 이르게 하다, 즉 돈을 정당한 이유 없이 준다에서 '뇌물 주다'로 발전됐다. 조개 貝(패)가 의미요소고 各(각)이 발음요소이다.

••••• 賂物(뇌물)

훈음 손 객 **부수** 집 宀(면) ▶▶▶ 집 宀(면) + 각각 各(각) ➡ 집에 홀로 있는 사람

손님이란 내 집(宀)에 온(各) 사람 또는 홀로 있는 사람을 말하므로 두 글자 모두 의미요소고 각각 各(각)이 발음기호이다.

•••••• 客車(객차)/乘客(승객)/客室(객실)/客地(객지)/顧客(고객)

 훈음 문설주 각 **부수** 문 門(문) ▶▶▶ 문 門(문) + 각각 各(각) ➡ 튼튼한 문기둥

문짝을 끼우기 위해 문 양편에 튼튼히 세운 기둥을 문설주라고 하며 여는 기둥보다 튼튼하여 그리고 대문을 달 정도의 건물이라면 큰 집을 의미하므로 '커다란 대궐'이라는 뜻이 탄생했다. 여기서 '정부의 최고 관청'을 의미하는 말이 파생되었다. 따라서 문 門(문)이 의미요소고 각각 各(각)은 발음기호이다.

•••••• 樓閣(누각)/砂上樓閣(사상누각)/閣僚(각료)/內閣(내각)

合(합) 答(답) 拾(습) 塔(탑) 搭(탑) 含(함) 給(급) 舍(사) 捨(사)

 훈음 합할 합 **부수** 입 口(구) ▶▶▶ 삼합/모을/모일 스(집) + 입 口(구) ➡ 밥그릇과 밥뚜껑

갑골문을 보면 合(합)의 윗부분인 삼합 스(집)은 '무엇인가를 덮는 덮개이고 아랫부분인 입 구(口)는 본체에 해당하는 그릇이나 물건'으로 뚜껑을 덮으면 합쳐지는 밥그릇의 모양에서 "합하다, 일치하다" 등의 뜻이 파생되었으며, 대나무(竹)에 계약서를 기록한 다음 둘로 나누어 함께 가지고 있다가 각각의 조각을 맞추어 보며 계약 당사자임을 확인하는 과정에서 對答(대답)할 答(답)자가 되었고 길에 떨어진 물건을 손(扌)으로 주위 보태는 장면에서 拾得(습득)의 주울 拾(습)자가 만들어졌다.

•••••• 綜合(종합)/合計(합계)/聯合(연합)/合倂(합병)/合格(합격)/答辯(답변)/收拾(수습)

 훈음 탑 탑 **부수** 흙 土(토) ▶▶▶ 흙 土(토) + 풀 艹(초) + 합할 合(합) ➡ 흙벽돌을 쌓음

탑을 쌓을 때 필요한 흙벽돌의 재료인 흙(土)과 풀(艹)을 의미요소로 合(합)을 발음기호로 하여 만든 글자다.

•••••• 多寶塔(다보탑)/石塔(석탑)/尖塔(첨탑)

 훈음 탈/실을 탑 **부수** 손 扌(수) ▶▶▶ 손 扌(수) + 풀 艹(초) + 합할 合(합) ➡ 벽돌을 실어 나름

탈것에 타고 물건을 싣기 위해 필요한 손(扌)을 의미요소로 또는 탑을 쌓기 위해 손(扌)으로 벽돌을 들고 올리고 나르는 모습에서 손 扌(수)를 의미요소로, 탑 塔(탑)을 발음기호로 하여 만든 글자다.

•••••• 搭乘客(탑승객)/搭載(탑재)

 훈음 머금을 함 **부수** 입 口(구) ▶▶▶ 이제 今(금) + 입 口(구)

合(합)자가 밥그릇과 뚜껑이라고 하는 설이 있으나 이 머금을 含(함)자를 보면 合(합)자는 일치된 언어를 쓰는 사람들이라는 의미에 가깝다. 따라서 성서에서 말하는 바벨탑 이후 혼잡해진 언어 때문에 의사소통이 되지 않게 된 상황을 그린 글자로 입(口)에서 말이 나오지 못하고 맴도는 즉 입 안에서 우물우물대는 모습을 그린 글자로 여겨진다.

•••••• 包含(포함)/含蓄(함축)/含量(함량)

 훈음 넉넉할/보낼 급 **부수** 실 糸(사) ▶▶▶ 실 糸(사) + 합할 合(합)

해어진 부분을 수리한다거나 천을 이어서 옷을 만들기 위해 천을 덧대어 또는 실을 덧잇는 작업을 본뜬 것으로 '실과 천을 합하다' 하여 두 글자 모두 의미요소로 '넉넉하다, 보태다'의 뜻으로 의미 발전되었으며 합할 合(합)이 발음기호 역할을 한다.

•••••• 給油(급유)/給與(급여)/供給(공급)/補給品(보급품)

훈음 집 사 **부수** 혀 舌(설) ▶▶▶ 사람 人(인) + 혀 舌(설) ➡ 집의 골격의 모습
입 口(구)는 반지하의 움막 형태를 가리키는 것으로 그 위에 기둥과 지붕을 얹어 놓아 집의 골격을 완성한 모습에서 '집'이라는 뜻을 갖게 되었으며 두 글자 모두 의미요소이다.
●●●●● 寄宿舍(기숙사)/舍監(사감)/官舍(관사)/舍廊房(사랑방)/豚舍(돈사)

 훈음 버릴 사 **부수** 손 扌(수) ▶▶▶ 손 扌(수) + 집 舍(사)
잘못 지어진 집이나 범인의 집을 허물어 버리는 모습에서 '버리다'의 뜻이 파생된 글자로, 두 글자 모두 의미요소이며 집 舍(사)가 발음기호이다.
●●●●● 取捨選擇(취사선택)/捨生取義(사생취의)

今(금)　　吟(음)　　含(함)　　琴(금)　　貪(탐)　　陰(음)

 훈음 이제 금 **부수** 사람 人(인) ▶▶▶ 사람 人(인) + 한 一(일) + 부서진 입 (ㄱ) ➡ 분명치 않은 말을 함
含(합)자와 관련이 있는 것 같은 글자이나 정확한 뜻은 아무도 모르고 현재 가차되어 "지금"이라는 뜻으로 쓰이고 있으며 언덕(阝)위로 구름(云)이 덮이면 생기는 것이 今(금)을 발음으로 陰地(음지)의 그늘 陰(음)자가 되었다.
●●●●● 今始初聞(금시초문)/只今(지금)/東西古今(동서고금)

 훈음 읊을 음 **부수** 입 口(구)
▶▶▶ 입 口(구) + 이제 今(금) ➡ 중얼댐
분명하게 알아들을 수 없는 말의 뜻이었을 今(금)이 '이제'로 가차되자 입 口(구)를 더하여 입을 움직여 말을 하고 있다는 본뜻을 살린 글자로 '읊다, 끙끙거리다' 등으로 의미 고정됐다. 따라서 두 글자 모두 의미요소이며 이제 今(금)이 발음요소이다.
●●●●● 吟味(음미)/吟遊(음유)/呻吟(신음)

 훈음 머금을 함 **부수** 입 口(구)
▶▶▶ 이제 今(금) + 입 口(구) ➡ 입 안에서 중얼대는 모습
합할 合(합)자 가운데 'ㄱ'자 같은 모양의 글자가 들어가 입 속에서만 맴돌고 다른 사람들은 알아들을 수 없는 말을 하는 모습을 나타낸 글자다.
●●●●● 包含(포함)/含有(함유)/含蓄(함축)

 훈음 거문고 금 **부수** 구슬 玉(옥)
▶▶▶ 구슬 玉(옥) + 이제 今(금) ➡ 구슬 같은 소리를 내는 악기
거문고의 원판 위에 줄이 매어져 있는 모습을 본뜬 것이다. 그러나 분명히 알기는 힘들고 이제 今(금)을 발음기호로 의미요소인 구슬 玉(옥)을 더하여 구슬 같은 소리를 내는 악기로 생각하고 외우자.
●●●●● 心琴(심금)/琴瑟(금슬)/風琴(풍금)

 훈음 탐할 탐 **부수** 조개 貝(패)
▶▶▶ 이제 今(금) + 조개 貝(패) ➡ 남의 재물을 탐냄
탐욕이란 흔히 재물을 탐하는 것을 말하므로 재물을 상징하는 돈(貝)을 첨가하여 만든 글자로, 이제 今(금)은 발음에 영향을 끼쳤을 것이다.
●●●●● 貪心(탐심)/貪慾(탐욕)/食貪(식탐)/小貪大失(소탐대실)

同(동)　洞(동)　洞(통)　桐(동)　胴(동)　銅(동)　興(흥)

同
[훈음] 한 가지 동　[부수] 입 口(구)　▶▶▶ 입 口(구) + 한 一(일) + 멀 冂(경) ➡ 한목소리로 제사 지냄
문자적으로 같은(一) 곳 혹은 뜻을 함께(一)하는 사람(口)들의 집단(冂)을 가리키거나 한 목소리로 제사 지내는 모습에서 한 가지 同(동) 오동
●●●●● 同一(동일)/同鄕(동향)/草綠同色(초록동색)/同門(동문)

洞
[훈음] 골 동　[부수] 물 氵(수)　▶▶▶ 물 氵(수) + 한 가지 同(동) ➡ 물이 모이는 골짜기
同(동)을 발음기호로 의미요소인 물 氵(수)를 더하여 물이 한곳으로 모이는 골짜기와 그 골짜기에 물이 한꺼번에 모이면 물살이 거세져 막힌 곳을 뚫을 수 있다 하여 골 洞(동)/꿰뚫을 洞(통)으로 사용되었다.
●●●●● 洞窟(동굴)/洞里(동리)/洞察(통찰)

銅
[훈음] 구리 동　[부수] 쇠 金(금)　▶▶▶ 쇠 金(금) + 한 가지 同(동) ➡ 발음만 같음
구리를 가리키는 말로 금속을 상징하는 쇠 金(금)을 의미요소로 同(동)은 발음기호로 하였으며 나무 木(목)을 의미요소로 하여 梧桐(오동)의 오동나무 桐(동)자와 肉(육) 달 月(월)을 의미요소로 胴體(동체)의 큰창자 胴(동)자도 만들 수 있다.
●●●●● 銅鑛(동광)/靑銅器(청동기)/銅線(동선)

興
[훈음] 일어날 흥　[부수] 절구 臼(구)　▶▶▶ 두 손 臼(국) + 한 가지 同(동) + 두 손 廾(공)
일어날 興(흥)자의 갑골문을 통해 한 가지 同(동)자의 자원을 해석할 수 있는 실마리를 얻을 수 있다. 이 興(흥)자는 두 사람이 양쪽에서 두 손으로 가마(同) 같은 것을 들고 있는 모습으로 만약 그렇다면 이 가마 같은 것은 건축할 때 모래나 시멘트를 고르는 철망 달린 도구 같은 것이다. 함께 들고 일함에 있어 박자가 맞아야 함으로 입 冂(구)를 첨가하여 리듬을 맞추는 장면에서 한 가지 同(동)이 탄생되었음을 알 수 있다.
●●●●● 復興(부흥)/興奮(흥분)/興味(흥미)

曰 가로 왈

☞ 모양은 가로 曰(왈)이나 거의 관계없는 글자들의 모음

曰(왈) 替(체) 更(갱) 書(서) 曹(조) 槽(조) 糟(조) 豊(풍) 曾(증) 會(회)

曰

훈음 가로 왈 **부수** 제 부수

갑골문에서 입(口) 모양 위에 가로획이 하나 굽어져 있어 입에서 나가는 '말'을 의미한다. 의미 있는 말 보다는 단순히 '소리'라는 뜻으로 사용된다.

••••• 曰可曰否(왈가왈부)

替

훈음 쇠퇴할/바꿀/버릴 체 **부수** 가로 曰(왈) ▶▶▶ 아비 夫(부) + 가로 曰(왈) ➡ 교대병들의 주고받는 소리

경비를 서는 보초병 두 사람(夫)이 서로 교대를 하면서 주고받는 교대하는 소리(曰)에서 '교대하다, 바꾸다'로 의미 확대됐다. 따라서 두 글자 모두 의미요소이다.

••••• 交替(교체)/代替(대체)/世代交替(세대교체)

更

훈음 다시 갱/고칠 경 **부수** 가로 曰(왈)

▶▶▶ 가로 曰(왈) + 어른 丈(장) = 一 + 日 + 攵/攴 ➡ 막대기로 종을 침

벨 乂(예)자는 칠 攵(복)자가 변한 것으로 손에 막대기를 들고 종 같은 것을 두드리고(攵) 있는 모습으로 시간이 바뀔 때마다 종을 쳐서 시간을 알리는 도구로 쓰였기에 4경이니 5경이니 하였다. "따라서 여기서 가로 曰(왈)자는 종 모양을 간결하게 정리해 놓은 모습"으로 '말하다'와는 아무런 관련이 없다.

••••• 更新(갱신)/更生(갱생)/變更(변경)/更迭(경질)

書

훈음 쓸 서 **부수** 가로 曰(왈) ▶▶▶ 붓 聿(율) + 가로 曰(왈) ➡ 먹물통인 벼루

여기서 가로 曰(왈)은 먹물이 담긴 벼루의 모양으로 그 벼루에 담긴 붓 聿(율)과 어우러져 "글을 쓰다"라는 뜻으로, 쓰여진 것은 책이므로 책으로도 의미 확대됐다.

••••• 書類(서류)/文書(문서)/圖書館(도서관)/書册(서책)

曹

훈음 마을 조 **부수** 가로 曰(왈) ▶▶▶ 굽을 曲(곡) + 가로 曰(왈) ➡ 술통

갑골문에서 曲(곡)자의 모양은 자루가(東) 두 개 있는 것으로, 동녘 동(東)은 양쪽으로 묶은 자루의 상형이므로 술 담긴 자루와 술이나 액체를 받아내는 용기(曰)의 상형으로 쓰였다. 그러나 중국에서 姓氏(성씨)로 널리 쓰이자 용기의 재질인 나무 木(목)을 더한 글자가 아래 구유 조(槽)이다.

••••• 曹操(조조)

槽

훈음 구유 조 **부수** 나무 목 ▶▶▶ 나무 木(목) + 마을 曹(조) ➡ 물 담는 통

구유 통이나 여물통의 재료인 나무 木(목)을 의미요소로 하고 마을 曹(조)를 발음기호로 구유 조(槽)자를 추가로 만들었으며, 쌀 米(미)를 넣어 막걸리나 술을 거르고 남은 찌꺼기를 뜻하는 糟糠之妻(조강지처)의 지게미 糟(조)자를 또한 만들어 냈다.

••••• 油槽車(유조차)/浴槽(욕조)

豊 　훈음 풍성할 풍　부수 콩/제기 豆(두)

▶▶▶ 굽을 曲(곡) + 콩/제기 豆(두) ➡ 곡식 가득찬 그릇

제기(豆)에 가득 담겨 있는 黍稷(서직) 혹은 곡물의 모습으로 신에게 풍년을 기원하는 혹은 감사제물을 바치는 모습'에서 풍성하다로 확대됐다.

※ 豐(풍)의 속자.

●●●●● 豊年(풍년)/豊滿(풍만)/豊富(풍부)/大豊(대풍)

曾 　훈음 일찍/거듭/불을 증　부수 가로 曰(왈)

▶▶▶ 여덟 八(팔) + 가로 曰(왈) ➡ 떡 시루의 모습

아궁이(曰) 위의 시루(曾의 중간 부분)에서 김(八)이 모락모락 나는 모습의 상형으로 '시루'라는 뜻이었으나 '일찍이'를 뜻하는 부사어로 가차되자 본뜻을 살리기 위해 만든 글자가 기와 瓦(와)를 더한 시루 甑(증)자이다.

●●●●● 未曾有(미증유)/曾孫(증손)/曾祖父(증조부)

會 　훈음 모일 회　부수 가로 曰(왈)

▶▶▶ 사람 人(인) + 한 一(일) + 가로 曰(왈) ➡ 음식을 삶고 있는 모습

會(회)의 중간 글자(灬)는 음식을 삶거나 찌는 냄비나 그릇의 모양이고 아래의 가로 曰(왈)은 화덕의 모습으로 여러 재료들을 넣고 삶거나 찌는 장면에서 모으다, 모이다, 만나다'등의 뜻으로 발전한 글자로 여겨진다.

●●●●● 會社(회사)/集會(집회)/同窓會(동창회)/會談(회담)/會者定離(회자정리)/牽强附會(견강부회)/
聽聞會(청문회)

昌(창)　　唱(창)　　娼(창)　　冒(모)　　帽(모)　　最(최)

昌 　훈음 창성할/아름다울/고울/기쁨/경사 창　부수 해 日(일)

▶▶▶ 해 日(일) + 해 日(일) ➡ 수평선에서 막 솟아오르는 태양

아침 해가 막 수면 위로 솟아오른 광경을 묘사한 글자로 위의 日은 태양을 아래의 日은 수면에 비친 태양의 그림자였으나 소전에 와서 曰(왈)로 바뀌었다. 아무튼 밝은 태양이 수면 위로 떠오르는 모습이 얼마나 아름답고 웅장한가?

●●●●● 繁昌(번창)/昌盛(창성)

唱 　훈음 노래 창　부수 입 口(구)　▶▶▶ 입 口(구) + 창성할 昌(창) ➡ 즐거움에 넘쳐 자연스레 노래가 나옴

繁昌(번창)하는 데 절로 콧노래(口)가 나오지 않겠는가? 두 글자 모두 의미요소고 昌(창)이 발음기호로 점점 솟아오르는 태양처럼 울려 퍼지는 노랫소리를 의미한다.

●●●●● 合唱(합창)/歌唱力(가창력)/夫唱婦隨(부창부수)/唱劇(창극)

娼 　훈음 몸 파는 여자 창　부수 계집 女(여)　▶▶▶ 계집 女(여) + 창성할 昌(창) ➡ 몸 파는 여자

여자(女)가 잘 나가는(昌) 것은 즉 아름답게(昌) 치장하는 것은 몸을 팔기 위함이다.

●●●●● 娼妓(창기)/娼女(창녀)/私娼街(사창가)/娼婦(창부)

冒 　훈음 무릅쓸/덮을 모　부수 멀/면데 冂(경)　▶▶▶ 멀 冂(경) + 두 二(이) + 눈 目(목) ➡ 曰(왈)자가 아님

사람의 눈(目)까지 오도록 무엇인가를 덮어쓰고(冂) 있는 모자의 상형이었으나, '무릅쓰다' '덮다' 등으로 널리 쓰이자 모자의 재질인 직물을 상형한 수건 巾(건)을 더하여 만든 글자가 아래의 모자 帽(모)자이다.

●●●●● 冒險(모험)/冒頭(모두)/冒瀆(모독)

帽

훈음 모자 모 　부수 수건 巾(건)　▶▶▶ 수건 巾(건) + 무릅쓸/덮을 冒(모)

예전에는 수건(巾) 즉 보자기 같은 것으로 얼굴이나 머리를 가리고(冒) 다니기도 했다. 모자의 재질이 직물이었으므로 헝겊 건(巾)을 추가하여 모자라는 의미를 분명히 한 글자다.

●●●●● 帽子(모자)/冠帽(관모)/軍帽(군모)/登山帽(등산모)

最

훈음 가장/제일 최 　부수 가로 曰(왈)　▶▶▶ 가로 曰(왈) + 귀 耳(이) + 또 又(우) ➡ 장수의 모자

전쟁에서 포로의 귀(耳)를 전리품으로 잘라(又) 취한(取) 후 너무 좋아 환호(曰)하는 모습이라는 말은 현대의 글자 모양을 보고 유추한 것이고, 옛글자는 투구를 쓰고 있는 장수(冒의 윗부분)의 목을 잘라 오는 것이야말로 으뜸가는 최고의 전공이었다는 사상을 담고 있는 글자다.

●●●●● 最近(최근)/最上(최상)/最高(최고)/最善(최선)

音 소리 음

☞ 문자적 소리 / 마음의 소리 / 울리다 / 악기 소리

音(음)　　意(의)　　億(억)　　憶(억)　　臆(억)　　識(식)

音
훈음 소리 음　부수 제 부수
▶▶▶ 설 立(辛의 변형) + 가로 日(왈) ➡ 악기 부는 모습
言(언)과 音(음)이 처음엔 구별 없이 사용되다가 후에 音(음)은 소리를, 言(언)은 내용을 강조하는 것으로 틀 잡혀졌다. 매울 신(辛), 말씀 言(언)과 비슷한 갑골문으로 말(曰)로 찌른다(辛) 혹은 악기를 부는(口) 모습으로 봐서 '말, 악기 소리' 등을 의미한다.
••••• 音樂(음악)/騷音(소음)/音聲(음성)/高音(고음)/低音(저음)

意
훈음 뜻 의　부수 마음 心(심)
▶▶▶ 소리 音(음) + 마음 心(심) ➡ 마음의 소리
숨겨진 마음(心)의 소리(音)가 사람들의 진정한 뜻이고 사람들의 본심이지 겉으로 드러난 것은 아무짝에도 믿을 게 되지 못한다.
••••• 意志(의지)/意思疏通(의사소통)/故意(고의)

億
훈음 억/편안할/헤아릴 억　부수 사람 亻(인)
▶▶▶ 사람 亻(인) + 뜻 意(의) ➡ 다른 사람의 마음
남(亻)의 뜻(意)을 모르고서야 어떻게 편안할 수 있겠는가? 상대방이나 자신(亻)의 뜻을 헤아려야 편안해질 것이다. 억 億(억)은 발음이 같아서 가차해 온 글자이다.
••••• 億丈(억장)/億萬長者(억만장자)/億測(억측)

憶
훈음 생각할 억　부수 마음 忄(심)
▶▶▶ 마음 忄(심) + 뜻 意(의) ➡ 마음의 품은 뜻을 또 되새겨 봄
생각이라는 것은 마음(忄)에 담아 둔 뜻(意)을 말하며, 생각한다는 것은 마음에 담아 둔 뜻을 돌이켜보고 헤아려 본다는 뜻이며, 사람의 몸을 상징하는 肉(육) 달 月(월)을 더한 글자가 臆測(억측)의 가슴 臆(억)자이다.
••••• 記憶(기억)/記憶喪失(기억상실)

識
훈음 알 식　부수 말씀 言(언)
▶▶▶ 말씀 言(언) + 音(음) + 戈(과) ➡ 알아야 면장을 한다.
찰진 흙 시(戠)에서 암시하듯 창 같은 뾰족한 것으로 점토판에 소리(音)를 받아 적어 기록한 것을 보고 상황이나 뜻을 알아낼 수 있었고 무엇을 알아야/지식이 있어야 말(言)을 한다고 하여 알다/지식 식(識)자가 만들어졌다.
••••• 識見(식견)/識別(식별)/知識(지식)/識字憂患(식자우환)

| 暗(암) | 韻(운) | 響(향) | 竟(경) | 境(경) | 鏡(경) |

暗
[훈음] 어두울 암　[부수] 해 日(일)　▶▶▶ 해 日(일) + 소리 音(음) ➡ 소리에 기여
환하고 어두운 것은 해가 있고 없고의 문제이므로 해 日(일)을 의미요소로, 소리 音(음)을 발음기호로 하여 만들어진 글자다.
●●●●● 暗黑(암흑)/暗記(암기)/暗室(암실)

韻
[훈음] 음 운　[부수] 소리 音(음)　▶▶▶ 소리 音(음) + 둥글 員(원) ➡ 종소리가 울려 퍼짐
員(원)이 발음기호이나 이 글자의 아랫부분은 조개 貝(패)가 아니라 솥 鼎(정)이었다. 그러므로 의미요소에도 영향을 주었을 것으로 생각되는데 쇠로 된 솥을 두드리면 그 소리(音)가 계속 울려 퍼졌을 것이므로 소리 音(음)과 어우러져 '서로 잘 어울리는 소리, 여운이 남는 소리' 등으로 의미가 확대되었을 것이다.
●●●●● 韻律(운율)/餘韻(여운)/韻致(운치)

響
[훈음] 울릴 향　[부수] 소리 音(음)　▶▶▶ 시골 鄕(향) + 소리 音(음) ➡ 고향의 소리
울린다는 것은 목소리나 악기 소리를 말하는 것이므로 소리 音(음)을 의미요소로 시골 鄕(향)을 발음기호로 하여 만들어 낸 글자다.
●●●●● 交響曲(교향곡)/音響(음향)

竟
[훈음] 다할/마칠 경　[부수] 설 立(립)　▶▶▶ 소리 音(음) + 사람 儿(인) ➡ 연주가 끝남
사람(儿) 위에 있는 악기(音)의 모습으로 이 소리 音(음)은 말씀 言(언)과 통하며, 말씀 言(언)은 악기를 입에 대고 부는 모습의 뜻도 가진다. 따라서 사람(儿) 위의 악기(音)의 모습이란 연주가 다 끝난 모습에서 '다하다, 마치다'라는 뜻으로 확대되어 사용되고 있다.
●●●●● 畢竟(필경)/竟夜(경야)

境
[훈음] 지경 경　[부수] 흙 土(토)　▶▶▶ 흙 土(토) + 다할 竟(경) ➡ 경계가 끝나는 곳
토지(土)나 밭이 끝나는(竟) 곳인 경계를 의미하며 竟(경)이 발음기호로도 사용됐다.
●●●●● 地境(지경)/國境(국경)/境界(경계)

鏡
[훈음] 거울 경　[부수] 쇠 金(금)　▶▶▶ 쇠 金(금) + 다할 竟(경) ➡ 청동거울
竟(경)을 발음기호로 쇠 金(금)을 의미요소로 사용하여 과거 청동거울을 포함 유리거울이 나오기 전엔 금속을 닦아서 거울 대용으로 사용하였기에 의미요소로 쇠 金(금)이 사용됐다.
●●●●● 破鏡(파경)/眼鏡(안경)/顯微鏡(현미경)

言 말씀 언

| 言(언) | 信(신) | 話(화) | 說(설) | 訓(훈) | 談(담) |
| 論(논) | 詠(영) | 語(어) | 獄(옥) | 競(경) | |

言
훈음 말씀 언 부수 제 부수
혀가 입 밖으로 길게 나온 모습으로 열심히 말을 하고 있음을 나타내는 글자로 '의미 있는 말'을 의미한다.
●●●●● 言及(언급)/言辯(언변)/言行(언행)/有口無言(유구무언)

信
훈음 믿을 신 부수 사람 亻(인) ▶▶▶ 사람 亻(인) + 말씀 言(언) ➡ 사람의 말
사람(亻)의 말(言)의 진실 여부에 따라 그 사람의 '성실, 진실, 믿음'의 정도가 드러나 그 사람의 신용이 결정된다.
●●●●● 信用(신용)/盲信(맹신)/信仰(신앙)/信徒(신도)

話
훈음 말할 화 부수 말씀 言(언) ▶▶▶ 말씀 言(언) + 혀 舌(설)➡ 혀를 놀린다
"함부로 혀(舌)를 놀려대지(言) 말라"는 것에서 암시하듯 혀(舌)를 놀린다(言)는 것은 말하고, 대화하고, 설교하다를 의미하므로 두 글자 모두 의미요소로 쓰였다.
●●●●● 對話(대화)/話題(화제)/談話(담화)/話頭(화두)

說
훈음 말씀 설 부수 말씀 言(언) ▶▶▶ 말씀 言(언) + 기쁠 兌(태) ➡ 사람을 기쁘게 한다.
참다운 스승님의 말씀(言)은 사람을 기쁘고(兌) 유익하게 해 주는 말(言)이다.
※ 悅(열) - 기쁠 열/閱(열) - 검열할 열/說(열) - 기꺼울 열
●●●●● 說敎(설교)/說往說來(설왕설래)/遊說(유세)/解說(해설)

訓
훈음 가르칠 훈 부수 말씀 言(언) ▶▶▶ 말씀 言(언) + 내 川(천) ➡ 순리에 따른 말
남을 가르치고 훈계하려면 물 흐르듯(川) 순리에 맞는 말(言)을 해야 한다.
●●●●● 訓戒(훈계)/敎訓(교훈)/訓放(훈방)/訓練(훈련)/山上垂訓(산상수훈)

談
훈음 말씀 담 부수 말씀 言(언) ▶▶▶ 말씀 言(언) + 불탈 炎(염) ➡ 열변을 토하다
얼마나 진지하게 이야기를 하는지 침까지 튀어가며 서로 열(炎)변(言)을 토하며 말하는 모습을 그려보라. 여기서 뜨거운(炎) 말(言) 즉 말씀 談(담)이 탄생했다.
※ 淡(담) - 묽을 담/痰(담) - 가래 담
●●●●● 相談(상담)/談話(담화)/對談(대담)/談笑(담소)/美談(미담)

論
훈음 말할/의논할 논 부수 말씀 言(언) ▶▶▶ 말씀 言(언) + 조리 侖(륜) ➡ 조리 있는 말
'여러 사람의 條理(조리) 있는(侖) 말(言)'이 곧 민심임을 의미하는 글자로 두 글자 모두 의미요소이며 조리 侖(륜)이 발음기호 역할을 한다.
●●●●● 論證(논증)/結論(결론)/輿論(여론)/論說(논설)

詠 훈음 읊을 영 부수 말씀 言(언) ▶▶▶ 말씀 言(언) + 길 永(영) ➡ 말을 길게 내빼는 것
'노래나 가락이나 시조' 등을 길게 늘여가며 읊조리는 것을 나타낸 글자로, 말씀 言(언)을 의미요소로 길 永(영)을 의미보조 겸 발음기호로 사용하여 만든 글자다.
••••• 吟詠(음영)/詠歌(영가)/詠歎(영탄)

語 훈음 말씀 어 부수 말씀 言(언) ▶▶▶ 말씀 言(언) + 나/우리 吾(오)
'말, 말씀'을 나타내는 또 다른 표현으로 나 吾(오)를 발음기호로 말씀 言(언)을 의미요소로 하여 만든 글자다.
••••• 語調(어조)/國語(국어)/言語(언어)/語感(어감)/語彙(어휘)/俗語(속어)/隱語(은어)/語不成說(어불성설)

獄 훈음 옥 옥 부수 말씀 言(언)
▶▶▶ 개 犭(견) + 말씀 言(언) + 개 犬(견) ➡ 범죄인을 개로 취급하여 개소리 내는 곳
마주보고 짖어(言) 대는 개 두 마리를 그림글자로 옮겨서 개처럼 서로 옳다고 싸우는 사람들 중에 결국 잘못된 한 사람이 가는 곳인 감옥 옥(獄)이 탄생됐다.
••••• 監獄(감옥)/獄中(옥중)/獄死(옥사)/地獄(지옥)/煉獄(연옥)

競 훈음 겨룰 경 부수 설 立(립) ▶▶▶ 말씀 言(언) + 사람 儿(인) ➡ 말다툼하는 모습
설 立(립)과 맏형(兄)의 형태가 아니라 사람(儿) 위에 말씀 言(언)자의 꼴로 서로 말다툼하는 모습에서 '겨루다, 다투다'로 파생된 글자이므로 두 글자 모두 의미요소이다.
••••• 競爭(경쟁)/競技(경기)/競馬(경마)/競賣(경매)/競走(경주)

記(기)　　計(계)　　課(과)　　變(변)　　識(식)　　許(허)

記 훈음 기록할 기 부수 말씀 言(언) ▶▶▶ 말씀 言(언) + 몸 己(기) ➡ 사람의 말을 기록함
사람의 말(言)을 기록하는 것이므로 말씀 言(언)이 의미요소로 몸 己(기)는 발음기호로 쓰였다.
••••• 記錄(기록)/暗記(암기)/日記(일기)/記憶(기억)

計 훈음 꾀/셀/헤아릴 계 부수 말씀 言(언) ▶▶▶ 말씀 言(언) + 열 十(십) ➡ 여러 가지 수단을 강구하다
입으로 一(일)에서 열(十)까지 세다(言)라는 설과 관악기 '대롱길이를 재다'에서 '헤아리다, 재다, 세다'라는 뜻으로 발전됐다는 설이 있다. 모든 글자가 다 의미요소이다.
••••• 計略(계략)/計算(계산)/設計(설계)/合計(합계)

課 훈음 매길/부과할 과 부수 말씀 言(언) ▶▶▶▶ 말씀 言(언) + 실과 果(과) ➡ 세금 부과 – 말로 열매를 거둠
봉이 김선달처럼 말(言)로 열매(果)를 수확하는 방법이 세금을 걷는 일이라 하여 두 글자 모두 의미요소고, 실과 果(과)가 발음을 겸했다.
••••• 課稅(과세)/課外(과외)/課題(과제)/賦課(부과)

變 훈음 변할/바꿀 변 부수 말씀 言(언) ▶▶▶ 실 糸(사) + 말씀 言(언) + 칠 攵(복) ➡ 나팔과 악기
술(糸)달린 악기(言)와 북채(攵-攴)를 그려서 새로운 왕조의 탄생을 알리는 성대한 대관식을 나타내는 글자로 새로운 왕조가 시작되었음을 알리는 글자로 발전하였다.
••••• 變心(변심)/變裝(변장)/變更(변경)/變聲期(변성기)

識 훈음 알 식 부수 말씀 言(언) ▶▶▶ 말씀 言(언) + 찰진 흙 戠(시) ➡ 알아야 면장도 하지

무엇을 알아야 즉 지식이 있어야 말(言)도 하는 법, 따라서 말씀 言(언)이 의미요소고 찰진 흙 시(戠)는 발음기호임은 짤 織(직)도 마찬가지다.

●●●●● 知識(지식)/識者(식자)/識別(식별)/鑑識(감식)/面識(면식)

許 훈음 허락할 허 부수 말씀 言(언) ▶▶▶ 말씀 言(언) + 절굿공이 午(오) ➡ 끈질기게 요청함

절굿공이(午)가 위아래로 수없이 오르내리듯이 끊임없는(午) 요구(言)에 두 손 두 발 다 들고 마침내 허락하고 말았다는 사상을 담고 있는 글자다. 두 글자 모두 의미요소고 절굿공이 午(오)가 발음에 영향을 미쳤다.

●●●●● 許諾(허락)/許可(허가)/免許(면허)/特許(특허)/允許(윤허)/許容(허용)

絲(련)　　變(변)　　戀(연)　　蠻(만)　　彎(만)　　灣(만)

變 훈음 변할/바꿀 변 부수 말씀 言(언)
▶▶▶ 실 糸(사) + 말씀 言(언) + 칠 攵(복) ➡ 나팔과 악기

술(糸)달린 악기(言)와 북채(攴-攵)를 그려서 새로운 왕조의 탄생을 알리는 성대한 대관식을 나타내는 글자로 새로운 왕조가 시작되었음을 알리는 글자로 발전하였다.

●●●●● 變心(변심)/變裝(변장)/變更(변경)/變聲期(변성기)

戀 훈음 사모할 연(련) 부수 마음 心(심)
▶▶▶ 실 糸(사) + 言(언) + 마음 心(심) ➡ 이전 왕조에 대한 그리움

變(변)이 새로운 왕조를 알리는 풍악소리로 즐거움을 나타내는 글자이지만 이전 왕조나 임금님에 대한 그리움을 마음 심(心)을 더하여 나타낸 글자가 사모할 戀(련)

●●●●● 戀愛(연애)/戀歌(연가)/戀敵(연적)/戀人(연인)

蠻 훈음 오랑캐 만 부수 벌레 虫(충)
▶▶▶ (絲-어지러울 련)+ 벌레 虫(충) ➡ 벌레만도 못한 놈들

발음(䜌-어지러울 련)부분인 윗부분에 벌레만도 못한 놈들이라는 뜻에서 벌레 虫(충)을 의미요소로 넣어서 벌레 취급한 오랑캐라는 글자를 만들어 냈다.

●●●●● 蠻行(만행)/野蠻(야만)

彎 훈음 굽을 만 부수 활 弓(궁)
▶▶▶ (絲-어지러울 련) + 활 弓(궁) ➡ 활처럼 굽은 것

발음기호인 윗부분에 등이 굽은 활(弓)을 의미요소로 사용하여 '굽다'라는 말을 만들어 냈다.

●●●●● 彎曲(만곡)/彎月(만월)

灣 훈음 물굽이 만 부수 물 氵(수) ▶▶▶ 물 氵(수) + 굽을 彎(만) ➡ 천연 항구

육지를 향해 활처럼 휘어져 배가 정박하기 쉬운 모양을 하고 있는 또는 그런 모양을 하고 있는 해변이나 항구를 뜻하는 글자이다. 물 氵(수)와 굽을 彎(만) 모두가 의미요소로 쓰였으며 굽을 彎(만)이 발음기호이다.

●●●●● 臺灣(대만)/港灣(항만)

諂(첨)　　諉(궤)　　詐(사)　　誘(유)　　誡(계)　　護(호)

諂 훈음 아첨할 첨　부수 말씀 言(언)　▶▶▶ 말씀 언(言) + 함정 함(臽) ➡ 말로 함정에 빠뜨림
말(言)로 사람을 함정(臽-함정 함)에 빠뜨리는 것이 아첨(阿諂)할 첨(諂)

詭 훈음 속일 궤　부수 말씀 言(언)　▶▶▶ 말씀 언(言) + 위태할 위(危) ➡ 말로 위태롭게 만듦
말(言)로 사람을 위태롭게(危) 만드는 것이 궤사(詭詐)의 속일 궤(詭)
●●●●● 詭辯(궤변)/詭計(궤계)/詭譎(궤휼)

詐 훈음 속일 사　부수 말씀 言(언)　▶▶▶ 말씀 언(言) + 잠깐 사(乍) ➡ 순식간에 말로 사람을 현혹시킴
잠깐(乍) 사이에 말(言)로 사람을 호리는 것이 사기(詐欺)의 속일 사(詐)
●●●●● 詭詐(궤사)/詐取(사취)

誘 훈음 꾈 유　부수 말씀 言(언)　▶▶▶ 말씀 언(言) + 빼어날 수(秀) ➡ 수려하게 말하여 남을 속임
빼어난(秀) 말(言)로 남을 꾀는 것이 유혹(誘惑)/유괴(誘拐)의 꾈 유(誘)
●●●●● 誘導(유도)/誘引(유인)/勸誘(권유)/誘發(유발)

誡 훈음 경계할 계　부수 말씀 言(언)　▶▶▶ 말씀 언(言) + 지킬 계(戒) ➡ 말로 지킴
말(言)로 지키는(戒) 것이 십계명(十誡命)의 경계할 계(誡)

護 훈음 보호할 호　부수 말씀 言(언)　▶▶▶ 말씀 언(言) +새잡을 확(隻) ➡ 소리를 질러 새를 도망가게 함
새 잡으려(隻) 하자 소리를 버럭 질러(言) 새를 도망가게 하는 것이 보호(保護)할 호(護)
●●●●● 護國(호국)/辯護(변호)

舌(설) 活(활) 話(화) 括(괄) 刮(괄) 憩(게) 舍(사)

舌

훈음 혀 설 **부수** 제 부수

입에서 혀를 내밀고 있는 모습으로 '혀'의 모양을 단순 간결하게 나타낸 글자다. '맛을 보고 말을 하고' 하는 혀의 역할로 타 글자와 어우러진다.

●●●●● 舌戰(설전)/口舌數(구설수)/舌禍(설화)

活

훈음 살 활 **부수** 물 氵(수) ▶▶▶ 물 氵(수) + 혀 舌(설) ➡ 생기 있는 혀

침(氵) 튀겨 가며 활기차게 혀(舌)를 놀려 대는 모습에서 活力(활력)이 느껴진다.

●●●●● 活氣(활기)/生活(생활)/活力(활력)/活動的(활동적)/活性(활성)

話

훈음 말할 화 **부수** 말씀 言(언) ▶▶▶ 말씀 言(언) + 혀 舌(설) ➡ 혀를 놀린다

"함부로 혀(舌)를 놀려대지(言) 말라"는 것에서 암시하듯 혀(舌)를 놀린다(言)는 것은 말하고, 대화하고, 설교하다를 의미하므로 두 글자 모두 의미요소로 쓰였다.

●●●●● 對話(대화)/話題(화제)/談話(담화)/話頭(화두)

括

훈음 묶을 괄 **부수** 손 扌(수) ▶▶▶ 손 扌(수) + 혀 舌(설) ➡ 혀를 지켜라

扌(수)를 의미요소로 舌(설)을 발음기호로 사용하여 묶을 括(괄)을 만들어 냈는데, 왜 혀 舌(설)이 사용되었느냐 하면 무엇을 묶으려면 반드시 손(扌)을 사용해야 하지만 묶어 두고 단속해야 할 대상 가운데 가장 으뜸가는 것은 혀(舌)가 아니겠는가?

●●●●● 括弧(괄호)/總括(총괄)

刮

훈음 깎을/비빌 괄 **부수** 칼 刂(도) ▶▶▶ 혀 舌(설) + 칼 刂(도) ➡ 혀를 제어함

무엇이든 깎으려면 칼이 필요하므로 칼 刂(도)를 의미요소로 舌(설)을 발음기호로 했다.

●●●●● 刮目(괄목)/刮目相對(괄목상대)

舍

훈음 집 사 **부수** 혀 舌(설) ▶▶▶ 사람 人(인) + 혀 舌(설) ➡ 집의 골격

금문을 보면 지붕(人)과 그 지붕을 바치는 기둥(干) 하나와 기초를 심기 위해 파 놓은 터(凵=口)의 모양을 하고 있어 사람이 기거하는 집을 짓고 있는 모습임을 쉽게 알 수 있다. 여기에서 '집, 머무르다' 등의 뜻이 파생되었다.

●●●●● 寄宿舍(기숙사)/舍監(사감)/舍廊(사랑)

欠 하품 흠

| 欠(흠) | 吹(취) | 炊(취) | 次(차) | 歌(가) |
| 飮(음) | 欽(흠) | 歎(탄) | 歡(환) | 款(관) |

欠
훈음 하품 흠　부수 제 부수
사람이 입을 벌리고 있는 모양을 본떠 '입을 벌리다 하품하다'는 뜻의 글자가 만들어졌다.
••••• 欠伸(흠신)/欠缺(흠결) – 欠伸(흠신) : 하품과 기지개

吹
훈음 불 취　부수 입 口(구)　▶▶▶ 입 口(구) + 하품 欠(흠) ➡ 피리를 불다
하품(欠)하듯 입(口) 벌려(欠) 피리와 같은 관악기를 부는(口) 모습에서 만들어진 글자다.
••••• 鼓吹(고취)/吹奏樂(취주악)

炊
훈음 불 땔 취　부수 불 火(화)　▶▶▶ 불 火(화) + 하품 欠(흠) ➡ 입김을 세게 불어 불길을 살림
하품하듯(火) 입을 벌려 불(火)을 지피다라는 뜻이다. 이 글자는 옛사람들이 나무로 불을 피웠음을 알려준다. 나무로 불을 지필 때는 불길이 살아나도록 불어주는 것이 필수적이다.
••••• 炊事(취사)/自炊(자취)

次
훈음 버금/다음 차　부수 하품 欠(흠)　▶▶▶ 두 二(이) + 하품 欠(흠) ➡ 침이 튀어나오다
여기서 二(이)는 숫자 二(이)가 아니라 입 벌릴 때 나오는 '침방울'을 그린 글자로, 입을 벌려(欠) 말하게 되면 그 다음에는 자연히 침이 튀므로 "그 다음, 두번째, 이어서" 등의 뜻으로 의미 확대된 것으로 추정된다. 하품 欠(흠)은 두번째(二) 즉 그 다음 사람에게 전염된다.
••••• 副次的(부차적)/次善策(차선책)/次官(차관)

歌
훈음 노래 가　부수 하품 欠(흠)　▶▶▶ 옳을 可(가) + 하품 欠(흠) ➡ 하품하듯 입을 벌려 노래함
입을 크게(可(가)) 벌려(欠) 노래하다는 의미다. 노래 哥(가)가 발음요소로 사용됐다.
••••• 歌曲(가곡)/歌詞(가사)/聖歌(성가)/哀歌(애가)/歌手(가수)

飮
훈음 마실 음　부수 하품 欠(흠)　▶▶▶ 밥 食(식) + 하품 欠(흠) ➡ 입을 크게 벌리고 벌컥벌컥 들이킴
입을 크게 벌려(欠) 먹는(食)다는 것은 곧 벌컥벌컥 들이키며 마신다는 것(飮)을 뜻한다.
••••• 飮料水(음료수)/食飮(식음)/飮毒自殺(음독자살)

欽
훈음 공경할 흠　부수 하품 欠(흠)　▶▶▶ 쇠 金(금) + 하품 欠(흠) ➡ 가마를 보고 놀라서 입을 다물지 못함
欠(흠)을 발음기호로 주물을 만들어 내는 가마(金)를 경외의 대상으로 하여 의미를 부여했다.
••••• 欽慕(흠모)/欽定(흠정)

歎
훈음 읊을/한숨쉴 탄　부수 하품 欠(흠)　▶▶▶ 노란 진흙 堇(근) + 하품 欠(흠) ➡ 숨을 크게 몰아쉼
堇(근)이 발음기호로 하품 欠(흠)을 의미요소로 하여, 입을 크게 벌리고 숨을 몰아쉬는 장면을 그려냈다.
••••• 歎息(탄식)/恨歎(한탄)

歡 훈음 기뻐할 환 부수 하품 欠(흠) ▶▶▶ 황새/백로 雚(관) + 하품 欠(흠) ➡ 너무 기뻐하는 모습
너무 기뻐 입을 크게 벌리고 즐거워하는 모습에서 하품 欠(흠)을 의미요소로 백로 雚(관)을 발음기호로 사용했다.
●●●●● 歡迎(환영)/歡待(환대)

款 훈음 정성/항목/새길 관 부수 하품 欠(흠) ▶▶▶ 士(사) + 示(시) + 하품 欠(흠) ➡ 정성스런 기원
欠(흠)은 하품한다는 뜻보다는 입을 벌리다가 원뜻으로 신(示)에게 제물(士)을 바쳐놓고 정성스럽게 간청하는 장면에서 '정성'과 神(신)과의 언약에서 반드시 지켜야 할 '대목이나 항목'이, 그리고 변경치 못한다는 뜻에서 '새기다'는 뜻도 추출되어 나온 것으로 추정된다.
●●●●● 約款(약관)/定款(정관)/借款(차관)

次(차)　姿(자)　恣(자)　資(자)　次(연)　盜(도)　羨(선)

次 훈음 버금/다음/이어서 차 부수 하품 欠(흠) ▶▶▶ 두 二(이) + 하품 欠(흠)
여기서 二(이)는 숫자 二(이)가 아니라 입 벌릴 때 나오는 '침방울'을 그린 글자로, 입을 벌려(欠) 말하게 되면 그 다음에는 자연히 '침이 튀므로' "그 다음, 두 번째, 이어서" 등의 뜻으로 의미 확대된 것으로 추정된다. 하품(欠(흠))은 두 번째(二) 즉 그 다음 사람에게 전염된다.
●●●●● 副次的(부차적)/次善策(차선책)/次官(차관)

姿 훈음 맵시 자 부수 계집 女(여) ▶▶▶ 버금 次(차) + 계집 女(여) ➡ 여자의 고운 맵시
次(차)를 발음요소로 계집 女(여)를 의미요소로 하여 만든 글자다. '고운 姿態(자태)'에서 보듯 여성의 옷매무새나 아름다운 모습을 보고 그려낸 글자다.
●●●●● 不動姿勢(부동자세)/姿態(자태)

恣 훈음 방자할 자 부수 마음 心(심) ▶▶▶ 버금 次(차) + 마음 心(심) ➡ 방자한 놈
방자하다는 것은 태도나 정신 상태의 문제이므로 마음 心(심)을 의미요소로 次(차)를 발음기호로 하여 만들어 낸 글자다.
●●●●● 放恣(방자)

資 훈음 재물 자 부수 조개 貝(패) ▶▶▶ 버금 次(차) + 조개 貝(패) ➡ 재물
次(차)를 발음기호로 재물을 상징하는 화폐인 조개(貝)를 더하여 재물 資(자)자를 만들었다.
●●●●● 資産(자산)/資本金(자본금)/投資(투자)

盜 훈음 훔칠 도 부수 그릇 皿(명) ▶▶▶ 침 연(次) + 그릇 皿(명) ➡ 견물생심
그릇(皿)에 담긴 음식을 보고 '군침(次-침 연)을 삼키다'에서 '훔치다'로 발전된 글자이거나, 또는 그릇(皿)이라 하면 靑銅(청동)제품이었으므로 오늘날의 고급 도자기에 맞먹는 귀한 것이었으므로 그릇을 보고 군침을 삼켜 집어 간다 하여 '훔치다'라는 의미로 발전했으며 토실토실 살찐 남의 집 羊(양)을 보고 군침(次-침 연) 흘리는 모양에서 羨望(선망)의 부러워할 선(羨)자가 만들어졌다
●●●●● 盜賊(도적)/盜掘(도굴)/竊盜(절도)/盜難(도난)

食(식)　飮(음)　養(양)　飼(사)　飯(반)　饌(찬)　餐(찬)

食

훈음 밥/먹을 식　부수 제 부수　▶▶▶ 人 + 良(량)

뚜껑이 덮여 있는 밥그릇 모양을 본뜬 것이었으나 점차 사람 人(인) + 어질 良(량)의 형태로 자형이 바뀌었는데, 그 글자들과는 전혀 무관하므로 현재의 글자로 의미를 파악하려고 해서는 안 된다. 후에 '양식, 밥, 먹다' 등으로 의미 확대되었다.

●●●●● 食慾(식욕)/食事(식사)/糧食(양식)/食貪(식탐)

飮

훈음 마실 음　부수 하품 欠(흠)　▶▶▶ 밥 食(식) + 하품 欠(흠) → 입을 크게 벌리고 벌컥벌컥 들이킴

입을 크게 벌려(欠) 먹는(食)다는 것은 곧 벌컥벌컥 들이키며 마신다는 것(飮)이다. 마실 때는 입을 크게 벌리고(欠) 먹어(食)야 한다.

●●●●● 飮料水(음료수)/食飮(식음)/飮毒自殺(음독자살)

養

훈음 기를 양　부수 먹을 食(식)　▶▶▶ 양 羊(양) + 밥 食(식) → 양에게 사료를 주어 기름

羊(양)을 발음기호로 먹을 食(식)을 의미요소로 하여 겨울철에는 특히 양(羊)에게 사료(食)를 먹여 길러야 한다 하여 '기르다, 부양하다, 받들어 모시다'로 의미 확대된 글자다.

●●●●● 養殖(양식)/扶養(부양)/養老(양로)

飼

훈음 먹일 사　부수 먹을 食(식)　▶▶▶ 밥 食(식) + 맡을 司(사) → 동물에게 먹을 것을 줌

동물을 맡아(司) 키운다는 것은 먹을 것(食)을 주는 것을 말한다. 司(사)를 발음기호로 밥 食(식)을 의미요소로 하여 만든 글자다.

●●●●● 飼育(사육)/飼料(사료)

飯

훈음 밥 반　부수 먹을 食(식)　▶▶▶ 밥 食(식) + 되돌릴 反(반) → 우리가 먹는 밥

밥이 들어 있는 밥그릇을 나타내는 食(식)이 '먹다' 등으로 사용되자 '밥'이라는 의미를 보존하기 위해 反(반)을 발음기호로 추가하여 밥 담긴 밥그릇(食)을 의미요소로 해 백반(白飯)의 '밥 飯(반)'이라는 글자를 또 만들어 냈다.

●●●●● 飯饌(반찬)/飯酒(반주)/飯店(반점)/茶飯事(다반사)/十匙一飯(십시일반)/朝飯夕粥(조반석죽)

饌

훈음 반찬 찬　부수 먹을 食(식)　▶▶▶ 먹을 食(식) + 손괘 巽(손) → 골라 먹는 음식

골라(巽) 먹는 음식(食)이란 여러 가지 반찬을 가리키며 갈비(歹-뼈 알)를 들고(又) 뜯어 먹는(食)모습에서 만찬(晩餐)의 먹을 찬(餐)자가 탄생하였다.

●●●●● 珍羞盛饌(진수성찬)/饌欌(찬장)/正餐(정찬)/午餐(오찬)/聖餐(성찬)/朝餐(조찬)

飢(기) 饑(기) 餓(아) 饉(근) 飽(포) 餘(여)
館(관) 餠(병) 餞(전) 飾(식) 蝕(식)

飢
훈음 주릴 기 부수 밥 食(식) ▶▶▶ 밥 食(식) + 안석 几(궤) ➡ 먹을 게 없다 – (肌–살 기)
几(궤)를 발음기호로 했다. 배가 고프다는 것은 먹을 것이 없다는 뜻이므로 밥 食(식)을 의미요소로 하여 만든 形聲(형성)자이다.
••••• 飢餓(기아)/飢渴(기갈)

饑
훈음 주릴 기 부수 밥 食(식) ▶▶▶ 밥 食(식) + 기미 幾(기) ➡ 먹을 게 없다
위의 주릴 飢(기)와 같은 의미의 글자로 단지 발음기호로 기미 幾(기)를 쓴다는 것이 다른 점이다. '줄임 글자' 추세로 보면 위의 주릴 飢(기)에 밀려 사용하지 않게 될 가능성이 높다.
••••• 饑餓(기아)/饑饉(기근)

餓
훈음 주릴 아 부수 밥 食(식) ▶▶▶ 밥 食(식) + 나 我(아) ➡ 먹을 게 없다
나 我(아)를 발음기호로 '배를 주리'는 것도 먹을 것이 없다는 뜻이므로 밥 食(식)을 의미요소로 하여 만든 形聲(형성)자이다.
••••• 飢餓(기아)/餓死(아사)

饉
훈음 흉년들 근 부수 밥 食(식) ▶▶▶ 밥 食(식) + 노란 진흙 堇(근) ➡ 먹을 게 덜 생산되었다
堇(근)을 발음기호로 흉년이란 먹을 게 부족한 것을 말한다. 밥 食(식)을 의미요소로 만들어졌다.
••••• 饑饉(기근)

飽
훈음 물릴/배부를 포 부수 밥 食(식) ▶▶▶ 밥 食(식) + 쌀 包(포) ➡ 배터지게 먹다
밥을 '배불리 먹다'는 뜻으로 고안된 글자로 얼마나 밥 食(식)을 많이 먹었으면 태아를 임신한 여자의 배 (包)처럼 되었을까.
••••• 飽食(포식)/飽滿(포만)/飽和(포화)

餘
훈음 남을 여 부수 밥 食(식) ▶▶▶ 밥 食(식) + 나 余(여) ➡ 먹을 게 남았다
余(여)를 발음기호로 '음식이 남았다'는 사상에 의미요소인 밥 食(식)을 더하여 만들었다.
••••• 餘分(여분)/餘暇(여가)/餘念(여념)

館
훈음 객사 관 부수 밥 食(식) ▶▶▶ 밥 食(식) + 벼슬 官(관) ➡ 밥도 먹고 자기도 하던 곳
官(관)을 발음기호로 나그네들이 '밤을 새기'도 하며 식사도 하던 곳을, 의미요소인 밥 食(식)을 더하여 만들어 낸 글자로 이 글자를 통하여 옛 풍습을 엿볼 수 있다.
••••• 旅館(여관)/館員(관원)/迎賓館(영빈관)

餠
훈음 떡 병 부수 밥 食(식) ▶▶▶ 밥 食(식) + 어우를 幷(병) ➡ 붙어 있는 먹을거리
幷(병)을 발음기호로 떡 역시 '먹을거리'이므로 밥 食(식)을 의미요소로 사용했다.
••••• 畵中之餠(화중지병)/煎餠(전병)/五餠二魚(오병이어)

餞
훈음 전별할 전 부수 밥 食(식) ▶▶▶ 밥 食(식) + 잔 盞(잔) ➡ 송별식엔 먹는 게 최고였다
창 戈(과)가 두 개가 겹치면서 발음요소가 되고, 송별식을 열어 준다는 것은 푸짐하게 먹어 보낸다는 뜻이므로 밥 食(식)을 의미요소로 하여 잔치를 베풀어 작별한다는 글자를 만들었다.
••••• 餞別金(전별금)/餞送(전송)

훈음 꾸밀 식 **부수** 먹을 食(식) ▶▶▶ 밥 食(식) + 사람 人(인) + 수건 巾(건) ➡ 밥상을 치움

밥 食(식)이 발음기호로 사용된 드문 예로서 밥을 다 먹은 후 수건(巾)으로 입을 훔치든 상을 닦든 그 모든 행위는 꾸미는 행위이므로 '꾸미다'라는 뜻으로 발전됐다.

●●●●● 裝飾(장식)/粧飾(장식)/虛禮虛飾(허례허식)

 훈음 좀먹을 식 **부수** 벌레 虫(충) ▶▶▶ 밥 食(식) + 벌레 虫(충) ➡ 벌레가 먹음

참으로 재미있는 글자로서 먹을 食(식)을 발음기호로, 음식물을 좀먹는 벌레(虫)를 더하여 무엇인가를 갉아 먹고 좀먹는다는 글자를 만들어 냈다.

●●●●● 皆旣日蝕(개기일식)/月蝕(월식)/日蝕(일식)

甘 달 감

甘(감) 紺(감) 甚(심) 堪(감) 勘(감) 某(모) 謀(모) 媒(매) 煤(매)

甘

훈음 달 감 **부수** 제 부수

입(口) 한가운데 점(丶)을 찍어 입 속에 맛있는 음식물이 들어 있는 모습을 그려 혀로 음식을 맛보고 있는 모습 혹은 입맛을 다시는 모습에서 '달다'로 의미 파생된 글자다.

※ 매울 辛(신)이 신맛으로 사용되므로 甘(감)은 혀의 단 부분을 말하므로 여기에 포함시켰다.

●●●●● 甘言利說(감언이설)/苦盡甘來(고진감래)/甘味(감미)/甘草(감초)

紺

훈음 감색 감 **부수** 실 糸(사) ▶▶▶ 실 糸(사) + 달 甘(감) ➡ 짙은 군청색

짙은 파랑인 감색을 나타내는 글자로 色(색)을 나타내는 글자의 많은 부분은 실 糸(사)를 의미요소로 많이 사용하는데 그것은 염색을 통해 색을 나타냈기 때문이다. 따라서 실 糸(사)가 의미요소고 달 甘(감)이 발음 기호이다.

●●●●● 紺色(감색)/紺靑(감청)

甚

훈음 심할 심 **부수** 달 甘(감) ▶▶▶ 달 감(甘-용기) + 필 필(匹-아궁이) ➡ 아궁이의 센 불

음식을 조리할 때 느껴지는 화덕의 엄청난 열기의 모습에서 '심하다'의 뜻이 생긴 글자.

●●●●● 極甚(극심)/甚至於(심지어)/後悔莫甚(후회막심)/甚難(심난)

勘

훈음 살필/헤아릴 감 **부수** 힘 力(력) ▶▶▶ 심할 甚(심) + 힘 力(력) ➡ 불의 세기를 조절함

적당한 열기유지를 위해 삽이나 쟁기(力)등으로 연료를 아궁이에 넣는 모습에서 불의 세기를 살피다 '헤아리다'의 뜻으로 발전한 글자임.

●●●●● 勘査(감사)/勘案(감안)/勘定(감정)

堪

훈음 견딜 감 **부수** 흙 土(토) ▶▶▶ 흙 土(토) + 심할 甚(심) ➡ 뜨거운 불에 견디는 가마

흙 가마가 센 불에도 타서 없어지거나 찌그러들지 않고 잘 버티는 모습에서 만들어 진 글자임

●●●●● 堪耐(감내)/堪當(감당)

某

훈음 아무 모 **부수** 나무 木(목) ▶▶▶ 달 甘(감) + 나무 木(목) ➡ 시간이 지나면 아무 맛도 아니다

입 속에 머금으면 신맛이 빠지면서 단맛(甘)이 나는 매실(木)을 가리키는 글자였으나 후에 음을 빌려 '잘 모른다, 무엇 무엇, 누군가' 등의 뜻으로 쓰이게 된 글자다.

●●●●● 某氏(모씨)/某處(모처)/某年(모년)

謀

훈음 꾀할 모 **부수** 말씀 言(언) ▶▶▶ 말씀 言(언) + 아무 某(모) ➡ 이 맛 저 맛이 나게 함

꾀한다는 것은 서로 논의한다는 것이므로 말씀 言(언)을 의미요소로 某(모)를 발음기호로 하여 만든 글자다. 또한 신맛이 나다가 오래되면 단맛이 나는 某(모)라는 글자를 의미요소로 하여, 이런저런 논의(言)를 통해 결국 현재의 난관을 극복할 꾀를 낸다고 하는 뜻으로 만들었다는 설도 있다.

●●●●● 謀略(모략)/謀陷(모함)/謀議(모의)/陰謀(음모)

훈음 중매 매 **부수** 계집 女(여) ▶▶▶ 계집 女(여) + 아무 某(모) ➡ 이름 없는 중매쟁이

남녀의 혼사를 연결하던 중매쟁이를 나타내기 위한 글자로 '아무 여자'를 '아무개'에게 소개한다 하여 두 글자 모두 의미요소이며 아무 某(모)가 발음기호이다. 옛날부터 중매는 주로 여자가 한 것임을 이 글자를 통해 짐작해 볼 수 있다. 이 경우는 계집 女(여)가 의미요소이다. 계집 女(여) 대신 불 火(화)를 넣으면 煤煙(매연)의 그을음 煤(매)자가 된다.

●●●●● 仲媒(중매)/媒介體(매개체)/觸媒(촉매)

辛 매울 신

☞ 같은 꼴의 갑골문을 가지고 있는 글자들 / 찌르다와 말하다가 어떻게 같을까?

辛(신)　　新(신)　　薪(신)　　親(친)　　音(음)　　言(언)

辛 | 훈음 매울 신 | 부수 제 부수 | ▶▶▶ 묵형 가하는 도구/형구

말씀 言(언)이나 소리 音(음)과 비슷한 모양의 글자로 '언어폭력'에서 보듯이 함부로 찌르는 듯한 말을 상징하기 위해서였다는 설과, 문신을 새길 때의 송곳 같은 날카로운 도구로서 실제로 사람을 찌르는 고문이나 형벌의 도구라는 설이 있다.

●●●●● 辛勝(신승)/辛味(신미)/千辛萬苦(천신만고)/辛辣(신랄)

新 | 훈음 새 신 | 부수 도끼 斤(근) | ▶▶▶ 매울 辛(신) + 木(목) + 도끼 斤(근)

나무를 베다가 원뜻이므로 나무 木(목)과 도끼 斤(근)이 의미요소고 辛(신)은 발음기호이다. 단순히 나무를 베는 것이 아니라 필요 없는 가지들을 잘라 주어 나무가 잘 자라게 한다는 뜻에서 '새롭다'는 뜻이 파생되었으며 풀 초(艹)를 더하여 본 뜻(新)을 살린 글자가 와신상담(臥薪嘗膽)의 섶/땔나무 신(薪)

●●●●● 新芽(신아)/刷新(쇄신)/新學期(신학기)/新年(신년)

親 | 훈음 친할 친 | 부수 볼 見(견) | ▶▶▶ 설 立(립) + 나무 木(목) + 볼 見(견)

나무(木)가 제대로 자라도록(立) 곁에서 보살펴(見) 주어야 하듯 부모는 자녀가 사회의 기둥이 될 수 있도록 곁에서 잘 보살펴 주어야 한다는 교훈을 담고 있다. 조금만 방심하면 나무가 뒤틀어지듯 우리의 자녀들도 비뚤어질 것이다.

●●●●● 兩親(양친)/父親(부친)/母親(모친)

音 | 훈음 소리 음 | 부수 제 부수 | ▶▶▶ 설 立(辛의 변형) + 가로 日(왈) ➡ 악기 부는 모습

言(언)과 音(음)이 처음엔 구별 없이 사용되다가 후에 音(음)은 소리를, 言(언)은 내용을 강조하는 것으로 틀 잡혀졌다. 매울 신(辛), 말씀 言(언)과 비슷한 갑골문으로 말(曰)로 찌른다(辛) 혹은 악기를 부는(口) 모습으로 봐서 '말, 악기 소리' 등을 의미한다.

●●●●● 音樂(음악)/騷音(소음)/音聲(음성)/高音(고음)/低音(저음)

言 | 훈음 말씀 언 | 부수 제 부수 | ▶▶▶ 매울 辛(신) + 口(구) ➡ 말로 찌르다

혀가 입 밖으로 길게 나온 모습으로 열심히 말을 하고 있음을 나타내는 글자로 '의미 있는 말'을 의미한다. 입(口)에서 뾰족한(辛) 것이 나오는 모습으로 송곳(辛)만 찌르는 것이 아니라 말(言) 또한 폐부 깊숙이 스며들 수 있다는 의미에서 생긴 글자다.

●●●●● 言及(언급)/言辯(언변)/言行(언행)/有口無言(유구무언)

辣(랄)   妾(첩)   童(동)   辯(변)   辨(변)

辣
훈음 매울 랄 부수 매울 신(辛) ▶▶▶ 매울 신(辛) + 묶을 속(束) ➡ 묶어놓고 형벌을 가함
묶어(束) 놓고 묵형(辛)을 가하니 신랄(辛辣)의 매울 랄(辣)
••••• 惡辣(악랄)

妾
훈음 첩 첩 부수 여자 여(女) ▶▶▶ 매울 신(辛) + 여자 여(女) ➡ 여자 종을 고문
여자(女) 포로에게 문신(辛)을 새겨 종으로 삼는 장면이 적첩(嫡妾)의 첩 첩(妾)
••••• 臣妾(신첩)/愛妾(애첩)/妾室(첩실)

童
훈음 아이 동 부수 설 립(立) ▶▶▶ 매울 신(辛) + 마을 리(里) ➡ 남자 포로를 고문
눈동자를 찔린(立→辛의 생략형) 남자 종(里)의 모습에서 동요(童謠)의 아이 동(童)
••••• 兒童(아동)/童顔(동안)/童貞(동정)/三尺童子(삼척동자)

辯
훈음 말 잘할 변 부수 매울 신(辛) ▶▶▶ 매울 신(辛) + 말씀 언(言) ➡ 두 죄인 사이에서 말하다
두 죄인(辛)사이에서 말(言) 잘 해야 하는 것이 변호사(辯護士)의 말 잘할 변(辯)
••••• 辯論(변론)/詭辯(궤변)/訥辯(눌변)

辨
훈음 분별할 변 부수 매울 신(辛) ▶▶▶ 매울 신(辛) + 칼 도(刂) ➡ 죄인들의 속마음을 열어보다
옳다고 주장하는 죄인(辛)을 둘로 쪼개(刂) 사실을 분별해 내는 것이 변별력(辨別力)의 분별할 변(辨)
••••• 辨明(변명)/辨證(변증)/辨償(변상)/辨理士(변리사)

辟(벽)   壁(벽)   璧(벽)   闢(벽)   霹(벽)   僻(벽)   癖(벽)   避(피)

辟
훈음 임금/허물 벽/피할 피 부수 매울 辛(신) ▶▶▶ 주검 尸(시) + 口(구) + 매울 辛(신)
꿇어앉은 사람(尸)과 그 사람에게 묵형을 가하는 도구인 송곳에 해당하는 끝의 상형인 신(辛)의 합체자로 "형벌을 받는 사람"을 가리키는 것으로 여겨지나 정확한 뜻은 모른다. 유추해 볼 수 있는 점은 大辟(대벽)이 형벌 중 가장 큰 사형을 의미함으로 사형 집행을 할 정도의 권위를 가진 사람으로 '임금'을 죽일 정도라는 뜻에서 '죄, 허물'을 의미했을 것이고, 사형만은 피해야 한다 하여 '피하다'의 뜻을 가지게 되었을 것이다.

壁
훈음 벽 벽 부수 흙 土(토) ▶▶▶ 임금 辟(벽) + 흙 土(토) ➡ 흙으로 만든 담벼락
옛날 초기 단계의 성은 土城(토성)이 많았다. 따라서 당시의 성벽이나 담벼락은 흙벽돌로 만들어졌으므로 흙 土(토)를 의미요소로 임금 辟(벽)을 발음기호로 해 글자를 만들었으며 성문(門)에서 죄인(辟)을 검문하여 들여보내던 모습에서 開闢(개벽)의 열 闢(벽)자가 비 雨(우)를 더하여 죄인(辟)에겐 신의 천벌처럼 느껴지는 靑天霹靂(청천벽력)의 벼락 霹(벽)자가 만들어졌다.
••••• 擁壁(옹벽)/城壁(성벽)/外壁(외벽)/天地開闢(천지개벽)

璧
훈음 둥근 옥 벽 부수 구슬 玉(옥) ▶▶▶ 임금 辟(벽) + 구슬 玉(옥) ➡ 둥글고 넓적한 옥
둥글고 넓적한 옥을 나타내는 글자로 구슬 玉(옥)이 의미요소고 辟(벽)은 발음기호이다.
••••• 完璧(완벽)/雙璧(쌍벽)

훈음 후미질/치우칠 벽 **부수** 사람 亻(인) ▸▸▸ 사람 亻(인) + 임금 辟(벽) ➡ 죄인을 산골로 유배 보내다

辟(벽)은 발음기호임과 동시에 죄(辟)진 사람(亻)을 피하고 멀리하다는 의미에도 간여했다. 점차 '후미지다, 치우치다' 등으로 확대 사용되었다.

●●●●● 山間僻地(산간벽지)/僻村(벽촌)/偏僻(편벽)

- -

훈음 적취/버릇 벽 **부수** 병들어 기댈 疒(녁) ▸▸▸ 疒(녁) + 辟(벽) ➡ 병에 가까운 버릇

병적으로 집착하는 '버릇이나 습관'을 뜻하므로 질병과 관련된 글자인 병들 疒(역)을 의미요소로 辟(벽)은 발음기호로 하여 탄생한 글자다.

●●●●● 盜癖(도벽)/潔癖(결벽)

- -

훈음 피할 피 **부수** 갈 辶(착) ▸▸▸ 갈 辶(착) + 허물 辟(벽) ➡ 죄인이 도망감

'피하다'라는 것은 죄를 지은 사람이나 죄인으로 여겨지는 사람이 어디론가 가서 숨다 혹은 숨기 위해 처소를 옮기는 것을 말하므로 허물이나 죄인의 뜻이 있는 벽(辟)이 의미 겸 발음요소에 기여했다. 갈 辶(착)은 의미요소로 하여 '피하다'라는 글자가 만들어졌다.

●●●●● 避難(피난)/免避(면피)/回避(회피)

- -

齒(치)   齡(령)   齧(설)

훈음 이 치 **부수** 제 부수 ▶▶▶ 앞 이빨의 모습

앞 이빨의 모습인 止(지)를 발음기호로 사용하여 나타낸 글자였으나 후에 모든 이빨을 묘사하는 글자가 되었다.

●●●●● 齒科(치과)/齒石(치석)/齒痛(치통)/齒牙(치아)

훈음 나이 령 **부수** 이 齒(치) ▶▶▶ 이 齒(치) + 영 令(령) ➡ 이빨로 나이를 추정함

옛사람들의 齒牙(치아) 상태는 나이를 알려주기도 했으며, 이빨이 몇 개 난 것을 기준으로 아이들의 나이를 추정할 수도 있었을 것이다. 令(령)은 발음기호이다.

●●●●● 年齡(연령)

훈음 물다/깨물 설 **부수** 이 齒(치) ▶▶▶ 새길 契(계) + 이 齒(치) ➡ 이빨이 발달한 짐승

齧(설)의 윗부분은 새길 契(계)로서 '치아(齒)로 잘게 쪼개다, 갉아먹다'의 뜻을 나타내도록 만든 글자이다.

●●●●● 齧齒類(설치류)

牙 어금니 아

牙(아)   芽(아)   雅(아)   訝(아)   邪(사)   穿(천)

牙
훈음 어금니 아 부수 제 부수
입 속 가장 깊숙이 위치한 위아래의 두 어금니 즉 송곳니가 맞물려 있는 모양을 본뜬 글자다.
••••• 牙城(아성)/齒牙(치아)/象牙(상아)

芽
훈음 싹 아 부수 풀 艹(초) ▶▶▶ 풀 艹(초) + 어금니 牙(아) → 풀이 대지를 뚫고 싹을 틔움
어금니 아(牙)를 발음기호로 풀 艹(초)를 의미요소로 사용하여 만든 글자이나 두 글자 모두 의미에 직 간접적으로 기여하였다. 풀(艹)과 어금니(牙) 모두 굳은 곳을 뚫고 올라오는 모습이 비슷함으로 서로 조합을 한 것 같다.
••••• 發芽(발아)/麥芽(맥아)/萌芽(맹아)

雅
훈음 바를/맑을 아 부수 새 隹(추) ▶▶▶ 어금니 牙(아) + 새 隹(추) → 청아한 새소리
아(牙)를 발음기호로 隹(추)를 의미요소로 하여 까마귀의 일종인 새를 나타낸 글자였으나, 점차로 '고상하다, 너그럽다'로 의미가 차용되어 사용되었으며 아주 후미진(牙)곳에서 어떤 상황이나 사람을 목격하게 되면 놀라서 말(言)이 나오지 않게 되는 상황이 疑訝(의아)의 맞을 訝(아)자다.
••••• 優雅(우아)/雅量(아량)/淸雅(청아)

邪
훈음 간사할 사 부수 고을 읍(阝) ▶▶▶ 어금니 牙(아) + 고을 읍(阝=邑)
고을에 숨어서 어금니처럼 숨어 찌르는 사람이라는 뜻에서 간사하다, 사악하다로 발전한 글자로, 두 글자 모두 의미요소이나 아(牙)가 발음을 겸한다.
••••• 奸邪(간사)/邪惡(사악)/妖邪(요사)/邪敎集團(사교집단)

穿
훈음 뚫을 천 부수 굴 穴(혈) ▶▶▶ 굴 穴(혈) + 어금니 牙(아) → 굴을 파다/뚫다
어금니(牙)의 뚫고 나오는 성질에서 뚫어서(牙) 굴(穴)을 만든다는 글자를 만들어 냈다.
•••• 穿孔(천공)/水滴穿石(수적천석)/渴而穿井(갈이천정)

而 말 이을 이

而(이) 耐(내) 耑(단) 端(단) 瑞(서) 喘(천) 需(수) 儒(유) 懦(나)

而

훈음 말 이을 이 **부수** 제 부수
본래 턱 아래에 난 수염을 뜻하기 위한 글자였으나, 접속사로 쓰이는 예가 많아지자 '말 이을 이'라는 이름을 가지고 '말이 끊이지 않고 계속 이어진다'는 접속의 뜻을 갖게 되었다.
••••• 而立(이립-서른 살의 다른 이름)/似而非(사이비)

耐

훈음 견딜 내 **부수** 말 이을 而(이) ▶▶▶ 말 이을 而(이) + 마디 寸(촌) ➡ 귀밑털이 빠져도 참아라
선생님으로부터 귀밑털을 잡아당김을 당해본 기억이 있다면 '얼마나 아픈 지 알 것이다' 손(寸)으로 털(而)을 잡아당기는 모습을 그려서 '고통을 참고 견딘다'는 글자로 발전했다.
••••• 忍耐(인내)/耐久性(내구성)/耐久財(내구재)/堪耐(감내)

耑

훈음 시초 단 – 끝/바를 端(단)의 原字(원자) **부수** 말 이을 而(이)
▶▶▶ 뫼 山(산) + 而(이) ➡ 잔털이 달린 새싹
사람의 수염과 식물의 잔털의 모습은 비슷하다. 따라서 耑(단)자의 而(이)자는 수염이 아니라 잔털의 모습이 있는 식물 뿌리이다. 그러므로 대지를 뚫고 올라온 새싹(山)과 어우러져 '사물의 시초'라는 뜻을 나타내는 글자가 되었으며, 땅을 뚫고(耑) 올라오기 쉽지 않듯이 힘들게 입(口)에서 나오는 것이 천식(喘息)의 헐떡거릴 천(喘)자가 만들어 졌다.

端

훈음 바를/끝 단 **부수** 설 立(립)
▶▶▶ 설 立(립) + 시초 耑(단) ➡ 꼿꼿한 자세/식물의 끝에서 봄에 새로이 나는 싹
자세가 바르다는 뜻을 나타내기 위한 글자로 설 立(립)이 의미요소고 耑(단)은 발음기호이다.
••••• 末端(말단)/端正(단정)/尖端(첨단)

瑞

훈음 상서/조짐 서 **부수** 구슬 玉(옥) ▶▶▶ 구슬 玉(옥) + 시초 耑(단) ➡ 높은 직분의 임명장을 받음
제후를 봉할 때 信標(신표)로 주는 玉(옥)으로 만든 홀(圭)을 뜻하기 위한 글자이므로 玉(옥)자가 의미요소로 또한 그 信標(신표)를 받는 순간부터 出世(출세)가 시작되므로 실마리의 뜻을 갖는 시초 耑(단)도 의미요소로 사용되었다. '조짐, 길조'로 의미 확대됐다.
••••• 祥瑞(상서)롭다/瑞夢(서몽)/瑞光(서광)

需

훈음 구할/쓰일 수 **부수** 비 雨(우) ▶▶▶ 비 雨(우) + 수염/말 이을 而(이) ➡ 혼신을 다해 비는 모습
'비 오기를 간청하던 기우제를 올리던 무당'의 요청대로 비가 억수같이 쏟아져 수염까지 젖게 된 모습에서 비 즉 물을 '구하다, 필요하다, 쓰이다'로 의미 확대됐다.
••••• 需給(수급)/內需(내수)

儒

훈음 선비 유 **부수** 사람 亻(인) ▶▶▶ 사람 亻(인) + 구할 需(수) ➡ 사회에 쓰임새 있는 선비
선비는 사회에 필요한(쓰임새 있는-需) 사람(亻)이란 뜻에서 선비 유(儒)가 만들어 졌으며 글만 읽는 선비(需)들은 심성이(忄) 본래 나약하다하여 나약(懦弱)할 나(懦)자가 탄생하였다.
••••• 儒敎(유교)/崇儒(숭유)/儒生(유생)

◆ 다음 글자의 훈과 음을 쓰시오.

( )京( ) – ( )高( ) – ( )交( ) – ( )文( ) – ( )衣( )

1. "京"자에서 亠(두)는 무엇을 의미하는가?
   ① 머리, 꼭대기 ② 손, 어깨 ③ 가슴, 배 ④ 다리, 발

2. "高"의 부수는?
   ① 亠 ② 口 ③ 冂 ④ 高

3. 다음 중 "高"자가 들어가지 <u>않는</u> 것은?
   ① 고육지책 ② 고등학교 ③ 천고마비 ④ 고속도로

4. "交"자에서 乂(예)는 무엇을 의미하는가?
   ① 두 다리 ② 두 손 ③ 두 팔 ④ 눈과 입

5. "文"자는 무엇을 본뜬 글자인가?

6. "衣"의 부수는?
   ① 亠 ② 氏 ③ 民 ④ 衣

7. "衣"자는 무엇을 본떠 만들었는가?
   ① 속바지 ② 치마 ③ 저고리 ④ 모자

8. "고차원, 고등학교"에서 밑줄 친 글자는?
   ① 高 ② 京 ③ 文 ④ 交

9. "고층 빌딩, 고가도로"에서 밑줄 친 글자의 뜻은?
   ① 외롭다 ② 높다 ③ 많다 ④ 비싸다

10. "문학작품, 문필가, 문맹자"에서 밑줄 친 글자와 관계 없는 것은?

     ① 글   ② 문장   ③ 낱말   ④ 장사

11. "의복, 의상, 아동의류"에서 밑줄 친 글자의 뜻은?

     ① 예방 주사   ② 음식   ③ 옷   ④ 신발

12. 다음 중 "交"자의 쓰임 중 맞지 않는 것은?

     ① 친구와의 교제   ② 문물 교류   ③ 물물 교환   ④ 교차로

◆ 다음 중 주어진 글자로 이루어지는 단어를 2개 이상 한자 또는 한글로 쓰시오.

13. 京 -

14. 高 -

15. 交 -

16. 文 -

17. 衣 -

◆ 다음 글자의 음과 훈을 쓰시오.

(   )亡( ) - (   )妄( ) - (   )忘( ) - (   )忙( ) - (   )望( ) -
(   )盲( ) - (   )茫( ) - (   )荒( ) - (   )罔( ) - (   )網( )

◆ 다음 글자를 분해하시오.

1. 忘 =   +   +   2. 妄 =   +

3. 忙 =   +   4. 亡 =   +

5. 荒 =   +   +   6. 望 =   +   +

7. 罔 =   +   8. 網 =   +

9. 다음 중 "망"으로 발음되지 않는 것은?

     ① 盲   ② 忘   ③ 望   ④ 忙

◆ 다음 글자를 소리 부분(聲符)과 뜻 부분(意符)으로 분해하시오.

10. 妄 = 소리 부분(聲符)   +   뜻 부분(意符)

11. 忘 = 소리 부분(聲符)   +   뜻 부분(意符)

12. 忙 = 소리 부분(聲符) [　　] + 뜻 부분(意符) [　　]

13. 盲 = 소리 부분(聲符) [　　] + 뜻 부분(意符) [　　]

14. 다음 "亡"자에 대한 설명 중 맞지 <u>않는</u> 것은?
① 멸망하다　　　② 패망하다　　　③ 일어나다　　　④ 죽다

15. 다음 "忘(망)"자의 쓰임 중 적당한 것은?
① 흥망성쇠　　　② 건망증　　　③ 패망　　　④ 절망

16. 다음 "望(망)"자의 쓰임 중 적당한 것은?
① 고주망태　　　② 망중한　　　③ 희망　　　④ 어망

17. 다음 "荒(황)"자의 쓰임 중 적당한 것은?
① 황인종　　　② 긴급상황　　　③ 황무지　　　④ 황제

18. 다음 "盲(맹)"자에서 "뜻 부분(意符)"은 어느 것인가?
① 亠　　　② 亡　　　③ 亡　　　④ 目

19. 다음 "網(망)"자에서 "뜻 부분(意符)"은 어느 것인가?
① 糸　　　② 冂　　　③ 亡　　　④ 岡

◆ 다음 중 주어진 글자로 이루어지는 단어를 2개 이상 한자 또는 한글로 쓰시오.

20. 亡 – [　　　　　]

21. 妄 – [　　　　　]

22. 忘 – [　　　　　]

23. 忙 – [　　　　　]

24. 望 – [　　　　　]

25. 荒 – [　　　　　]

26. 盲 – [　　　　　]

27. 網 – [　　　　　]

◼ 다음 글자의 훈과 음을 쓰시오.

( )自( ) - ( )臭( ) - ( )嗅( ) - ( )鼻( ) - ( )息( ) -
( )首( ) - ( )道( ) - ( )導( ) - ( )邊( )

◼ 다음 글자를 분해하시오.

1. 嗅 = [　] + [　] + [　]　　2. 臭 = [　] + [　]

3. 息 = [　] + [　]　　　　　4. 導 = [　] + [　]

5. 邊 = [　] + [　] + [　] + [　]

6. 道 = [　] + [　]　　　　　7. 首 = [　] + [　]

8. "自"자는 무엇을 본떠 만들었는가?
　　① 머리　　　　② 눈　　　　③ 코　　　　④ 입

9. 다음 중 서로 관계 없는 것은?
　　① 鼻　　　　② 臭　　　　③ 嗅　　　　④ 耳

10. 다음 중 "코"와 관계 깊은 것은?
　　① 息　　　　② 見　　　　③ 思　　　　④ 耳

11. 다음 중 성격이 다른 하나는?
　　① 嗅　　　　② 首　　　　③ 息　　　　④ 自

12. 다음 "邊"자에 대한 설명 중 옳은 것은?
　　① 경쟁하다　　② 화로　　　③ 농사 도구　　④ 변두리

13. 다음 "鼻"자에 대한 표현 중 적당한 것은?
　　① 코로 숨쉬니까 좋다　　　　② 비인간적인 태도
　　③ 비행기　　　　　　　　　　④ 농사일

14. 다음 중 "臭"자와 관계 없는 것은?
   ① 개   ② 코   ③ 앵무새   ④ 냄새

15. 다음 중 "嗅"자와 관계 깊은 것은?
   ① 臭   ② 牛   ③ 角   ④ 目

16. "首"자는 무엇 의미하는가?
   ① 머리   ② 눈   ③ 코   ④ 입

17. 다음 "道"자에 대한 설명 중 맞지 않는 것은?
   ① 길   ② 도덕   ③ 가축   ④ 이치

◆ 다음 중 주어진 글자로 이루어지는 단어를 2개 이상 한자 또는 한글로 쓰시오.

18. 自 –

19. 臭 –

20. 嗅 –

21. 鼻 –

22. 息 –

23. 首 –

24. 道 –

25. 導 –

26. 邊 –

◈ 다음 글자의 훈과 음을 쓰시오.

```
(    )頁(  ) – (    )頂(  ) – (    )項(  ) – (    )頭(  ) – (    )顔(  ) –
(    )額(  ) – (    )須(  )
```

1. 頁 = [   ] + [   ] + [   ]   2. 顔 = [   ] + [   ]

3. 頭 = [   ] + [   ]   4. 須 = [   ] + [   ]

◈ 다음 글자를 소리 부분(聲符)과 뜻 부분(意符)으로 분해하시오.

5. 頂 = 소리 부분(聲符) [   ]   + 뜻 부분(意符) [   ]

6. 項 = 소리 부분(聲符) [   ]   + 뜻 부분(意符) [   ]

7. 頭 = 소리 부분(聲符) [   ]   + 뜻 부분(意符) [   ]

8. 顔 = 소리 부분(聲符) [   ]   + 뜻 부분(意符) [   ]

9. 額 = 소리 부분(聲符) [   ]   + 뜻 부분(意符) [   ]

10. "頁"자는 무엇을 본떠 만들었는가?
　　① 머리　　　　　② 몸통　　　　　③ 팔다리　　　　　④ 코와 입

11. 다음 "頂"자에 대한 설명 중 맞지 않는 것은?
　　① 눈동자　　　② 정수리　　　③ 꼭대기　　　④ "丁"이 발음 부분(聲符)

12. 다음 중 서로 관계 없는 것은?
　　① 頁　　　　　② 頂　　　　　③ 項　　　　　④ 頭

13. 다음 "頂"자에 대한 쓰임 중 옳은 것은?
　　① 정치 세력　　　　　　　　② 애정의 그림자
　　③ 설악산의 정상에 오르다　　　④ 정자에 오르다

14. 다음 "頭"자에 대한 쓰임 중 옳은 것은?
  ① 도주불사 　　　 ② 도상이 잘생겼다 　　 ③ 천연두 　　　 ④ 녹도 부침

15. 다음 "頭"자와 관계 없는 글자는?
  ① 目 　　　　　 ② 耳 　　　　　 ③ 頁 　　　　　 ④ 雨

16. 다음 "顔"자에 대한 쓰임 중 옳은 것은?
  ① 안면몰수 　　　 ② 안전 불감증 　　 ③ 안내문 발송 　　 ④ 색안경

17. 다음 "額"자에 대한 쓰임 중 옳은 것은?
  ① 전액 입금 부탁합니다 　　　　 ② 액취 때문에 골머리 앓다
  ③ 액체 상태 　　　　　　　　　 ④ 횡액을 입다

18. 다음 "須"자에 대한 쓰임 중 옳은 것은?
  ① 수영장 　　　　 ② 인기 가수 　　 ③ 수물 수뢰죄 　　 ④ 필수 사항

19. 다음 "顔"자와 같은 뜻을 가진 글자는?
  ① 臣 　　　　　 ② 面 　　　　　 ③ 忘 　　　　　 ④ 頭

◘ 다음 중 주어진 글자로 이루어지는 단어를 2개 이상 한자 또는 한글로 쓰시오.

20. 頂 - 　　　　　　　　　　　　　 21. 項 - 　　　　　　　　　　　　　

22. 頭 - 　　　　　　　　　　　　　 23. 顔 - 　　　　　　　　　　　　　

24. 額 - 　　　　　　　　　　　　　 25. 須 - 　　　　　　　　　　　　　

◘ 다음 글자의 음과 훈을 쓰시오.

(　　)頃(　) - (　　)傾(　) - (　　)順(　) - (　　)頻(　) - (　　)煩(　) -
(　　)濕(　) - (　　)顯(　) - (　　)類(　)

◘ 다음 글자를 분해하시오.

1. 傾 = 　　　　 + 　　　　 + 　　　　 　　2. 頻 = 　　　　 + 　　　　

3. 頃 = 　　　　 + 　　　　 　　　　　　　4. 煩 = 　　　　 +

5. 다음 "順"자에 대한 쓰임 중 옳은 것은?
　　① 순회 방문　　　　② 순간적인 실수　　　③ 순종적인 학생　　　④ 순국열사

6. 다음 "頻"자에 대한 쓰임 중 옳은 것은?
　　① 빈한한 가정　　　② 빈번한 사고　　　③ 청빈한 선비　　　④ 빈대떡 안주

7. 다음 "濕"자와 관계 깊은 것은?
　　① 생각　　　　　　② 힘　　　　　　③ 물　　　　　　④ 양념

8. 다음 부수가 서로 <u>다른</u> 글자는?
　　① 頃　　　　　　② 順　　　　　　③ 煩　　　　　　④ 頭

9. 다음 "類"자에 대한 설명 중 옳은 것은?
　　① 무리, 종류　　　② 버드나무, 참나무　　③ 우유, 모유　　④ 식용류, 연료

10. 다음 "煩"자에 대한 설명 중 옳지 <u>않은</u> 것은?
　　① 괴롭다　　　② 부수가 "火" 이다　　③ 번거롭다　　④ 상쾌하다

◆ 다음 중 주어진 글자로 이루어지는 단어를 1개 이상 한자 또는 한글로 쓰시오.

11. 頃 －　　　　　　　　　　　　　　12. 傾 －

13. 頻 －　　　　　　　　　　　　　　14. 煩 －

15. 濕 －　　　　　　　　　　　　　　16. 顯 －

17. 類 －　　　　　　　　　　　　　　18. 順 －

◆ 다음 글자의 훈과 음을 쓰시오.

```
(    )頌(  ) － (    )預(  ) － (    )頑(  ) － (    )領(  ) － (    )題(  ) －
(    )願(  ) － (    )頗(  ) － (    )顧(  )
```

◆ 다음 글자를 소리 부분(聲符)과 뜻 부분(意符)으로 분해하시오.

1. 頌 = 소리 부분(聲符) 　　　　　 ＋ 뜻 부분(意符)

2. 預 = 소리 부분(聲符) 　　　　　 ＋ 뜻 부분(意符)

3. 頑 = 소리 부분(聲符) 　　　　　 ＋ 뜻 부분(意符)

4. 領 = 소리 부분(聲符) ⬚ + 뜻 부분(意符) ⬚

5. 題 = 소리 부분(聲符) ⬚ + 뜻 부분(意符) ⬚

6. 願 = 소리 부분(聲符) ⬚ + 뜻 부분(意符) ⬚

7. 頗 = 소리 부분(聲符) ⬚ + 뜻 부분(意符) ⬚

8. 顧 = 소리 부분(聲符) ⬚ + 뜻 부분(意符) ⬚

9. 다음 "預"자에 대한 설명 중 맞지 <u>않는</u> 것은?
　① 미리, 사전에　　② 맡기다　　③ 예금 통장　　④ 걱정하다

10. 다음 "領"자에 대한 쓰임 중 옳은 것은?
　① 영국 신사　　② 대통령　　③ 사냥하다　　④ 신령한 기운

11. 다음 "頑"자에 대한 쓰임 중 옳은 것은?
　① 완고한 아버지　　② 완벽한 작품　　③ 완장 찬 헌병　　④ 완만한 경사

12. 다음 "題"자에 대한 설명 중 맞는 것은?
　① 섬기다　　② 화내다　　③ 두 팔　　④ 이마

13. 다음 중 서로 관계 <u>없는</u> 것은?
　① 頭　　② 項　　③ 題　　④ 頁

14. "顧"자에 대한 것 중 옳은 것은?
　① 음은 "고"　　② 고지식하다　　③ 동물의 종류　　④ 야채

◪ 다음 중 주어진 글자로 이루어지는 단어를 1개 이상 한자 또는 한글로 쓰시오.

15. 頌 - ⬚　　16. 預 - ⬚

17. 頑 - ⬚　　18. 領 - ⬚

19. 題 - ⬚　　20. 願 - ⬚

21. 頗 - ⬚　　22. 顧 - ⬚

◪ 다음 글자의 음과 훈을 쓰시오.

| ( )面( ) – ( )耳( ) – ( )目( ) – ( )口( ) – ( )鼻( ) |

1. 다음 중 "面"자와 관계 <u>없는</u> 것은?

① 耳   ② 目   ③ 鼻   ④ 足

2. 다음 중 "식사"와 관계 깊은 글자는?

① 口   ② 首   ③ 足   ④ 兒

3. 다음 중 "음악 감상"과 관계 깊은 글자는?

① 面   ② 荒   ③ 羊   ④ 耳

4. 냄새는 어디로 맡는가?

① 口   ② 手   ③ 鼻   ④ 耳

5. 미술 작품 감상과 관계 깊은 글자는?

① 耳   ② 頂   ③ 頭   ④ 目

◪ 다음 중 주어진 글자로 이루어지는 단어를 2개 이상 한자 또는 한글로 쓰시오.

6. 面 –

7. 耳 –

8. 目 –

9. 口 –

10. 鼻 –

5강 - 귀 耳(이)

◆ 다음 글자의 음과 훈을 쓰시오.

( )耳( ) – ( )取( ) – ( )最( ) – ( )娶( ) – ( )聚( ) –
( )趣( ) – ( )撮( ) – ( )聯( )

◆ 다음 글자를 분해하시오.

1. 最 = ▢ + ▢ + ▢   2. 娶 = ▢ + ▢

3. 取 = ▢ + ▢   4. 撮 = ▢ + ▢

5. "取"자가 만들어지게 된 배경을 설명하시오.

◆ 다음 글자를 소리 부분(聲符)과 뜻 부분(意符)으로 분해하시오.

6. 娶 = 소리 부분(聲符) ▢   + 뜻 부분(意符) ▢

7. 趣 = 소리 부분(聲符) ▢   + 뜻 부분(意符) ▢

8. "最"자가 들어간 낱말 중 적당한 것은?
   ① 최면술   ② 최고   ③ 최루탄   ④ 행정부 주최

9. 다음 "聚"자에 대한 설명 중 맞는 것은?
   ① 사랑하다   ② 싸우다   ③ 모으다   ④ 먹다

10. "聯"자의 쓰임 중 맞는 것은?
    ① 연속적인 실수   ② 인기 연예인   ③ 연기가 모락모락   ④ 국제 연합

11. 다음 중 "撮(촬)"자가 많이 쓰이는 분야는?
    ① 영화   ② 고기잡이   ③ 식사   ④ 가축 먹이기

◪ 다음 중 주어진 글자로 이루어지는 단어를 2개 이상 한자 또는 한글로 쓰시오.

12. 耳 -

13. 取 -

14. 最 -

15. 娶 -

16. 聚 -

17. 趣 -

18. 聯 -

◪ 다음 글자의 음과 훈을 쓰시오.

( )耳( ) - ( )聞( ) - ( )聲( ) - ( )聰( ) - ( )聾( ) -
( )聽( ) - ( )聖( )

◪ 다음 글자를 분해하시오.

1. 聽 = [ ] + [ ] + [ ]   2. 聖 = [ ] + [ ] + [ ]

3. 聞 = [ ] + [ ]   4. 聰 = [ ] + [ ] + [ ]

5. 聲 = [ ] + [ ] + [ ]   6. 聾 = [ ] + [ ]

◪ 다음 글자를 소리 부분(聲符)과 뜻 부분(意符)으로 분해하시오.

7. 聰 = 소리 부분(聲符) [ ] + 뜻 부분(意符) [ ]

8. 聾 = 소리 부분(聲符) [ ] + 뜻 부분(意符) [ ]

9. "聖"자에서 "소리 부분(聲符)"은?
   ① 耳   ② 口   ③ ノ   ④ 壬

10. 다음의 "聰"자에 대한 쓰임 중 옳은 것은?
   ① 권총   ② 총명하다   ③ 총리대신   ④ 은총

11. 다음의 "聰"자에 대한 쓰임 중 옳은 것은?
　　① 권총　　　　　② 총명하다　　　　③ 총리대신　　　　④ 은총

12. 다음 "聾"자에 대한 설명 중 옳은 것은?
　　① 수학　　　　　② 동물　　　　　　③ 영웅호걸　　　　④ 장애인

13. 다음 중 "聽"자와 관계 깊은 것은?
　　① 낮잠　　　　　② 강의　　　　　　③ 진수성찬　　　　④ 다리

◆ 다음 중 주어진 글자로 이루어지는 단어를 2개 이상 한자 또는 한글로 쓰시오.

14. 聞 –

15. 聲 –

16. 聰 –

17. 聾 –

18. 聽 –

19. 聖 –

◆ 다음 글자의 음과 훈을 쓰시오.

　(　)耽( ) – (　)聘( ) – (　)職( ) – (　)識( ) – (　)織( )

◆ 다음 글자를 분해하시오.

1. 職 = 　　　 + 　　　 + 　　　　　　2. 識 = 　　　 + 　　　

3. 織 = 　　　 + 　　　　　　　　　　4. 耽 = 　　　 + 　　　

5. 聘 = 　　　 + 　　　 + 　　　

◆ 다음 글자를 소리 부분(聲符)과 뜻 부분(意符)으로 분해하시오.

6. 職 = 소리 부분(聲符) 　　　　　 + 　뜻 부분(意符) 　　　

7. 織 = 소리 부분(聲符) 　　　　　 + 　뜻 부분(意符)

8. 識 = 소리 부분(聲符) 　　　　　 ＋ 뜻 부분(意符) 　　　　　

9. 다음의 "耽"자에 대한 쓰임 중 옳은 것은?
　① 호시탐탐　　　② 탐정소설　　　③ 탐독하다　　　④ 탐관오리

10. 다음 "聘"자에 대한 설명 중 맞지 <u>않는</u> 것은?
　① 장인 장모　　　② 부르다　　　③ 초빙　　　④ 땅을 파다

11. 다음 "識"자에 대한 쓰임 중 옳은 것은?
　① 지식　　　② 장례의식　　　③ 아침식사　　　④ 식물

◆ 다음 중 주어진 글자로 이루어지는 단어를 2개 이상 한자 또는 한글로 쓰시오.

12. 聘 -

13. 職 -

14. 織 -

15. 識 -

◆ 다음 글자의 음과 훈을 쓰시오.

```
(    )目(   ) – (    )眉(   ) – (    )相(   ) – (    )盾(   ) – (    )眼(   ) –
(    )着(   ) – (    )盲(   ) – (    )看(   ) – (    )眩(   ) – (    )眺(   ) –
(    )瞬(   ) – (    )眠(   )
```

1. 다음 중 서로 관계 없는 것은?

① 見   ② 眉   ③ 眼   ④ 自

2. "盾"자는 무엇을 의미하는가?

① 음식   ② 토끼   ③ 방패   ④ 하늘

3. 다음 중 성격이 다른 하나는?

① 看   ② 見   ③ 眼   ④ 値

4. "盲"자는 무엇을 의미하는가?

① 멍청하다   ② 볼 수 없다   ③ 대머리   ④ 벙어리

5. 다음 중 "瞬"자를 설명하기에 무리가 없는 것은?

① 1초   ② 하루   ③ 1년   ④ 일생

◆ 다음 글자를 소리 부분(聲符)과 뜻 부분(意符)으로 분해하시오.

6. 眼 = 소리 부분(聲符) [   ]   + 뜻 부분(意符) [   ]

7. 盲 = 소리 부분(聲符) [   ]   + 뜻 부분(意符) [   ]

8. 眩 = 소리 부분(聲符) [   ]   + 뜻 부분(意符) [   ]

9. 眺 = 소리 부분(聲符) [   ]   + 뜻 부분(意符) [   ]

10. 瞬 = 소리 부분(聲符) [   ]   + 뜻 부분(意符) [   ]

11. 眠 = 소리 부분(聲符) [   ]   + 뜻 부분(意符) [   ]

12. 다음 중 "眼"자가 들어간 표현으로 맞는 것은?

① 안경을 벗다   ② 어깨 안마 좀 해 주겠니?

③ 안내 방송 좀 들어 봐!   ④ 편안한 침대

13. 다음 중 "瞬"자가 들어간 표현으로 옳은 것은?

① 너의 순수한 면이 마음에 든다   ② 온순한 성격의 학생

③ "아차" 하는 순간, 총알이 스쳤다   ④ 슬슬 순찰 돌 시간인데!

14. "모순"을 바르게 표현한 것은?

① 矛循   ② 矛盾   ③ 矛看   ④ 矛脣

◈ 다음 중 주어진 글자로 이루어지는 단어를 2개 이상 한자 또는 한글로 쓰시오.

15. 目 –

16. 眉 –

17. 相 –

18. 眼 –

19. 着 –

20. 盲 –

21. 看 –

22. 眩 –

23. 瞬 –

24. 眠 –

◈ 다음 글자의 음과 훈을 쓰시오.

(   )目( ) – (   )直( ) – (   )植( ) – (   )殖( ) – (   )值( ) –
(   )置( ) – (   )悳( ) – (   )德( ) – (   )聽( ) – (   )廳( )

◈ 다음 글자를 둘 또는 세 부분으로 분해하시오.

1. 直 = [   ] + [   ]
2. 植 = [   ] + [   ]
3. 殖 = [   ] + [   ]
4. 值 = [   ] + [   ]
5. 德 = [   ] + [   ] + [   ]
6. 悳 = [   ] + [   ]
7. 聽 = [   ] + [   ] + [   ]
8. 廳 = [   ] + [   ]

9. 다음 중 "눈, 보다"라는 것과 관계 없는 글자는?

① 目   ② 看   ③ 直   ④ 植

10. "植"자에 대한 쓰임 중 옳은 것은?

① 식목일　　　　② 휴식 시간　　　　③ 실내 장식　　　　④ 전문 지식

◆ 다음 글자를 소리 부분(聲符)과 뜻 부분(意符)으로 분해하시오.

11. 植 = 소리 부분(聲符) [　　] ＋ 뜻 부분(意符) [　　]

12. 殖 = 소리 부분(聲符) [　　] ＋ 뜻 부분(意符) [　　]

13. 値 = 소리 부분(聲符) [　　] ＋ 뜻 부분(意符) [　　]

14. 置 = 소리 부분(聲符) [　　] ＋ 뜻 부분(意符) [　　]

15. "聽"자에서 발음 부분(聲符)은 다음 중 무엇인가?

① 耳　　　　② 壬　　　　③ 悳　　　　④ 心

16. 다음 중 서로 관계 없는 것은?

① 聲　　　　② 耳　　　　③ 聽　　　　④ 娶

17. 다음 중 "건물"을 의미하는 것은?

① 聲　　　　② 德　　　　③ 聽　　　　④ 廳

18. "置"자와 관계 깊은 것은?

① 치과에서 이를 치료하다.　　　　② 물건을 어떤 곳에 두다.
③ 직업을 선택에 고심하다.　　　　④ 원양 어선을 타고 멀리 떠나다.

19. "直(곧을 직)"자에 대해 아는 대로 설명하시오.

20. 다음 중 감각기관의 역할과 관계 없는 것은?

① 見　　　　② 嗅　　　　③ 聽　　　　④ 兒

21. "値"자에 대한 표현 중 적당한 것은?

① 치사하다　　　　② 곤궁하다　　　　③ 값을 매기다　　　　④ 사냥을 하다

◆ 다음 중 주어진 글자로 이루어지는 단어를 2개 이상 한자 또는 한글로 쓰시오.

22. 目 - [　　　　　　　　]　　　　23. 直 - [　　　　　　　　]

24. 植 －

25. 殖 －

26. 値 －

27. 置 －

28. 德 －

29. 聽 －

30. 廳 －

◆ 다음 글자의 음과 훈을 쓰시오.

( )省( ) － ( )縣( ) － ( )懸( ) － ( )眞( ) － ( )眜( )

◆ 다음 글자를 분해하시오.

1. 縣 = [ ] + [ ] + [ ]　　2. 懸 = [ ] + [ ]

3. 省 = [ ] + [ ]　　4. 眜 = [ ] + [ ]

5. 다음 "省"자에 대한 설명 중 맞지 <u>않는</u> 것은?
① 반성하다　　② 생략하다　　③ 살피다　　④ 미워하다

6. "眞"자의 성격에 맞지 <u>않는</u> 것은?
① 정말　　② 진품　　③ 진짜　　④ 골동품

◆ 다음 중 주어진 글자로 이루어지는 단어를 2개 이상 한자 또는 한글로 쓰시오.

7. 省 －

8. 懸 －

9. 眞 －

10. 眜 －

◆ 다음 글자의 음과 훈을 쓰시오.

( )舜( ) － ( )瞬( ) － ( )盾( ) － ( )循( ) － ( )遁( ) －
( )曼( ) － ( )慢( ) － ( )漫( )

◆ 다음 글자를 분해하시오.

1. 曼 = [ ] + [ ] + [ ]　　2. 漫 = [ ] + [ ]

3. 慢 =  +

4. 瞬 =  +

5. 循 =  + +

6. 遁 =  +

7. 盾 =  +

8. 舜 =  +

9. 다음 "瞬"자에서 의미를 나타내는 부분은?

① 目   ② 夃   ③ 冖   ④ 舛

◆ 다음 글자를 소리 부분(聲符)과 뜻 부분(意符)으로 분해하시오.

10. 瞬 = 소리 부분(聲符) [   ]   + 뜻 부분(意符) [   ]

11. 循 = 소리 부분(聲符) [   ]   + 뜻 부분(意符) [   ]

12. 遁 = 소리 부분(聲符) [   ]   + 뜻 부분(意符) [   ]

13. 慢 = 소리 부분(聲符) [   ]   + 뜻 부분(意符) [   ]

14. 漫 = 소리 부분(聲符) [   ]   + 뜻 부분(意符) [   ]

15. 다음 "遁(달아날 둔)"자에서 부수인 辶의 훈, 음과 설명을 쓰시오.

◆ 다음 중 주어진 글자로 이루어지는 단어를 1개 이상 한자 또는 한글로 쓰시오.

16. 瞬 –

17. 盾 –

18. 循 –

19. 遁 –

20. 慢 –

21. 漫 –

◆ 다음 글자의 음과 훈을 쓰시오.

( )見( ) - ( )規( ) - ( )視( ) - ( )親( ) - ( )覽( ) - ( )觀( ) - ( )覺( ) - ( )現( )

◆ 다음 글자를 두 부분으로 분해하시오.

1. 見 = [ ] + [ ]   2. 現 = [ ] + [ ]

3. 規 = [ ] + [ ]   4. 視 = [ ] + [ ]

5. 親 = [ ] + [ ]   6. 覽 = [ ] + [ ]

7. 觀 = [ ] + [ ]   8. 覺 = [ ] + [ ]

◆ 다음 글자를 소리 부분(聲符)과 뜻 부분(意符)으로 분해하시오.

9. 覽 = 소리 부분(聲符) [ ]  + 뜻 부분(意符) [ ]

10. 觀 = 소리 부분(聲符) [ ] + 뜻 부분(意符) [ ]

11. "見"자에서 目 아래의 "儿"은 무엇을 나타내는가?
   ① 개   ② 사람   ③ 사다리   ④ 얼굴

12. 다음 "規"자에 대한 설명 중 옳은 것은?
   ① 따라야 할 어떤 것   ② 날짐승의 모양
   ③ 많은 전쟁 무기   ④ 부귀영화

13. "親"자의 왼쪽 부분(立)은 원래 무슨 글자였는가?
   ① 夫   ② 子   ③ 辛   ④ 母

14. 다음 "覽"자에 대한 해설 중 옳은 것은?
   ① 박수치다   ② 잠자다   ③ 구경하다   ④ 질투하다

15. "觀"자의 왼쪽 부분(雚)은 무엇을 의미하는가?

　① 새　　　　　　　② 소　　　　　　　③ 광대　　　　　　　④ 농기구

16. "現"자의 발음 부분(聲符)은 무엇인가?

　① 玉　　　　　　　② 目　　　　　　　③ 儿　　　　　　　④ 見

◆ 다음 중 주어진 글자로 이루어지는 단어를 2개 이상 한자 또는 한글로 쓰시오.

17. 見 –

18. 規 –

19. 視 –

20. 親 –

21. 覽 –

22. 觀 –

23. 覺 –

24. 現 –

◆ 다음 글자의 음과 훈을 쓰시오.

( )艮( ) - ( )墾( ) - ( )懇( )

◆ 다음 글자를 분해하시오.

1. 懇 = _____ + _____ + _____   2. 墾 = _____ + _____

3. 다음 "艮"자에 대한 해설 중 옳은 것은?

① 보다   ② 먹다   ③ 싸우다   ④ 울다

◆ 다음 중 주어진 글자로 이루어지는 단어를 1개 이상 한자 또는 한글로 쓰시오.

4. 墾 - _____

5. 懇 - _____

◆ 다음 글자의 음과 훈을 쓰시오.

( )眼( ) - ( )銀( ) - ( )艱( ) - ( )根( ) - ( )恨( ) -
( )限( ) - ( )退( ) - ( )良( )

◆ 다음 글자를 분해하시오.

1. 艱 = _____ + _____ + _____   2. 限 = _____ + _____

3. 根 = _____ + _____   4. 退 = _____ + _____

5. 銀 = _____ + _____   6. 眼 = _____ + _____

7. 恨 = _____ + _____   8. 良 = _____ + _____

9. 다음 "根"자에 대한 쓰임 중 옳은 것은?

① 근육   ② 근면   ③ 근본   ④ 개근상

10. "限"자에 대한 해설 중 적당한 것은?
  ① 대한민국   ② 한을 품다   ③ 한계 상황 극복   ④ 방한복

◪ 다음 글자를 소리 부분(聲符)과 뜻 부분(意符)으로 분해하시오.

11. 眼 = 소리 부분(聲符) [　　] + 뜻 부분(意符) [　　]

12. 銀 = 소리 부분(聲符) [　　] + 뜻 부분(意符) [　　]

13. 艱 = 소리 부분(聲符) [　　] + 뜻 부분(意符) [　　]

14. 根 = 소리 부분(聲符) [　　] + 뜻 부분(意符) [　　]

15. 恨 = 소리 부분(聲符) [　　] + 뜻 부분(意符) [　　]

16. 限 = 소리 부분(聲符) [　　] + 뜻 부분(意符) [　　]

17. "退"자에 대한 설명 중 옳은 것은?
  ① 오직 앞으로만 돌격할 것이다!   ② 한 걸음만 뒤로 물러나 주시겠습니까?
  ③ 횃불을 더 환하게 비추시오.   ④ 행복한 생활의 연속!

18. 다음 "良"자와 관계 깊은 것은?
  ① 좋다   ② 맵다   ③ 졸리다   ④ 지치다

◪ 다음 중 주어진 글자로 이루어지는 단어를 2개 이상 한자 또는 한글로 쓰시오.

19. 眼 –

20. 銀 –

21. 根 –

22. 恨 –

23. 限 –

24. 退 –

25. 良 –

◪ 다음 글자의 음과 훈을 쓰시오.

```
(    )臣(  ) - (    )民(  ) - (    )見(  ) -(    )艮(  ) -(    )省(  ) -
(    )觀(  )
```

1. 다음 중 서로 성격이 <u>다른</u> 것은?
   ① 臣   ② 艮   ③ 民   ④ 卽

2. "民"자에 대해서 설명하시오.

3. "觀, 臣, 民"의 공통점은 무엇인가?
   ① 군인   ② 손   ③ 눈   ④ 음식

4. "艮"자는 무엇을 본떠 만들었는가?
   ① 눈   ② 머리   ③ 손   ④ 과일

◪ 다음 중 주어진 글자로 이루어지는 단어를 2개 이상 한자 또는 한글로 쓰시오.

5. 臣 -

6. 民 -

7. 見 -

8. 省 -

9. 觀 -

◆ 다음 글자의 음과 훈을 쓰시오.

( )臣( ) – ( )臥( ) – ( )監( ) – ( )鑑( ) – ( )覽( ) –
( )濫( ) – ( )藍( ) – ( )鹽( ) – ( )臨( )

◆ 다음 글자를 분해하시오.

1. 覽 = ☐ + ☐ + ☐

2. 臥 = ☐ + ☐

3. 監 = ☐ + ☐

4. 臨 = ☐ + ☐

5. 鹽 = ☐ + ☐ + ☐

6. 藍 = ☐ + ☐

7. 濫 = ☐ + ☐

8. 鑑 = ☐ + ☐

9. 다음 "臥"자에 대한 해설 중 옳은 것은?
   ① 뛰어내리다   ② 엎드리다
   ③ 창으로 찌르다   ④ 식사하다

◆ 다음 글자를 소리 부분(聲符)과 뜻 부분(意符)으로 분해하시오.

10. 鑑 = 소리 부분(聲符) ☐ + 뜻 부분(意符) ☐

11. 覽 = 소리 부분(聲符) ☐ + 뜻 부분(意符) ☐

12. 濫 = 소리 부분(聲符) ☐ + 뜻 부분(意符) ☐

13. 藍 = 소리 부분(聲符) [　　　] + 뜻 부분(意符) [　　　]

◆ 다음 중 주어진 글자로 이루어지는 단어를 2개 이상 한자 또는 한글로 쓰시오.

14. 臣 – [　　　　　　　　]

15. 臥 – [　　　　　　　　]

16. 監 – [　　　　　　　　]

17. 鑑 – [　　　　　　　　]

18. 覽 – [　　　　　　　　]

19. 濫 – [　　　　　　　　]

20. 藍 – [　　　　　　　　]

21. 鹽 – [　　　　　　　　]

22. 臨 – [　　　　　　　　]

◆ 다음 글자의 음과 훈을 쓰시오.

( )口( ) – ( )齒( ) – ( )牙( ) – ( )欠( ) – ( )舌( ) –
( )曰( ) – ( )音( ) – ( )言( ) – ( )辛( )

1. "齒"자는 무엇을 본떠 만들었는가?
   ① 눈   ② 코   ③ 이   ④ 귀

2. 다음 중 "牙"자와 같은 종류는?
   ① 口   ② 脣   ③ 齒   ④ 舌

3. 다음 중 서로 관계 없는 것은?
   ① 欠   ② 曰   ③ 言   ④ 自

4. "舌"자와 관계 깊은 것은?
   ① 口   ② 耳   ③ 眉   ④ 目

5. "辛"자에 대한 해설 중 적당하지 않은 것은?
   ① 맵다   ② 고생하다   ③ 겨우   ④ 쉽다

6. 다음 중 "曰(가로 왈)"자에 대한 쓰임 중 옳은 것은?
   ① 학생, 공부나 열심히 하는 것이 어떨지?
   ② 선생님, 말씀 좀 해 주시겠습니까?
   ③ 세로의 반대말
   ④ 건축 공사가 막바지에 이르렀다.

7. "欠"자와 관계 깊은 것은?
   ① 입 벌린 사람   ② 땅굴 파는 짐승
   ③ 헤엄치는 물고기   ④ 엎드린 개

◆ 다음 중 주어진 글자로 이루어지는 단어를 2개 이상 한자 또는 한글로 쓰시오.

8. 口 –   9. 齒 –

10. 牙 - 　　　　　　　　　　　　　　　11. 舌 - 　　　　　　　　　　　　　　　

12. 音 - 　　　　　　　　　　　　　　　13. 言 - 　　　　　　　　　　　　　　　

14. 辛 - 　　　　　　　　　　　　　

◆ 다음 글자의 훈과 음을 쓰시오.

(　　)口( ) - (　　)品( ) - (　　)耳( ) - (　　)問( ) - (　　)歌( ) -
(　　)哭( ) - (　　)鳴( ) - (　　)吹( ) - (　　)吸( ) - (　　)味( ) -
(　　)谷( ) - (　　)同( )

◆ 다음 글자를 분해하시오.

1. 品 = 　　　　+ 　　　　+ 　　　　　　　2. 問 = 　　　　+ 　　　　

3. 鳴 = 　　　　+ 　　　　　　　　　　　4. 歌 = 　　　　+ 　　　　

5. 吸 = 　　　　+ 　　　　　　　　　　　6. 味 = 　　　　+ 　　　　

7. 谷 = 　　　　+ 　　　　　　　　　　　8. 哭 = 　　　　+ 　　　　

9. 다음 중 서로 관계 없는 것은?
　① 問　　　　　　② 哭　　　　　　③ 聽　　　　　④ 鳴

10. "吹"자와 관계 깊은 문장은?
　① 더 빨리 달려라　　　　　　② 호롱불을 끄시오
　③ 그만 먹어라　　　　　　　④ 돈을 내시오

◆ 다음 글자를 소리 부분(聲符)과 뜻 부분(意符)으로 분해하시오.

11. 問 = 소리 부분(聲符) 　　　　　+ 뜻 부분(意符) 　　　　

12. 歌 = 소리 부분(聲符) 　　　　　+ 뜻 부분(意符) 　　　　

13. 吸 = 소리 부분(聲符) 　　　　　+ 뜻 부분(意符) 　　　　

14. 味 = 소리 부분(聲符) 　　　　　+ 뜻 부분(意符)

15. 다음 중 성격이 <u>다른</u> 하나는?
   ① 鳴   ② 哭   ③ 吹   ④ 歌

16. 다음 중 "입"과 관계 <u>없는</u> 것은?
   ① 問   ② 看   ③ 味   ④ 吹

17. 다음 중 "사람"과 관계가 <u>먼</u> 것은?
   ① 見   ② 聽   ③ 鳴   ④ 谷

18. 다음 중 사람이나 동물의 "입"과 관계 <u>없는</u> 것은?
   ① 哭   ② 谷   ③ 鳴   ④ 問

◆ 다음 중 주어진 글자로 이루어지는 단어를 2개 이상 한자 또는 한글로 쓰시오.

19. 口 -

20. 品 -

21. 歌 -

22. 哭 -

23. 鳴 -

24. 吹 -

25. 吸 -

26. 味 -

27. 谷 -

28. 同 -

◆ 다음 글자의 음과 훈을 쓰시오.

( )告( ) - ( )浩( ) - ( )晧( ) - ( )造( ) - ( )酷( ) - ( )牛( )

1. 다음 중 "고"자에 대한 설명 중 맞지 <u>않는</u> 것은?
   ① 여쭙다   ② 알리다   ③ 글을 읽다   ④ 고발하다

2. 다음 중 "浩"자에 대한 설명 중 맞지 <u>않는</u> 것은?
   ① 넓다   ② 뜨겁다   ③ 넉넉하다   ④ 크다

3. "晧"자의 어느 부분이 이 글자의 뜻을 이루는가?
   ① 日   ② 口   ③ 牛   ④ 告

◈ 다음 글자를 소리 부분(聲符)과 뜻 부분(意符)으로 분해하시오.

4. 浩 = 소리 부분(聲符) [   ] + 뜻 부분(意符) [   ]

5. 晧 = 소리 부분(聲符) [   ] + 뜻 부분(意符) [   ]

6. "牛"자는 무엇을 본떠 만들었는가?

    ① 말   ② 범   ③ 양   ④ 소

7. 다음 중 "酷"자에 대한 설명으로 적당하지 <u>않는</u> 것은?

    ① 독하다   ② 괴롭다   ③ 병들다   ④ 잔인하다

◈ 다음 글자를 두 부분으로 분해하시오.

8. 造 = [   ] + [   ]   9. 酷 = [   ] + [   ]

◈ 다음 중 주어진 글자로 이루어지는 단어를 2개 이상 한자 또는 한글로 쓰시오.

10. 告 - [   ]   11. 浩 - [   ]

12. 造 - [   ]   13. 酷 - [   ]

14. 牛 - [   ]

◈ 다음 글자의 음과 훈을 쓰시오.

( )古( ) - ( )固( ) - ( )姑( ) - ( )枯( ) - ( )故( ) -
( )苦( ) - ( )胡( ) - ( )湖( ) - ( )瑚( )

◈ 다음 글자를 분해하시오.

1. 瑚 = [   ] + [   ] + [   ]   2. 姑 = [   ] + [   ]

3. 湖 = [   ] + [   ]   4. 枯 = [   ] + [   ]

5. 古 = [   ] + [   ]   6. 苦 = [   ] + [   ]

7. 故 = [   ] + [   ]   8. 固 = [   ] + [   ]

9. 다음 중 "苦"자에 대한 설명 중 맞지 <u>않는</u> 것은?

    ① 사냥하다   ② 쓰다   ③ 괴롭다   ④ 고생하다

10. 다음 중 "古"자가 발음의 역할을 하지 <u>않는</u> 글자는?

　　① 枯　　　　　　② 胡　　　　　　③ 敵　　　　　　④ 苦

❖ 다음 글자를 소리 부분(聲符)과 뜻 부분(意符)으로 분해하시오.

　　<u>주의</u> ― (聲符와 意符를 겸하는 경우도 있음)

11. 固 = 소리 부분(聲符) [　　] + 뜻 부분(意符) [　　]

12. 姑 = 소리 부분(聲符) [　　] + 뜻 부분(意符) [　　]

13. 枯 = 소리 부분(聲符) [　　] + 뜻 부분(意符) [　　]

14. 苦 = 소리 부분(聲符) [　　] + 뜻 부분(意符) [　　]

15. 胡 = 소리 부분(聲符) [　　] + 뜻 부분(意符) [　　]

16. 湖 = 소리 부분(聲符) [　　] + 뜻 부분(意符) [　　]

17. 瑚 = 소리 부분(聲符) [　　] + 뜻 부분(意符) [　　]

18. 다음 중 "오래 되었다"란 뜻과 관계 <u>없는</u> 것은?

　　① 故　　　　　　② 古　　　　　　③ 苦　　　　　　④ 姑

❖ 다음 중 주어진 글자로 이루어지는 단어를 2개 이상 한자 또는 한글로 쓰시오.

19. 古 – [　　　　　]　　　20. 固 – [　　　　　]

21. 姑 – [　　　　　]　　　22. 枯 – [　　　　　]

23. 故 – [　　　　　]　　　24. 苦 – [　　　　　]

25. 胡 – [　　　　　]　　　26. 湖 – [　　　　　]

❖ 다음 글자의 음과 훈을 쓰시오.

　(　)帝( ) – (　)商( ) – (　)敵( ) – (　)滴( ) – (　)摘( ) –
　(　)適( ) – (　)嫡( )

❖ 다음 글자를 분해하시오.

　1. 商 = [　　] + [　　] + [　　]　　2. 帝 = [　　] + [　　]

3. 嫡 = [　　] + [　　]　　　　4. 敵 = [　　] + [　　]

5. 適 = [　　] + [　　]　　　　6. 摘 = [　　] + [　　]

7. "적군을 무찌를 때까지 후퇴란 없다!"
　　① 敵　　　　　② 嫡　　　　　③ 摘　　　　　④ 適

8. 다음 "帝"자에 대한 것 중 적당한 것은?
　　① 배 오른쪽으로 그물을 던지시오.　　② 임금님께 바칠 물건이오.
　　③ 그건 내 동생도 할 수 있어!　　④ 제발, 이제 그만 합시다.

◆ 다음 글자를 소리 부분(聲符)과 뜻 부분(意符)으로 분해하시오.

9. 敵 = 소리 부분(聲符) [　　] + 뜻 부분(意符) [　　]

10. 滴 = 소리 부분(聲符) [　　] + 뜻 부분(意符) [　　]

11. 摘 = 소리 부분(聲符) [　　] + 뜻 부분(意符) [　　]

12. 適 = 소리 부분(聲符) [　　] + 뜻 부분(意符) [　　]

13. 嫡 = 소리 부분(聲符) [　　] + 뜻 부분(意符) [　　]

14. 다음 중 "嫡"자에 대한 쓰임 중 옳은 것은?
　　① 적당히 좀 하쇼!　　　　② 그 아이가 본부인의 아들?
　　③ 무적의 마징가 Z.　　　　④ 늘 지적 받을 짓만 하는군...

◆ 다음 중 주어진 글자로 이루어지는 단어를 2개 이상 한자 또는 한글로 쓰시오.

15. 帝 - [　　　　　　]　　　　16. 敵 - [　　　　　　]

17. 摘 - [　　　　　　]　　　　18. 適 - [　　　　　　]

◆ 다음 글자의 음과 훈을 쓰시오.

(　　)耳( ) - (　　)輯( ) - (　　)叫( ) - (　　)糾( ) - (　　)后( ) -
(　　)司( ) - (　　)叱( )

◪ 다음 글자를 분해하시오.

1. 輯 = [　　] + [　　] + [　　]   2. 耳 = [　　] + [　　]

3. 叫 = [　　] + [　　]   4. 糾 = [　　] + [　　]

5. 后 = [　　] + [　　]   6. 司 = [　　] + [　　]

7. 다음의 "輯"자에 대한 해설 중 옳은 것은?
   ① 행진하다   ② 모으다   ③ 공경하다   ④ 때리다

8. 다음의 밑줄 친"后"자에 대한 쓰임 중 옳은 것은?
   ① 왕비를 능멸하고도 무사하기를 기대하는가?
   ② 하룻강아지 범 무서운 줄 모른다더니……
   ③ 사흘을 굶었더니 뵈는 게 없다.
   ④ 잔치를 마치고 침실에 들었다.

9. "輯"자에 대한 쓰임 중 옳은 것은?
   ① 집결   ② 집회   ③ 고집   ④ 편집

10. 다음의 "司"자에 대한 것 중 옳은 것은?
    ① 이번 일 김과장이 좀 맡아서 해 주겠나?
    ② 간곡히 사정한다고 해서 될 일이 아닐세.
    ③ 사사로운 감정 때문에 일 그르칠라.
    ④ 매우 맛있는 음식

◪ 다음 중 주어진 글자로 이루어지는 단어를 2개 이상 한자 또는 한글로 쓰시오.

11. 叫 – [　　　　]   12. 糾 – [　　　　]

13. 后 – [　　　　]   14. 司 – [　　　　]

15. 叱 – [　　　　]

◪ 다음 글자의 음과 훈을 쓰시오.

(　)司( )－(　)伺( )－(　)嗣( )－(　)詞( )－(　)祠( )－
(　)飼( )

◆ 다음 글자를 분해하시오.

1. 嗣 = ☐ + ☐ + ☐   2. 飼 = ☐ + ☐

3. 祠 = ☐ + ☐   4. 司 = ☐ + ☐

5. 다음 중 "사"로 발음되지 않는 것은?

　① 荷　　　　　② 嗣　　　　　③ 祀　　　　　④ 飼

6. "詞"자에 대한 쓰임 중 옳은 것은?

　① 인사를 넙죽　　② 단칼에 자르다　　③ 말씀드려라　　④ 요리하다

◆ 다음 글자를 소리 부분(聲符)과 뜻 부분(意符)으로 분해하시오.

7. 詞 = 소리 부분(聲符) ☐ + 뜻 부분(意符) ☐

8. 祠 = 소리 부분(聲符) ☐ + 뜻 부분(意符) ☐

9. 飼 = 소리 부분(聲符) ☐ + 뜻 부분(意符) ☐

◆ 다음 중 주어진 글자로 이루어지는 단어를 1개 이상 한자 또는 한글로 쓰시오.

10. 司 – ☐   11. 伺 – ☐

12. 嗣 – ☐   13. 詞 – ☐

14. 祠 – ☐   15. 飼 – ☐

◆ 다음 글자의 음과 훈을 쓰시오.

( )可( ) – ( )呵( ) – ( )何( ) – ( )河( ) – ( )荷( ) –
( )歌( ) – ( )苛( ) – ( )奇( ) – ( )寄( ) – ( )崎( ) –
( )騎( )

◆ 다음 글자를 분해하시오.

1. 崎 = ☐ + ☐ + ☐   2. 奇 = ☐ + ☐

3. 寄 = ☐ + ☐   4. 騎 = ☐ + ☐

5. 歌 = [   ] + [   ] + [   ]   6. 苛 = [   ] + [   ]

7. 可 = [   ] + [   ]   8. 何 = [   ] + [   ]

9. 河 = [   ] + [   ]   10. 荷 = [   ] + [   ]

11. 呵 = [   ] + [   ]

12. 다음에서 "可"자가 "뜻"으로 쓰인 것은?
① 유행가   ② 가혹하다   ③ 불가능   ④ 양심의 가책

◆ 다음 글자를 소리 부분(聲符)과 뜻 부분(意符)으로 분해하시오.

13. 呵 = 소리 부분(聲符) [   ]   + 뜻 부분(意符) [   ]

14. 何 = 소리 부분(聲符) [   ]   + 뜻 부분(意符) [   ]

15. 河 = 소리 부분(聲符) [   ]   + 뜻 부분(意符) [   ]

16. 崎 = 소리 부분(聲符) [   ]   + 뜻 부분(意符) [   ]

17. 騎 = 소리 부분(聲符) [   ]   + 뜻 부분(意符) [   ]

18. 다음의 "騎"자에 대한 설명 중 옳은 것은?
① 말고기를 먹다   ② 말을 죽이다
③ 말타다   ④ 마차를 만들다

◆ 다음 중 주어진 글자로 이루어지는 단어를 2개 이상 한자 또는 한글로 쓰시오.

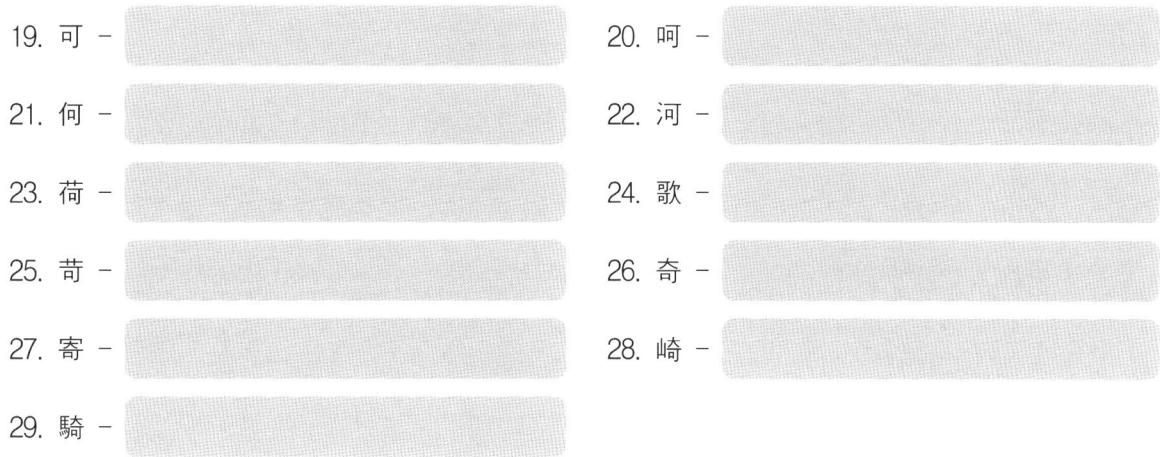

19. 可 – [   ]   20. 呵 – [   ]

21. 何 – [   ]   22. 河 – [   ]

23. 荷 – [   ]   24. 歌 – [   ]

25. 苛 – [   ]   26. 奇 – [   ]

27. 寄 – [   ]   28. 崎 – [   ]

29. 騎 – [   ]

◆ 다음 글자의 음과 훈을 쓰시오.

( )김( ) – ( )沼( ) – ( )昭( ) – ( )照( ) – ( )紹( ) –
( )招( ) – ( )超( )

◆ 다음 글자를 분해하시오.

1. 紹 = ▨ + ▨ + ▨   2. 照 = ▨ + ▨

3. 招 = ▨ + ▨   4. 召 = ▨ + ▨

5. 超 = ▨ + ▨   6. 沼 = ▨ + ▨

7. 昭 = ▨ + ▨

8. 다음 중 "소"로 발음되지 않는 것은?
   ① 照   ② 沼   ③ 昭   ④ 紹

◆ 다음 글자를 소리 부분(聲符)과 뜻 부분(意符)으로 분해하시오.

9. 沼 = 소리 부분(聲符) ▨ + 뜻 부분(意符) ▨

10. 昭 = 소리 부분(聲符) ▨ + 뜻 부분(意符) ▨

11. 紹 = 소리 부분(聲符) ▨ + 뜻 부분(意符) ▨

12. 招 = 소리 부분(聲符) ▨ + 뜻 부분(意符) ▨

13. 超 = 소리 부분(聲符) ▨ + 뜻 부분(意符) ▨

14. 다음의 "昭"자에 대한 것 중 옳은 것은?
    ① 맛있다   ② 무섭다   ③ 잠을 깨다   ④ 밝다

15. 다음 중 "照"자 아래의 "灬"는 무엇인가?
    ① 발과 다리   ② 장작   ③ 불   ④ 꼬리

16. "沼"자는 무엇을 의미하는가?
    ① 못, 늪   ② 강, 하천   ③ 비와 눈   ④ 산봉우리

◪ 다음 중 주어진 글자로 이루어지는 단어를 2개 이상 한자 또는 한글로 쓰시오.

17. 검 –

18. 照 –

19. 紹 –

20. 招 –

21. 超 –

◪ 다음 글자의 음과 훈을 쓰시오.

( )各( ) – ( )格( ) – ( )恪( ) – ( )略( ) – ( )絡( ) –
( )烙( ) – ( )落( ) – ( )路( ) – ( )賂( ) – ( )客( ) –
( )閣( )

◪ 다음 글자를 분해하시오.

1. 落 = [ ] + [ ] + [ ]   2. 格 = [ ] + [ ]

3. 絡 = [ ] + [ ]   4. 略 = [ ] + [ ]

5. "客"자에서 위의 "宀"은 무엇을 의미하는가?

① 갓   ② 집   ③ 머리   ④ 하늘

◪ 다음 글자를 소리 부분(聲符)과 뜻 부분(意符)으로 분해하시오.

6. 格 = 소리 부분(聲符) [ ] + 뜻 부분(意符) [ ]

7. 恪 = 소리 부분(聲符) [ ] + 뜻 부분(意符) [ ]

8. 略 = 소리 부분(聲符) [ ] + 뜻 부분(意符) [ ]

9. 絡 = 소리 부분(聲符) [ ] + 뜻 부분(意符) [ ]

10. 烙 = 소리 부분(聲符) [ ] + 뜻 부분(意符) [ ]

11. 客 = 소리 부분(聲符) [ ] + 뜻 부분(意符) [ ]

12. 閣 = 소리 부분(聲符) [ ] + 뜻 부분(意符) [ ]

◆ 다음 중 주어진 글자로 이루어지는 단어를 2개 이상 한자 또는 한글로 쓰시오.

13. 各 - 　　　　　　　　　　　　　　　　14. 格 -

15. 略 - 　　　　　　　　　　　　　　　　16. 絡 -

17. 落 - 　　　　　　　　　　　　　　　　18. 路 -

19. 賂 - 　　　　　　　　　　　　　　　　20. 客 -

21. 閣 -

◆ 다음 글자의 음과 훈을 쓰시오.

(　　)合( ) - (　　)塔( ) - (　　)搭( ) - (　　)含( ) - (　　)給( ) -
(　　)拾( ) - (　　)舍( ) - (　　)捨( )

◆ 다음 글자를 분해하시오.

1. 塔 = 　　　　　 + 　　　　　 + 　　　　　　2. 搭 = 　　　　　 + 　　　　

3. 合 = 　　　　　 + 　　　　　　　　　　　　4. 拾 = 　　　　　 + 　　　　

5. 含 = 　　　　　 + 　　　　　 + 　　　　　　6. 給 = 　　　　　 + 　　　　

◆ 다음 글자를 소리 부분(聲符)과 뜻 부분(意符)으로 분해하시오.

7. 給 = 소리 부분(聲符) 　　　　　 + 뜻 부분(意符)

8. 拾 = 소리 부분(聲符) 　　　　　 + 뜻 부분(意符)

9. "捨"자는 무엇을 의미하는가?
① 사기꾼　　　　　② 버리다　　　　　③ 꿈꾸다　　　　　④ 죽이다

10. 다음 "拾"자에 대한 것 중 맞지 <u>않는</u> 것은?
① 줍다　　　　　② 10　　　　　③ 음이 두 개　　　　　④ 버리다

11. "捨"자의 반대의 뜻을 가진 글자로 적당하지 <u>않은</u> 것은?
① 持　　　　　② 得　　　　　③ 取　　　　　④ 授

◆ 다음 중 주어진 글자로 이루어지는 단어를 2개 이상 한자 또는 한글로 쓰시오.

12. 合 – 　　　　　　　　　　　　13. 塔 –

14. 搭 – 　　　　　　　　　　　　15. 盒 –

16. 給 – 　　　　　　　　　　　　17. 拾 –

18. 舍 – 　　　　　　　　　　　　19. 捨 –

◆ 다음 글자의 음과 훈을 쓰시오.

(　　)今( ) – (　　)吟( ) – (　　)含( ) – (　　)琴( ) – (　　)貪( )

◆ 다음 글자를 분해하시오.

1. 貪 = 　　　　 + 　　　　 + 　　　　　2. 吟 = 　　　　 + 　　　　

3. 含 = 　　　　 + 　　　　　　　　　　4. 今 = 　　　　 + 　　　　

◆ 다음 글자를 소리 부분(聲符)과 뜻 부분(意符)으로 분해하시오.

5. 吟 = 소리 부분(聲符) 　　　　 + 뜻 부분(意符) 　　　　

6. 含 = 소리 부분(聲符) 　　　　 + 뜻 부분(意符) 　　　　

7. 琴 = 소리 부분(聲符) 　　　　 + 뜻 부분(意符) 　　　　

8. 貪 = 소리 부분(聲符) 　　　　 + 뜻 부분(意符) 　　　　

9. "今"자의 뜻은?
　　① 보석　　　　　② 지금　　　　　③ 돌　　　　　④ 과거

10. 다음의 "含"자에 대한 쓰임 중 옳지 <u>않은</u> 것은?
　　① 품다　　　　　② 넣다　　　　　③ 머금다　　　　　④ 찌르다

11. "琴"자와 관계 깊은 것은?
　　① 악기　　　　　② 무기　　　　　③ 음식　　　　　④ 동물

12. "貪"자의 뜻으로 맞는 것은?

① 가난하다   ② 욕심내다   ③ 손님   ④ 뇌물

◆ 다음 중 주어진 글자로 이루어지는 단어를 2개 이상 한자 또는 한글로 쓰시오.

13. 今 -

14. 吟 -

15. 含 -

16. 琴 -

17. 貪 -

◆ 다음 글자의 음과 훈을 쓰시오.

(   )同( ) - (   )洞( ) - (   )銅( ) - (   )興( )

◆ 다음 글자를 소리 부분(聲符)과 뜻 부분(意符)으로 분해하시오.

1. 洞 = 소리 부분(聲符)   + 뜻 부분(意符)

2. 銅 = 소리 부분(聲符)   + 뜻 부분(意符)

3. 다음 중 "동"으로 발음되지 않는 것은?
   ① 銅   ② 洞   ③ 桐   ④ 筒

4. "興"자에 대한 해설 중 옳지 않은 것은?
   ① 기뻐하다   ② 일으키다   ③ 흥겹다   ④ 화내다

◆ 다음 중 주어진 글자로 이루어지는 단어를 2개 이상 한자 또는 한글로 쓰시오.

5. 同 -

6. 洞 -

7. 銅 -

8. 興 -

■ 다음 글자의 음과 훈을 쓰시오.

(　)曰(　) – (　　)更(　) – (　　)書(　) – (　　)曹(　) – (　　)槽(　) –
(　)豊(　) – (　　)曾(　) – (　　)替(　) – (　　)會(　)

■ 다음 글자를 분해하시오.

1. 會 = 　　　　 + 　　　　 + 　　　　　　　2. 書 = 　　　　 + 　　　　

3. 曾 = 　　　　 + 　　　　　　　　　　　　4. 槽 = 　　　　 + 　　　　

5. 更 = 　　　　 + 　　　　 + 　　　　　　　6. 豊 = 　　　　 + 　　　　

7. 替 = 　　　　 + 　　　　　　　　　　　　8. 曰 = 　　　　 + 　　　　

9. 다음 중 "書"자에 대한 설명 중 관계 없는 것은?

　　① 글씨　　　　　　　② 붓 율　　　　　　③ 먹물 담긴 벼루　　④ 세수 대야

10. "替"자에 대한 쓰임 중 옳은 것은?

　　① 바꾸다　　　　　　② 싸우다　　　　　　③ 낚시하다　　　　　④ 일어나다

11. "會"자에 대한 쓰임 중 옳은 것은?

　　① 죽다　　　　　　　② 돌아가다　　　　　③ 모이다　　　　　　④ 생선회

12. 다음 "更"자에 대한 설명 중 적당하지 않는 것은?

　　① 갱, 경　　　　　　② 고치다　　　　　　③ 다시　　　　　　　④ 만들다

■ 다음 중 주어진 글자로 이루어지는 단어를 2개 이상 한자 또는 한글로 쓰시오.

13. 曰 – 　　　　　　　　　　　　　　　14. 更 –

15. 書 – 　　　　　　　　　　　　　　　16. 槽 –

17. 豊(豐) –

18. 替 – [   ]   19. 會 – [   ]

◆ 다음 글자의 음과 훈을 쓰시오.

(   )昌( ) – (   )唱( ) – (   )娼( ) – (   )冒( ) – (   )帽( ) – (   )最( )

◆ 다음 글자를 분해하시오.

1. 唱 = [   ] + [   ] + [   ]   2. 昌 = [   ] + [   ]

3. 娼 = [   ] + [   ]   4. 冒 = [   ] + [   ]

5. 最 = [   ] + [   ] + [   ]   6. 帽 = [   ] + [   ]

7. 다음 중 발음이 <u>다른</u> 하나는?
① 昌   ② 唱   ③ 晶   ④ 娼

◆ 다음 글자를 소리 부분(聲符)과 뜻 부분(意符)으로 분해하시오.

8. 唱 = 소리 부분(聲符) [   ] + 뜻 부분(意符) [   ]

9. 娼 = 소리 부분(聲符) [   ] + 뜻 부분(意符) [   ]

10. 帽 = 소리 부분(聲符) [   ] + 뜻 부분(意符) [   ]

11. 다음의 "昌"자에 대한 해설 중 옳은 것은?
① 합창부에 들었어요   ② 창고에 집어넣어라
③ 수면 위로 솟아오른 해   ④ 해와 달

12. "最"자에 대한 쓰임 중 옳은 것은?
① 기분이 최고   ② 최면술   ③ 최루탄   ④ 개최

◆ 다음 중 주어진 글자로 이루어지는 단어를 2개 이상 한자 또는 한글로 쓰시오.

13. 昌 – [   ]   14. 唱 – [   ]

15. 娼 – [   ]   16. 冒 – [   ]

17. 帽 – [   ]   18. 最 – [   ]

◆ 다음 글자의 음과 훈을 쓰시오.

```
(    )言(  ) – (    )信(  ) – (    )話(  ) – (    )說(  ) – (    )訓(  ) –
(    )談(  ) – (    )論(  ) – (    )詠(  ) – (    )語(  ) – (    )獄(  ) –
(    )競(  )
```

◆ 다음 글자를 분해하시오.

1. 信 = [   ] + [   ]　　　　2. 話 = [   ] + [   ]

3. 說 = [   ] + [   ]　　　　4. 訓 = [   ] + [   ]

5. 談 = [   ] + [   ]　　　　6. 論 = [   ] + [   ]

7. 競 = [   ] + [   ]　　　　8. 語 = [   ] + [   ]

9. 獄 = [   ] + [   ] + [   ]　　10. 詠 = [   ] + [   ]

11. "信"자에 대한 쓰임 중 옳은 것은?
　　① 거짓말 마!　　　　　　　　　　② 불치병 걸린 중환자
　　③ 귀신, 도깨비　　　　　　　　　　④ 한 번 믿어봅시다.

12. 다음 "話"자에 대한 쓰임 중 옳은 것은?
　　① 화염　　　　　② 이야기　　　　　③ 화분　　　　　④ 동양화

13. 다음의 "訓"자에 대한 쓰임 중 옳은 것은?
　　① 가르치다　　　② 샘물　　　　　③ 하천, 강　　　④ 다투다

14. 다음 중 성격이 <u>다른</u> 하나는?
　　① 話　　　　　　② 信　　　　　　③ 談　　　　　　④ 語

15. "說"자에 대한 다음의 해설 중 옳은 것은?
　　① 설, 세　　　　② 유세　　　　　③ 말씀　　　　　④ 책

16. 다음의 "競"자에 대한 설명 중 옳은 것은?

① 먹다   ② 빌다   ③ 다투다   ④ 돕다

◆ 다음 글자를 소리 부분(聲符)과 뜻 부분(意符)으로 분해하시오.

17. 詠 = 소리 부분(聲符) [　　　] + 뜻 부분(意符) [　　　]

18. 語 = 소리 부분(聲符) [　　　] + 뜻 부분(意符) [　　　]

◆ 다음 중 주어진 글자로 이루어지는 단어를 2개 이상 한자 또는 한글로 쓰시오.

19. 言 – [　　　]   20. 信 – [　　　]

21. 話 – [　　　]   22. 說 – [　　　]

23. 訓 – [　　　]   24. 談 – [　　　]

25. 論 – [　　　]   26. 詠 – [　　　]

27. 語 – [　　　]   28. 獄 – [　　　]

29. 競 – [　　　]

◆ 다음 글자의 음과 훈을 쓰시오.

(　　)記(　) – (　　)計(　) – (　　)課(　) – (　　)變(　) – (　　)識(　) –
(　　)許(　)

◆ 다음 글자를 분해하시오.

1. 變 = [　　] + [　　] + [　　]   2. 課 = [　　] + [　　]

3. 記 = [　　] + [　　]   4. 計 = [　　] + [　　]

5. 許 = [　　] + [　　]

6. 다음의 "記"자에 대한 쓰임 중 옳은 것은?

① 악기   ② 무덤

③ 능숙하다   ④ 기록하다

◆ 다음 글자를 소리 부분(聲符)과 뜻 부분(意符)으로 분해하시오.

7. 記 = 소리 부분(聲符) [　　] + 뜻 부분(意符) [　　]

8. 課 = 소리 부분(聲符) [　　] + 뜻 부분(意符) [　　]

◆ 다음 중 주어진 글자로 이루어지는 단어를 2개 이상 한자 또는 한글로 쓰시오.

9. 記 – [　　　　　　] 10. 計 – [　　　　　　]

11. 課 – [　　　　　　] 12. 變 – [　　　　　　]

13. 識 – [　　　　　　] 14. 許 – [　　　　　　]

◆ 다음 글자의 음과 훈을 쓰시오.

(　　)變(　) – (　　)戀(　) – (　　)蠻(　) – (　　)彎(　) – (　　)灣(　)

◆ 다음 글자를 분해하시오.

1. 變 = [　　] + [　　] + [　　] 2. 戀 = [　　] + [　　]

3. 彎 = [　　] + [　　] 4. 蠻 = [　　] + [　　]

5. 灣 = [　　] + [　　] + [　　]

6. 다음 중 발음이 서로 <u>다른</u> 하나는?
   ① 彎 ② 灣 ③ 變 ④ 蠻

7. 다음 중 "戀"의 의미는?
   ① 죽이다 ② 그리워하다 ③ 뛰어가다 ④ 놀라다

◆ 다음 글자를 소리 부분(聲符)과 뜻 부분(意符)으로 분해하시오.

8. 變 = 소리 부분(聲符) [　　] + 뜻 부분(意符) [　　]

9. 戀 = 소리 부분(聲符) [　　] + 뜻 부분(意符) [　　]

10. 蠻 = 소리 부분(聲符) [　　] + 뜻 부분(意符) [　　]

11. 彎 = 소리 부분(聲符) [　　] + 뜻 부분(意符) [　　]

◪ 다음 중 주어진 글자로 이루어지는 단어를 2개 이상 한자 또는 한글로 쓰시오.

12. 變 –

13. 戀 –

14. 蠻 –

15. 彎 –

16. 灣 –

◆ 다음 글자의 음과 훈을 쓰시오.

> (　　)舌(　) – (　　)活(　) – (　　)話(　) – (　　)括(　) – (　　)刮(　) –
> (　　)舍(　)

◆ 다음 글자를 분해하시오.

1. 話 = ▢▢▢ + ▢▢▢ + ▢▢▢

2. 刮 = ▢▢▢ + ▢▢▢

3. 活 = ▢▢▢ + ▢▢▢

4. 括 = ▢▢▢ + ▢▢▢

5. 舌 = ▢▢▢ + ▢▢▢

◆ 다음 글자를 소리 부분(聲符)과 뜻 부분(意符)으로 분해하시오.

6. 活 = 소리 부분(聲符) ▢▢▢ + 뜻 부분(意符) ▢▢▢

7. 括 = 소리 부분(聲符) ▢▢▢ + 뜻 부분(意符) ▢▢▢

8. 刮 = 소리 부분(聲符) ▢▢▢ + 뜻 부분(意符) ▢▢▢

9. 다음 중 "舍"자와 비슷한 뜻이 아닌 것은?
　① 家　　　　② 宅　　　　③ 捨　　　　④ 館

10. "括"자의 뜻으로 적당한 것은?
　① 묶다　　　② 괴롭히다　　③ 먹다　　　④ 긁다

11. 다음 중 "活"자에 대한 설명으로 맞지 않는 것은?
　① 생기있다　② 살아있다　③ 움직이다　④ 헤엄치다

12. "活"의 뜻과 <u>반대</u>인 글자는?
　　① 死　　　　　　② 生　　　　　　③ 宀　　　　　　④ 亠

13. "舌"자와 관계 깊은 것은?
　　① 又　　　　　　② 止　　　　　　③ 言　　　　　　④ 土

14. "話"자와 비슷한 뜻의 글자는?
　　① 談　　　　　　② 取　　　　　　③ 淸　　　　　　④ 食

◆ 다음 중 주어진 글자로 이루어지는 단어를 2개 이상 한자 또는 한글로 쓰시오.

15. 舌 -

16. 活 -

17. 話 -

18. 括 -

19. 刮 -

20. 舍 -

21. 捨 -

◆ 다음 글자의 음과 훈을 쓰시오.

| ( )吹( ) - ( )欠( ) - ( )炊( ) - ( )次( ) - ( )歌( ) - |
| ( )飮( ) - ( )欽( ) - ( )歎( ) - ( )歡( ) - ( )款( ) |

◆ 다음 글자를 두 부분으로 분해하시오.

1. 吹 = ☐ + ☐   2. 炊 = ☐ + ☐

3. 次 = ☐ + ☐   4. 歎 = ☐ + ☐

5. 歡 = ☐ + ☐   6. 款 = ☐ + ☐

◆ 다음 글자를 소리 부분(聲符)과 뜻 부분(意符)으로 분해하시오.

7. 歌 = 소리 부분(聲符) ☐ + 뜻 부분(意符) ☐

8. 飮 = 소리 부분(聲符) ☐ + 뜻 부분(意符) ☐

9. 欽 = 소리 부분(聲符) ☐ + 뜻 부분(意符) ☐

10. 歡 = 소리 부분(聲符) ☐ + 뜻 부분(意符) ☐

11. 다음 중 성격이 <u>다른</u> 하나는?
　① 吹　　　　② 欠　　　　③ 飮　　　　④ 欽

12. "欠"자는 무엇을 본뜬 글자인가?
　① 잠자는 사람　② 엎드린 개　③ 입 벌린 사람　④ 전쟁 무기

13. 다음 중 "식사"와 관계 깊은 글자는?
　① 歌　　　　② 欽　　　　③ 飮　　　　④ 歎

14. 다음 중 "款"자에 대한 설명으로 맞지 <u>않는</u> 것은?

① 정성, 성의   ② 조목, 항목   ③ 새기다   ④ 혈관, 심장

15. 다음 중 성격이 <u>다른</u> 하나는?
　　① 漢   ② 歡   ③ 嘆   ④ 歎

◪ 다음 중 주어진 글자로 이루어지는 단어를 2개 이상 한자 또는 한글로 쓰시오.

16. 吹 –

17. 炊 –

18. 次 –

19. 歌 –

20. 飮 –

21. 欽 –

22. 歎 –

23. 歡 –

24. 款 –

◪ 다음 글자의 음과 훈을 쓰시오.

(   )次( ) – (   )姿( ) – (   )恣( ) – (   )資( ) – (   )盜( )

◪ 다음 글자를 분해하시오.

1. 恣 = 　　　　　 + 　　　　　 + 　　　　　　2. 姿 = 　　　　　 + 　　　　　

3. 資 = 　　　　　 + 　　　　　　4. 次 = 　　　　　 + 　　　　　

5. 盜 = 　　　　　 + 　　　　　

◪ 다음 글자를 소리 부분(聲符)과 뜻 부분(意符)으로 분해하시오.

6. 姿 = 소리 부분(聲符) 　　　　　　 + 뜻 부분(意符)

7. 恣 = 소리 부분(聲符) [____] + 뜻 부분(意符) [____]

8. 資 = 소리 부분(聲符) [____] + 뜻 부분(意符) [____]

9. 다음 중 "자"로 소리나지 <u>않는</u> 것은?

　① 資　　　　　② 恣　　　　　③ 姿　　　　　④ 盜

10. "盜"자에 대한 설명으로 옳은 것은?

　① 죽이다　　　　　　　　② 남의 것을 슬쩍하다
　③ 대체적으로 좋은 의미다　　④ 그릇에 음식을 담다

11. 다음 중 "恣"자에 대한 설명으로 적당한 것은?

　① 착하다　　　② 조용하다　　　③ 건방지다　　　④ 곱다

12. "次"자에 대한 문장으로 적당하지 <u>않는</u> 것은?

　① 우리 딸이 전체 2등으로 대학에 입학했어요!
　② 그는 다음 기회를 노려보기로 했다.
　③ 야 이놈아, 순서대로 해야지.
　④ 결혼 피로연에서 너무 많이 먹었어.

◆ 다음 중 주어진 글자로 이루어지는 단어를 2개 이상 한자 또는 한글로 쓰시오.

13. 次 – [____]

14. 姿 – [____]

15. 恣 – [____]

16. 資 – [____]

17. 盜 – [____]

◆ 다음 글자의 음과 훈을 쓰시오.

( )食( ) – ( )飮( ) – ( )養( ) – ( )飼( ) – ( )飯( ) – ( )饌( )

◆ 다음 글자를 분해하시오.

1. 饌 = [ ] + [ ] + [ ]   2. 飯 = [ ] + [ ]

3. 飼 = [ ] + [ ]   4. 飮 = [ ] + [ ]

5. 다음 중 성격이 <u>다른</u> 하나는?
① 飮   ② 館   ③ 飯   ④ 飼

6. "養"자와 관계 <u>없는</u> 문장은?
① 빌려주다   ② 기르다   ③ 먹이다   ④ 봉양하다

◆ 다음 글자를 소리 부분(聲符)과 뜻 부분(意符)으로 분해하시오.

7. 飮 = 소리 부분(聲符) [ ] + 뜻 부분(意符) [ ]

8. 養 = 소리 부분(聲符) [ ] + 뜻 부분(意符) [ ]

9. 飼 = 소리 부분(聲符) [ ] + 뜻 부분(意符) [ ]

10. 飯 = 소리 부분(聲符) [ ] + 뜻 부분(意符) [ ]

11. 饌 = 소리 부분(聲符) [ ] + 뜻 부분(意符) [ ]

◆ 다음 중 주어진 글자로 이루어지는 단어를 2개 이상 한자 또는 한글로 쓰시오.

12. 飮 – [ ]

13. 食 – [ ]

14. 養 -

15. 飼 -

16. 飯 -

17. 饌 -

◆ 다음 글자의 음과 훈을 쓰시오.

( )飢( ) – ( )餓( ) – ( )饉( ) – ( )飽( ) – ( )餘( ) –
( )館( ) – ( )餠( ) – ( )餞( ) – ( )飾( ) – ( )蝕( )

◆ 다음 글자를 소리 부분(聲符)과 뜻 부분(意符)으로 분해하시오.

1. 飢 = 소리 부분(聲符)　　　　+ 뜻 부분(意符)

2. 餓 = 소리 부분(聲符)　　　　+ 뜻 부분(意符)

3. 饉 = 소리 부분(聲符)　　　　+ 뜻 부분(意符)

4. 飽 = 소리 부분(聲符)　　　　+ 뜻 부분(意符)

5. 餘 = 소리 부분(聲符)　　　　+ 뜻 부분(意符)

6. 館 = 소리 부분(聲符)　　　　+ 뜻 부분(意符)

7. 餠 = 소리 부분(聲符)　　　　+ 뜻 부분(意符)

8. 餞 = 소리 부분(聲符)　　　　+ 뜻 부분(意符)

9. 飾 = 소리 부분(聲符)　　　　+ 뜻 부분(意符)

10. 蝕 = 소리 부분(聲符)　　　　+ 뜻 부분(意符)

11. 다음 중 성격이 <u>다른</u> 하나는?
　　① 飽　　　　② 飾　　　　③ 飮　　　　④ 餠

12. "飽"자와 관계 깊은 것은?
　　① 배부르다　　② 배탈나다　　③ 포장하다　　④ 생포하다

13. 다음 중 "餓"자와 <u>반대</u>의 뜻을 가진 글자는?

① 飢   ② 饉   ③ 館   ④ 飽

14. 다음 중 "飢"자와 비슷한 뜻을 가진 글자는?

① 飮   ② 餘   ③ 蝕   ④ 餓

◆ 다음 중 주어진 글자로 이루어지는 단어를 2개 이상 한자 또는 한글로 쓰시오.

15. 飢 －

16. 餓 －

17. 饉 －

18. 飽 －

19. 餘 －

20. 館 －

21. 餠 －

22. 餞 －

23. 飾 －

24. 蝕 －

◆ 다음 글자의 음과 훈을 쓰시오.

```
(    )辛(  ) – (    )音(  ) – (    )言(  ) – (    )親(  ) – (    )新(  ) –
(    )甘(  )
```

1. 다음 "辛"자에 대한 설명 중 맞지 않는 것은?

① 고생하다   ② 문신, 고문   ③ 가까스로 하다   ④ 던지다

2. 다음 중 서로 관계 없는 것은?

① 音   ② 曰   ③ 甘   ④ 言

3. 다음 중 "親"자와 서로 어울리지 않는 글자는?

① 父   ② 母   ③ 家   ④ 足

4. "新"자와 반대의 뜻이라고 할 수 없는 글자는?

① 舊   ② 久   ③ 艮   ④ 古

5. 성격이 나머지 셋과 다른 것은?

① 甘   ② 辛   ③ 苦   ④ 酷

6. "甘/苦/辛"자와 다음 중 무엇과 관계 있는가?

① 手   ② 口   ③ 目   ④ 耳

◆ 다음 중 주어진 글자로 이루어지는 단어를 2개 이상 한자 또는 한글로 쓰시오.

7. 辛 –

8. 音 –

9. 言 –

10. 親 –

11. 新 –

12. 甘 –

◆ 다음 글자의 음과 훈을 쓰시오.

( )辟( ) – ( )壁( ) – ( )璧( ) – ( )僻( ) – ( )癖( ) –
( )避( ) – 입 口(구)쪽에서 가져옴

◆ 다음 글자를 분해하시오.

1. 壁 = [ ] + [ ] + [ ]   2. 僻 = [ ] + [ ]

3. 璧 = [ ] + [ ]   4. 辟 = [ ] + [ ]

5. 癖 = [ ] + [ ]   6. 避 = [ ] + [ ]

7. 다음 중 "벽"으로 발음되지 <u>않는</u> 글자는?
   ① 薜   ② 壁   ③ 癖   ④ 璧

8. "避"의 뜻으로 적당한 것은?
   ① 돕다, 원조   ② 싫어하다, 꺼리다
   ③ 잠자다, 꿈꾸다   ④ 맛있다, 좋아하다

◆ 다음 글자를 소리 부분(聲符)과 뜻 부분(意符)으로 분해하시오.

9. 壁 = 소리 부분(聲符) [ ]   + 뜻 부분(意符) [ ]

10. 璧 = 소리 부분(聲符) [ ]   + 뜻 부분(意符) [ ]

11. 僻 = 소리 부분(聲符) [ ]   + 뜻 부분(意符) [ ]

12. 癖 = 소리 부분(聲符) [ ]   + 뜻 부분(意符) [ ]

13. 다음의 "癖"자에 대한 쓰임 중 옳은 것은?
    ① 나쁜 습관   ② 따분한 이야기
    ③ 흥미로운 사람   ④ 사모하다

◆ 다음 중 주어진 글자로 이루어지는 단어를 2개 이상 한자 또는 한글로 쓰시오.

14. 壁 – [ ]   15. 璧 – [ ]

16. 僻 – [ ]   17. 癖 – [ ]

18. 避 – [ ]

◆ 다음 글자의 음과 훈을 쓰시오.

```
(    )音(  ) – (    )意(  ) – (    )億(  ) – (    )憶(  ) – (    )識(  )
```

1. 다음 글자의 뜻 중 서로 성격이 <u>다른</u> 하나는?
　① 音　　　　　　② 意　　　　　　③ 識　　　　　　④ 憶

2. "意"자와 비슷한 뜻을 가진 글자는?
　① 言　　　　　　② 新　　　　　　③ 憶　　　　　　④ 行

◆ 다음 글자를 두 부분으로 분해하시오.

3. 意 = ☐ + ☐　　　　　　4. 億 = ☐ + ☐

5. 憶 = ☐ + ☐　　　　　　6. 識 = ☐ + ☐

7. "憶"자는 무엇을 나타내는가?
　① 농사　　　　　　② 때리다　　　　　　③ 생각　　　　　　④ 먹이다

◆ 다음 중 주어진 글자로 이루어지는 단어를 2개 이상 한자 또는 한글로 쓰시오.

8. 音 – ☐　　　　　　9. 意 – ☐

10. 億 – ☐　　　　　　11. 憶 – ☐

12. 識 – ☐

◆ 다음 글자의 음과 훈을 쓰시오.

```
(    )暗(  ) – (    )韻(  ) – (    )響(  ) – (    )竟(  ) – (    )境(  ) –
(    )鏡(  )
```

◆ 다음 글자를 분해하시오.

1. 響 = [　] + [　] + [　]   2. 韻 = [　] + [　]

3. 境 = [　] + [　]   4. 暗 = [　] + [　]

◆ 다음 글자를 소리 부분(聲符)과 뜻 부분(意符)으로 분해하시오.

5. 暗 = 소리 부분(聲符) [　] + 뜻 부분(意符) [　]

6. 響 = 소리 부분(聲符) [　] + 뜻 부분(意符) [　]

7. 境 = 소리 부분(聲符) [　] + 뜻 부분(意符) [　]

8. 鏡 = 소리 부분(聲符) [　] + 뜻 부분(意符) [　]

9. "暗"의 뜻과 반대되는 것으로서 맞지 <u>않는</u> 것은?
　　① 昭　　　② 明　　　③ 眩　　　④ 陽

10. "境"자와 비슷한 뜻의 글자는?
　　① 域　　　② 右　　　③ 匕　　　④ 月

11. "響"자와 비슷한 뜻의 글자는?
　　① 心　　　② 聲　　　③ 广　　　④ 食

12. 다음 중 발음이 <u>다른</u> 하나는?
　　① 境　　　② 鏡　　　③ 頃　　　④ 項

◆ 다음 중 주어진 글자로 이루어지는 단어를 2개 이상 한자 또는 한글로 쓰시오.

13. 暗 - [　]

14. 韻 - [　]

15. 響 - [　]

16. 境 - [　]

17. 鏡 - [　]

◆ 다음 글자의 음과 훈을 쓰시오.

( )牙( ) – ( )雅( ) – ( )芽( ) – ( )邪( ) – ( )穿( )

1. 다음 중 "아"로 발음되지 <u>않는</u> 것은?
　① 芽　　　　　② 雅　　　　　③ 牙　　　　　④ 槪

2. "牙"자와 관계 깊은 것은?
　① 口　　　　　② 止　　　　　③ 皮　　　　　④ 勹

3. "邪"자와 <u>반대</u>의 뜻을 가진 글자는?
　① 詐　　　　　② 義　　　　　③ 奸　　　　　④ 厶

◆ 다음 글자를 소리 부분(聲符)과 뜻 부분(意符)으로 분해하시오.

4. 雅 = 소리 부분(聲符) 　　　　+ 뜻 부분(意符)

5. 芽 = 소리 부분(聲符) 　　　　+ 뜻 부분(意符)

6. 邪 = 소리 부분(聲符) 　　　　+ 뜻 부분(意符)

◆ 다음 중 주어진 글자로 이루어지는 단어를 2개 이상 한자 또는 한글로 쓰시오.

7. 牙 –

8. 雅 –

9. 雅 –

10. 邪 –

11. 穿 –

◆ 다음 글자의 음과 훈을 쓰시오.

( )齒( ) – ( )齡( ) – ( )齧( )

◆ 다음 글자를 분해하시오.

1. 齧 = ⬚ + ⬚ + ⬚   2. 齡 = ⬚ + ⬚

3. 齒 = ⬚ + ⬚

4. 다음 중 "齒"자와 관계 깊은 것은?
　① 目　　　② 牙　　　③ 貝　　　④ 鹿

◆ 다음 글자를 소리 부분(聲符)과 뜻 부분(意符)으로 분해하시오.

5. 齡 = 소리 부분(聲符) ⬚ + 뜻 부분(意符) ⬚

◆ 다음 중 주어진 글자로 이루어지는 단어를 1개 이상 한자 또는 한글로 쓰시오.

6. 齒 – ⬚

7. 齡 – ⬚

8. 齧 – ⬚

◆ 다음 글자의 음과 훈을 쓰시오.

( )甘( ) - ( )紺( ) - ( )甚( ) - ( )某( ) - ( )謀( )

◆ 다음 글자를 분해하시오.

1. 謀 = ☐ + ☐ + ☐

2. 某 = ☐ + ☐

3. 甘 = ☐ + ☐

4. 紺 = ☐ + ☐

5. 甚 = ☐ + ☐ + ☐

◆ 다음 글자를 소리 부분(聲符)과 뜻 부분(意符)으로 분해하시오.

6. 紺 = 소리 부분(聲符) ☐   + 뜻 부분(意符) ☐

7. 謀 = 소리 부분(聲符) ☐   + 뜻 부분(意符) ☐

8. "甚"자에 대한 쓰임 중 옳은 것은?
   ① 잠을 충분히 자야해   ② 반찬을 골고루 먹어라
   ③ 야, 그거 좀 심한 거 아냐?   ④ 오빠가 일등 했어요!

9. 다음 중 "紺"자와 뜻이 비슷한 것은?
   ① 高   ② 靑   ③ 辛   ④ 正

10. "謀"자의 뜻으로 적당한 것은?
    ① 계획하다   ② 휴식시간   ③ 동식물   ④ 좋아하다

11. "甘"자와 반대의 뜻인 글자는?
    ① 苦   ② 尸   ③ 糸   ④ 牙

◪ 다음 중 주어진 글자로 이루어지는 단어를 2개 이상 한자 또는 한글로 쓰시오.

12. 甘 –

13. 紺 –

14. 甚 –

15. 某 –

16. 謀 –

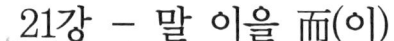
◆ 다음 글자의 음과 훈을 쓰시오.

( )而( ) – ( )耐( ) – ( )耑( ) – ( )端( ) – ( )瑞( ) – ( )需( ) – ( )儒( )

◆ 다음 글자를 분해하시오.

1. 端 = ⬜ + ⬜ + ⬜   2. 瑞 = ⬜ + ⬜

3. 耑 = ⬜ + ⬜   4. 耐 = ⬜ + ⬜

5. 需 = ⬜ + ⬜ + ⬜   6. 儒 = ⬜ + ⬜

7. 다음의 "耐"자에 대한 설명 중 옳은 것은?
   ① 많다, 충분하다   ② 참다, 견디다
   ③ 졸다, 잠자다   ④ 습기차다, 축축하다

◆ 다음 글자를 소리 부분(聲符)과 뜻 부분(意符)으로 분해하시오.

8. 端 = 소리 부분(聲符) ⬜   + 뜻 부분(意符) ⬜

9. 儒 = 소리 부분(聲符) ⬜   + 뜻 부분(意符) ⬜

10. "瑞"자의 반대 뜻으로 적당한 것은?
    ① 적당하다, 알맞다   ② 불길하다, 흉하다
    ③ 환하다, 밝다   ④ 고귀하다, 높다

◆ 다음 중 주어진 글자로 이루어지는 단어를 2개 이상 한자 또는 한글로 쓰시오.

11. 而 – ⬜   12. 耐 – ⬜

13. 端 – ⬜   14. 瑞 – ⬜

15. 需 – ⬜   16. 儒 – ⬜

身 (신)　　射 (사)　　謝 (사)　　躬 (궁)　　窮 (궁)　　軀 (구)

身

훈음 몸 신　**부수** 제 부수　▶▶▶ 입신한 여자의 옆모습

임신한 사람처럼 불룩한 배가 강조된 사람의 신체 구조를 단순 간결하게 그린 글자로 '몸, 몸소' 등의 뜻으로 단독 또는 타 글자와 함께 사용된다.

•••• 心身(심신)/身邊雜記(신변잡기)/敗家亡身(패가망신)

射

훈음 쏠 사 – 옆으로 서서 활을 잡아당김　**부수** 마디 寸(촌)

▶▶▶ 몸 身(신) + 마디 寸(촌) ➡ 불룩 튀어나온 배의 모습과 비슷한, 조준한 활의 모습

활을 잡아당기는 손(寸)과 활의 상형(身-활의 모습이 바뀐 글자)으로 화살을 줄에 걸고 당기는 모습을 그린 글자다.

•••• 射擊(사격)/射殺(사살)/注射(주사)

謝

훈음 사례할/사죄할 사 – 적중시켜야 될 말　**부수** 말씀 言(언)　▶▶▶ 말씀 言(언) + 쏠 射(사) ➡ 적합한 말

사례나 사죄도 말로 하는 것이므로 말씀 言(언)을 의미요소로 쏠 射(사)를 발음기호로 하여 만든 글자이다. 사죄나 감사도 정확하게 조준하여(射) 말(言)해야 효과가 있으므로 의미요소에도 조금은 영향을 미친 것으로 여겨진다.

•••• 謝罪(사죄)/感謝(감사)/謝禮(사례)

躬

훈음 몸 궁　**부수** 몸 身(신)　▶▶▶ 몸 身(신) + 활 弓(궁) ➡ 배가 툭 튀어나온 것이 비슷하다

세워 놓으면 불룩한 배를 특징으로 하는 사람의 신체와 활 모습이 비슷하여 몸 身(신)과 활 弓(궁) 모두 의미요소로 사용하여 '몸'이라는 글자를 또 만들었다.

•••• 實踐躬行(실천궁행)/躬率(궁솔)

窮

훈음 다할/막힐/가난할 궁　**부수** 구멍 穴(혈)　▶▶▶ 굴 穴(혈) + 몸 躬(궁) ➡ 옹색한 모습

굴 즉 움막(穴)이 너무 좁아 몸(身)을 제대로 가누지도 못하고 마치 활(弓)처럼 몸을 웅크려야만 잘 수 있는 상황으로 앞이 콱 막힌 것 같고, 막다른 골목에 와 있는 것 같기도 하여 몸 躬(궁)을 발음기호로 하여 만들어진 의미에 상호연관이 있는 글자다.

•••• 窮極的(궁극적)/窮地(궁지)/貧窮(빈궁)

軀

훈음 몸 구　**부수** 몸 身(신)　▶▶▶ 몸 身(신) + 지경 區(구) ➡ 몸을 나타내는 또 다른 표현

몸을 나타내는 또 다른 글자로 몸 身(신)을 의미요소로 지경 區(구)를 발음기호로 했다.

•••• 巨軀(거구)/體軀(체구)

己 자기 기

己(기) 已(이) 紀(기) 起(기) 記(기) 忌(기) 改(개) 妃(비) 配(배)

己

훈음 자기/몸 기

'몸 己(기)에 대한 정설은 없으므로 이 글자가 '몸, 자신'을 가리키는 글자라는 것만 반드시 외우자. 이 글자와 비슷한 글자로 이왕지사(已往之事)/부득이(不得已)의 이미 이(已)자도 있다.

●●●●● 自己(자기)/知彼知己(지피지기)/利己主義(이기주의)/克己(극기)

紀

훈음 벼리 기 부수 실 糸(사) ▶▶▶ 실 糸(사) + 자기 己(기) ➡ 시대를 연결함

실 糸(사)가 들어갔다는 것은 무엇을 연결해 준다는 의미다. 튼튼한 밧줄로 구성원을 연결하고, 기원전과 기원을 연결해 주는 것을 가리킨다. 예수가 태어난 연도를 기점으로 하여 紀元前, 紀元(기원) 그렇게 나누는데 英語(영어)로는 BC=before christ(예수 탄생 전), AD=anno domini(주님의 해)로 표기한다.

* 벼리 - 그물에서 힘을 받는 굵고 강한 줄을 말한다.

●●●●● 紀元前(기원전)/西紀(서기)/紀行文(기행문)/紀綱(기강)

起

훈음 일어날 기 부수 달릴 走(주) ▶▶▶ 달릴 走(주) + 자기 己(기) ➡ 달리기 위해 몸을 일으켜 세움

달리기(走) 위해서 몸(己)을 일으켜 세우는 모습에서 '일어나다, 비롯하다, 시작하다' 등의 뜻으로 파생된 글자로 두 글자 모두 의미요소고 자기 己(기)가 발음기호다.

●●●●● 奮起(분기)/起立(기립)/起死回生(기사회생)/再起(재기)

記

훈음 기록할 기 부수 말씀 言(언) ▶▶▶ 말씀 言(언) + 자기 己(기) ➡ 누구의 말이든지 기록함

말씀(言)을 기록하다에서 보듯 말씀 言(언)을 의미요소로 己(기)를 발음기호로 하여 만든 글자다.

●●●●● 記錄(기록)/筆記(필기)/記入(기입)/記事(기사)

忌

훈음 꺼릴 기 부수 마음 心(심) ▶▶▶ 자기 己(기) + 마음 心(심) ➡ 마음에 걸림

꺼림칙하여 꺼린다는 것은 마음의 작용이므로 마음 心(심)을 의미요소로 하고, 己(기)를 발음기호로 하여 만든 글자다.

●●●●● 禁忌(금기)/忌日(기일)/忌避(기피)/忌憚(기탄)/忌祭(기제)

改

훈음 고칠 개 부수 칠 攵(복) ▶▶▶ 자기 己(기) + 칠 攵(복) ➡ 개혁은 자신을 치는 것으로부터

개혁은 남을 고치는 것이 아니라 자신(己)을 먼저 변화시켜야 함으로 자기(己)를 치다(攵)라는 조합으로 '고칠 개'를 만들어 냈다.

●●●●● 改革(개혁)/改宗(개종)/改閣(개각)/改過遷善(개과천선)

妃

훈음 왕비 비 부수 계집 女(여) ▶▶▶ 계집 女(여) + 몸 己(기) ➡ 왕이나 제후의 아내

태아(巳~己)를 품에 안고 있는 여자(女)의 모습에서 '아내, 짝'이 훗날 '왕이나 제후의 아내로' 의미 확대된 글자로 두 글자 모두 의미요소이며 몸 己(기)가 발음요소에도 관여했다.

●●●●● 王妃(왕비)/妃嬪(비빈)

配

훈음 아내/짝 배 **부수** 술 酉(유) ▶▶▶ 술 酉(유) + 몸 己(기) ➡ 짝짓기 술

술(酉)단지 옆에 쪼그리고 앉아 있는 사람(ㄴ-己)의 모습에서 혼례를 치를 때, 술(酉)이 필수요소였음을 보여주는 글자로 '아내/짝짓다/나누다'로 발전됐다. 혼례는 혼자 치르는 것이 아니라 상대방이 있어야 함으로 '짝짓다/짝'이라는 말로 발전했다.

●●●●● 配偶者(배우자)/配分(배분)/配匹(배필)/配定(배정)/流配(유배)/配慮(배려)/分配(분배)

心 마음 심

✍ 모든 감정과 동기의 바탕

心(忄/㣺)(심) 思(사) 感(감) 意(의) 性(성) 情(정) 恭(공) 怪(괴)

心
훈음 마음 심 부수 제 부수
신체의 중심부에 있는 혈액을 몸 전체로 보내는 펌프 역할을 하는 심장의 모습을 단순 간결하게 처리한 글자로 '마음과 심장 그리고 중심'의 뜻으로 쓰인다.
●●●●● 心臟(심장)/心身(심신)/私心(사심)/黑心(흑심)

思
훈음 생각할 사 부수 마음 心(심) ▶▶▶ 밭 田(전) + 마음 心(심) ➡ 머리와 마음의 협동
정수리 신(囟)의 변형인 밭 田(전)과 마음 心(심)의 합자로 생각이란 머리와 마음 즉 정신과 마음의 합작품이라고 생각한 고대인들의 훌륭한 발상에서 나온 글자다.
●●●●● 思考(사고)/思想(사상)/意思(의사)

感
훈음 느낄 감 부수 마음 心(심) ▶▶▶ 다 咸(함) + 마음 心(심) ➡ 마음의 역할 중 '느낌'
느낌이란 마음의 작용이므로 마음 心(심)을 의미요소로 하고 咸(함)을 발음기호로 하여 만든 글자다.
●●●●● 感情(감정)/五感(오감)/感覺(감각)/感動(감동)

意
훈음 뜻 의 부수 마음 心(심) ▶▶▶ 소리 音(음) + 마음 心(심) ➡ 내면의 소리
뜻이란 사람 내면의 소리이므로 두 의미요소인 마음 心(심)과 소리 音(음)을 더하여 만든 글자다.
●●●●● 意志(의지)/意思(의사)/決意(결의)/會意(회의)

性
훈음 성품/성질 성 부수 마음 忄(심) ▶▶▶ 마음 忄(심) + 날 生(생) ➡ 행동의 바탕인 마음상태
성품이란 마음(忄)에서 나오는(生) 태도나 행위의 밑바탕이므로 마음 忄(심)을 의미요소로 날 生(생)을 발음기호로 하여 만든 글자다.
●●●●● 性品(성품)/性格(성격)/腦性(뇌성)/性敎育(성교육)

情
훈음 뜻 정 부수 마음 忄(심) ▶▶▶ 마음 忄(심) + 푸를 靑(청) ➡ 마음에서 샘솟는 느낌
뜻이란 사람 내면의 소리이므로 마음 忄(심)을 의미요소로 푸를 靑(청)을 발음기호로 하여 만든 글자이다. 위의 뜻 意(의)가 정신이나 뇌의 기능에 가깝다면 뜻 情(정)은 사람의 내면 즉 감정의 소리에 가깝다. 따라서 땅을 뚫고 올라오는 푸른 풀 한 포기의 모습에서 유래한 靑(청)이 발음과 의미에 모두 관여한 글자로 보인다.
●●●●● 感情(감정)/情感(정감)/情慾(정욕)/多情多感(다정다감)

恭
훈음 공손할 공 부수 마음 㣺(심) ▶▶▶ 함께 共(공) + 마음 㣺(심) ➡ 공손한 태도
공손하다는 것은 태도의 문제이므로 마음 忄(심)을 의미요소로 共(공)을 발음기호로 한 글자이며 손(又)으로 흙(土)을 만지고 있는 모습으로 생각지도(忄)못한 엄청난 힘(조-힘쓸 골)을 쓰는 모습에서 괴력(怪力)/기괴(奇怪)의 기이할 괴(怪)/꼴났다는 것은 남자의 성기가 우뚝 솟았다는 말로도 쓰인다. 음탕한 생각을 하면 당연히 거기가 꼴나지 않겠는가?
●●●●● 恭遜(공손)/恭敬(공경)/괴벽(怪癖)/괴변(怪變)/기암괴석(奇巖怪石)

愛(애)　憎(증)　憤(분)　怒(노)　愉(유)　快(쾌)　悲(비)　慘(참)

愛
훈음 사랑 애 **부수** 마음 心(심) ▶▶▶ 爪(조) + 冖(멱) + 心(심) + 夂(치) ➡ 헤어지기 싫은 마음
사랑이란 마음에서 샘솟는 감정이므로 마음 心(심)을 의미요소로 하여 만든 글자다.
손톱 조(爪-止의 변형)와 발 夂(치)가 다 발을 의미하므로 차마 헤어지기 싫어하는 두 사람의 마음(心)을
나타낸 글자로 당연히 좋아하고 사랑하는 사람을 떠나보내기가 쉽겠는가?
●●●●● 愛憎(애증)/愛人(애인)/人類愛(인류애)

憎
훈음 미워할 증 **부수** 마음 忄(심) ▶▶▶ 마음 忄(심) + 일찍 曾(증) ➡ 차곡차곡 쌓인 나쁜 감정
미움이란 마음의 감정이므로 마음 心(심)을 의미요소로 曾(증)을 발음기호로 글자를 만들었다.
●●●●● 憎惡(증오)/愛憎(애증)

憤
훈음 결낼/성낼 분 **부수** 마음 忄(심) ▶▶▶ 마음 忄(심) + 클 賁(분) ➡ 끓어오르는 감정
화가 난다는 것도 마음의 感情(감정)이므로 마음 忄(심)을 의미요소로 賁(분)을 발음기호로 한 글자다.
●●●●● 憤怒(분노)/忿怒(분노)/激忿(격분)/激憤(격분)

怒
훈음 성낼 노 **부수** 마음 心(심) ▶▶▶ 종 奴(노) + 心(심) ➡ 종 취급당한 사람의 느낌
성내는 것도 마음에서 시작하므로 마음 心(심)을 의미요소로 종 奴(노)를 발음기호로 사람을 종(奴)처럼 취
급하니 당연히 속(心)에서 화가 치밀어 오르지 않겠는가?
●●●●● 怒發大發(노발대발)/怒氣衝天(노기충천)/怒濤(노도)

愉
훈음 즐거울 유 **부수** 마음 忄(심) ▶▶▶ 마음 忄(심) + 점점 俞(유) ➡ 점점 달아오르는 즐거운 마음
즐거움이란 마음의 특성이므로 마음 忄(심)을 의미요소로 점점 俞(유)를 발음기호로 만든 글자다.
●●●●● 愉快(유쾌)

快
훈음 쾌할 쾌 **부수** 마음 忄(심) ▶▶▶ 忄(심) + 터놓을 夬(쾌) ➡ 십 년 묵은 체증이 사라짐
쾌하다/기뻐하다는 마음의 상태를 이야기하는 것으로 마음 忄(심)이 의미요소로 夬(쾌)를 발음기호로 사용
하였다. 마음(忄)속에 무엇인가 응어리졌던 것이 터져 나오(夬)니 마음이 한껏 후련해지고 상쾌해졌다고 하
여 만들어진 글자다.
●●●●● 快樂(쾌락)/欣快(흔쾌)히/快癒(쾌유)/快晴(쾌청)

悲
훈음 슬플 비 **부수** 마음 心(심) ▶▶▶ 아닐 非(비) + 心(심) ➡ 슬픈 감정
슬픔 역시 마음에서 샘솟는 감정이므로 마음 心(심)을 의미요소로 非(비)를 발음기호로 만들었다.
●●●●● 悲哀(비애)/悲慘(비참)/悲感(비감)

慘
훈음 참혹할/애처로울 참 **부수** 마음 忄(심) ▶▶▶ 마음 忄(심) + 간여할 參(참) ➡ 참담함을 느끼는 심정
참담한 심경, 애처로운 마음 등에서 표현되듯, 이 역시 마음의 현상이므로 마음 忄(심)을 의미요소로 參(참)
을 발음기호로 하여 만든 글자다.
●●●●● 慘酷(참혹)/悽慘(처참)/慘狀(참상)

必(필)　泌(비)　秘(비)　宓(복)　密(밀)　蜜(밀)　恭(첨)　添(첨)

必
훈음 반드시 필 부수 마음 心(심) ▶▶▶ 心(심) + 삐침 丿(별) ➡ 칼집에 꽂아둔 칼의 모습
칼이나 도구를 칼집이나 도구함에 꽂아두거나 넣어둔 모습이었으나 발음이 같다는 이유로 '반드시' 등의 다른 뜻으로 가차된 글자로 마음 心(심)과는 무관하다. 단지 현대의 글자 모양이 같아서 心(심)편에서 다룬다.
●●●●● 必需品(필수품)/必須(필수)

泌
훈음 샘물 흐르는 모양 비 부수 물 氵(수) ▶▶▶ 물 氵(수) + 반드시 必(필) ➡ 분비물
샘물이든 눈물이든 흐르는 것은 액체이므로 물 氵(수)를 의미요소로 必(필)을 발음기호로 했다.
●●●●● 分泌物(분비물)/泌尿器科(비뇨기과)

秘
훈음 숨길 비 부수 벼 禾(화) ▶▶▶ 벼 禾(화) + 반드시 必(필) ➡ 숨겨진 신의 뜻
여기서 숨긴다는 것은 신의 뜻을 감추는 것을 말하는데, 신을 상징하는 示(시)가 글자꼴이 비슷한 禾(화)로 변한 것으로 必(필)을 발음기호로 사용된 글자이므로 그냥 외우자.
●●●●● 秘話(비화)/秘策(비책)/秘密(비밀)/神秘(신비)

密
훈음 빽빽할/고요할 밀 부수 집 宀(면) ▶▶▶ 집 宀(면) + 必(필) + 뫼 山(산) ➡ 창고가 가득 참
장식달린 혹은 중요하게 여긴 병장기의 손잡이 부분을 잘 모셔둔 모습이 몰래 복(宓)자이며 창고(宀) 안에 산(山)처럼 쌓여 있는 곡식(必)에서 빽빽하다, 고요하다로 의미 확대된 글자다. 必(필)이 발음요소로 사용됐다.
●●●●● 秘密(비밀)/密林(밀림)/密談(밀담)/密告(밀고)

蜜
훈음 꿀 밀 부수 벌레 虫(충) ▶▶▶ 집 宀(면) + 必(필) + 벌레 虫(충) ➡ 벌이 가득한 벌통
집(宀) 안에 빽곡히 들어 차 있는(必) 벌레(虫)란 3~5만 정도로 무리지어 사는 꿀벌을 가리킨다. 꿀은 그 얼마나 달콤한가!
●●●●● 蜂蜜(봉밀)/蜜語(밀어)/蜜柑(밀감)/蜜月旅行(밀월여행)

忝
훈음 더럽힐/황송할 첨 – 단독 사용은 거의 없다 부수 마음 忄(심)
▶▶▶ 天(천) + 마음 忄(심) ➡ 고개를 들지 못함
더럽혔다는 것은 '하늘(天) 보기에 부끄러운(心) 짓'을 했다는 뜻으로 마음(忄)이 의미요소로 쓰였다.

添
훈음 더할 첨 부수 물 氵(수) ▶▶▶ 물 氵(수) + 더럽힐 忝(첨) ➡ 독에 물을 채움
수나 양이 많아지게 하기 위해 무엇을 더한다는 사상을 나타내기 위해 가장 간단한 물 氵(수)을 더하여 그 사상을 표현한 글자로 忝(첨)은 발음기호로 쓰였다.
●●●●● 添加(첨가)/添附(첨부)/添言(첨언)

骨(골) 豊(풍) 體(체) 禮(례) 滑(활) 猾(활) 髓(수) 骸(해) 肯(긍)

骨 훈음 뼈 골 부수 제 부수 ▶▶▶ 입 비뚤어질 咼(괘) + 고기 月(육) ➡ 살점 붙은 뼈
동물의 뼈를 그린 글자였으나 후대로 오면서 뼈와 그 뼈에 붙은 살점(月)을 그린 글자로 바뀌었다. 아무튼 '뼈'가 본뜻이고 '풍채와 기골'이라는 의미로도 파생되었다.
•••••• 骨髓(골수)/骨格(골격)/皮骨相接(피골상접)/粉骨碎身(분골쇄신)

豊 훈음 풍성할 풍 부수 콩/제기 豆(두) ▶▶▶ 굽을 曲(곡) + 콩/제기 豆(두) ➡ 그릇에 담긴 농작물
제기(豆)에 가득담긴 제물(黍稷(서직))의 모습 또는 제단 위에 가득 바쳐진 음식의 모습에서 풍성하다로 뜻이 확대됐다.
•••••• 豊年(풍년) = 豐(풍)의 속자/豊滿(풍만)

體 훈음 몸 체 부수 뼈 骨(골) ▶▶▶ 뼈 骨(골) + 풍성할 豊(풍) ➡ 살과 뼈
앙상한 뼈(骨)와 거기에 비해 풍성한 고깃살(豊)에서 즉 뼈와 살이 곧 몸 體(체)이다.
•••••• 體力(체력)/身體(신체)/體罰(체벌)/肉體(육체)/實體(실체)

禮 훈음 예도/예절 례 부수 보일 示(시) ▶▶▶ 보일/귀신 示(시) + 풍성할 豊(풍) ➡ 풍성하게 차림
제단(示)이나 제사(示)를 상다리 부러지게 차리는(豊) 것이 곧 조상이나 신(示)에 대한 예를 갖추는 것이라고 옛사람들은 생각하였다.
•••••• 禮節(예절)/婚禮(혼례)/洗禮(세례)/無禮(무례)

滑 훈음 미끄러울/반질거릴 활 부수 물 氵(수)변 ▶▶▶ 물 氵(수) + 뼈 骨(골) ➡ 물기 묻은 뼈/반질거림
미끄럽다, 반질거린다는 것은 물기 때문에 '미끄러지다' 혹은 물방울에 빛이 반사되어 '반짝이다'라는 뜻이므로 의미요소로 물 氵(수)가 쓰이고 骨(골)은 발음기호로 사용됐다.
•••••• 滑降(활강)/滑走路(활주로)/潤滑油(윤활유)

猾 훈음 교활할 활 부수 큰 개 犭(견) ▶▶▶ 큰 개 犭(견) + 뼈 滑(골) ➡ 밥그릇 안 빼앗기려고 으르렁대는 개
인간에게 가장 충성스러우면서 반면에 가장 교활한 특성을 지닌 동물로 개(犭(견))가 있다. 바로 이 개 犭(견)을 의미요소로 骨(골)을 발음기호로 해 만든 글자가 교활할 猾(활)자이다.
개(犭)들은 뼈(骨)를 가지고 노는(?) 경우가 많다. 아무리 주인이라도, 밥 먹는 개 밥그릇을 빼앗는 것은 위험한 일이다. 자신의 이익을 위해서라면 은인(주인)도 물어버린다는 의미에서 개는 교활하기 그지없다.
•••••• 狡猾(교활)

髓 훈음 골수 수 부수 뼈 骨(골)
▶▶▶ 뼈 骨(골) + 수나라 수(隋 – 무너질 휴(隋)의 변형) ➡ 뼛속의 누르스름한 액체
골수는 피를 만드는 造血器(조혈기)의 하나로서 성인의 경우는 유일한 혈액 생성 장기로서 뼛속의 연한 부분을 가리킨다. 따라서 무너져 내린다는 뜻을 가진 무너질 휴(隋)를 발음 및 의미요소로 사용하고 뼈 骨(골)도 의미요소로 하여 만든 글자다.
•••••• 骨髓(골수)

骸 훈음 해골 해 부수 뼈 骨(골) ▶▶▶ 骨(골) + 돼지 亥(해) → 두개골

해골이란 뼈만 앙상한 두개골을 가리키므로 뼈 骨(골)을 의미요소로 亥(해)를 발음기호로 하여 만든 글자.

••••• 骸骨(해골)

肯 훈음 옳게 여길 긍 부수 고기 肉(육) ▶▶▶ 그칠 止(지) + 肉(육)달 月(월)

원래는 뼈에 붙은 살을 지칭하기 위한 것이었으니 고기 육(月-肉)이 의미요소로 사용되었다. 止(지)는 뼈를 나타낸 것이 잘못 변형된 것으로 후에 '기꺼이 하다, 즐겨하다' 등으로 차용되어 사용되고 있다.

••••• 肯定(긍정)/首肯(수긍)

冎(괘)　　刖(과)　　拐(괴)　　過(과)　　禍(화)　　渦(와)

冎 훈음 입 비뚤어질 괘 부수 입 口(구) ▶▶▶ 뼈 발라낼 과(冎) + 입 구(口)

살점이 붙은 뼈다귀에서 살을 발라낸 뼈다귀(冎)와 그 살점을 나타내는 글자로 단독 사용은 없고, 다른 글자의 발음 및 의미요소로 사용된다.

※ 骨(골) - 冎(괘) : 뼈 骨(골)은 육달 月(월)을, 입 비뚤어질 冎(괘)는 입 口(구)를 집어넣은 글자다.

刖 훈음 바를 과 부수 칼 刂(도) ▶▶▶ 冎(괘) + 칼 刂(도) → 칼에 의한 고통

죄인을 꼼짝 못 하게 묶어 놓고 잔혹하기 이를 데 없는 칼(刂)로 살점을 떼내며 뼈를 드러내는(冎) 형벌을 가하는 모습을 그린 글자다.

拐 훈음 속일 괴 부수 손 扌(수) ▶▶▶ 손 扌(수) + 冎(괘)의 변형 → 손에 의한 고통

입 口(구)와 힘 力(력)은 의미와 전혀 관련 없으며 冎(괘)가 잘못 변한 것으로 '위의 바를 刖(과)'가 칼을 써서 고통을 주는 것이라면 속일 拐(괴)는 손(扌(수))을 써서 고통을 가하는 모습을 그린 글자다. 차츰 생명과도 같은 재산을 빼앗는다는 뜻으로 쓰이게 되었고, 나아가 '속이다'의 뜻으로도 쓰이게 되었다.

••••• 誘拐(유괴)

過 훈음 지날 과 부수 갈 辶(착) ▶▶▶ 갈 辶(착) + 冎(괘) → 뼛속을 통과하여 지나가는 바람처럼

'지나가다'는 것은 발과 관련이 있으므로 갈 辶(착)이 의미요소로 冎(괘)를 발음기호로 사용하여 만든 글자이다.

••••• 通過(통과)/過速(과속)/過誤(과오)/過去(과거)

禍 훈음 재난/재앙/불행 화 부수 보일 示(시) ▶▶▶ 보일 示(시) + 冎(괘) → 신의 노여움

재난이나 재앙을 신의 노여움으로 보았으므로 귀신/보일 示(시)를 의미요소로 冎(괘)를 발음기호로 사용했다.

••••• 吉凶禍福(길흉화복)/轉禍爲福(전화위복)

渦 훈음 소용돌이 와 부수 물 氵(수) ▶▶▶ 물 氵(수) + 冎(괘) → 물이 도는 현상

소용돌이란 물이 도는 현상이므로 물 氵(수)를 의미요소로 冎(괘)를 발음부호로 사용됐다.

••••• 渦中(와중)/渦旋(와선)

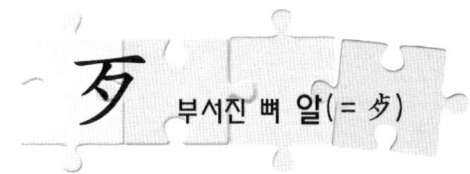

歹 부서진 뼈 알(= 歺)

歹(알) 粲(찬) 燦(찬) 餐(찬) 死(사) 列(렬) 烈(렬) 裂(렬) 例(례)

歹

훈음 부서진 뼈 알 = 歺(알)　부수 제 부수

살을 발라낸 후의 뼈만 앙상한 모양에서 '앙상한 뼈, 부서진 뼈'의 의미를 갖게 된 글자로, 단독 사용은 없고 타 글자와 함께 쓰이며 '죽음과 재난'이라는 의미요소를 그 글자에 부여하고 있다.

고기(歹)를 들고(又) 음식(米)을 먹는 장면에서 정미 찬(粲)이 만들어졌으며 횃불을 밝히고 잔치를 벌이는 장면에서 찬란(燦爛)/찬연(燦然)의 빛날 찬(燦) 그리고 갈비(歹)를 들고(又) 거나하게 먹는(食) 장면에서 만찬(晩餐)의 먹을 찬(餐)자가 탄생하였다.

死

훈음 죽을 사　부수 뼈 歹(알)　▶▶▶ 부서진 뼈 歹(알) + 사람 匕(비) ➡ 죽어서 뼈만 남은 사람

부서진 뼈(歹)와 사람(匕)을 그려서 사람이 늙어 죽어 가는 모습을 상형화한 글자다.

••••• 死亡(사망)/變死體(변사체)/致死(치사)/生死(생사)

列

훈음 줄/벌일 렬　부수 뼈 歹(알)　▶▶▶ 뼈 歹(알) + 칼 刂(도) ➡ 살을 발라 벌려 놓은 모습

칼로(刂) 뼈(歹)와 살을 분리하여 벌려 놓은 모습의 글자다.

••••• 行列(행렬)/隊列(대열)/列國(열국)/一列(일렬)

烈

훈음 세찰 렬　부수 불 灬(화)　▶▶▶ 줄 列(렬) + 불 灬(화) ➡ 부산물 등을 불에 태우는 모습

불길이 세차다는 것을 나타내는 글자이므로 불 灬(화)가 당연히 의미요소로 쓰였고, 列(렬)은 발음기호로 사용되어 '세차다, 굳세다'로 의미 확대됐다.

••••• 烈火(열화)/壯烈(장렬)/先烈(선열)/熾烈(치열)/烈祖(열조)

裂

훈음 찢을 렬　부수 옷 衣(의)　▶▶▶ 벌일 列(렬) + 옷 衣(의) ➡ 찢어발기다

옷을 갈기갈기 찢는 모습을 나타낸 글자이므로 옷 衣(의)가 의미요소고 列(렬)은 발음기호이다.

••••• 分裂(분열)/決裂(결렬)

例

훈음 법식 례　부수 사람 亻(인)

▶▶▶ 사람 亻(인) + 벌릴 列(렬) ➡ 죽은 사람을 염하는 모습

列(렬)은 살과 뼈를 분리해 놓은 모습으로 어떠한 동물이나 사람(亻)이라도 죽어서 뼈와 살을 발라 놓으면 그게 그놈이라는 뜻에서 '같은 종류'가 본뜻이고 '본보기, 법식' 등으로 의미가 확대되어졌다.

••••• 事例(사례)/例文(예문)/例外(예외)/例事(예사)

殁(몰) 殃(앙) 殆(태) 殉(순) 殊(수) 殖(식) 殘(잔) 葬(장)

歿 훈음 죽을 몰 부수 뼈 歹(알) ▶▶▶ 뼈 歹(알) + 돌 回(회) + 오른손 又(우) ➡ 물에 빠져 죽는 사람
물에 빠져(回) 허우적대다(又) 결국 죽는(歹) 사람을 사실적으로 묘사한 글자다.
※ 沒(몰) - 가라앉을 몰 - 물 氵(수) - 陷沒(함몰)/沈沒(침몰)
●●●●● 戰歿(전몰)/戰歿將兵(전몰장병)

殃 훈음 재앙 앙 부수 뼈 歹(알) ▶▶▶ 뼈 歹(알) + 가운데 央(앙) ➡ 재앙의 한 가운데
죽음보다 큰 재앙은 없으므로 죽음을 상징하는 뼈 歹(알)을 의미요소로 央(앙)을 발음기호로 하여 만든 글자다.
●●●●● 災殃(재앙)/池魚之殃(지어지앙)

殆 훈음 위태할 태 부수 뼈 歹(알) ▶▶▶ 뼈 歹(알) + 태아 台(태) ➡ 태아가 위급함
위태롭다는 것은 죽음이 문턱에 왔다는 뜻이므로 죽음을 상징하는 뼈 歹(알)을 의미요소로, 台(태)를 발음부호로 하여 만든 글자다.
●●●●● 危殆(위태)/殆半(태반)

殉 훈음 따라 죽을 순 부수 뼈 歹(알) ▶▶▶ 부서진 뼈 歹(알) + 열흘 旬(순) ➡ 대의를 위해 목숨을 바침
더 고상한 누군가나 人義(대의)를 위해 죽는 사람을 殉敎者(순교자)라 하는데, 여기서도 죽음과 관련 있는 뼈 歹(알)을 의미요소로 旬(순)을 발음기호로 하여 만든 글자다.
●●●●● 殉敎(순교)/殉國(순국)/殉職(순직)

殊 훈음 죽일/뛰어날/다를 수 부수 뼈 歹(알) ▶▶▶ 뼈 歹(알) + 붉을 朱(주) ➡ 나무를 베듯 사람을 죽임
여기도 뼈 歹(알)이 의미요소로 朱(주)가 발음부호로 사용되어 나무를 베듯 사람의 목을 친다는 뜻의 글자를 만들어 냈다. 붉을 주의 의미요소도 어느 정도 가미된 글자로 여겨진다.
●●●●● 殊勳(수훈)/特殊(특수)

殖 훈음 번성할 식 부수 뼈 歹(알) ▶▶▶ 뼈 歹(알) + 곧을 直(직) ➡ 올 곧게 살다 죽어야 후손이 번성
번성하기 위해선 母體(모체)가 죽어야 되는 것들이 많다. 예를 들어 씨를 뿌리면 씨가 죽어 많은 결실을 맺게 된다. 따라서 歹(알)을 의미요소로 直(직)을 발음기호로, 또한 올곧게(直) 살다 죽은(歹) 후손이 번성한다는 뜻의 글자다.
●●●●● 繁殖(번식)/養殖(양식)/利殖(이식)/有性生殖(유성생식)

殘 훈음 해칠/잔인할/남을 잔 부수 뼈 歹(알)
▶▶▶ 뼈 歹(알) + 쌓일 전/해칠 잔(戔) ➡ 뼈도 못 추릴 정도로 싸움
뼈(歹)도 못 추릴 정도로 '흠씬 두들겨 맞다'에 해당하는 글자로 戔(전)자와 歹(알)자에서 무시무시함이 느껴진다.
●●●●● 同族相殘(동족상잔)/殘忍(잔인)/殘飯(잔반)

葬 훈음 장사 지낼 장 부수 풀 艹(초) ▶▶▶ 잡풀 우거질 茻(망) + 죽을 死(사) ➡ 풀숲에 묻다/분봉을 해 주다
장사 지낸다는 것은 누군가 죽었다는 뜻이므로 죽은[死(사)] 사람을 풀이 우거진(茻) 야산에 묻고 통곡하는 모습을 그린 글자다.
●●●●● 葬事(장사)/火葬(화장)/葬禮式(장례식)/葬地(장지)

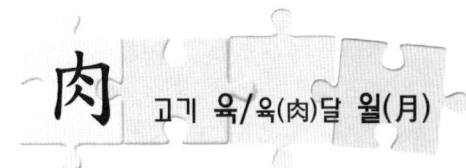

肖(초)　哨(초)　削(삭)　消(소)　逍(소)　梢(초)　趙(조)　硝(초)

肖
훈음 닮을 초　부수 고기 月(육)　▶▶▶ 작을 小(소) + 고기 月(육) ➡ 붕어빵
직역하면 작은(小) 고깃(月)덩어리로 아무리 작아(小)도 아기는 부모(月)를 닮는 법이다.
ooooo 肖像畵(초상화)/不肖(불초)

哨
훈음 망볼 초　부수 입 口(구)　▶▶▶ 입 口(구) + 닮을 肖(초) ➡ 칭얼거림에 반응
肖(초)를 발음기호로 갓난아기(肖)의 울음소리(口)를 의미요소로 만든 글자로 보초란 '자세히 살펴보는 사람의 행동'을 말하는 것으로 갓난아기(肖)가 젖을 달라고 울어(口)대는지 기저귀를 갈아달라고 칭얼(口)대는지 부모는 보초처럼 잘 살펴보아야 한다.
ooooo 哨兵(초병)/哨所(초소)/步哨(보초)/哨戒艇(초계정)

削
훈음 깎을 삭　부수 칼 刂(도)　▶▶▶ 닮을 肖(초) + 칼 刂(도) ➡ 갓난아기의 머리를 밀어줌
머리가 골고루 잘 자라라고 갓 태어난 아기(肖)의 머리카락을 잘라(刂)주는 풍습에서 나온 글자다.
ooooo 削減(삭감)/削髮(삭발)/切削機(절삭기)/削刀(삭도)

消
훈음 사라질 소　부수 물 氵(수)　▶▶▶ 물 氵(수) + 닮을 肖(초) ➡ 양수가 터져 나감
태아(肖)가 태어날 때 羊水(양수-태아를 감싸며 보호하고 있는 액체)가 터지며 사라지는 모습에서 물 氵(수)와 함께 의미요소로 작용하기도 하며 肖(초)는 발음에도 영향을 미쳤다.
ooooo 消滅(소멸)/消息(소식)/消失(소실)/消耗(소모)/消化器(소화기)/抹消(말소)/取消(취소)

逍
훈음 거닐 소　부수 갈 辶(착)　▶▶▶ 갈 辶(착) + 닮을 肖(초) ➡ 아장아장 걷는 아기
거닌다는 것은 걷는 것을 말함으로 갈 辶(착)을 의미요소로 肖(초)를 발음기호로 해 갓난아기(肖)가 아장아장 대면서 걸어다니는(辶) 모습에서 만든 글자다.
ooooo 逍風(소풍)/逍遙(소요)

梢
훈음 나무 끝 초　부수 나무 木(목)　▶▶▶ 나무 木(목) + 닮을 肖(초) ➡ 나무줄기의 가장 앞부분
肖(초)를 발음기호 및 의미요소로 사용하여 나무(木)의 가장 작은(肖) 부분인 나무나 줄기의 끝을 나타냈다. 순 우리말로 우듬지라고 한다.
ooooo 末梢神經(말초신경)/梢頭(초두)

趙
훈음 나라 조 - 나라 이름 및 성씨에 주로 쓰임　부수 달릴 走(주)
▶▶▶ 달릴 走(주) + 닮을 肖(초)
마치 씽씽 잘 달리는(走) 잽싼 어린아이(肖) 같은 병사들을 거닐고 있는 나라라 해서 만들어진 글자다.

硝
훈음 초석 초　부수 돌 石(석)　▶▶▶ 돌 石(석) + 닮을 肖(초) ➡ 원료가 되는 작은 돌
작은(肖) 돌(石)이란? 유리나 화약의 원료가 되는 작은 돌로서 질소와 산소의 화합물로 부식성이 있는 무색의 액체로, 돌 石(석)이 의미요소고 肖(초)가 발음기호이다.
ooooo 硝酸(초산)/硝子(초자)

有(유)　　**祭**(제)　　**際**(제)　　**察**(찰)　　**擦**(찰)

有
훈음 있을 유　부수 육 달 월(月)　▶▶▶ 손 又(우) + 고기 肉(육) ➡ 고기를 들고 있는 모습
고깃덩어리(月＝肉)를 손(又)으로 들고 있는 모습에서 '있다'라는 뜻의 글자다.
●●●●● 所有(소유)/有無(유무)/有限(유한)/有名(유명)

祭
훈음 제사 제　부수 보일 示(시)
▶▶▶ 육(肉)달 月(월) + 손 又(우) + 제단 示(시) ➡ 제단 위에 고기를 바침
손에 고기를 들고(有) 제단(示)에 올리는 장면으로 '제사'라는 글자를 만들었다.
●●●●● 祭壇(제단)/祭祀(제사)/路祭(노제)/天祭(천제)

際
훈음 사이 제　부수 좌부방(언덕 阝(부))　▶▶▶ 언덕 阝(부) + 제사 祭(제) ➡ 신과 가까워지려고
두 담이 서로 맞닿는 곳을 뜻하여 언덕 阝(부)가 의미요소로 쓰였고, 祭(제)는 발음기호로 사용되었다. 후에
'닿다, 만나다, 사귀다'로 의미 확대된 글자로 알려졌으나 실은 신과 인간 사이에 막힌 담(阝)을 허무는 행
위가 제사(祭)이다.
●●●●● 交際(교제)/國際(국제)/一望無際(일망무제)

察
훈음 살필 찰　부수 집 宀(면)　▶▶▶ 집 宀(면) + 제사 祭(제) ➡ 제사상을 살펴봄
살핀다는 것은 종묘(宀)에서 조상이나 신에게 바치는 제물의 상태를 자세히 살피는 것을 말함으로 제사 祭
(제) 및 집 宀(면)이 모두 의미요소로 사용됐다.
●●●●● 査察(사찰)/觀察(관찰)/洞察(통찰)/診察(진찰)

擦
훈음 비빌 찰　부수 손 扌(수)　▶▶▶ 손 扌(수) + 察(찰) ➡ 신에게 복을 비는 모습
신에게 제물(察)을 받친 다음 소원을 청하거나 화를 당치 않도록 손(扌)을 비벼 비는 행위
●●●●● 摩擦(마찰)/擦過傷(찰과상)/冷水摩擦(냉수마찰)

手 손 수

✎ 손이 하는 역할 - 만지고, 들고, 잡고, 쓰다듬고, 당기고, 던지고, 비비고...

手(수) 擧(거) 拜(배) 看(간) 承(승) 丞(승) 拳(권) 掌(장) 摩(마) 擊(격)

훈음 손 수　**부수** 제 부수

다섯 손가락과 손목을 선으로 간결하게 표현한 형태로 '단순한 손, 어깨가 포함된 팔'의 의미에서부터 歌手(가수)나 白手(백수)에서 보듯 '사람'의 뜻으로, 또한 高手(고수), 國手(국수)에서 보듯 '전문가'의 뜻으로도, 그리고 妙手(묘수)/惡手(악수)에서 보듯 '기량, 솜씨' 등의 의미로도 쓰였다.

●●●●● 手足(수족)/手信號(수신호)/空手來空手去(공수래공수거)

훈음 들 거　**부수** 손 手(수)　▶▶▶ 줄 여(與=舁+与) + 손 手(수) ➡ 손을 올리다

손(手)을 들다(與)라는 뜻을 나타내기 위한 것으로 줄 與(여)와 손 手(수)가 모두 의미에 기여하였다. 들 與(여)는 위에서 보듯 마주 들 舁(여)와 与(여)의 합자로 与(여)는 꼬고 있는 새끼줄의 상형이며 마주 들 舁(여)는 새끼줄을 꼬고 있는 네(4) 손을 의미한다. 양쪽에서 서로 두 손을 이용하여 새끼줄을 꼬기 위해 새끼를 들고 있는 모습에 손 手(수) 하나를 더 추가하여 '손을 들다'라는 새 글자를 만들어 냈다.

●●●●● 擧手(거수)/選擧(선거)/擧式(거식)

훈음 절 배　**부수** 손 手(수)　▶▶▶ 手(수) + 배의 오른쪽 ➡ 손을 가지런히 하여 절 올리는 모습

拜(배)의 右便(우편)은 가지가 우거진 나무를 본뜬 것으로 사악한 것을 제거하기 위해 제단에 꽂아 두고 절(手)하는 장면에서 나온 글자다. 오늘날 무당들의 집 주위에 잎과 가지가 있는 대나무를 꽂아 놓는 풍습과 일맥상통한다.

●●●●● 參拜(참배)/崇拜(숭배)/拜上(배상)

훈음 볼 간　**부수** 손 手(수)　▶▶▶ 손 手(수) + 눈 目(목) ➡ 자세히 보려는 자세

눈(目) 위에 손(手)을 얹고 자세히 보려고 하는 모습을 그린 글자다.

●●●●● 看護(간호)/看病(간병)/看過(간과)

훈음 받들 승　**부수** 손 手(수)　▶▶▶ 사람 卩(절) + 又 + 又(우) + 손 手(수) ➡ 받들어 모시다

두 손(川)으로 앉아 있는 사람(卩)을 들어 올리는 모습이다. 후에 손 手(수)가 더 첨가되어 그 뜻을 더욱 분명히 한 글자로, 承(승)의 좌우 글자가 又(우)의 변형, 가운데 윗부분이 卩(절)자의 변형이고, 아랫부분이 손 手(수)의 변형이다.

●●●●● 繼承(계승)/承繼(승계)/承認(승인)

훈음 도울 승　**부수** 한 一(일)　▶▶▶ 두 손 廾(공) + 사람 卪(절) + 구덩이 凵(감)

받들 承(승)과 비슷한 글자로 물 水(수)처럼 생긴 글자의 양쪽은 손 又(우)를 가리키며, 마칠 了(료)처럼 생긴 글자는 무릎 꿇고 앉은 사람의 형상인 卪(절)의 변형이며, 한 一(일)은 구덩이(凵)가 바뀐 것으로 갑골문을 보면 두 손으로 구덩이에 빠진 사람을 구해 주는 모습임을 알 수 있다. 여기에서 '돕다'라는 뜻이 파생되었다.

●●●●● 丞相(승상)/白衣政丞(백의정승)

훈음 주먹 권 부수 손 手(수) ▶▶▶ 쌀 米(미) + 두 손 廾(공) + 손 手(수) ➡ 주먹을 쥠

拳(권)의 윗 글자를 篆書(전서)에서는 밥을 마는 즉 주먹밥을 만드는 모습에서 윗부분(米+廾)만 말권이라
고 한다. 따라서 아래의 손 手(수)를 더하여 손가락을 말아 주먹을 쥐는 모습을 그렸음을 알 수 있으며, 모
든 글자가 다 의미요소고 말 권(米+廾)이 발음기호이다.

※ 券(권) – 문서 권/卷(권) – 쇠뇌 권

●●●●● 拳鬪(권투)/拳銃(권총)/赤手空拳(적수공권)

 훈음 손바닥 장 부수 손 手(수) ▶▶▶ 오히려 尙(상) + 손 手(수) ➡ 손의 일부인 손바닥

손바닥이란 손의 일부이므로 손 手(수)를 의미요소로 尙(상)을 발음요소로 하여 만든 形聲(형성)자이다.

●●●●● 拍掌大笑(박장대소)/如反掌(여반장)

 훈음 갈다/문지를/닿다 마 부수 손 手(수) ▶▶▶ 삼 麻(마) + 손 手(수) ➡ 손을 비벼댐

문지르고 닦고 하는 행위들은 다 손이 하는 일이므로 손 手(수)를 의미요소로 삼 麻(마)를 발음기호로 사용
하여 만든 形聲(형성)자다.

●●●●● 摩擦(마찰)/摩天樓(마천루)

 훈음 칠 격 부수 손 手(수) ▶▶▶ 부딪칠 殼(격) + 손 手(수) ➡ 손으로 가격함

'치다'라는 것은 주로 손이 하는 일이므로 손 手(수)를 의미요소로, 부딪칠 殼(격)을 발음 및 의미요소로 사
용하여 만든 글자다.

●●●●● 出擊(출격)/銃擊(총격)/擊破(격파)

才 손 수 / 재방변

才(수)　打(타)　投(투)　折(절)　技(기)　才(재)　在(재)
存(존)　抱(포)　拍(박)　招(초)　排(배)　指(지)　操(조)

才
훈음 재주 재　**부수** 손 手(수)
신성한 곳을 성별하기 위해 표시(丿)한 나무 막대기(十)를 세운 곳에서 여기에 '있다'는 뜻이 생겼고 점차로 신의 특별한 은총을 받은 사람의 능력으로 의미 확대되어 재능(才能)의 재주 재(才)자이며 손 수(扌)와 모양이 비슷하나 다른 글자이다.
●●●●● 才媛(재원)/才能(재능)/才氣(재기)/秀才(수재)/天才(천재)

打
훈음 칠 타　**부수** 손 手(수)　▶▶▶ 손 扌(수) + 못 丁(정) ➡ 말뚝 박기
치거나 무엇을 박는다는 것은 손이 할 일이므로 손 扌(수)를 의미요소로 그 대상인 못 丁(정)을 의미요소에 기여하도록 한 글자다. 손으로(扌) 못이나 말뚝(丁)을 두드려 박는 행동의 뜻을 갖는다.
●●●●● 打擊(타격)/打者(타자)/猛打(맹타)

投
훈음 던질 투　**부수** 손 手(수)　▶▶▶ 扌(수) + 창 殳(수) ➡ 창던지기
손(扌)에 창(殳)을 잡고 있는 모습에서 '던지다'는 뜻의 글자가 탄생했다. 던진다는 것도 다 손이 하는 일이므로 손 扌(수)가 주요 의미요소로 쓰였다.
●●●●● 投手(투수)/投球(투구)/投砲丸(투포환)

折
훈음 꺾을 절　**부수** 손 手(수)　▶▶▶ 손 扌(수) + 도끼 斤(근) ➡ 도끼로 나무하기
도끼(斤)를 손(手)에 들고 있다는 것은 나무를 쪼개거나 가지를 꺾기 위해서이다.
●●●●● 挫折(좌절)/夭折(요절)/折衝(절충)/迂餘曲折(우여곡절)

技
훈음 재주 기　**부수** 손 手(수)　▶▶▶ 손 扌(수) + 가를 支(지) ➡ 여러 방면에 뛰어난 사람
이 支(지)자는 가지를 손에 들고 있는 모습으로 손(扌)으로 여러 가지(支)를 만들어 내는 재주 있는 사람이란 뜻에서 재주 技(기)가 탄생하였으며, 수(扌)와 비슷한 모양으로 생긴 글자인 재(才)와 어원이 같은 글자이나 훗날 작은 도끼를 상징하는 선비 사(士)를 추가하여 신이 계신 곳이라는 의미로 쓰여 존재(存在)의 있을 재(在)자가 되었고, 성화(聖化)의식으로 아이(子)를 살릴(才) 수 있다 즉 존재케 할 수 있다하여 존재(存在)의 있을 존(存)자가 탄생하였다.
●●●●● 技術(기술)/技能(기능)/技藝(기예)/雜技(잡기)

抱
훈음 안을 포　**부수** 손 手(수)　▶▶▶ 扌(수) + 쌀 包(포) ➡ 손으로 껴안다
안는다는 것도 양손으로 감싼다는 뜻이므로, 손 手(수)가 의미요소고 包(포)가 발음기호이다.
●●●●● 抱擁(포옹)/抱負(포부)/抱腹絕倒(포복절도)

拍
훈음 칠 박　**부수** 손 手(수)　▶▶▶ 손 扌(수) + 흰 白(백) ➡ 손바닥을 두드림
손뼉도 마주쳐야 소리가 나므로 박수를 치기 위해 손 手(수)가 반드시 필요하고 白(백)이 발음요소임을 쉽게 파악할 수 있을 것이다.
●●●●● 拍手(박수)/拍掌大笑(박장대소)

招
훈음 부를 초 부수 손 手(수) ▶▶▶ 손 扌(수) + 부를 김(소) ➡ 손으로 오라고 함

손으로 오라고 부르는 모습에서 손 扌(수)와 부를 김(소)가 의미요소로 김(소)는 발음에도 영향을 주었다.

●●●●● 招待(초대)/招請(초청)/招聘(초빙)/招魂祭(초혼제)

排
훈음 밀칠 배 부수 손 手(수) ▶▶▶ 손 扌(수) + 아닐 非(비) ➡ 손으로 가라고 떠밀다

떠 밀치는 행위도 손으로 하는 일이다. 따라서 손(扌)을 의미요소로 非(비)를 발음기호로 했다.

●●●●● 排斥(배척)/排他(배타)/排泄(배설)

指
훈음 손가락 지 부수 손 手(수)

▶▶▶ 손 扌(수) + 맛있을 旨(지) ➡ 어디를 가리키거나, 음식 맛을 보기 위해 손가락을 빠는 모습

누군가를 가리킨다거나 지시할 때 손가락으로 가리키니까 손 手(수)가 의미요소고 旨(지)가 발음부호이다.
항아리에서 맛있게(旨) 익은 장을 손가락으로 떠먹는 장면도 연상된다.

●●●●● 指摘(지적)/指示(지시)/指針(지침)/指名(지명)

操
훈음 잡을/절개/부릴 조 부수 손 手(수) ▶▶▶ 손 扌(수) + 品(품) + 나무 木(목) ➡ 가지 위의 새를 잡음

나무(木)에 앉은 새들을(品) 잡거나 부리는 모습이므로 손 扌(수)가 의미요소로 나머지는 발음요소로 사용
되었다.

●●●●● 體操(체조)/操縱(조종)/志操(지조)

又 오른손/또 우

又(우)　右(우)　佑(우)　祐(우)　友(우)　左(좌)　佐(좌)

又

훈음 오른손/또 우　**부수** 제 부수

글자가 만들어진 초기에는 '오른손'을 뜻했으나 오른손이 거의 모든 일을 주도하므로 '또'라는 의미도 파생되었다. 현재는 군이 '오른손'에만 국한할 것이 아니라 그냥 '손'으로 생각하여 손이 하는 모든 일로 생각하기 바란다.

●●●●● 日日新又日新(일일신우일신)

右

훈음 오른쪽 우　**부수** 입 口(구)　▶▶▶ 손 又(우) + 입 口(구)

又(우)가 오른손에서 '또'란 의미로 쓰이자 입(口)을 돕는 손(又)이 오른손이므로 이 右(우)를 오른쪽을 나타내는 글자로 쓰기 시작했다. 물론 又(우)가 발음기호이다.

※ 右(우)의 왼편 글자의 모습은 마치 두(ㅡ + ㅣ) 글자를 합쳐 놓은 모습 같으나 又(우)의 변형이다.

●●●●● 右側(우측)/右傾化(우경화)

佑

훈음 도울 우　**부수** 사람 人(인)　▶▶▶ 사람 亻(인) + 오른쪽 右(우) ➡ 오른쪽에서 손을 내미는 사람

돕는다는 뜻을 나타내기 위해 따로 사람 亻(인)을 추가하여 만들었다. 누구를 도와준다는 것은 사람이 하는 일이라 하여 亻(인)을 의미요소로 右(우)를 발음기호로 사용했다.

●●●●● 天佑神助(천우신조)

祐

훈음 도울 우　**부수** 보일 示(시)　▶▶▶ 보일/귀신 示(시) + 오른쪽 右(우) ➡ 신의 도움의 손길

도울 수 있는 최상의 위치에 있는 하느님을 상징하는 시(示)를 의미요소로 右(우)를 발음기호로 하여 만들어진 글자다.

●●●●● 天祐神助(천우신조)

友

훈음 벗 우　**부수** 又(우)　▶▶▶ 손 又(우) + 又(우) ➡ 악수하는 두 사람

벗이란 어려울 때 도움의 손길을 주는 사람을 말하는 것이므로 하나의 오른손 又(우)는 의미요소로 또 하나의 又(우)는 발음기호로, 두 개의 손이 겹쳐 있다는 것은 '서로 힘을 합치다'는 뜻으로 돕는 게 친구라는 뜻을 의미한다.

●●●●● 友情(우정)/友愛(우애)/交友(교우)

左

훈음 왼 좌　**부수** 장인 工(공)　▶▶▶ 왼손 ㅛ(좌) + 공구 工(공) ➡ 왼쪽 손

오른손과 대칭되는 왼손을 표현하기 위해 왼손으로 공구를 들고 있는 모습을 그린 글자로 왼쪽을 뜻하며, 오른쪽은 '옳다'로, 왼쪽은 '그르다'로 의미가 확대되어 사용됐다.

●●●●● 左便(좌편)/左翼(좌익)/左邊(좌변)

佐

훈음 도울 좌　**부수** 사람 亻(인)　▶▶▶ 사람 亻(인) + 왼 左(좌) ➡ 왼손을 내민 사람

도울 佑(우)와 맥락을 같이하는 글자로 돕는 일은 사람이 하므로 사람 亻(인)을 의미요소로 左(좌)를 발음기호로 사용했다.

●●●●● 輔佐官(보좌관)

及(급)	急(급)	級(급)	扱(급)	吸(흡)

及
훈음 미칠/이를 급 부수 又(우) ▶▶▶ 사람 人(인) + 손 又(우) ➡ 뒷덜미를 잡아챔
사람(人)을 뒤에서 낚아채려(又)고 하는 형태다. 도망가는 사람을 뒤에서 다가가 잡으려고 하는 찰나의 모습을 그린 象形(상형)자다.
••••• 波及(파급)/及其也(급기야)/及第(급제)/過猶不及(과유불급)

急
훈음 급할 급 부수 마음 心(심) ▶▶▶ 미칠 及(급) + 心(심) ➡ 누가 잡으러 쫓아옴
초초한 마음 상태를 나타내는 글자로 마음 心(심)이 의미요소고, 及(급)이 발음기호이다.
누군가 뒤에서 잡으려고(及) 쫓아올 때 도망가는 사람의 심정(心)은 얼마나 급하겠는가?
••••• 特急(특급)/急速(급속)/急行(급행)/急激(급격)

級
훈음 등급 급 부수 실 糸(사) ▶▶▶ 실 糸(사) + 미칠 及(급) ➡ 실의 품질이 어느 정도에 미치는지
'품질의 등급을 매기다'에서 실이나 천의 질이 얼마나 좋은지 살펴보는 것을 말하므로, 실 糸(사)를 의미요소로 及(급)을 발음기호로 사용했다.
••••• 等級(등급)/階級(계급)/學級(학급)

扱
훈음 미칠/처리할 급 부수 손 扌(수) ▶▶▶ 손 扌(수) + 미칠 及(급) ➡ 잡은 것을 다룸
물건을 다루고 취급하고 처리한다는 것은 손이 하는 일로서, 손 扌(수)를 의미요소로 及(급)을 발음기호로 사용했다.
••••• 取扱(취급)

吸
훈음 숨 들이쉴 흡 부수 입 口(구) ▶▶▶ 입 口(구) + 미칠 及(급) ➡ 발음기호
숨 쉰다는 것은 입이 하는 일이므로 입 口(구)를 의미요소로 及(급)을 발음기호로 사용했다.
••••• 吸入(흡입)/呼吸(호흡)/吸煙(흡연)/吸收(흡수)

叉(차)	蚤(조)	搔(소)	騷(소)

叉
훈음 깍지낄/어긋날 차 부수 오른손 又(우) ▶▶▶ 又(우) + 丶 ➡ 손가락을 상호 교차하여 깍지 낌
손가락 사이에 물건을 혹은 손가락을 서로 끼운 꼴을 본떠 '끼우다, 작살'이라는 뜻을 나타냈다.
••••• 交叉路(교차로)

蚤
훈음 벼룩 조 부수 벌레 虫(충)
▶▶▶ 어긋날 叉(차) + 점 주(丶) + 벌레 虫(충) ➡ 벼룩에 물려 가려워 여기저기를 긁다
사람이나 동물의 몸에 붙어 피를 빨아먹는 작은 벌레(虫)를 가리키는 말로서, 벌레에 물려 가려운 곳을 손으로(又) 여기저기를 긁는 모습을 그린 글자다.

搔
훈음 긁을 소 부수 손 扌(수) ▶▶▶ 扌(수) + 벼룩 蚤(조) ➡ 몸을 긁음
가려워 긁는 모습을 나타낸 글자이므로 손 扌(수)를 의미요소로 벼룩 蚤(조)를 가려움의 원인제공자 및 발음부호로 사용했다.
••••• 隔靴搔癢(격화소양) – "신 신고 발바닥 긁기"란 요긴한 데에 직접 미치지 못하여 시원치 않음을 뜻하는 말로 아무 소용이 없다/아무런 도움이 안 된다는 뜻이다.

騷 훈음 떠들 소 부수 말 馬(마) ▶▶▶ 말 馬(마) + 벼룩 蚤(조) ➡ 가려워 날뛰는 말

벼룩(蚤)이 말(馬)등에 붙어 피를 빨아먹거나 깨물게 될 때 말이 가려워서/괴로워서 소리를 지르며 길길이 날뛰는 모습에서 만들어진 글자다.

●●●●● 騷擾(소요)/騷亂(소란)/騷動(소동)/騷音(소음)

叔(숙)　　菽(숙)　　淑(숙)　　督(독)　　寂(적)　　戚(척)

叔 훈음 아재비 숙 ▶▶▶ (上+小) + 又(우) ➡ 콩 수확

叔(숙)의 왼편(上+小)은 한 포기의 콩을 말한다. 여기에 손(又)이 첨가되었으므로 '손으로 콩 꼬투리를 따서 수확하다/거두어들이다'가 본뜻이었으나 '작은아버지'의 뜻으로 가차됐다.

●●●●● 叔母(숙모)/外叔母(외숙모)/叔父(숙부)

菽 훈음 콩 숙 부수 풀 艹(초) ▶▶▶ 풀 艹(초) + 아재비 叔(숙) ➡ 발음기호

叔(숙)이 콩에서 '아재비'로 가차되자 풀 艹(초)를 더하여 콩이라는 글자를 또 만들어 낸 글자가 이 콩 菽(숙)이다. 여기서 叔(숙)은 발음기호이다.

●●●●● 菽麥(숙맥)/菽麥不辨(숙맥불변)

淑 훈음 맑을/착할 숙 부수 물 氵(수) ▶▶▶ 물 氵(수) + 아재비 叔(숙) ➡ 맑은 물

맑다는 것은 물이 맑다, 깨끗하다는 뜻이므로 물 氵(수)를 의미요소로 叔(숙)을 발음기호로 사용했다.

●●●●● 淑女(숙녀)/窈窕淑女(요조숙녀)/貞淑(정숙)

督 훈음 살펴볼 독 부수 눈 目(목) ▶▶▶ 아재비 叔(숙) + 눈 目(목) ➡ 익은 콩인지 살펴라

살펴본다는 것은 눈이 할 일이므로 콩(叔)을 수확할 때 잘 살펴본다 하여 눈 目(목)이 주된 의미요소로 사용됐다.

●●●●● 監督(감독)/提督(제독)/督勵(독려)/督促(독촉)/總督(총독)

寂 훈음 고요할 적 부수 집 宀(면) ▶▶▶ 宀(면) + 아재비 叔(숙) ➡ 할 일 없는 아재비만 덩그러니 남겨진 집

집(宀)이 고요하다는 뜻을 나타내기 위한 것이었으나 발음기호인 叔(숙)의 음이 약간 달라져 있다.

●●●●● 靜寂(정적)/寂寞(적막)/寂寂(적적)

戚 훈음 겨레 척 부수 창 戈(과) ▶▶▶ 戊(무) + 叔(숙)의 왼편(上+小) ➡ 공동운명체란 함께 싸우는(戈) 사람

작은(叔) 도끼(戊)가 원래의 뜻이었으나 후에 '겨레, 친척' 등으로 차용되었다.

●●●●● 親戚(친척)/姻戚(인척)

奴(노)　　　　努(노)　　　　怒(노)　　　　拏(나)

奴 훈음 종 노 부수 계집 女(여) ▶▶▶ 계집 女(여) + 손 又(우) ➡ 종처럼 막 쓰이는 계집과 손

여자(女)가 상징하는 처지가 불리한 자를 붙잡아(又) 함부로 다루는 모습에서 그러한 취급을 받는 '종, 하인'이라는 뜻으로 발전했다.

※ 胡奴子息(호로자식)=호래자식=후레아들 - 버릇없이 막되게 자란 놈

●●●●● 奴隷(노예)/奴婢(노비)/賣國奴(매국노)/守錢奴(수전노)/匈奴(흉노)/胡奴子息(호로자식)

努 훈음 힘쓸 노 부수 힘 力(력) ▶▶▶ 奴(노) + 힘 力(력) → 종처럼 일함

힘쓰는 모습을 그린 글자이므로 당연히 힘 力(력)이 의미요소로 奴(노)는 발음부호임을 알 수 있으나, 대충대충 일할 수 없는 종(奴)들의 힘(力)쓰는 모습에서 따온 글자이다.

●●●●● 努力(노력)

怒 훈음 성낼 노 부수 마음 心(심) ▶▶▶ 종 奴(노) + 心(심) → 사람을 종 취급하다니

성내는 것도 마음에서 시작하므로 마음 心(심)을 의미요소로 종 奴(노)를 발음기호로 했다. 사람을 종(奴)처럼 취급하니 당연히 속(心)에서 화가 치밀어 오르지 않겠는가?

●●●●● 忿怒(분노)/激怒(격노)/怒發大發(노발대발)/喜怒哀樂(희노애락)/怒氣衝天(노기충천)/怒濤(노도)/
疾風怒濤(질풍노도)/天人共怒(천인공노)

拏 훈음 붙잡을 나 부수 손 手(수) ▶▶▶ 종 奴(노) + 손 手(수) → 종을 낚아챔

붙잡는다는 것도 손이 하는 일이므로 손 手(수)가 의미요소이고 奴(노)가 발음기호임을 알 수 있다. 이 종 奴(노)자가 계집(女)종의 머리채를 잡아챈(又) 모양이므로 종(奴)을 붙잡는(手) 행위에서 나왔다고 본다면 종 奴(노) 역시 의미요소이다.

●●●●● 拏捕(나포)/拿捕(나포)

曳(수)　搜(수)　嫂(수)　瘦(수)　兒(아) － 절구 臼(구)의 모습만 하고 있다

曳 훈음 늙은이 수 부수 또 又(우) ▶▶▶ 절구 臼(구) + 支(지) → 햇불을 들고 방안을 샅샅이 뒤짐

현재의 글꼴은 절구 臼(구)와 가를 攴(지)의 모습을 하고 있으나 바뀐 것으로 원래는 "집 宀(면) + 불 火(화) + 손 又(우)"의 꼴로 손에 햇불을 들고 방 안 구석구석을 살피는 모습으로 '살피다, 찾다'가 원뜻이었다. '늙은이'의 뜻으로 가차됐다.

搜 훈음 찾을 수 부수 손 扌(수) ▶▶▶ 손 扌(수) + 늙은이 曳(수) → 본격적으로 수색을 함

'찾다'라는 본뜻을 더욱 분명히 하기 위해 손 扌(수)를 추가한 글자로 여기저기 뒤지고 찾는데 필요한 손 扌(수)가 의미요소고 曳(수)는 발음기호이다.

●●●●● 搜索(수색)/搜査(수사)/搜所聞(수소문)/探聞搜査(탐문수사)

嫂 훈음 형수 수 부수 계집 女(여) ▶▶▶ 계집 女(여) + 늙은이 曳(수) → 형의 아내

형수를 가리키는 말이므로 계집 女(여)가 의미요소고 曳(수)는 발음기호임을 알 수 있다.

●●●●● 兄嫂(형수)/弟嫂(제수)

瘦 훈음 파리할 수 부수 병들어 기댈 疒(녁)

▶▶▶ 병들어 기댈 疒(녁) + 늙은이 曳(수) → 몸이 여위어 가는 노인

'몸이 마르고 핼쑥한 사람'을 가리키는 글자이므로 병든 상태를 상징하는 병들어 기댈 疒(녁)을 의미요소고 曳(수)가 발음기호다. 늙어서(曳) 병(疒)들면 다 시들시들 파리해진다.

●●●●● 瘦瘠(수척)

兒 훈음 아이 아 부수 사람 儿(인)발 ▶▶▶ 절구 臼(구) + 사람 儿(인) → 피도 마르지 않은 아이

절구통(臼)을 짊어진 사람(儿)이란 아직 채워야 할 것이 많은 어린이를 상징한다. 어린이란 부족한 것이 많아서 속이 빈 절구통(臼) 같을지 모르나 어른(儿)이 되면서 절구통이 꽉 차게 될 것이다.

●●●●● 兒童(아동)/乳兒服(유아복)/孤兒(고아)/迷兒(미아)

反(반)　阪(판)　販(판)　版(판)　板(판)　返(반)　叛(반)　飯(반)

反
[훈음] 되돌릴/뒤집을 반　[부수] 또 又(우)　▶▶▶ 언덕 厂(엄) + 오른손 又(우) ➡ 큰 장애물을 막아냄
언덕(厂) 같은 장애물을 손(又)으로 막아 저항하며 물리친다 하여 되돌릴 反(반)자가 탄생했다.
●●●●● 贊反(찬반)/反對(반대)/反省(반성)/反感(반감)/反擊(반격)/賊反荷杖(적반하장)/反目嫉視(반목질시)

阪
[훈음] 비탈 판　[부수] 좌부방 阝(언덕 부)=阜(부)　▶▶▶ 언덕 阝(부) + 되돌릴 反(반) ➡ 비탈
비탈 즉 언덕을 나타내는 언덕 阝(부)를 의미요소로 反(반)을 발음기호로 했다.
●●●●● 大阪(오오사까)

販
[훈음] 팔 판　[부수] 조개 貝(패)　▶▶▶ 조개 貝(패) + 되돌릴 反(반) ➡ 물건과 돈의 주인이 바뀜
물건을 판다는 것을 나타내기 위해 거래 수단인 화폐를 상징하는 조개 貝(패)를 의미요소로 反(반)을 발음기호로 했다.
●●●●● 販賣(판매)/販路(판로)/市販(시판)/外販(외판)/總販(총판)

版
[훈음] 널 판　[부수] 조각 片(편)　▶▶▶ 조각 片(편) + 되돌릴 反(반) ➡ 나뭇조각
널빤지를 뜻하기 위해 나뭇조각 片(편)을 의미요소로 反(반)을 발음요소로 사용했다. 그러나 나무의 반쪽 [片(편)]을 쪼개어 그 위에 글을 쓰는 수단으로도 사용할 수 있어 이 版(판)자가 책과 관련되어 쓰이게 되자 나무 木(목)을 추가하여 널빤지라는 글자를 새로이 만든 것이 아래의 널빤지 板(판)이다.
●●●●● 絕版(절판)/再版(재판)/版畵(판화)

板
[훈음] 널빤지 판　[부수] 나무 木(목)　▶▶▶ 나무 木(목) + 되돌릴 反(반) ➡ 널빤지
널빤지의 재료가 나무이므로 나무 木(목)을 의미요소로 反(반)을 발음기호로 해 만든 글자다.
●●●●● 合板(합판)/板子(판자)

返
[훈음] 돌아올 반 – 길 도변이라고도 함　[부수] 쉬엄쉬엄 갈 辶(착)
▶▶▶ 갈 辶(착) + 되돌릴 反(반) ➡ 되돌아옴
돌아(反(반))가다/돌아 오다는 것은 발의 행위이므로 갈 辶(착)을 의미요소로 하고 反(반)을 발음기호로 하여 만든 形聲(형성)자다.
●●●●● 返還(반환)/返送(반송)

叛
[훈음] 배반할 반　[부수] 또 又(우)　▶▶▶ 반 半(반) + 되돌릴 反(반) ➡ 마음이 갈라짐/마음을 되돌림
배반한다는 것은 한마음, 같은 편에서 다른 마음, 다른 편으로 바뀐 것을 말하니 반 半(반)을 의미요소로 反(반)을 발음기호로 사용했다.
●●●●● 背叛(배반)/叛逆(반역)/叛旗(반기)/叛軍(반군)/叛亂(반란)

飯
[훈음] 밥 반　[부수] 먹을 食(식)　▶▶▶ 食(식) + 反(반)
밥이 담긴 밥그릇을 상형화한 밥 食(식)을 의미요소로 反(반)을 발음기호로 했다.
●●●●● 白飯(백반)/飯饌(반찬)/飯店(반점)

若(약)　　　惹(야)　　　匿(익)　　　諾(락)

若 훈음 같을 약 부수 풀 초(艸) ▶▶▶ 오른쪽 우(右) + 풀 초(卝) ➡ 신의 계시와 동일시

신의 계시를 받기위해 춤추는(卝→川) 무당(右)의 모습에서 무당의 말(口)이 곧 신의 계시와 같다하여 만약(萬若)/방약무인(傍若無人)의 같을/너/만일 약(若)

●●●●● 若干(약간)/明若觀火(명약관화)/泰然自若(태연자약)

惹 훈음 이끌 야 부수 마음 심(心) ▶▶▶ 같을 약(若) + 풀 초(卝) ➡ 마음이 움직이게 함

신의 계시(若)에 마음(心)이 동하는 것을 야료(惹鬧)/야기(惹起)의 이끌 야(惹)

●●●●● 야료(惹鬧)/야기(惹起)

匿 훈음 숨을 닉 부수 감출 혜(匸) ▶▶▶ 같을 약(若) + 감출 혜(匸) ➡ 감춰진 신의 계시

감춰진(匸) 신의 계시(若)가 익명(匿名)/은닉(隱匿)의 숨을 닉(匿)

●●●●● 익명(匿名)/은닉(隱匿)

諾 훈음 대답할 낙 부수 말씀 언(言) ▶▶▶ 같을 약(若) + 말씀 언(言) ➡ 신의 계시를 알아냄

두 손(卝→川)을 하늘을 향해 들고 신의 도움을 요청(言)하는 여인네(右→女)의 모습이 승낙(承諾)/허락(許諾)의 대답할 낙/락(諾)

●●●●● 受諾(수락)/唯唯諾諾(유유낙낙)

ⓐ 가운데 획이 오른쪽으로 길게 나와 있음 – 갑골문에 의하면 손 又(우)와
같은 꼴로서 손이 하는 역할, 특히 작고 긴 물체를 잡는데 많이 쓰임

尹(윤)　君(군)　郡(군)　群(군)　伊(이)　史(사)　使(사)　吏(리)

尹

훈음 다스릴/벼슬 윤　부수 주검 尸(시)　▶▶▶ 손 계(彐=又) + 삐침 별(丿) ➡ 붓을 쥐고 있는 벼슬아치
붓(丿)을 잡고(又) 국가의 문서를 기록할 수 있었던 즉 문자를 알고 사용하던 계층이라면 당시의 특권층
으로 당연히 벼슬아치나 남을 다스리는 계층이었을 것이다. 그런 연유로 '벼슬, 다스리다'는 뜻이 생겨났
다.

君

훈음 임금 군　부수 입 口(구)　▶▶▶ 다스릴 尹(윤) + 입 口(구) ➡ 명령(口)을 내리는 벼슬아치
임금이란 다스리는 자이므로 벼슬 尹(윤)인 의미와 소리에 영향을 주었다. 명령(口)을 내릴 수 있는 벼슬아
치(尹)란 뜻에서 '임금, 주권자, 현자'라는 뜻이 파생했다.
••••• 君主(군주)/君師父一體(군사부일체)/君臣有義(군신유의)

郡

훈음 고을 군　부수 阝(고을 읍/우부방)　▶▶▶ 임금 君(군) + 阝(=邑) ➡ 벼슬아치가 있는 고을
고을이란 사람이 모여 사는 마을을 가리키므로 고을 읍(阝(=邑)을 의미요소로 임금 君(군)을 소리부수로
활용하여 만든 글자다.
••••• 郡守(군수)/市郡邑面(시군읍면)

群

훈음 무리 군　부수 양 羊(양)　▶▶▶ 임금 君(군) + 양 羊(양) ➡ 양 무리를 인솔하는 벼슬아치
무리지어 생활하는 동물하면 양 떼를 떠올릴 수 있을 것이다. 따라서 양 羊(양)을 의미요소로 君(군)을 발
음기호로 사용했다.
••••• 群舞(군무)/群鷄一鶴(군계일학)/群衆心理(군중심리)

伊

훈음 저 이　부수 사람 亻(인)　▶▶▶ 사람 亻(인) + 벼슬 尹(윤) ➡ 다스리는 저 사람
다스리는(尹) 사람(亻)이 본뜻이었으나 지금은 가차되어 '저, 그, 이'와 같은 대명사로 사용되고 있으며 '이
탈리아'의 음역인 이태리(伊太利)의 약어로도 많이 사용된다.
••••• 伊太利(이태리)

史

훈음 역사/사관 사　부수 입 口(구)　▶▶▶ 丿 + 손 又(우) ➡ 역사를 기록함
붓을 손(又)에 쥐고 있는 사람을 그린 것으로 다스릴 尹(윤)과 동일한 발상의 글자로 尹(윤)이 다스리는 계
급 쪽으로 발전되었다면 史(사)는 역사를 기록하는 관리 쪽으로 발전되었다.
••••• 歷史(역사)/史官(사관)/三國史記(삼국사기)

吏

훈음 벼슬아치 리　부수 입 口(구)　▶▶▶ 역사 史(사) + 一(일) ➡ 장식 달린 붓을 쥐고 있는 벼슬아치
벼슬아치나 관리자란 높은 사람을 말하므로 그냥 붓이 아니라 장식 달린(一) 붓을 손에 쥐고(史) 있는 것으
로 일반 사람과 구별을 지어 만든 글자다.
••••• 官吏(관리)/貪官汚吏(탐관오리)

使
훈음 하여금/시킬 사 부수 사람 亻(인) ▶▶▶ 사람 亻(인) + 벼슬아치 吏(리) ➡ 명령하는 벼슬아치
사람(亻)을 부릴 수 있는 위치라는 뜻에서 벼슬아치 吏(리)를 의미요소로 사용하였으며, 발전하여 '시키다, 부리다'로 의미 확대됐다.
●●●●● 使役(사역)/駐美大使(주미대사)/使臣(사신)/外交使節(외교사절)/密使(밀사)/咸興差使(함흥차사)
※ 聿(율) : 붓을 잡고 있는 모습
※ 雪(설) : 잡을 수 있는 즉 만질 수 있는 '비'란 곧 눈
※ 爭(쟁) : 서로 막대기를 잡아당기는 모습에서 다투다

帚(추)   掃(소)   婦(부)   歸(귀)   侵(침)   浸(침)   寢(침)

帚
훈음 비 추 부수 수건 巾(건) ▶▶▶ 크(又의 변형) + 巾(건) ➡ 빗자루를 잡고 있는 손
손으로(크) 빗자루(帚의 아랫부분)를 잡고 있는 모습을 상형화한 글자다.
●●●●● 帚掃(추소)

掃
훈음 쓸 소 부수 손 扌(수) ▶▶▶ 손 扌(수) + 비 帚(추) ➡ 빗자루 질을 함
손(扌)에 비(帚)를 잡고 있다는 것은 청소하려고 하는 동작이다.
●●●●● 淸掃(청소)/掃蕩(소탕)/一掃(일소)

婦
훈음 며느리/아내 부 부수 계집 女(여) ▶▶▶ 계집 女(여) + 비 帚(추) ➡ 청소하는 며느리/아내
빗자루(帚)를 잡고 청소를 하는 여자(女)는 당연히 아내고 며느리이다. 男尊女卑(남존여비) 사상이 그대로 드러난 글자로 두 글자 모두 의미요소로 쓰였다.
●●●●● 夫婦(부부)/姑婦(고부)/婦女子(부녀자)/新婦(신부)/夫婦有別(부부유별)/寡婦(과부)/夫唱婦隨(부창부수)

歸
훈음 돌아갈 귀 부수 발 止(지) ▶▶▶ 제물(□□) + 발(止) + 비(帚) ➡ 제단을 청소함
승리기원 제물(□□)을 모셔둔 전쟁터의 막사로 돌아와 빗질(帚)을 하거나 청소를 하는 장면에서 만들어진 글자로 전투에 나갔다 복귀를 하면 반드시 제단에 들러 예를 다하는 풍습
●●●●● 歸家(귀가)/歸國(귀국)/復歸(복귀)

侵
훈음 범할 침 부수 사람 亻(인) ▶▶▶ 사람 亻(인) + 비 帚(추) ➡ 밭을 침범한 동물을 빗자루로 쫓아냄
밭에 들어와 농작물을 망치는 소(牛-나중에 亻으로 바뀜)를 빗자루(帚) 같은 막대기로 쫓아내는 모습에서 '범하다, 침범하다'로 의미 확대됐다.
●●●●● 侵掠(침략)/侵犯(침범)/不可侵條約(불가침조약)

浸
훈음 담글 침 부수 물 氵(수) ▶▶▶ 물 氵(수) + 비 帚(추) ➡ 물 청소 - 걸레 빨기
'물에 잠기다'라는 뜻을 나타내기 위한 것이었으므로 물 氵(수)가 의미요소이고 帚(추)는 발음기호다. 후에 '스며들다, 젖다' 등으로 확대 사용됐다.
●●●●● 浸禮(침례)/浸透(침투)/浸水地域(침수지역)

寢
훈음 잠잘 침 부수 집 宀(면) ▶▶▶ 집 면(宀) + 나뭇조각 장(爿) + 비 추(帚) ➡ 침방 청소
취침하기 전에 집 안에(宀) 있는 침상(爿)을 깨끗하게 쓸고 닦아(帚) 놓은 모습으로 잠자리를 정돈하는 모습에서 '잠자다, 눕다, 쉬다'의 뜻으로 발전했다.
●●●●● 寢臺(침대)/就寢(취침)/寢具(침구)

隶 잡을/미칠 이

隶(이)　逮(체)　隸(례)　康(강)　求(구)　球(구)　救(구)

隶

훈음 미칠 이 - 단독 사용 없다　**부수** 제 부수
▶▶▶ 又(우) +尾(미) ➡ 손으로 짐승 꼬리를 잡고 있는 모습
쫓아가 잡으려고 짐승의 꼬리(尾)에 손이(又) 다다른 모습에서 '뒤에서 미치다, 다다르다'라는 뜻이 파생됐다.

逮

훈음 미칠/잡을 체　**부수** 갈 辶(착)　▶▶▶ 미칠 隶(이) + 갈 辶(착) ➡ 동물을 잡으러 쫓아감
미칠 隶(이)가 단독으로 '동물을 붙잡다'라는 뜻으로 쓰이지 않게 되자, 갈 辶(착)을 더하여 붙잡으러(隶) 뒤 쫓는(辶) 모습을 나타내어 의미를 더 분명히 한 글자다.
••••• 逮捕(체포)

隸

훈음 붙을 례　**부수** 미칠 隶(이)　▶▶▶ 능금나무 柰(내) + 미칠 隶(이) ➡ 붙잡아 노예로 사용
붙잡아 종으로 부린다 하여 꼬랑지를 붙잡는 미칠 隶(이)를 의미요소로, 柰(내)를 발음요소로(隷는 隸와 동자임)했다.
••••• 奴隸(노예)/隸屬(예속)/隸書(예서)

康

훈음 편안할 강　**부수** 집 广(엄)　▶▶▶ 집 广(엄) + 隶(이) ➡ 쫓아오는 이 없는 안전한 곳
아무도 쫓아오지(隶) 않는 곳(广)에 숨어 있는 모습에서 '편안하고, 좋다'는 의미로 확대됐다.
••••• 平康(평강)/康寧(강녕)/健康(건강)

求

훈음 구할 구　**부수** 물 水(수)　▶▶▶ 마디 寸(촌) + 물 氺(수) ➡ 갖옷의 모양
현재의 글자는 물(水)을 찾는(亅) 모양이나 옛글자는 갖옷 즉 가죽옷의 형태임을 보여주기도 한다.
••••• 要求(요구)/渴求(갈구)

救

훈음 구원할 구　**부수** 칠 攵(복)　▶▶▶ 구할 求(구) + 칠 攵(복) ➡ 위험 상황에서 적을 쳐부수고 구출
구원한다는 것은 생명을 걸고 싸워서(攵)라도 구(求)해야만 하는 것을 말하므로 칠 攵(복)이 의미요소고 구할 求(구)는 발음 겸 의미보조로 쓰였다.
••••• 救援(구원)/救出(구출)/救國(구국)/救世主(구세주)/救護(구호)/救急車(구급차)

球

훈음 공 구　**부수** 구슬 玉(옥)　▶▶▶ 구슬 玉(옥) + 구할 求(구) ➡ 둥근 공
공처럼 둥근 것을 의미하므로 둥근 구슬을 상징하는 구슬 玉(옥)이 의미요소고 求(구)는 발음기호이다. 훗날 공이 만들어지면서 '공, 둥근 것' 전부를 지칭하게 되었다.
※ 求(구) - 救(구) - 球(구) - 가르칠 때 참고로 쓰고 옷 衣(의)편에서 살펴보기로 한다.
••••• 地球(지구)/球技種目(구기종목)/投球(투구)/電球(전구)

支(지)　枝(지)　肢(지)　妓(기)　岐(기)　技(기)　鼓(고)

支

[훈음] 가를/지탱할 지　[부수] 제 부수　▶▶▶ 열 十(십) + 또 又(우) ➡ 댓가지(대나무 가지) – 지팡이

손에(又) 댓가지(十)를 들고 있는 모습으로 '대나무 지팡이 및 지탱하다'가 본뜻이나 대나무 지팡이 역시 대나무 가지라는 측면에서 '나무의 가지'이므로 여기서 '가르다/가지/갈래'라는 뜻이 파생되었다.

※ 댓가지 – 대나무 가지

●●●●● 支持(지지)/支流(지류)/支局(지국)/支撐(지탱)/支柱(지주)/支石墓(지석묘)/支離滅裂(지리멸렬)/
　　　 支拂(지불)/收支打算(수지타산)

枝

[훈음] 가지 지　[부수] 나무 木(목)변　▶▶▶ 나무 木(목) + 가를 支(지) ➡ 나뭇가지

'나뭇가지'가 본뜻이기도 한 가를 支(지)가 '가르다/가지/갈래' 등으로 쓰이자 나무 木(목)을 더하여 원 나무(木)에서 갈라져 나온(支) 부분인 가지를 더욱 분명히 한 글자다. 두 글자 모두 의미요소이며 가를 支(지)가 발음기호이다.

●●●●● 枝葉(지엽)/金枝玉葉(금지옥엽)

肢

[훈음] 사지 지　[부수] 육달 月(월)변　▶▶▶ 고기 月(육) + 가를 支(지) ➡ 몸에서 갈라진 四肢(사지)

갈라진(支) 몸(月)이란 四肢(사지)로서 팔다리 등을 말한다. 몸통에서 보면 팔다리란 몸에서 갈라져 나간 부분처럼 보이므로 몸을 상징하는 육달 月(월)과 의미와 발음에 기여하는 支(지)를 합쳐 만든 글자다.

●●●●● 四肢(사지)/肢體(지체)

妓

[훈음] 기생 기　[부수] 계집 女(녀)변　▶▶▶ 계집 女(여) + 가를 支(지) ➡ 여러 남자에게 몸을 나눠 주는 여자

갈라진(支) 여자(女)란 이 남자 저 남자에게 몸을 나눠(支)주는 여자(女)로 그러한 여자를 妓生(기생)이라 한다.

●●●●● 妓生(기생)/妓女(기녀)/名妓(명기)/娼妓(창기)

岐

[훈음] 갈림길 기　[부수] 뫼 山(산)변　▶▶▶ 뫼 山(산) + 가를 支(지) ➡ 갈림길 – 갈라진 길

갈라진(支) 산(山)이란 갈림길을 말하는 것으로 산(山)을 오르다 보면 여기저기 길이 갈라진(支) 곳이 나온다. 즉 갈림길이다.

●●●●● 岐路(기로)/多岐亡羊(다기망양)

技

[훈음] 재주 기　[부수] 손 扌(수)변　▶▶▶ 손 扌(수) + 가를 支(지) ➡ 다재다능한 기술

갈라진(支) 손(扌)이란 분주하게 이것저것(支) 만드는 손(扌)길을 묘사한 글자로 손(扌)으로 이것저것(支) 여러 가지를 만드니 재주가 좋다고 한다.

●●●●● 技術(기술)/雜技(잡기)/技巧(기교)/演技(연기)/特技(특기)

鼓

[훈음] 북 고　[부수] 제 부수　▶▶▶ 士(사) + 豆(두) + 가지 支(지) ➡ 디딤판 위의 북을 치는 북채의 모습

디딤판(豆) 위에 올려진 북(士)을 북채로(支) 두드리는(支) 모습에서 만들어진 글자다.

●●●●● 鼓舞(고무)/鼓動(고동)/鼓膜(고막)/鼓吹(고취)

攵 질 복(= 攴)

✎ 치다, 때리다, 두드리다, 시정하여 올바른 길로 가게 하다

攵(복)　攻(공)　敍(서)　敎(교)　效(효)　數(수)　政(정)　牧(목)

攵
훈음 =攵(복) – 칠 복　부수 제 부수
▶▶▶ ㅣ + 손 又(우) ➡ 나무막대기를 들고 있는 모습
손에 나무막대기를 들고 있는 모습의 글자로 '치다, 채찍질하다'의 뜻을 갖는다.

攻
훈음 칠 공　부수 칠 攵(복)　▶▶▶ 장인 工(공) + 칠 攵(복) ➡ 적을 공격하기 위해 치다
적을 쳐서 공격한다는 뜻이므로 칠 攵(복)을 의미요소로 工(공)을 발음기호로 만든 글자다.
●●●●● 攻擊(공격)/侵攻(침공)/攻防(공방)/攻勢(공세)/專攻(전공)

敍
훈음 차례 서　부수 칠 攵(복)　▶▶▶ 나 余(여) + 칠 攵(복) ➡ 질서를 바로잡기 위해 회초리를 들다
'차례나 질서'를 유지하고 지킨다는 뜻이므로 칠 攵(복)이 의미요소고 나 余(여)는 발음요소이다. 후에 '말하다, 글을 적다'로 의미 확대됐다.
●●●●● 敍述(서술)/敍事詩(서사시)/敍情(서정)/敍勳(서훈)

敎
훈음 가르칠 교 – 선생님이 회초리를 들고 실습시키는 장면　부수 칠 攵(복)
▶▶▶ 가르칠 孝(효)의 변형 + 칠 攵(복) ➡ 공부를 잘하도록 하기 위해 매를 들다
어린이(子)를 가르침(爻)에 있어 징계(攵)는 필수이며, 매(攵)로 다스려야 효자가 될 수 있다. 따라서 모든 글자가 다 의미요소이며 爻(효)가 발음기호이다.
●●●●● 敎育(교육)/宣敎(선교)/敎師(교사)/敎授(교수)/敎科(교과)

效
훈음 본받을/드러날 효　부수 칠 攵(복)　▶▶▶ 사귈 交(교) + 칠 攵(복) ➡ 징계가 자녀 교육에 필수다
친구들을 포함 모든 사람들과 잘 어울리는 자녀를 원한다면, 징계(攵)는 필수적이므로 의미요소로 칠 攵(복)이 사귈 交(교)도 발음과 의미에 영향을 주고 있다.
●●●●● 效果(효과)/效能(효능)

數
훈음 셀 수　부수 칠 攵(복)　▶▶▶ 포갤 婁(루) + 칠 攵(복) ➡ 여자아이를 훈련시킴
婁(루)는 '어떤 물건을 머리에 이고 이를 두 손으로 잡고 있는 여자'를 그린 글자로, 여기에 매(攵)를 더하여 많은 물건을 제대로 머리에 이도록 훈련시키는 장면에서 '계산하다, 수를 세다'로 의미가 확대됐다.
●●●●● 數學(수학)/算數(산수)/數値(수치)/數理(수리)/級數(급수)

政
훈음 정사 정　부수 칠 攵(복)　▶▶▶ 바를 正(정) + 칠 攵(복) ➡ 부정한 것을 바로잡기 위해
잘못 가는 것을 처서(攵) 멈추게(止) 하여 바르게(正) 가도록 해야 하는 것이 정치가 할 일이다.
●●●●● 政治(정치)/政略的(정략적)/軍政(군정)/行政(행정)

牧
훈음 칠 목　부수 소 牛(우)　▶▶▶ 소 牛(우) + 칠 攵(복) ➡ 소나 양을 치기 위해 막대기를 든다
양치기나 목동들이 막대기(攵)를 들고 소나 양을 치는 모습에서 칠 攵(복)과 소 牛(우)가 의미요소에 상호 기여하고 있다.
●●●●● 牧童(목동)/牧草(목초)/牧歌的(목가적)/放牧(방목)/牧者(목자)

放(방)　　敬(경)　　改(개)　　赦(사)　　敵(적)　　敏(민)　　傲(오)

放
훈음 놓을 방　부수 칠 攵(복)
▶▶▶ 모 方(방) + 칠 攵(복) ➡ 쳐서 놓아 주다(처벌)
죄인을 쳐서(攵) 풀어주는(方) 것을 放免(방면)한다고 한다.
••••• 放置(방치)/放免(방면)/放送(방송)/解放(해방)

敬
훈음 공경할 경　부수 칠 攵(복)
▶▶▶ 진실로 苟(구) + 칠 攵(복) ➡ 종에게 매를 들이댐
장식을 하고 조심스럽게 앉아 있는 사람(苟-진실로 구의 형태를 하고 있으나 敬(경)에 쓰인 苟(구)의 윗부분은 艹(관)으로 苟(구)의 풀 艹(초)와는 다르다)의 머리를 매만지는 종들에게 매를 들이대는(攵) 행위를 통해 조심하고 근신케 하는 글자를 만들어 냈다.
••••• 尊敬(존경)/恭敬(공경)/敬畏心(경외심)

改
훈음 고칠 개　부수 칠 攵(복)
▶▶▶ 자기 己(기) + 칠 攵(복) ➡ 쳐서 고치다
개혁은 남이 아니라 우선 자기(己)부터 쳐서(攵) 고쳐야만 된다.
••••• 改善(개선)/改革(개혁)/改訂版(개정판)/改正案(개정안)

赦
훈음 용서할 사　부수 붉을 赤(적)
▶▶▶ 붉을 赤(적) + 칠 攵(복) ➡ 쳐서 마음을 죽이다
용서한다는 것은 부글부글 끓어(赤)오르는 마음이나 감정을 쳐서(攵) 가라앉히는 것에서 시작되므로 두 글자 모두 의미요소이다.
••••• 赦免(사면)/特赦(특사)

敵
훈음 원수 적　부수 등글월 攴(문)방
▶▶▶ 밑둥/뿌리 啇(적) + 칠 攵(복) ➡ 쳐서 뿌리 뽑다
원수란 쳐부셔야 할 대상이므로 칠 攵(복)을 의미요소로 啇(적)을 발음기호로 했다. 쳐서(攵) 물리쳐야 할 원수는 대개 자신 속에 뿌리(啇)박고 있는 나쁜 생각이나 태도이다.
••••• 敵意(적의)/敵將(적장)/敵軍(적군)/大敵(대적)

敏
훈음 재빠를 민　부수 칠 攵(복)
▶▶▶ 매양 每(매) + 칠 攵(복) ➡ 쳐서 늘 긴장감을 갖는 것
군기가 빠지면 사고가 빈발한다 하여 군에서는 늘(每) 기합을(攵) 통해 적절한 긴장감을 유지케 함으로, 군사들이 재빨리 행동하도록 즉 민첩하게 대처할 수 있도록 만든다는 의미 글자다.
••••• 敏捷(민첩)/過敏(과민)/敏感(민감)/明敏(명민)

傲
훈음 거만할 오　부수 사람 亻(인)변
▶▶▶ 사람 亻(인) + 士(出의 변형) + 放(방) ➡ 개처럼 두들겨 맞아야 할 사람
出(출)과 放(방)의 합자로 放出(방출)이 원 의미였다. 거만한 사람은 어느 조직으로부터도 放出(방출)대상 1호이다. 그러한 사람이라는 뜻에서 사람 亻(인)이 더해진 것이다.
••••• 傲慢(오만)/傲氣(오기)/傲霜孤節(오상고절)

收(수) 整(정) 敦(돈) 敷(부) 散(산) 敗(패) 敢(감) 更(경) 便(편)

收 훈음 거둘 수 부수 칠 攵(복) ▶▶▶ 丩 + 칠 攵(복) ➜ 얽힌 것을 쳐서 거두어들임.
글자의 왼편(丩)은 넝쿨처럼 얽혀 있는 모양의 글자로 쳐야만(攵) 떨어지고 분리되어 수확이 가능하다. 세금을 거두는 일은 예나 지금이나 내놓지 않으려고 하는 것을 강제로 쳐서(攵) 빼앗는 경우라고 생각한다.
●●●●● 收去(수거)/收金(수금)/徵收(징수)/收容施設(수용시설)

整 훈음 가지런할 정 부수 칠 攵(복)
▶▶▶ 묶을 束(속) + 칠 攵(복) + 바를 正(정) ➜ 쳐서 가지런하게 정돈 한다
나무다발을 잘 묶기(束) 위해 쳐서(攵) 바르게(正) 만들어 가지런히 정리하는 모습에서 유래했다.
●●●●● 耕地整理(경지정리)/整頓(정돈)/端整(단정)/調整(조정)

敦 훈음 두터울 돈 부수 칠 攵(복) ▶▶▶ 누릴 享(향) + 칠 攵(복) ➜ 땅을 쳐서 두텁게 쌓아올리다
흙을 두텁게 쌓아올리면서 흙더미를 쳐서(攵) 단단하게 하는 모습이다. 글자의 왼편(享)은 단순히 항아리 모양으로 흙더미를 나타내는 글자로 의미와 전혀 무관하다.
●●●●● 敦篤(돈독)

敷 훈음 펼 부 부수 칠 攵(복) ▶▶▶ 클 甫(보) + 모 方(방) + 칠 攵(복) ➜ 쳐서 늘린다.
동물 가죽을 몽둥이로 잘 쳐서(攵) 사방으로(方) 크게(甫) 펼쳐서 가죽옷을 만든다는 뜻이다.
●●●●● 敷設(부설)/敷地(부지)/敷衍說明(부연설명)

散 훈음 흩어질 산 부수 칠 攵(복) ▶▶▶ 고기 月(육) + 칠 攵(복) ➜ 쳐서 흩뜨린다.
갑골문을 보면 숲(林)과 막대기(攵)로 구성된 글자로, 나무 열매를 따기 위해 몽둥이로 두드리니(攵) 열매가 흩어지는 모양을 나타낸 것이므로 칠 攵(복)이 의미요소로 사용됐다.
●●●●● 散在(산재)/離散家族(이산가족)/分散(분산)/散漫(산만)

敗 훈음 깨뜨릴 패 부수 칠 攵(복) ▶▶▶ 조개 貝(패) + 칠 攵(복) ➜ 솥을 쳐서 깨뜨리다
솥(貝=鼎)을 몽둥이나 돌로 쳐서(攵) 깨뜨리는 것을 묘사한 것으로 모두 의미요소이다.
●●●●● 敗北(패배)/勝敗(승패)/失敗(실패)/敗家亡身(패가망신)

敢 훈음 감히 감 부수 칠 攵(복)
▶▶▶ 장인 工(공) + 귀 耳(이) + 칠 攵(복) ➜ 강제로 점괘를 바꾸려고 시도함
옛글자는 두 손(又)이 占(점)의 윗부분인 복(卜)자를 잡고 억지로 휘게 하는 모습으로 강제로 점괘를 바꾸려는 또는 이치에 맞지 않은 행동을 억지로 한다 하여 '감히'의 뜻으로 쓰였다.
●●●●● 敢行(감행)/勇敢(용감)/果敢(과감)/焉敢生心(언감생심)

更 훈음 고칠 경(다시 갱) 부수 가로 曰(왈) ▶▶▶ 한 일(一) + 曰(丙) + 칠 복(攵/攴) ➜ 막대기로 종을 침
옛글자는 매달아 놓은 종(丙)을 시간이 바뀔 때마다 막대기로(攵) 두드려서 시간을 알리는 도구로 쓰였기에 옛날엔 시간을 알리는 단위가 4更(경)이니 5更(경)이니 하였다. 여기에서 '고치다, 바꾸다, 다시' 등의 뜻이 파생되었다.
●●●●● 變更(변경)/更新(갱신)/三更(삼경)

便 훈음 편할/소식 편/오줌 변 부수 사람 亻(인) ▶▶▶ 사람 인(亻) + 更(고칠 경/다시 갱) ➜ 나쁜 것을 버리다
사람이(亻) 나쁜 버릇이나 습관 등을 버리거나(更) 고치면(更) 편해지므로 편할 편자가 만들어졌다.
●●●●● 便利(편리)/郵便(우편)/便所(변소)

敝(폐)	弊(폐)	幣(폐)	蔽(폐)

敝

훈음 해질 폐　부수 칠 攵(복)　▶▶▶ 해진 옷 폐(附)＋攵(복) → 두들겨 옷을 갈기갈기 찢어버림

수건(巾)이 상징하는 옷이나 이불 등을 막대기로(攵) 두들겨 해지게 만든 글자로 네 점(丶)은 막대기로 옷을 두들긴 결과로 찢어져 너덜거리는 부분을 의미한다.

••••• 敝衣(폐의)

弊

훈음 해질/나쁠 폐　부수 스물 廾(입)발

▶▶▶ 해질 敝(폐) ＋ 개 犬(견)의 변형인 廾(공) → 두들겨 맞아야 할 나쁜 개 버릇

흠뻑 두들겨 맞아 해진 옷처럼 처지가 우습게 된 개(犬)를 통해 '꼬꾸라지다, 피폐하여 보잘 것 없다'라는 뜻까지 가지게 됐다. 敝(폐)는 발음기호이기도 하다.

••••• 弊端(폐단)/弊社(폐사)/弊習(폐습)/語弊(어폐)

幣

훈음 비단 폐　부수 수건 巾(건)　▶▶▶ 해질 敝(폐) ＋ 수건 巾(건) → 언젠가 해지는 고운 비단 천

비단이란 천의 일종이므로 수건 巾(건)이 의미요소로 敝(폐)는 발음기호로 사용됐다.

••••• 幣物(폐물)/貨幣(화폐)/幣帛(폐백)

蔽

훈음 덮을 폐　부수 풀 艹(초)　▶▶▶ 풀 艹(초) ＋ 해질 敝(폐) – 소리글자 → 풀로 덮어 가림

보기 싫은 것들을 덮어 가리기 위해 풀로 덮었다 하여 풀 艹(초)가 의미요소로 敝(폐)를 발음기호로 사용했다.

••••• 隱蔽(은폐)/蔽一言(폐일언)

微(미)	徵(징)	懲(징)	徹(철)	撤(철)	攸(유)	悠(유)	條(조)	修(수)

微

훈음 작을 미　부수 갈 彳(척)　▶▶▶ 갈 彳(척) ＋ 긴 長(장) ＋ 칠 攵(복) → 미미한 노인의 움직임

갑골문에서는 가운데 글자가 긴 머리카락을 풀어헤친 모양의 길 長(장)자로서 노인을 형상화한 글자이다. 따라서 몸을 제대로 가누지 못하는 노인네가 지팡이(攵)에 의지해 조금씩 움직이는(彳) 모양새에서 '극히 작은' 것을 묘사하는 글자로 발전되었다.

••••• 微微(미미)/微笑(미소)/極微(극미)/微行(미행)

徵

훈음 부를 징　부수 갈 彳(척)　▶▶▶ 갈 彳(척) ＋ 長(장) ＋ 壬(정) → 귀 어두운 노인을 부름

위의 글자와 다른 부분은 가운데 부분의 王(왕)자가 까치발을 하고 머리를 쳐든 모습인 壬(정)자의 변형이므로 길 가는 노인네(微)를 부르는 모습에서 하늘이 '천상으로 노인네를 불러들이는' 모습에서 '부르다, 조짐' 등으로 의미 확대됐다.

••••• 特徵(특징)/徵收(징수)/徵發(징발)

懲

훈음 혼날/혼낼 징　부수 마음 心(심)　▶▶▶ 부를 徵(징) ＋ 마음 心(심) → 마음에 소리를 침

혼낸다는 것은 마음에 호소를 하는 것이므로 마음 心(심)이 의미요소로 부를 徵(징)이 발음요소 및 의미에도 조금 관여했다.

••••• 懲戒(징계)/懲役(징역)/勸善懲惡(권선징악)

徹 훈음 통할/밝을 철 부수 갈 彳(척) ▸▸▸ 갈 彳(척) + 기를 育(육) + 칠 攵(복) ➡ 징계를 통한 철저한 교육

'통한다'는 것은 막힘이 없다는 뜻이므로 四通八達(사통팔달)의 뻥 뚫린 사거리를 연상시키므로 사거리의 생략형인 갈 彳(척)을 의미요소로 나머지는 발음요소임이 물 맑을 澈(철)/거둘 撤(철)에서 알 수 있다. 소전체 즉 현대의 글자만 가지고 해석하면 자녀를 올바르게 기르기 위해선(育-기를 육) 징계(칠 攵-징계를 의미)가 필수적이며, 그렇게 철저히 양육해야 길이(彳) 뻥 뚫린 것처럼 미래가 밝을 것이다에서 '통하다, 밝다'의 뜻으로 의미 확대됐다.

※ (育+攵)의 갑골문은 - 솥 鼎(정) + 又(우)의 변형으로 솥을 철저하게 닦음이 원뜻으로 '철저할 철'자이나 현재에는 발음요소로만 사용되고 단독 사용은 없다.

●●●●● 徹頭徹尾(철두철미)/徹底(철저)/貫徹(관철)/透徹(투철)/冷徹(냉철)/徹夜(철야)

撤 훈음 거둘 철 부수 손 扌(수) ▸▸▸ 손 扌(수) + 기를 育(육) + 칠 攵(복) ➡ 쳐서 거두어들임

거두어들임에 있어 손의 역할이 필수적이므로 손 扌(수)를 의미요소로 나머지를 발음요소로 했다. 현대의 글자꼴로 자녀교육과 관련된 것이라면 징계(攵)를 통해 자녀를 양육(育)해야만 거두어들일(扌) 것이 있음을 보여주는 글자이다.

●●●●● 撤收(철수)/撤去(철거)/撤回(철회)/撤軍(철군)

攸 훈음 바/장소 유 부수 칠 복(攵) ▸▸▸ 사람 인(亻) +등 짐(丨) +지팡이(攵) ➡ 먼 길 떠나는 사람

등에 짐(丨)진 사람(亻)이 지팡이(攵)를 잡고 멀리 가는 모습이 바/장소 유(攸)자이며 멀리 떠나며(攸) 남겨둔 가족을 그리워하며 돌아보는 마음(心)이 유유(悠悠)/유구(悠久)의 멀/걱정할 유(悠)자이고 나뭇가지(木)로 지게 지는(丨) 사람(亻)에게 필요한 지팡이(攵)를 만들므로 조항(條項)/조건(條件)의 가지 조(條)자이며 바 유(攸)가 사람의 등에 물을 뿌려 깨끗케 하는 의식이라는 설이 있는데 터럭 삼(彡)을 더하여 학문 등을 배우므로 자신의 내면을 정화한다는 의미로 수행(修行)의 닦을 수(修)자가 만들어졌다.

●●●●● 悠久(유구)/條約(조약)/履修(이수)

爪(조)　　爭(쟁)　　受(수)　　授(수)　　爰(원)　　援(원)
媛(원)　　緩(완)　　暖(난)　　爲(위)　　僞(위)　　愛(애)

훈음 손톱 조　**부수** 제 부수
손톱 '조'라고 부르나 사물을 잡는 데 손가락의 힘이 들어가므로 이 글자는 아래를 향해 무엇인가를 잡으려고 하는 모습으로 '또 다른 손'으로 생각하자.

爭
훈음 다툴 쟁　**부수** 손톱 爪(조)
▶▶▶ 손톱 爪(조) + 손 彐[＝又(우)] +막대기(丨) ➡ 막대기를 서로 빼앗으려 함
막대기(丨) 즉 소중한 것을 서로 빼앗으려고 두 손(爪＋又)이 서로 잡아당기는 모습으로 싸울 爭(쟁)자가 만들어졌다.
●●●●● 戰爭(전쟁)/爭鬪(쟁투)/紛爭(분쟁)/鬪爭(투쟁)/爭奪(쟁탈)

受
훈음 받을 수　**부수** 오른손 又(우)
▶▶▶ 손톱 爪(조) + 덮을 冖(멱) + 오른손 又(우) ➡ 물건을 주고받음
음식이나 선물꾸러미(冖)를 주고(爪)받는(又) 모습에서 "받다"라는 뜻이 파생됐다.
●●●●● 受諾(수락)/受賞(수상)/賂物授受(뇌물수수)/受講(수강)/受話器(수화기)/受驗生(수험생)/受侮(수모)

授
훈음 줄 수　**부수** 손 扌(수)　▶▶▶ 손 扌(수) + 받을 受(수) ➡ 물건을 주고받음
손 扌(수)를 하나 더 그려 넣음으로 물건을 주고받는(受) 행위에서 "주다"를 나타낸다.
●●●●● 授受(수수)/授與(수여)/敎授(교수)/授乳(수유)/傳授(전수)

爰
훈음 이에/당길 원　**부수** 손톱 爪(조)
▶▶▶ 손톱 爪(조) + 한 一(일) + 막대기(丨) + 손 又(우) ➡ 막대기를 던져 끌어당기다
물에 빠진 사람에게 막대기(丨)나 끈을 던져주어 잡아당기는(爪＋又) 장면에서 '당기다'라는 뜻이었으나 점차 '이에, 이리하여, 발어사' 등으로 가차됐다.

援
훈음 당길 원　**부수** 손 扌(수)
▶▶▶ 손 扌(수) + 이에 爰(원) ➡ 물에 빠진 사람 건져줌
손 扌(수) 하나를 더 그려 넣어 당기다(爰)라는 의미를 더욱 확실하게 한 글자로 점차 '구원하다, 돕다'등의 뜻으로 발전됐다.
●●●●● 援助(원조)/救援投手(구원투수)/支援(지원)/應援(응원)

媛
훈음 미인 원　**부수** 계집 女(여)
▶▶▶ 계집 女(여) + 이에 爰(원) ➡ 시선을 잡아당기는 여자
美人(미인)이란 모든 사람의 시선을 잡아당기는(爰) 여자(女)를 말한다.
●●●●● 才媛(재원)

훈음 느릴 완 **부수** 실 糸(사) ▶▶▶ 실 糸(사) + 이에 爰(원) ➡ 끊어지지 않게 천천히 잡아당겨야 하는 실
막대기는 늘였다 줄였다 할 수 없지만 실이나 끈(糸)은 서로 잡아당길(爰(원)) 때 풀어주었다 당겼다 할 수 있어서 느리다/느슨하다의 의미를 갖게 됐다.
●●●●● 緩急(완급)/弛緩(이완)/緩慢(완만)

 훈음 따뜻할 난 **부수** 해 日(일) ▶▶▶ 해 日(일) + 이에 爰(원) ➡ 해를 잡아당김
해(日)를 잡아당겼으니(爰) 얼마나 따뜻하겠는가?
불(火)을 잡아당기면 뜨거워지니 난로(煖爐)의 따뜻할 난(煖)
●●●●● 暖帶(난대)/暖流(난류)/煖房(난방)/난로(煖爐)

 훈음 할 위 **부수** 손톱 爪(조) ▶▶▶ 손톱 爪(조) + 코끼리 象(상) ➡ 코끼리를 길들임
손(爪)으로 코끼리(象)를 길들이는 장면에서 人爲的(인위적)이라는 "하다"라는 뜻이 만들어졌다.
●●●●● 人爲的(인위적)/作爲的(작위적)/爲政者(위정자)/行爲(행위)

 훈음 거짓 위 **부수** 사람 亻(인) ▶▶▶ 사람 亻(인) + 할 爲(위) ➡ 거짓된 사람
인위적으로 하다라는 뜻을 만든 글자이므로 사람 亻(인)을 의미요소로 爲(위)를 발음과 의미요소로 사용했다.
●●●●● 僞善(위선)/僞作(위작)/僞證(위증)/僞造(위조)/虛僞(허위)

愛 **훈음** 사랑 애 **부수** 마음 心(심)
▶▶▶ 손톱 爪(조) + 덮을 冖(멱) + 마음 心(심) + 뒤져서 올 夂(치) ➡ 떨어지지 않는 발걸음
위의 손톱 爪(조)는 발(止)의 변형으로 발(爪)과 발(夂)을 그려 넣어 헤어지기 싫어 차마 발길이 떨어지지 않는 안타까운 심정을(心) 갖는 것이 사랑이라고 생각했다.
●●●●● 愛憎(애증)/人類愛(인류애)/愛國心(애국심)/愛人(애인)

爭(쟁)　　　　　　　淨(정)　　　　　　　靜(정)

爭 **훈음** 다툴 쟁 **부수** 손톱 爪(조)
▶▶▶ 손톱 爪(조) + 손 彐(=又(우) + 막대기(|) ➡ 막대기를 서로 빼앗으려 함
막대기(|) 즉 소중한 것을 서로 빼앗으려고 두 손(爪+又)이 서로 잡아당기는 모습으로 싸울 爭(쟁)자가 만들어졌다.
●●●●● 戰爭(전쟁)/爭鬪(쟁투)/紛爭(분쟁)/鬪爭(투쟁)/爭奪(쟁탈)

淨 **훈음** 깨끗할 정 **부수** 물 氵(수) ▶▶▶ 물 氵(수) + 다툴 爭(쟁) ➡ 싸움을 그친 물
물이 깨끗하다는 뜻이므로 물 氵(수)가 의미요소고 爭(쟁)은 발음요소이다.
●●●●● 淨水器(정수기)/淸淨水域(청정수역)/淨潔(정결)/淨化(정화)/不淨(부정)/上濁下不淨(상탁하부정)/
西方淨土(서방정토)

靜 **훈음** 고요할 정 **부수** 푸를 靑(청) ▶▶▶ 푸를 靑(청) + 다툴 爭(쟁) ➡ 폭풍이 지나간 파란 하늘
폭풍전야라는 말이 있듯이 다툼(爭)이 끝나고 나서 찾아온 고요함을 더없이 맑고 푸른 하늘에 빗대어 만들어 낸 글자로 다툴 爭(쟁)이 발음 및 의미요소로 푸를 靑(청)이 의미요소로 쓰였다.
●●●●● 靜寂(정적)/靜物(정물)화/靜肅(정숙)/靜脈(정맥)

采(채)　　　　採(채)　　　　菜(채)　　　　彩(채)

采

훈음 캘 채 **부수** 분별할 采(변) ▶▶▶ 손톱 爪(조) + 나무 木(목) ➡ 나물 채취

나무의 새순이나 싹나물 등을 채취하는 모습을 그린 글자로 행위자인 손톱 爪(조)와 대상인 나무 木(목)이 모두 의미요소에 사용되었으나 '나물 채취'보다는 추상적 의미로 더 사용되자 본뜻을 살린 것이 아래의 캘 採(채)자이다.

●●●●● 拍手喝采(박수갈채)/采詩(채시)/風采(풍채)/納采(납채)

採

훈음 캘 채 **부수** 손 扌(수) ▶▶▶ 손 扌(수) + 캘 采(채) ➡ 나물 채집 및 캐냄

나무에서 순이나 나물을 뜯는 행위와 조금 다른 땅에서 무엇을 파내는 행위를 포함해 '캐다'보다 더 포괄적인 의미를 나타내기 위해, 손 扌(수) 하나를 더 의미요소로 첨가하고 采(채)를 발음기호로 하여 추가로 만든 글자다.

●●●●● 採用(채용)/採掘(채굴)/採點(채점)/採取(채취)/採炭(채탄)/採血(채혈)/採擇(채택)/採集(채집)

菜

훈음 나물 채 **부수** 풀 艹(초) ▶▶▶ 풀 艹(초) + 캘 采(채) ➡ 뜯어서 먹는 풀

나물이나 야채를 나타내기 위한 글자이므로 풀 艹(초)를 의미요소로 采(채)를 발음기호로 했다.

●●●●● 菜蔬(채소)/野菜(야채)/菜食(채식)

彩

훈음 무늬 채 **부수** 터럭 彡(삼) ▶▶▶ 采(채) + 터럭 彡(삼) ➡ 터럭 彡(삼)이 장식을 나타냄

터럭 彡(삼)은 가지런히 나 있는 동물의 털이 원뜻이나 "그 털 참 곱다, 털 색깔 좀 봐, 햇빛을 받아 저 털이 빛나는 거 좀 봐" 등에서 보듯 사물의 장식 치장 등에 사용되어짐을 알 수 있다. 따라서 무늬 역시 사물을 아름답게 표현하는 장식이고 색채이므로 터럭 彡(삼)을 의미요소로 캘 采(채)를 발음기호로 했다.

●●●●● 彩色(채색)/光彩(광채)/水彩畵(수채화)

奚(해)　　溪(계)　　鷄(계)　　舀(요)　　稻(도)　　滔(도)

奚

훈음 어찌/종 해 **부수** 큰 大(대) ▶▶▶ 손톱 爪(조) + 실 糸(사) + 큰 大(대) ➡ 죄인을 결박하여 끌어오다

포승에 결박되어 꿇어앉은 사람 혹은 밧줄에 묶여 사역을 하고 있는 노예의 상형으로 노예(人)를 묶는(糸) 손 爪(조), 이 세 글자 모두가 의미요소로 사용되었다.

●●●●● 奚琴(해금)

溪

훈음 시내 계 **부수** 물 수 ▶▶▶ 물 氵(수) + 종 奚(해) ➡ 졸졸 이어지는 시냇물

시내란 작은 강을 말하는 것으로 물 氵(수)가 의미요소고 奚(해)가 발음요소이다. 이 종 奚(해)는 포승줄에 묶여 일렬로 끌려오는 종의 모습도 있으므로 물줄기가 끊어지지 않고 이어져 흐르는 시내라는 글자를 만드는 의미요소에도 참여하였다.

●●●●● 溪谷(계곡)/碧溪水(벽계수)//溪流(계류)

鷄

훈음 닭 계 **부수** 새 鳥(조) ▶▶▶ 새 鳥(조) + 종 奚(해) ➡ 새장 속에 갇혀 지내는 새

닭은 새이긴 하나 종이나 노예처럼 새장 속에 갇혀 사는 새라고 하여, 새 鳥(조)와 종 奚(해) 모두 의미요소에 관여하였으며 종 奚(해)는 발음기호에도 관여하였다.

●●●●● 養鷄場(양계장)/鷄卵(계란)/鷄舍(계사)

稻 훈음 벼 도 부수 벼 禾(화) ▶▶▶ 벼 禾(화) + 퍼낼 요(臽) ➡ 절구에서 곡식을 빼냄
벼(禾)를 찧어 탈곡을 하는 장면으로 절구에 벼를 넣고 찧은 다음 꺼내(臽)는 모습으로 곡식을 대표하는
벼 禾(화)를 의미부로 나머지는 발음기호이다.
••••• 立稻先賣(입도선매)

滔 훈음 물 넘칠 도 부수 물 氵(수) ▶▶▶ 물 氵(수) + 퍼낼 요(臽) ➡ 곡식이 절구에서 넘쳐남.
물이 넘치는 모습을 절구에 곡식이 넘치(臽)는 모습으로 연상시킨 글자로, 물 氵(수)가 의미요소이고 나머
지는 발음기호나 의미에도 조금 관여한 듯하다.
••••• 滔滔(도도)히 흐르는 강물/滔天(도천)

印(인)   妥(타)   孚(부)   浮(부)   孵(부)   乳(유)

印 훈음 도장 인 부수 병부 卩(절) ▶▶▶ 손톱 爪(조) + 병부 卩(절) ➡ 찍어 누름
머리 위에 얹은 손과 무릎을 꿇고 앉아 있는 사람의 상형으로 '임명하기 위해 머리 위에 손을 얹고 있는'
모습에서 '누르다', 도장은 눌러서 찍는 것이므로 '도장' 등의 의미로 확대됐다.
••••• 印鑑(인감)/印刷(인쇄)/印度(인도)/印畵(인화)/封印(봉인)

妥 훈음 편온할/온당할 타 부수 손 爪(조) ▶▶▶ 손톱 爪(조) + 계집 女(여) ➡ 약자를 어루만져 주다
여자 노예(女)의 머리를 쓰다듬어(爪) 주므로 불안한 여자 노예를 안정시키고 있는 장면에서 '평온하다, 타
당하다'로 의미 발전했다.
••••• 妥當(타당)/妥協(타협)/妥結(타결)

孚 훈음 미쁠 부 – 아이를 안고 있는 모습 부수 손 爪(조) ▶▶▶ 손 爪(조) + 아들 子(자) ➡ 믿음직한 아이
아들(子)의 머리를 쓰다듬으며(爪) 칭찬하고 있는 장면으로, 부모의 마음을 흡족하게 한 자녀가 참으로 믿
음직스럽고 듬직해 머리를 쓰다듬면서 부모가 자녀를 신뢰하고 있음을 전달하는 장면의 글자이다.

浮 훈음 뜰 부 부수 물 氵(수) ▶▶▶ 물 氵(수) + 미쁠 孚(부) ➡ 아이를 대야에 씻김
'뜨다'라는 것은 물에 뜨는 것을 말하므로 물 氵(수)가 의미요소고, 孚(부)가 발음기호이다.
아이를 안고 물 대야에 담가 씻기고 있는 모습의 글자다.
••••• 浮動票(부동표)/浮浪者(부랑자)/浮漂(부표)/浮沈(부침)

孵 훈음 알 깔 부 부수 아들 子(자) ▶▶▶ 알 卵(란) + 미쁠 孚(부) ➡ 아이를 품다
'알을 까다'라는 글자를 만들려면 당연히 알 卵(란)을 의미요소로 넣고 발음기호로 孚(부)를 사용해야 한다.
••••• 孵化(부화)

乳 훈음 젖 유 부수 새 乙(을) ▶▶▶ 미쁠 孚(부) + 새 乙(을) ➡ 젖먹이는 장면
어머니가 어린아이를 가슴(乚)에 안고(孚) 젖먹이는 모습을 그린 글자다. 가슴(乚)은 어머니가 아기에게
젖을 먹이기 위해 몸을 구푸려 유방을 들어낸 모습이고, 나머지는 손(爪)으로 젖먹이기 위해 어린아이(子)
를 감싸 안고 있는 모습으로 참으로 푸근한 느낌을 주는 글자이다.
••••• 乳房(유방)/乳脂肪(유지방)/母乳(모유)

淫(음)	亂(란)	辭(사)	爵(작)	稱(칭)

淫
훈음 음란할 음 부수 물 氵(수) ▶▶▶ 물 氵(수) + 손 爪(조) + 壬(정) ➡ 자위 위
자위행위(爪)를 통해 성기(壬)를 키워 설정(氵)하는 장면에서 '음란하다'라는 뜻이 파생됐다.
●●●●● 淫亂(음란)/淫行(음행)/姦淫(간음)/淫談悖說(음담패설)

亂
훈음 어지러울 란 부수 새 乙(을) ▶▶▶ 손 爪(조) + 실 糸(사) + 손 又(우) + 새 乙(을) ➡ 헝클어진 실패
헝클어진 실패(糸)를 양손(爪 + 又)을 이용하여 바로잡는 모습에서 '어지럽다'의 뜻이 어지럽던 실패를 바로
잡았다 하여 '다스리다'의 뜻이 파생됐다. 여기서 乙(을)은 몸을 굽혀 그 행위를 하는 여인네로 여겨진다.
●●●●● 騷亂(소란)/心亂(심란)/淫亂(음란)/亂世(난세)

辭
훈음 말 사 부수 매울 辛(신) ▶▶▶ 손 爪(조) + 실 糸(사) + 손 又(우) + 매울 辛(신) ➡ 뜨개질하는 장면
글자의 왼쪽은 헝클어진 실타래의 실을 두 손으로 정리하여 또는 실감개를 한 손으로 잡고 한 손으로 코바
늘로 옷이나 천을 짜는 모습에서 '고르다 다스리다'의 뜻이 나온 글자이다. 훗날 코바늘이 끝의 상형인 매
울 辛(신)으로 바뀌면서 헝클어진 실타래처럼 꼬이고 꼬인 피고와 원고의 관계를 바로잡기 위해, 형벌을 주
고(辛) 잘잘못을 말(질문)로 따지는 과정에서 '말, 글'이라는 뜻으로 확대되었다.
●●●●● 辭表(사표)/辭典(사전)/斗酒不辭(두주불사)/送辭(송사)

爵
훈음 잔 작 부수 손 爪(조) ▶▶▶ 손 爪(조) + 마디 寸(촌) ➡ 술잔을 기울일 수 있는 벼슬아치
참새 모양을 한 의식용 술잔의 모습을 그린 글자였으나 형태가 많이 변하였으므로 그냥 외우자. 현대 글자
는 위아래 손(爪 + 小)을 그려 한 사람은 술을 따라 바치고(小) 한 사람은 받아(爪) 마시는[食(식)의 아랫
부분] 형국을 하고 있다. 점차 신분의 계급인 벼슬로 사용됐다.
●●●●● 高官大爵(고관대작)/伯爵(백작)/男爵(남작)

稱
훈음 일컬을/저울 칭 부수 벼 禾(화) ▶▶▶ 벼 禾(화) + 들어 올릴 칭(再) ➡ 곡식을 저울로 달아봄
들어 올릴 칭(再)자와 벼 禾(화)를 합쳐서 곡물 무게를 정확하게 측량하는 모습을 나타낸 글자다. 사람의
업적을 제대로 측량하여 즉 한쪽으로 치우침 없이 사물을 평가하므로 칭찬할 부면을 찾아내어 칭찬하다로
의미가 발전했다.
●●●●● 稱讚(칭찬)/呼稱(호칭)/俗稱(속칭)

臼(국)	學(학)	擧(거)	興(흥)	與(여)	輿(여)	譽(예)	覺(각)

臼
훈음 두 손으로 물건 받들 국 ▶▶▶ 손톱 조(爪) 두 개
여기서 국은 절구 '구(臼)'가 아니라 두 손(爪)의 모습으로, 위에서 아래로 사물을 집으려고 하는 두 손의
모습이다. 양손 국(臼)자는 아래의 한 일(一)이 붙어 있지 않고 떨어져 있다.

學
훈음 배울 학 부수 아들 子(자)
▶▶▶ 양손 국(臼) + 매듭(乂) + 지붕(冖) + 아들 子(자) ➡ 두 손으로 매듭을 만들어 지붕 잇기 하는 모습
어른들이 양손(臼)을 사용하여 볏짚으로 매듭(乂)을 지어 지붕(冖)잇기 하는 모습을 아래에서 쳐다 보는 남
자 아이(子)의 모습으로 사내아이가 배워야 할 중요한 일은 짚을 이용하여 초가지붕을 잇는 기술과 같은
실제 생활에 필요한 것임을 알려주는 글자이다.
●●●●● 學生(학생)/學校(학교)/學習(학습)/見學(견학)/學業(학업)

훈음 들 거　**부수** 손 手(수)

▶▶▶ 臼(국＝爪) ＋ 줄 与(여) ＋ 八(廾-공의 변형) ＋ 手(수) ➡ 서로 협력하여 무거운 것을 들다

이 글자에는 손이 총 5개가 등장한다. 손톱 爪(조)가 2개, 두 손 받들 廾(공)에서 손이 둘, 그리고 손 手(수) 하나, 손으로 주고받는 장면을 그린 글자인 줄 與(여)에 손 手(수) 하나를 더하여 가마 같은 무거운 것들을 서로 협조하여 들고 일하는 모습에서 들다가 탄생한 글자다.

●●●●● 擧手(거수)/選擧(선거)/擧動(거동)/輕擧妄動(경거망동)/一擧兩得(일거양득)/一擧手一投足(일거수일투족)

훈음 일어날 흥　**부수** 절구 臼(구)　▶▶▶ 마주 들 舁(여) ＋ 한 가지 同(동) ➡ 가마를 일으켜 세움

가마(同)를 두 사람이 양손(舁-네 손)으로 들어 올려 들쳐 메고 가는 모습에서 '일으키다/일어나다'의 뜻글자다.

●●●●● 興奮(흥분)/興味(흥미)/興亡(흥망)/復興(부흥)/興行(흥행)/咸興差使(함흥차사)

훈음 줄 여　**부수** 절구 臼(구)　▶▶▶ 마주 들 舁(여) ＋ 어조사 与(여) ➡ 새끼 꼬는 모습

与(여)의 모양은 꼬인 새끼줄 모습으로, 네 손 즉 양손으로 양쪽에서 새끼줄을 서로 마주 들고(舁) 있는 모습을 그려서 주다/더불어/무리 등으로 의미 발전됐다.

●●●●● 授與(수여)/贈與(증여)/與件(여건)/與黨(여당)/與否(여부)/關與(관여)/給與(급여)/賞與金(상여금)

훈음 수레 여　**부수** 수레 車(거)　▶▶▶ 마주 들 舁(여) ＋ 수레 車(거) ➡ 수레 가마

바퀴로 움직이는 수레가 아닌 사람의 손에 의해 옮겨지던 옛날의 운송도구를 그린 글자로, 두 글자 모두 의미요소이며 마주 들 舁(여)가 발음을 겸한다.

●●●●● 輿論(여론)/喪輿(상여)

훈음 기릴 예　**부수** 말씀 言(언)　▶▶▶ 줄 與(여) ＋ 말씀 言(언) ➡ 말로 높이 들어 올리다

'기리다'는 것은 말(言)로 들어올리는(與) 것이다.

●●●●● 名譽(명예)/榮譽(영예)

훈음 깨달을 각　**부수** 볼 見(견)

▶▶▶ 배울 學(학) ＋ 볼 見(견) ➡ 직접 봐야 배우고 깨닫는다.

백문이 불여일견이라고 어른들이 초가지붕 잇는 모습을 직접 보고(見)서야 사내아이들이 지붕 잇는 기술을 배우며 깨달을 수 있다 하여 만들어진 글자다.

●●●●● 自覺(자각)/覺醒(각성)/先覺(선각)/發覺(발각)/聽覺(청각)/知覺(지각)/大悟覺醒(대오각성)

貴(귀)　遺(유)　遣(견)　譴(견)　追(추)　帥(수)　師(사)　獅(사)

 　훈음 귀할 귀　**부수** 조개 貝(패)　▶▶▶ 臾(유)의 변형 ＋ 貝(패) ➡ 귀한 것을 움켜쥠

貴(귀)의 윗부분은 가운데 中(중)과는 전혀 무관한 글자로 양손(臼)으로 귀중한 것을 움켜잡으려고 하는 모습으로 돈(貝)과 어우러져 귀한 것을 의미하게 되었다.

●●●●● 貴族(귀족)/貴重品(귀중품)/高貴(고귀)

훈음 끼칠/남길 유　**부수** 갈 辶(착)　▶▶▶ 갈 辶(착) ＋ 귀할 貴(귀) ➡ 귀한 것을 남김

'끼치다/남기다'는 것은 후대에 소중한 것을 남겨 둔다는 의미를 담고 있는 말이므로 귀할 貴(귀)를 의미요소로 남기고 가다에서 갈 辶(착) 역시 의미요소로 하여 만들어진 글자다.

●●●●● 遺言(유언)/遺書(유서)/遺物(유물)

遣

훈음 보낼 견　부수 갈 辶(착)

▶▶▶ 갈 辶(착) + 잠깐 臾(유) ― 제물(呂) ➡ 승리 기원 제물(呂)을 들려 보냄

양손에 전쟁 승리 기원 제물(呂)을 들려 보내(辶)는 장면을 그린 글자로 전투에 참전하는 군사들이 반드시 승리 기원 제물(呂)을 가지고 전장에 나갔음을 알려준다.

●●●●● 派遣(파견)

追

훈음 쫓을 추　부수 갈 辶(착)　▶▶▶ 갈 辶(착) + 언덕 阜(부) ➡ 승리 기원 제물(呂)을 따라감

전쟁에 나가는 군인은 반드시 승리 기원 제물(呂)을 가지고 가는 장군을 좇아가야 한다는 사상을 전달하는 글자이다

●●●●● 追跡(추적)/追從(추종)/追加(추가)/追究(추구)/實利追求(실리추구)/追慕(추모)/追伸(추신)

帥

훈음 장수 수　부수 수건 巾(건)　▶▶▶ 승리기원 제물(呂) + 수건 건(巾) ➡ 제사를 주관하는 사람

장수(巾)만이 제사(呂)를 주관할 수 있다하여 만들어진 글자가 장수(將帥) 수(帥)자이며, 부대가 각각 흩어져 전투를 수행할 때 승리기원 고기(呂)를 각 부대에 나눠줄(帀=刀의 변형) 권한을 가진 사람을 사부(師父)의 스승 사(師)라 하며, 사(師)자를 발음으로 동물(犭)의 우두머리인 사자(獅子) 사(獅)자가 탄생하였다.

●●●●● 將帥(장수)/師父(사부)/獅子(사자)/統帥權(통수권)/師範(사범)/君師父一體(군사부일체)

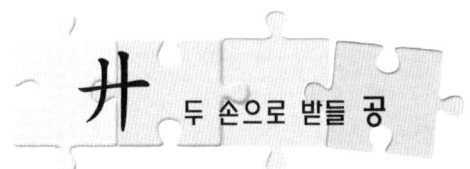

廾 두 손으로 받들 공

✍ 무거운 것을 든다거나, 주의하여 든다거나, 힘을 쓴다거나...

廾(공)	共(공)	開(개)	算(산)	兵(병)	戒(계)
弄(롱)	具(구)	奉(봉)	送(송)	遷(천)	

廾

훈음 두 손으로 받들 공 부수 제 부수
양손 즉 두 손을 위로 하고 물건을 받들고 있는 모양을 한 글자로 부수로만 사용된다.

共

훈음 함께 공 부수 여덟 八(팔)
▶▶▶ 스물 廿(입) + 두 손 받들 廾(공) ➡ 힘을 합쳐 무거운 것을 함께 들고 있다
두 손(廾)으로 무엇인가(廿)를 함께 들고 있는 모습에서 함께 共(공)자가 만들어졌다.
▶▶▶▶▶ 公共(공공)/共産黨(공산당)/共感(공감)/共同(공동)/共用(공용)/共有(공유)/共存(공존)/共生(공생)/
天人共怒(천인공노)/共著(공저)

開

훈음 열 개 부수 문 門(문) ▶▶▶ 문 門(문) + 한 一(일) + 두 손 廾(공) ➡ 문빗장을 들고 문을 여는 모습
두 손(廾)으로 문(門)빗장(一)을 들어 올려 문을 여는 장면에서 열 開(개)자가 파생됐다.
▶▶▶▶▶ 開始(개시)/開學(개학)/開幕(개막)/開閉(개폐)

算

훈음 셀 산 부수 대 竹(죽) ▶▶▶ 대 竹(죽) + 눈 目(목) + 두 손 받들 廾(공) ➡ 공기놀이
두 손(廾)으로 대나무(竹)로 만든 주판알(目) 같은 것으로 셈 놀이하는 모습에서 '수를 세다, 계산하다'의 뜻이 생겼다.
▶▶▶▶▶ 算數(산수)/計算(계산)/打算的(타산적)/暗算(암산)

兵

훈음 군사 병 부수 여덟 八(팔) ▶▶▶ 도끼 斤(근) + 두 손 받들 廾(공) ➡ 도끼를 들고 있는 군사
언덕 구(丘)자가 아닌 도끼 근(斤)자의 변형으로 도끼(斤) 즉 무기를 두 손(廾)으로 들고 있는 사람이 원뜻으로 '병사/군인'으로 의미 확대됐다.
▶▶▶▶▶ 兵士(병사)/新兵(신병)/卒兵(졸병)/兵役(병역)

戒

훈음 경계할 계 부수 창 戈(과) ▶▶▶ 창 戈(과) + 두 손으로 받들 廾(공) ➡ 창 들고 보초서는 병사
경계한다는 것은 보초병이 창(戈)을 두 손으로 들고(廾) 주위를 살피며 경계 근무를 선다는 것을 말한다. 따라서 창을 들고 있는 군사의 모습에서 '경계하다'로 의미 발전했다.
▶▶▶▶▶ 警戒(경계)/戒嚴令(계엄령)/戒律(계율)/懲戒(징계)

弄

훈음 희롱할/가지고 놀 롱 부수 두 손 廾(공) ▶▶▶ 구슬 玉(옥) + 두 손 廾(공)➡ 옥구슬을 가지고 놀다
꽃을 따 목걸이를 하고 놀듯이 옥구슬을(玉) 두 손(廾)으로 꿰어 구슬 목걸이를 만들어 가지고 노는 모습에서 '가지고 놀다, 희롱하다'의 뜻으로 발전됐다.
▶▶▶▶▶ 戱弄(희롱)/弄奸(농간)/弄談(농담)/愚弄(우롱)/嘲弄(조롱)/吟風弄月(음풍농월)

具

훈음 갖출 구 부수 여덟 八(팔)

➽➽➽ 또 且(차) + 두 손 받들 廾(공) ➡ 손님 맞을 채비를 하려고 솥을 들고 있음

또 且(차)자가 아닌 솥 鼎(정)자의 약자로 두 손(廾)으로 솥을 들고 있는 모습에서 잔치할 혹은 손님을 대접할 '준비가 되었다/갖추었다'라는 의미로 발전됐다.

●●●●● 具備(구비)/文房具(문방구)/具色(구색)

奉

훈음 받들 봉 부수 큰 大(대) ➽➽➽ 무성할 丰(봉) + 두 손 받들 廾(공) ➡ 여럿이서 함께 받들다

갑골문에는 丰(봉)자의 형태가 손(手)임을 알 수 있다. 따라서 두 손(廾)과 또 한 손을 첨가하여 귀한물건을 들어 올리는 형태를 하여 "받들다"는 의미로 발전됐다.

●●●●● 奉仕者(봉사자)/奉獻(봉헌)/奉養(봉양)

送

훈음 보낼 송 부수 갈 辶(착) ➽➽➽ 갈 辶(착) + 火(화) + 廾(공) ➡ 횃불을 높이 쳐들다

두 손(廾)으로 횃불(火)을 높이 들고 길 떠나는(辶) 사람을 전송하는 장면에서 "보내다"라는 뜻의 글자다.

●●●●● 郵送(우송)/送舊迎新(송구영신)

遷

훈음 옮길 천 부수 갈 辶(착)

➽➽➽ 갈 辶(착) + 덮을 襾(아) + 두 손 廾(공) + 병부 卩(절) ➡ 죄인의 시신을 옮김

'옮기다'는 뜻은 손으로 사물의 위치를 변경하다는 의미로 '손'이 의미요소로 작용하고 있다. 이 글자는 위와 아래에 양손이 있고 위는 정수리 囟(신)으로 상징되는 죄인의 머리를 들고 있고, 아래는 병부 卩(절)이 상징하는 무릎을 꿇고 앉아 있는 죄인의 머리를 두 손으로 잡고 있는 것으로 봐 죄인의 목을 벤 후 옮기는 (辶) 장면에서 만들어진 글자로 추정된다.

※ 덮을 襾(아)는 두 손 臼(국)과 정수리 囟(신)의 변형이다.

●●●●● 遷都(천도)/變遷(변천)

戒(계)　　　　　　　械(계)　　　　　　　誡(계)

戒

훈음 경계할 계 부수 창 戈(과) ➽➽➽ 창 戈(과) + 두 손으로 받들 廾(공) ➡ 창 들고 보초서는 병사

경계한다는 것은 보초병이 창(戈)을 두 손으로 들고(廾) 주위를 살피며 경계 근무를 선다는 것을 말한다. 따라서 창을 들고 있는 군사의 모습에서 '경계하다'로 의미 발전했다.

●●●●● 警戒(경계)/戒嚴令(계엄령)/戒律(계율)/懲戒(징계)

械

훈음 형틀 계 부수 나무 木(목) ➽➽➽ 나무 木(목) + 경계할 戒(계) ➡ 나무 차꼬

형틀의 재료인 나무 木(목)을 의미요소로 戒(계)를 발음기호로 만든 글자다.

※ 형틀이란 오늘날로 말하면 수갑 등을 말하며 손발을 꼼짝 못하게 가둬 두는 형구로써 무기를 들고 서 있는 모습의 戒(계)가 단순히 발음기호에만 관여한 것이 아니라, 그러한 죄인을 지키는 경계병이라는 뜻에서도 이 형틀 械(계)의 의미를 더욱 확실히 하는데 도움을 준다.

●●●●● 機械(기계)/器械(기계)/器械體操(기계체조)

誡

훈음 경계할 계 부수 말씀 言(언) ➽➽➽ 말씀 言(언) + 경계할 戒(계) ➡ 말로 주의를 주는 것

경계란 무기를 들고 철저히 경비를 서는 것을 말하기도 하지만, 말(言)로 주의(戒)를 주어 긴장감을 갖도록 하는 것도 있으므로 두 의미요소를 다 합하여 만든 글자다.

●●●●● 十誡命(십계명)

卉(훼)　　奔(분)　　賁(분)　　噴(분)　　憤(분)　　墳(분)

卉 | 훈음 풀 훼 | 부수 열 十(십) | ▶▶▶ 싹 날 철(屮) + 풀 艸(초) ➡ 싹 날 철(屮)세 개
무성히 돋아난 풀의 상형으로 특히 무덤을 덮고 있는 무성한 풀밭을 생각하면 된다.
●●●●● 花卉(화훼)

奔 | 훈음 달릴 분 | 부수 큰 大(대) | ▶▶▶ 큰 大(대) + 발 止(지)의 변형인 풀 卉(훼) ➡ 다리 세 개와 사람
맹렬히 달리는 모습을 그린 글자로 풀 卉(훼)의 원래 모습은 발(止)을 세 개 그린 글자로 분주하게 달리는
모습을 그린 글자다[따라서 두 손 廾(공)과는 무관하다.]
●●●●● 自由奔放(자유분방)/奔走(분주)/狂奔(광분)/東奔西走(동분서주)

賁 | 훈음 클/꾸밀 분 | 부수 조개 貝(패) | ▶▶▶ 풀 卉(훼) + 조개 貝(패) ➡ 패총
貝塚(패총)은 조개가 무덤처럼 쌓여 있는 곳을 말한다. '무성히 돋아난 풀'의 상형인 卉(훼)와 조개 貝(패)의
조합으로 무덤을 단순히 흙으로만 덮어서 끝내 버린 것이 아니라 무덤, 풀 즉 잔디나 꽃 등으로 단장한 모
습에서 '크다, 꾸미다'가 파생되었다. 賁(분)이 발음기호이다.

噴 | 훈음 뿜을 분 | 부수 입 口(구) | ▶▶▶ 입 口(구) + 클 賁(분) ➡ 입에서 터져 나옴 – 발음기호
뿜어낸다는 것은 입으로 하는 행위이므로, 입 口(구)를 의미요소로 솟구쳐 오르는 뜻도 있는 賁(분)을 발음
기호로 했다.
●●●●● 噴水(분수)/噴火口(분화구)/噴出(분출)

憤 | 훈음 결낼 분 | 부수 마음 忄(심)
▶▶▶ 마음 忄(심) + 클 賁(분) ➡ 마음에서 솟구쳐 오르는 감정
분노란 마음에서 터져 나오는 것이므로 마음 忄(심)을 의미요소로 솟구쳐 오르는 뜻도 있는 賁(분)을 발음
기호로 만든 글자다.
●●●●● 憤怒(분노)/激憤(격분)/憤痛(분통)/悲憤慷慨(비분강개)

墳 | 훈음 무덤 분 | 부수 흙 土(토) | ▶▶▶ 흙 土(토) + 클 賁(분) ➡ 흙 두덩
흙을 도톰히 쌓아 무덤을 만들었으므로 흙 土(토)를 의미요소로 솟구쳐 오르는 뜻도 있는 클 賁(분)을 발음
기호로 했다.
●●●●● 古墳(고분)/墳墓(분묘)

共(공)　　供(공)　　恭(공)　　洪(홍)　　巷(항)　　港(항)　　異(이)

共 | 훈음 함께 공 | 부수 여덟 八(팔)
▶▶▶ 스물 卄(입) + 두 손 받들 廾(공) ➡ 힘을 합쳐 무거운 것을 함께 들고 있다
두 손(廾)으로 무엇인가(卄)를 함께 들고 있는 모습에서 함께 共(공)자가 만들어졌다.
●●●●● 公共(공공)/共産黨(공산당)/共感(공감)/共同(공동)/共用(공용)/共有(공유)/共存(공존)/共著(공저)/
共生(공생)/天人共怒(천인공노)

供 훈음 이바지할 공　부수 사람 亻(인)　▶▶▶ 사람 亻(인) + 함께 共(공) ➡ 도움을 주는 사람

다른 사람에게 도움을 주다가 본뜻이므로 혜택의 대상인 사람 亻(인)이 의미요소고, 함께 共(공)은 발음기호 및 함께 무거운 것을 들어주어 상대방에게 도움을 준다는 의미요소로도 쓰였다.

●●●●● 供給(공급)/提供(제공)/供養米(공양미)/佛供(불공)

恭 훈음 공손할 공　부수 마음 小(심)　▶▶▶ 함께 共(공) + 마음 小(심) ➡ 마음이 함께함

공손하다는 것은 마음의 특성이므로 마음 忄(심)이 의미요소고 共(공)이 발음기호이다.

●●●●● 恭遜(공손)/恭敬(공경)/恭待(공대)

洪 훈음 큰 물 홍　부수 물 氵(수)　▶▶▶ 물 氵(수) + 共(공) ➡ 함께 겪는 물난리

홍수란 물난리이므로 물 氵(수)가 의미요소로 共(공)은 발음기호로 쓰였다.

●●●●● 洪水(홍수)/大洪水(대홍수)

港 훈음 항구 항　부수 물 氵(수)　▶▶▶ 물 氵(수) + 거리 巷(항) ➡ 물이 모여 있는 곳

항구란 배가 드나드는 곳이므로 물 氵(수)와 사람들이 오가는 거리나 마을의 뜻이 있는 거리 巷(항)을 합하여 만든 글자로, 함께 共(공)이 거리 巷(항)의 발음기호로 거리 巷(항)은 항구 港(항)의 발음기호로 사용됐다.

●●●●● 港口(항구)/美港(미항)/空港(공항)/港灣(항만)

異 훈음 다를 이　부수 밭 田(전)　▶▶▶ 밭 田(전) + 함께 共(공) ➡ 탈을 쓰고 춤추는 모습

여기서 共(공)자는 두 손을 흔드는 모습이고 밭 田(전)자는 사람의 얼굴과 다른 모습을 한 귀신의 얼굴 즉 큰 탈을 쓰고 춤추는 모습에서 '기이하다, 다르다'로 의미 확대됐다.

●●●●● 特異(특이)/異口同聲(이구동성)/異國(이국)/異腹(이복)

寸 마디 촌

寸(촌)　村(촌)　射(사)　付(부)　守(수)　狩(수)　尋(심)

寸
훈음 마디 촌　부수 제 부수
寸(촌)자의 점(丶)은 손목에서 맥을 짚어 보는 곳으로 손가락 끝에서 손목까지의 거리를 나타낸 길이의 '단위'였으나 지금은 주로 '손의 역할'과 관련되어 사용된다. 여전히 一寸(일촌), 三寸(삼촌)에서 보듯 '혈족의 거리'의 단위로도 사용되며 寸志(촌지)에서 보듯 '약간, 조금'의 뜻으로도 사용된다.
●●●●● 寸志(촌지)/寸陰(촌음)/三寸(삼촌)/寸蟲(촌충)

村
훈음 마을 촌　부수 나무 木(목)　▶▶▶ 나무 木(목) + 마디 寸(촌) ➡ 작은 마을
나무숲에 둘러싸인 작은 마을을 뜻하는 글자이므로 나무 木(목)을 의미요소로 寸(촌)을 발음 및 의미요소로 사용했다.
●●●●● 僻村(벽촌)/村落(촌락)/農村(농촌)/漁村(어촌)/山村(산촌)

射
훈음 쏠 사　부수 마디 寸(촌)　▶▶▶ 몸 身(신) + 마디 寸(촌) ➡ 활줄을 당기다
활을 잡아당기는 손(寸)과 활의 상형(身-활의 모습이 바뀐 글자)으로 화살을 줄에 걸고 당기는 모습에서 '쏘다'가 파생된 글자로 모든 글자가 다 의미요소이다.
●●●●● 射擊(사격)/射殺(사살)/射精(사정)/反射(반사)/注射(주사)

付
훈음 줄 부　부수 사람 人(인)　▶▶▶ 사람 亻(인) + 마디 寸(촌) ➡ 선물을 건네줌
선물이나 뇌물을 상대방(亻)에게 건네주는(寸) 장면에서 '주다, 건네다'의 뜻이 파생됐으며 오른 우(右)와 왼 좌(左)를 합한 글자가 무엇인가를 찾기 위해 양 손을 이용하는 모습에서 심방(尋訪)의 찾을 심(尋)자가 만들어졌다.
●●●●● 貸付(대부)/申申當付(신신당부)/付託(부탁)/反對給付(급부)/尋常(심상)/推尋(추심)

守
훈음 지킬 수　부수 집 宀(면)　▶▶▶ 집 宀(면) + 마디 寸(촌) ➡ 고사리 손으로 집을 지키다
집을 지키다가 본뜻이므로 집 宀(면)과 행위의 주체인 손 寸(촌)이 합해져 만들어진 글자다.
●●●●● 死守(사수)/守舊(수구)/守衛(수위)

狩
훈음 사냥 수　부수 개 犭(견)　▶▶▶ 개 犬(견) + 지킬 守(수) ➡ 개를 데리고 사냥감
예나 지금이나 사냥엔 사냥개(犬)가 필수이므로 개 犭(견)을 의미요소로 지킬 守(수)를 발음기호로 사용했다.
●●●●● 狩獵(수렵)

付(부)　附(부)　符(부)　府(부)　腐(부)　腑(부)　對(대)

付
훈음 줄 부 　부수 사람 人(인)　▶▶▶ 사람 亻(인) + 마디 寸(촌) ➡ 선물을 건네줌
선물이나 뇌물을 상대방(亻)에게 건네주는(寸) 장면에서 '주다, 건네다'의 뜻이 파생됐다.
●●●●● 貸付(대부)/申申當付(신신당부)/付託(부탁)/反對給付(급부)

附
훈음 붙을 부 　부수 언덕 阝(부)　▶▶▶ 언덕 阝(부) + 줄 付(부) ➡ 언덕에 기댐
'붙다, 기대다'는 것은 듬직하고 의지가 될 만 한 상대에게 쏠린다는 의미로, 작은 둔덕이지만 피난처로 삼
아 숨고 기대 지낼 만한 곳이라 하여 언덕 阝(부)를 의미요소로 付(부)를 발음기호로 만든 글자이다.
●●●●● 附着(부착)/牽强附會(견강부회)/附和雷同(부화뇌동)

符
훈음 부신 부 　부수 대 竹(죽)　▶▶▶ 대 竹(죽) + 줄 付(부) ➡ 함께 가지고 있는 계약서
오늘날에는 인감도장이나 지문으로 사실 확인을 하지만, 과거에는 대나무(竹)에 글을 적어 반으로 쪼갠 다
음 나눠 갖고 있다가 맞추어 보아 짝이 맞는지 틀리는지 확인하는 데 사용한 信標(신표)를 符信(부신)이라
고 하였다. 付(부)는 발음기호이고 竹(죽)이 의미요소이다.
●●●●● 符籍(부적)/符信(부신)

府
훈음 곳집/관청 부 　부수 집 广(엄)
▶▶▶ 집 广(엄) ☞ 집 广(엄) + 줄 付(부) ➡ 백성에게 나눠 줄 것이 있는 집 – 관청
창고의 옛 표현으로 물건을 쌓아 두던 곳이므로 집 广(엄)이 의미요소이고, 付(부)가 발음기호임을 쉽게 알
수 있다. 또한 물건 가득한 곳에서 뇌물을 주고받는 일이 있었고 관청에는 백성들에게 하사할 물건을 쌓아
둔 곳집이 큰 곳이므로 줄 付(부) 역시 의미에 관여하고 있다. 뜻이 확대돼 관청이라는 뜻으로도 사용된다.
이 관청 부(府)에 신체를 나타내는 육 달 월(月)을 더하면 오장육부(五臟六腑)의 장부 부(腑)자가 된다.
●●●●● 議政府(의정부)/府庫(부고)/政府(정부)/폐부(肺腑)

腐
훈음 썩을 부 　부수 고기 肉(육)
▶▶▶ 곳집 府(부) + 고기 肉(육) ➡ 관청에서 고기가 썩는다. – 부패가 만연한 관청
'썩다'라는 뜻을 위해 만든 글자이므로 부패의 대상인 고기 肉(육)이 의미요소고 府(부)가 발음기호임을 쉽
게 알 수 있다. 줄 付(부)가 발음기호가 아님에 유의해 보면 곳집 府(부)에는 관청이라는 또 다른 뜻도 있
어 뇌물(肉)이 오가는 부패한 관청이라는 의미에서 참으로 적절한 조합이라 하겠다.
●●●●● 腐敗(부패)/腐蝕(부식)/切齒腐心(절치부심)/豆腐(두부)

對
훈음 대답할 대 　부수 마디 寸(촌)　▶▶▶ 業과 유사한 모양 + 寸 ➡ 촛대를 들고 있는 손
왼쪽의 글자는 여러 개의 초를 꽂을 수 있는 '촛대'의 모양으로 손(寸)으로 그 촛대를 잡고 비추어 보는 모
습에서 '마주하다, 상대방'의 뜻이 파생된 글자로 두 글자 모두 의미요소이다.
●●●●● 對答(대답)/相對(상대)/對質(대질)/敵對關係(적대관계)

專(전)　　轉(전)　　傳(전)　　團(단)　　惠(혜)　　傅(부)

專
훈음 오로지 전 　부수 마디 寸(촌)　▶▶▶ 叀(삼갈 전) + 마디 寸(촌) ➡ 실감개를 잡고 돌리는 손
실감개(叀–북)를 손에 쥐고 있는 모양의 상형으로 '굴리다'가 본뜻으로 실을 감을 때 한 마음으로 專心(전
심)하지 않으면 실이 고르게 감기지 않는다 하여 '오로지, 하다'가 되자 본뜻을 보조하기 위해 만든 글자가
구를 轉(전)자이다.
●●●●● 專念(전념)/專心(전심)/專攻(전공)

轉 훈음 구를/변할 전 부수 수레 車(거) ▶▶▶ 수레 車(거) + 오로지/실패 專(전) ➡ 수레바퀴
'구르다, 굴러서 상황이 바뀌다'는 뜻을 나타내기 위해 구르는 바퀴가 있는 수레 車(거)를 의미요소로 專(전)을 발음기호 및 의미보충요소로 사용했다.
••••• 運轉(운전)/轉禍爲福(전화위복)/移轉(이전)

傳 훈음 전할 전 부수 사람 亻(인) ▶▶▶ 사람 亻(인) + 구를 專(전) ➡ 말을 굴려 보내다
사람에게 전갈을 보내다가 원뜻이므로 사람 亻(인)을 의미요소로 '굴려 보내다'의 뜻으로도 사용 가능 한 오로지 專(전)을 발음요소 및 의미보조로, '말을 굴려 후대나 다른 사람에게 보내다'에서 '전하다'가 파생됐다.
••••• 傳達(전달)/傳導(전도)/傳記(전기)/傳說(전설)/傳承(전승)

團 훈음 둥글 단 부수 □(국/구) ▶▶▶ 에울 □(위) + 專(전) ➡ 실감개처럼 가운데가 불룩한 원형
둥글다는 뜻을 적기 위하여 고안된 것이나 漢字(한자)에는 圓形(원형)문자가 없으므로 둥그렇게 에워 싸다는 뜻을 가진 에워쌀 위(□)가 의미요소로 專(전)을 발음기호로 하여 만든 글자다. 專(전)자는 실감개를 가리키는 말이므로 '구르다, 둥글다'라는 뜻에 기여했다.
••••• 團體(단체)/一致團結(일치단결)/集團(집단)

惠 훈음 은혜 혜 부수 마음 心(심) ▶▶▶ 叀(실감개-북) + 마음 心(심) ➡ 마음이 움직여 남을 도움
"남에게 선을 베푸는 어진 사랑"이 원뜻이므로 "마음 없는 사랑이란 있을 수 없으니" 마음 心(심)이 의미요소로 쓰였고, "마음을 움직이게 하여 남을 돕도록 하게 하였다" 하여 돌아가는 실감개(叀)도 의미요소로 사용되었다.
••••• 恩惠(은혜)/惠澤(혜택)/施惠(시혜)

甫 훈음 펼 부 부수 마디 寸(촌) ▶▶▶ 클 甫(보) + 마디 寸(촌) ➡ 밭에 씨를 뿌림
'펼치다'는 뜻을 나타내기 위한 것으로 손으로 넓은(甫) 밭에 씨를 뿌린다 하여 손 寸(촌)이 의미요소로 클 甫(보)는 발음요소이다.
※ 오로지 專(전)자와는 완전히 다른 글자이므로 注意(주의)하자.

寺(사)	侍(시)	時(시)	詩(시)	持(지)
特(특)	等(등)	待(대)	峙(치)	痔(치)

寺 훈음 절 사 부수 마디 寸(촌) ▶▶▶ 선비 士(사) + 마디 寸(촌) ➡ 손발이 되어 섬김
발(士-발 止(지)의 변형)과 손(寸)을 그려서 '손발이 되도록 섬기다'가 본뜻으로 섬기는 일을 하는 관청으로도 쓰였다가 後漢(후한) 때 불교가 전래된 이래 '절' 寺(사)로 의미가 굳어졌다. 어쩌면 '절'이라는 곳이 사람들을 가장 잘 섬기고 시중들어야 할 곳임으로 알맞은 변화라고 본다.
••••• 寺刹(사찰)/山寺(산사)/寺塔(사탑)

侍 훈음 모실 시 부수 사람 亻(인)변 ▶▶▶ 사람 亻(인) + 절 寺(사) ➡ 손발이 되도록 섬기는 사람
寺(사)가 손발이 되도록 섬긴다는 뜻에서 절이라는 의미로 바뀌자, 섬기는 일을 하는 주체인 사람 亻(인)을 의미요소로 첨가하여 '섬기고, 모시다'라는 본뜻을 살려 놓은 글자다.
••••• 内侍(내시)/侍女(시녀)/侍從(시종)/嚴妻侍下(엄처시하)/侍衛隊(시위대)/侍童(시동)

時 훈음 때 시 부수 해 日(일) ▶▶▶ 해 日(일) + 절 寺(사) ➡ 발음기호
때나 시간을 알아보는 가장 좋은 방법이 옛날엔 태양의 그림자나 위치를 이용하는 것이었으므로 해 日(일)을 의미요소로 절 寺(사)를 발음기호로 했다.
●●●●● 時間(시간)/時速(시속)/時機尙早(시기상조)/時勢(시세)

詩 훈음 시 시 부수 말씀 言(언) ▶▶▶ 말씀 言(언) + 절 寺(사) ➡ 심오한 말씀
불경이나 설법과 같이 정제된 언어가 곧 시이며, 거기에 심오한 뜻이 들어 있으므로 말씀 言(언)이 의미요소로 절 寺(사)를 발음기호로 했다.
●●●●● 詩集(시집)/詩經(시경)/敍情詩(서정시)/敍事詩(서사시)

持 훈음 가질 지 부수 손 扌(수) ▶▶▶ 손 扌(수) + 절 寺(사) - 발음기호 ➡ 무소유를 가르치는 절
가지고, 지니고 있다 하여 손 扌(수)를 의미요소로 절 寺(사)를 발음기호로 했다. 재물을 탐내지 말고 현재 가진(扌) 것으로 만족하라는 게 절(寺)에서의 가르침이다.
●●●●● 持續(지속)/所持品(소지품)/持久力(지구력)/持病(지병)

痔 훈음 치질 치 부수 병들어 기댈 疒(녁)
▶▶▶ 병들어 기댈 疒(녁) + 절 寺(사) ➡ 도를 오래 닦다 보니 치질이 생겼다
절(寺)에서 오래 앉아 도를 닦다 보면 항문을 닦기가 힘들어져 생긴 병(疒)이 곧 치질이며 절(寺) 들은 주로 높은 산(山) 중턱이나 깊은 산 속에 위치하므로 대치(對峙)의 우뚝 솟을 치(峙)자가 생겨났다.
●●●●● 痔疾(치질)/痔漏(치루)/對峙(대치)

待 훈음 기다릴/대접할 대 부수 걸을 彳(척)
▶▶▶ 갈/조금 걸을 彳(척) + 절 寺(사) ➡ 관청 서비스 받는 게 보통 일이냐?
시중드는(寺) 사람들의 행차(彳)를 그린 글자로, 예나 지금이나 公僕(공복)들의 철밥통 기질로 서비스를 받으려면 한참은 기다려야 한다는 시대 상황을 묘사한 글자다.
●●●●● 待合室(대합실)/接待(접대)/待機(대기)/待避(대피)/厚待(후대)/待遇(대우)

特 훈음 특별할/수컷 특 부수 소 牛(우) ▶▶▶ 소 牛(우) + 절 寺(사) ➡ 절에 간 황소
살생을 금하고 육식을 하지 않는 절(寺)에 소(牛)가 있으니 무슨 특별한 이유가 있겠지요.
●●●●● 特別(특별)/特急(특급)/特權(특권)/特異(특이)

等 훈음 가지런할/등급 등 부수 대 竹(죽) ▶▶▶ 대 竹(죽) + 선비 士(사) + 마디 寸(촌) ➡ 불경을 정리해 둠
관청(寺)에서 법전(竹)을 종류별로 또한 중요한 순서로 가지런히 정리해 둔 모습에서 생긴 글자다.
●●●●● 等級(등급)/特等(특등)/平等權(평등권)/等式(등식)

力 힘 력

✍ 쟁기의 모습이나 쟁기가 상징하는 '힘'과 관련된 의미로만 사용됨

力(력)　　　男(남)　　　勇(용)　　　湧(용)　　　踊(용)

力

훈음 힘 력　**부수** 제 부수
농사에 필요한 쟁기의 모습을 그린 글자이나, 농사를 지으며 쟁기질을 할 때 특히 팔뚝과 손에 힘이 들어가므로 주로 '힘'과 관련되어 사용되는 글자다.
●●●●● 體力(체력)/力器(역기)/國力(국력)/力動的(역동적)/力說(역설)

男

훈음 사내 남　**부수** 밭 田(전)　▶▶▶ 밭 田(전) + 힘 力(력) ➡ 가족 부양책임은 남자에게
사내란 모름지기 밭(田)에서 쟁기질(力) 즉 힘(力)을 쓸 수 있어야 한다. 가족을 먹여 살리려면 신체의 힘과 정신의 힘(力)이 필요하다.
●●●●● 男子(남자)/好男(호남)/男尊女卑(남존여비)/善男善女(선남선녀)/無男獨女(무남독녀)/
　　　甲男乙女(갑남을녀)/男女有別(남녀유별)/南男北女(남남북녀)

勇

훈음 날쌜 용　**부수** 힘 力(력)　▶▶▶ 길 甬(용) + 힘 力(력) ➡ 통을 둘러멤
날쌔고 용맹하다는 뜻이므로 힘 力(력)을 의미요소로 길 甬(용)을 발음기호로 했다. 양쪽에 손잡이가 달린 통(甬)과 힘(力)을 합하여 사냥감이나 땔감을 가득 채운 통(甬)을 번쩍 들어올리는 남정네의 힘(力) 쓰는 모습에서 생긴 글자다.
●●●●● 勇敢(용감)/勇氣(용기)/勇猛(용맹)/勇斷(용단)/武勇談(무용담)

湧

훈음 샘솟을 용　**부수** 물 氵(수)　▶▶▶ 물 氵(수) + 날쌜 勇(용) ➡ 힘차게 샘솟는 물
힘차게 솟아나는 물줄기를 묘사한 글자로 물 氵(수)와 날쌜 勇(용) 모두가 의미요소로 사용되었으며 勇(용)은 발음에도 영향을 주었다.
●●●●● 湧出(용출)/湧水(용수)

踊

훈음 뛸 용　**부수** 발 足(족)　▶▶▶ 발 足(족) + 날랠 勇(용) ➡ 힘차게 뛰어오름
'높이 뛰어오르다'를 나타내기 위한 글자로 발 足(족)이 주 의미요소로 勇(용)이 발음 및 의미를 더욱 강조하는 데 기여했다.
●●●●● 舞踊(무용)

劣(렬)　　　努(노)　　　勞(노)　　　動(동)　　　勤(근)　　　勉(면)

劣

훈음 못할/적을 렬　**부수** 힘 力(력)　▶▶▶ 적을 少(소) + 힘 力(력) ➡ 힘이 떨어짐
힘(力)이 남보다 적다(少)는 것은 열등하다는 것을 의미한다.
●●●●● 劣勢(열세)/劣等感(열등감)/優劣(우열)

努 훈음 힘쓸 노 부수 힘 力(력) ▶▶▶ 奴(노) + 힘 力(력) → 종처럼 일함

힘쓰는 모습을 그린 글자이므로 당연히 힘 力(력)이 의미요소로 奴(노)는 발음부호임을 알 수 있다. 대충대충 일할 수 없는 종(奴)들의 힘(力)쓰는 모습에서 따온 글자이다.
종처럼 죽을힘을 다해 힘(力)을 쓰는 것을 '힘쓰다'라고 한다. 여기서 종 奴(노)는 발음기호로 쓰였다.
●●●●● 努力(노력)

勞 훈음 일할 로 부수 힘 力(력) ▶▶▶ 등불 煢(형) + 힘 力(력) → 뙤약볕 아래서 힘쓰는 노예

이 땅에서 勞動者(노동자)로 살아간다는 것은 종처럼 일해야 함을 의미한다. 노예들의 힘(力)으로 이룩된 만리장성이나 이집트의 피라밋을 보고 감탄할 때 뙤약볕(火) 아래서 강제노역을 하던 수많은 불쌍한 영혼들의 통곡 소리가 소리 없이 울려 퍼진다.
●●●●● 勞動(노동)/勤勞者(근로자)/勞苦(노고)/勞心焦思(노심초사)/過勞(과로)/勞使(노사)/疲勞(피로)/功勞(공로)

動 훈음 움직일 동 부수 힘 力(력) ▶▶▶ 무거울 重(중) + 힘 力(력) → 무거운 짐을 옮김

'무거운 짐을 등에 지고 옮기'는 모습을 그린 글자로, 자루를 등에 짊어진 사람을 묘사하는 무거울 중(重)자에 무거운 것을 옮기면서 힘을 쓴다 하여 힘 力(력)을 의미요소로 했다. 아무리 무거운 것이라도 잘 동여매고 옮기면(重) 작은 힘(力)만으로도 충분하다.
●●●●● 動力(동력)/自動車(자동차)/電動車(전동차)/活動(활동)

勤 훈음 부지런할 근 부수 힘 力(력) ▶▶▶ 노란 진흙 堇(근) + 힘 力(력) → 마른땅에 쟁기질

부지런하다는 것은 남보다 일찍 일어나 쉬지 않고 꾀피우지 않고 열심히 일을 한다는 사상이므로, 힘 力(력)을 의미요소로 堇(근)을 발음기호로 했다.
●●●●● 通勤(통근)/勤勉(근면)/勤勞者(근로자)/皆勤賞(개근상)

勉 훈음 힘쓸 면 부수 힘 力(력) ▶▶▶ 면할 免(면) + 힘 力(력) → 산모의 출산 모습

힘을 기울이고 힘쓰는 모습을 그린 글자로 힘 力(력)을 의미요소로 免(면)을 발음기호로 했다.
●●●●● 勤勉(근면)/勉學(면학)/勸勉(권면)

加(가)　　架(가)　　袈(가)　　賀(하)　　功(공)　　助(조)

加 훈음 더할 가 부수 힘 力(력) ▶▶▶ 힘 力(력) + 입 口(구) → 힘내라고 격려함

일할(力) 때 힘이 덜 들게 하고 효율을 높이기 위해 기쁨조처럼 노래(口)로 거든다 하여 생긴 글자다.
●●●●● 增加(증가)/加速(가속)/加擔(가담)/附加(부가)/追加(추가)/添加(첨가)/雪上加霜(설상가상)

架 훈음 시렁 가 부수 나무 木(목) ▶▶▶ 더할 加(가) + 나무 木(목) → 나무 선반

나무로 만든 시렁(선반)을 가리키는 말이므로 나무 木(목)을 의미요소로 加(가)를 발음기호로, 가로질러 걸쳐 놓는 선반이나 나무를 가리키므로 十字架(십자가)에 사용되기도 한다. 나무 목(木) 대신 옷 의(衣)를 더하면 승려가 입는 옷인 가사(袈裟)의 가사 가(袈)가 된다.
●●●●● 架設(가설)/架橋(가교)/書架(서가)/十字架(십자가)

賀 훈음 하례 하 부수 조개 貝(패) ▶▶▶ 더할 加(가) + 조개 貝(패) → 맨입 축하 사절

결혼식 하객으로 참석하여 축하할 때 말에 더하여(加) 돈(貝) 봉투를 첨부해야 진정으로 축하하는 것이 된다. 여기서 加(가)는 발음요소로 쓰였다.
●●●●● 賀客(하객)/賀禮(하례)/祝賀(축하)

功 훈음 공/공로/일 공 부수 힘 力(력) ▶▶▶ 장인 工(공) + 힘 力(력) → 힘을 써서 만들어 냄
공을 세우다가 원뜻이므로 工(공)을 발음기호로, 힘을 써야 업적을 세울 수 있으므로 힘 力(력)이 의미요소로 쓰였다. 후에 '애쓰다, 보람' 등으로 의미 확대됐다.
●●●●● 功勞(공로)/成功(성공)/論功行賞(논공행상)

助 훈음 도울 조 부수 힘 力(력) ▶▶▶ 또 且(차) + 힘 力(력) → 힘써 남을 도움
남을 돕기 위해선 힘(力)이 필요하므로 힘 力(력)을 의미요소로 且(차)는 발음기호로 쓰였다.
※ 租(조) - 구실/세금 조, 祖(조) - 조상 조
●●●●● 助力(조력)/助演(조연)/助手(조수)/内助(내조)

劦(협) 協(협) 脅(협) 肋(늑) 筋(근) 勝(승) 勵(려) 勃(발) 悖(패)

協 훈음 합할 협 부수 열 十(십) ▶▶▶ 열 十(십) + 힘 할할 劦(협) → 힘 力(력)을 삼세 번 강조
힘을 합쳐 일한다는 뜻을 나타내기 위해 힘 力(력) 세 개와 숫자 중 가장 큰 수인 열 十(십)을 의미요소로 했다.
●●●●● 協同(협동)/協力(협력)/協助(협조)

脅 훈음 옆구리/겨드랑이 협 부수 고기 肉(육) ▶▶▶ 힘 합할 劦(협) + 고기 肉(육) → 힘쓰는 옆구리
신체의 겨드랑이 부분을 나타내기 위한 글자이므로 고기 肉(육)이 의미요소이고, 劦(협)은 발음기호이다. 옆구리나 겨드랑이 부분이 힘쓰는 것과 관련 있으므로 劦(협)도 일부 의미요소에 영향을 미쳤다.
●●●●● 威脅的(위협적)/脅迫(협박)

肋 훈음 갈비 늑 부수 고기 肉(육) ▶▶▶ 고기 肉(육) + 힘 力(력) → 갈비뼈
신체기관 중 힘쓰는 뼈라고 갈비뼈를 나타내는 글자를 만들면서 힘 力(력)을 육달 月(월)과 함께 의미요소로 사용하고 있다.
●●●●● 肋骨(늑골)/肋膜(늑막)/鷄肋(계륵)

筋 훈음 힘줄 근 부수 대 竹(죽) ▶▶▶ 대 竹(죽) + 갈비 肋(륵) → 대쪽처럼 단단한 힘줄
힘줄이 끊어지면 전혀 힘을 쓸 수 없으므로 '힘'을 이끌어 내는 힘줄이라는 글자를 만들기 위해, 대나무처럼 단단하다는 의미로 대 竹(죽)과 힘의 원천인 갈비뼈 肋(륵)을 합하였다.
●●●●● 筋肉(근육)/筋力(근력)/鐵筋(철근)

勝 훈음 이길 승 부수 힘 力(력) ▶▶▶ 나 朕(짐) + 힘 力(력) → 싸우러 나가는 전함을 환송하는 장면
이기기 위해서는 힘이 있어야 하므로 힘 力(력)을 의미요소로, 나머지 부분은 발음요소로 쓰였다. 여기서 힘 力(력)을 제외한 부분은 배 舟(주)와 불 火(화)와 두 손 廾(공)으로 이루어진 나 朕(짐)이라는 글자로, 뱃(舟)길의 안전을 위해 횃불을 치켜든 모습으로 전쟁에서 이기고 돌아오는 모습으로 여겨진다.
●●●●● 勝利(승리)/必勝(필승)/勝負(승부)/快勝(쾌승)/勝算(승산)

勵 훈음 힘쓸 려 부수 힘 力(력) ▶▶▶ 갈 厲(려) + 힘 力(력) → 힘내라고 부추김
'힘쓰다'는 뜻을 나타내기 위한 글자이므로 힘 力(력)을 의미요소로 갈 厲(려)는 발음기호로 쓰였고, 나중에 '권장하다'는 뜻으로도 의미 확대됐다.
●●●●● 獎勵(장려)/激勵(격려)

훈음 우쩍 일어날 발 **부수** 힘 力(력) ▶▶▶ 남성의 상징(孛−살별 패) + 힘 力(력) ➡ 성기가 발기되는 모습

힘 力(력)을 주자 남자의 상징인 성기(孛−살별 패)가 순식간에 발기되는 모습에서 만들어진 글자로 발기(勃起)의 우쩍 일어날 발(勃)자이며, 음탕한 생각(忄)을 하여 성기가 발기되게 한다하여 음담패설(淫談悖說)의 어그러질 패(悖)자도 탄생되었다.

●●●●● 발기(勃起)/패륜아(悖倫兒)/발발(勃發)

신체 ✳ 171

勹(포) 包(포) 抱(포) 胞(포) 砲(포) 泡(포) 咆(포) 飽(포) 鮑(포)

勹

훈음 쌀 포 **부수** 제 부수 ▶▶▶ 두팔로 감싼 모습 또는 사람 人(인)의 변형

아이를 배고 있는 어머니의 자궁 모양이나 두 손으로 무엇을 둥그렇게 감싸고 있는 모습이라는 설이 있으나 갑골문을 봐서는 알기 힘들다. 아무튼 쌀 勹(포)자는 '싸다'의 뜻을 가지고 있으며 타 글자의 구성에 의미와 발음에 영향을 미친다.

包

훈음 쌀 포 **부수** 쌀 勹(포) ▶▶▶ 쌀/안을 勹(포) + 뱀/자식/태아 巳(사) ➡ 태아가 들어 있는 산모의 배

어머니 품(勹) 혹은 자궁 속에 들어 있는 태아(巳)의 모습에서 '싸다, 감싸다, 꾸러미' 등으로 뜻이 확대되었다. 마치 갓난아기를 두 손으로 따뜻하게 감싸고 있는 모습을 연상하기 바란다.

••••• 包裝(포장)/包含(포함)/包括(포괄)/包容(포용)/小包(소포)

抱

훈음 안을 포 **부수** 손 扌(수) ▶▶▶ 손 扌(수) + 쌀 包(포) ➡ 두 손으로 와락 껴안음

두 손(扌)으로 와락 껴안는다(包)는 의미를 분명히 하기 위해 손 扌(수)가 추가됐다.

••••• 抱擁(포옹)/抱負(포부)/抱腹絕倒(포복절도)

胞

훈음 태보 포 **부수** 肉(육)달 月(월) ▶▶▶ 고기 月(육) + 쌀 包(포) ➡ 아기집인 자궁

태보 즉 아기집이라는 것을 더욱 분명히 하기 위해 신체를 나타내는 肉(육)달 月(월)을 의미요소로 쌀 包(포)를 발음기호로 했다.

••••• 同胞(동포)/僑胞(교포)/胞子(포자)/細胞(세포)

砲

훈음 돌쇠뇌 포 **부수** 돌 石(석) ▶▶▶ 돌 石(석) + 쌀 包(포) ➡ 포신에 돌을 넣었다 대포를 쏨

돌대포를 나타내기 위한 글자이므로 돌 石(석)을 의미요소로 包(포)는 발음기호로 쓰였다.

••••• 投砲丸(투포환)/砲擊(포격)/砲彈(포탄)/迫擊砲(박격포)

泡

훈음 거품 포 **부수** 물 氵(수) ▶▶▶ 물 氵(수) + 안을 包(포) ➡ 작은 물 알갱이

거품을 나타내기 위한 글자이므로 물 氵(수)가 의미요소로 包(포)는 발음기호로, 거품이나 물보라는 물이 바위에 부딪히면서 생기는 작은 물 알갱이를 이른다.

••••• 泡沫(포말)/氣泡(기포)/水泡(수포)

咆

훈음 으르렁거릴 포 **부수** 입 口(구) ▶▶▶ 입 口(구) + 안을 包(포)

위협을 느낀 동물이 으르렁거린다는 것을 나타내기 위한 글자이므로 입 口(구)를 의미요소로 包(포)를 발음기호로 했다.

••••• 咆哮(포효)

飽

훈음 물릴/배부를 포 **부수** 먹을/밥 食(식) ▶▶▶ 밥 食(식) + 쌀 包(포) ➡ 배터지게 먹다

너무 먹어 더 이상 먹을 수 없게 된 상황을 그린 글자가 먹을 食(식)이 의미요소고 包(포)가 발음기호인 물릴 포(飽)이며 말린 물고기(魚)를 포(包)를 발음기호로 관포지교(管鮑之交)의 절인물고기 포(鮑)자이다.

••••• 飽滿(포만)/飽食(포식)/飽和(포화)

匍(포)	葡(포)	匋(도)	萄(도)	陶(도)	淘(도)

匍

훈음 엉금엉금 길 포 **부수** 쌀 勹(포) ▶▶▶ 쌀 勹(포) + 클 甫(보) ➡ 엉금엉금 기는 갓난아기

엉금엉금 기어가는 갓 태어난 어린아이의 모습을 표현한 글자로, 쌀 勹(포)를 의미요소로 클 甫(보)를 발음기호로(중국어의 발음은 동일함 – 성조는 다르다) 했다.

••••• 匍腹(포복)/匍球(포구)

葡

훈음 포도 포 **부수** 풀 艹(초) ▶▶▶ 풀 艹(초) + 길 匍(포) ➡ 넝쿨포도

포도넝쿨에서 암시하듯 포도를 식물로 보고 풀 艹(초)를 의미요소로 匍(포)를 발음기호로 했다. 여기서 길 匍(포)가 몸을 둥그렇게 하여 기어가는 모습이 포도넝쿨 올라가는 모습과 비슷하여 발음기호 및 의미요소에도 사용됐다.

••••• 葡萄(포도)/葡萄糖(포도당)

匋

훈음 질그릇 도 **부수** 장군 缶(부) ▶▶▶ 쌀 勹(포) + 장군 缶(부) ➡ 그릇 만드는 가마

질그릇을 나타내기 위한 글자로 장군 缶(부)가 의미요소로 사용되었으며, 쌀 勹(포)도 그릇을 만드는 가마의 형상을 한 것으로 두 글자 모두 의미요소에 작용했음을 알 수 있다.

萄

훈음 포도 도 **부수** 풀 艹(초) ▶▶▶ 질그릇 匋(도) + 풀 艹(초)

포도를 식물로 보아 풀 艹(초)를 의미요소로 匋(도)를 발음기호로 했다.

••••• 葡萄(포도)

陶

훈음 질그릇 도 **부수** 언덕 阝(부) ▶▶▶ 언덕 阝(부) + 질그릇 匋(도) ➡ 가마터

질그릇 匋(도)자가 단독으로 쓰이지 않자, 가마터의 모습을 상형화한 언덕 阝(부)를 추가하여 사용했다. 따라서 질그릇 匋(도)는 발음기호이다.

••••• 陶瓷器(도자기)/陶藝(도예)/陶醉(도취)

淘

훈음 물에 일 도 **부수** 물 氵(수) ▶▶▶ 물 氵(수) + 匋(도)

쌀을 물에 일어 흙이나 돌을 골라낸다는 의미의 글자로 물 氵(수)가 의미요소고 匋(도)는 발음기호다.

••••• 淘金(도금)/淘汰(도태)

句(구)	苟(구)	拘(구)	狗(구)	敬(경)	警(경)	驚(경)

句

훈음 글귀 구 **부수** 입 口(구) ▶▶▶ 쌀 勹(포) + 입 口(구) ➡ 연결되는 말

정설은 없으나 "두 개의 갈고리가 서로를 잡아당기는 모습"에 '입 口(구)'가 첨가된 모습으로 '서로 이어주는 말, 혹은 이어진 말'이라 하여 '한 단어나, 의미가 통하는 한 덩어리의 말' 정도로 보면 좋다. 대부분 이 句(구)가 들어간 글자들은 '굽었다'의 뜻을 가진다.

••••• 句節(구절)/文句(문구)/成句(성구)

苟

훈음 진실로 구 **부수** 艹(초) 두 머리 ▶▶▶ 풀 艹(초) + 句(구)

등 굽은 어떤 풀을 가리키는 글자였다. 풀 艹(초)가 의미요소로 句(구)를 발음요소로 하였으나, 후에 '진실로, 구차하다' 등의 뜻으로만 사용되어졌다.

••••• 苟且(구차)/苟命徒生(구명도생)/苟安(구안)

拘 훈음 잡을 구 부수 손 扌(수) ▶▶▶ 손 扌(수) - 글귀 句(구) ➡ 잡아들임
잡아채다는 뜻의 글자로 손 扌(수)를 의미요소로 句(구)는 발음기호다. 글귀(句)의 참뜻을 마치 손(扌)으로 잡듯 잡아채야 제대로 의미를 파악할 수 있다 하여 만든 글자다.
●●●●● 拘束(구속)/拘禁(구금)/拘留(구류)/拘引(구인)/拘置(구치)

狗 훈음 개 구 부수 개 犭(견) ▶▶▶ 큰 개(犭(견)) + 글귀 句(구)
개를 가리키는 여러 단어 중 하나로 개 犭(견)을 의미요소로 句(구)는 발음기호로 쓰였다.
●●●●● 走狗(주구)/泥田鬪狗(이전투구)/兎死狗烹(토사구팽)

敬 훈음 공경할 경 부수 칠 攵(복) ▶▶▶ 진실로 苟(구) + 칠 攵(복) ➡ 종에게 매를 들이댐
장식을 하고 조심스럽게 앉아 있는 사람(苟-진실로 구의 형태를 하고 있으나 敬(경)에 쓰인 苟(구)의 윗부분은 卝(관)으로 苟(구)의 풀 艹(초)와는 다르다)의 머리를 매만지는 종들에게 매를 들이대는(攵) 행위를 통해 조심하고 근신케 하는 글자를 만들어 냈다.
●●●●● 尊敬(존경)/恭敬(공경)/敬畏心(경외심)

警 훈음 경계할 경 부수 말씀 言(언) ▶▶▶ 공경할 敬(경) + 말씀 言(언) ➡ 말로 주의를 줌
말(言)로만 존경한다(敬)고 하는 사람은 특히 더 조심 즉 경계해야 한다.
●●●●● 警戒(경계)/警報(경보)/警覺心(경각심)/警察(경찰)/警鐘(경종)/軍警(군경)/巡警(순경)/警護(경호)

驚 훈음 놀랄 경 부수 말 馬(마) ▶▶▶ 공경할 敬(경) + 말 馬(마) ➡ 매로 때리니 놀라서 펄떡 뛰어오르는 말
동작이 큰 말(馬)이 몹시 놀라 움찔하는 장면을 그린 글자로 말 馬(마)를 의미요소로 敬(경)을 발음기호로 했다. 말이 놀라 날뛰면 대단함으로 '놀람'을 표현하기 좋은 대상이다.
●●●●● 驚愕(경악)/驚天動地(경천동지)/大驚失色(대경실색)

匃(개)   曷(갈)   謁(알)   喝(갈)   渴(갈)   葛(갈)

揭(게)   歇(헐)   凶(흉)   匈(흉)   胸(흉)   兇(흉)

匃 훈음 빌 개 부수 쌀 勹(포) ▶▶▶ 쌀 勹(포) + 匸(도망갈/죽을 망) ➡ 죽은 사람위에 엎드려 있는 모습
갑골문에 의하면 죽은 사람(亡) 앞에서 그 사람이 되살아나기를 바라며 몸을 구푸려(勹) 곡을 하는 모습에서 또는 죽은 사람과 살아 있는 사람을 그려 죽은 자가 살아나기를 비는 모습을 통해 "빌다"라는 뜻이 생겼다고 한다.
●●●●● 匃施(개시)

曷 훈음 어찌/언제/누가/그칠/다할 갈 부수 가로 曰(왈)
▶▶▶ 가로 曰(왈) + 빌 匃(개) ➡ 시신위에서 통곡하는 모습
죽은 사람(亡)이 살아나기를 비는 모습(匃)을 더욱 분명히 하기 위해 조상신이나 하늘에 살려 달라고 아뢴다는 뜻을 나타내기 위해 말한다는 가로 曰(왈)자를 첨가하였으나, 어찌된 연고인지 "어찌"라는 뜻으로 가차됐다.

謁 훈음 아뢸 알 부수 말씀 言(언) ▶▶▶ 말씀 言(언) + 어찌 曷(갈) ➡ 살려달라고 부탁
어찌 할(曷)바를 몰라 또 아뢴다는 뜻을 나타내기 위해 말씀 言(언)자를 부가한 글자다. 살려 달라고 애원하다는 뜻을 더 분명히 전달하기 위해 말씀 言(언)이 추가됐다.
●●●●● 謁見(알현)/拜謁(배알)

喝 훈음 꾸짖을 갈 부수 입 口(구) ▶▶▶ 입 口(구) + 어찌 曷(갈) ➡ 부탁하러 온 사람에게 고함
입으로 꾸짖는다 하여 입 口(구)를 의미요소로 曷(갈)은 발음기호로 했다. 얼마나 심하게 꾸짖는지(口) 어찌
(曷) 할 바를 몰라 살려달라 애원하는 사람에게 호통을 친다(口)는 뜻이다.
●●●●● 一喝(일갈)/恐喝(공갈)/喝破(갈파)/拍手喝采(박수갈채)

渴 훈음 목마를 갈 부수 물 氵(수) ▶▶▶ 물 氵(수) + 어찌 曷(갈) ➡ 목이 쉴 정도로 통곡함
목마르다는 것은 속이 탄다는 것이며 입 안이 건조하다는 것이므로, 물 氵(수)를 의미요소로 曷(갈)을 발음
기호로 사용했다. 사랑하는 사람이 죽자 얼마나 살려달라고 통곡(曷)하였는지 입 안에 침(氵)이 다 말라 목
이 갈라지고 타들어가는 모습에서 목마를 渴(갈)이 탄생했다.
●●●●● 渴症(갈증)/飢渴(기갈)/解渴(해갈)/渴望(갈망)/渴求(갈구)

葛 훈음 칡 갈 부수 풀 艹(초) ▶▶▶ 풀 艹(초) + 어찌 曷(갈) ➡ 머리 풀어헤친 미친년
칡은 풀뿌리의 일종이므로 풀 艹(초)를 의미요소로 曷(갈)을 발음기호로 했다. 미친년 날뛰듯이 죽은 아들
살려내라고(曷) 이 사람 저 사람 붙잡고 통곡하는 여인의 모습이 마치 사방천지로 뿌리를 뻗어 내는 풀(艹)
인 칡과 같다 하여 칡 葛(갈)자가 만들어졌다.
●●●●● 葛藤(갈등)/葛根(갈근)/諸葛孔明(제갈공명)

揭 훈음 높이 들 게 부수 손 扌(수) ▶▶▶ 손 扌(수) + 어찌 曷(갈) ➡ 하늘을 향해 비는 모습
두 손(扌)을 높이 들고 하늘을 우러러보며 죽은 자식을 제발 살려 달라고(曷) 애원하는 부모의 모습이 떠오
른다.
●●●●● 揭揚(게양)/揭示(게시)/揭載(게재)

歇 훈음 쉴 헐 부수 하품 欠(흠)
▶▶▶ 어찌 曷(갈) + 하품 欠(흠) ➡ 뒤로 숨이 넘어감
얼마나 통곡을 하고 애원(曷)을 하였던지 숨 넘어(欠)간 사람처럼 뒤로 넘어가는 모습에서 쉰다는 모습을
연결해낸 글자다. 曷(갈)은 발음기호로 쓰였다.
●●●●● 間歇川(간헐천)/歇價(헐가)

凶 훈음 흉할 흉 부수 입 벌릴 凵(감) ▶▶▶ 함정에 빠진 짐승
적의 공격을 차단하기 위해 또는 동물을 잡기 위해 파 놓은 함정(凵)에 재수 없게 걸려든 사람이나 동물의
모습에서 '최악의 재수 없는 상황'을 묘사한 글자로 강한 부정적 이미지가 있는 글자이며 여기에 사람 인
(儿)을 더하면 원흉(元兇)의 흉악할 흉(兇)자가 된다
●●●●● 凶惡(흉악)/凶年(흉년)/凶家(흉가)/兇彈(흉탄)

匈 훈음 오랑캐 흉 부수 쌀 勹(포)
▶▶▶ 쌀 勹(포) + 흉할 凶(흉) ➡ 흉한 민족
가슴(勹)에 이리(凶-흉한 것)가 들어 있는 무서운 부족이라 하여 오랑캐 凶(흉)자가 생겼다.
●●●●● 匈奴(흉노)/匈匈(흉흉)

胸 훈음 가슴 흉 부수 고기 肉(육) ▶▶▶ 고기 月(육) + 오랑캐 匈(흉)
흉할 匈(흉)자는 가슴에 문신을 새긴 모습으로 몸(月) 가운데 문신을 새기는 곳이 가슴이다. 따라서 두 글
자 모두 의미요소이며 匈(흉)이 발음기호이다.
●●●●● 胸像(흉상)/胸中(흉중)/胸襟(흉금) 흉

勺(작) 灼(작) 酌(작) 芍(작) 的(적) 約(약) 匊(국) 菊(국) 鞠(국)

勺　훈음 구기 작　부수 쌀 勹(포)　▶▶▶ 쌀 勹(포) + 한 一(일) 혹은 점 丶(주) ➡ 작은 국자

국자(勺)로 술을 퍼내는(丶) 모습이다. 작은 바가지로 동동주 항아리에서 술 한 바가지 퍼내어 술잔에 붓는 모습의 글자가 구기 勺(작)이다.

※ 구기 : 국자보다 자루가 짧은 바가지 등으로 만든 액체를 뜨는 기구 - 1/10홉

●●●●● 勺水(작수)

灼　훈음 사를 작　부수 불 火(화)　▶▶▶ 불 火(화) + 구기 勺(작)

'사르다'는 뜻을 나타내고자 하였으므로 불 火(화)를 의미요소로 勺(작)은 발음기호로 쓰였다.

●●●●● 灼熱(작열)

酌　훈음 따를 작　부수 술 酉(유)　▶▶▶ 술 酉(유) + 구기 勺(작) ➡ 술병에서 술을 퍼내다

술 단지(酉)에서 술 따르는 모습을 상형화한 글자다. 술단지(酉)와 구기 勺(작)이 다 의미요소에 관여했으나 勺(작)은 발음기호로도 사용됐다.

●●●●● 酬酌(수작)/對酌(대작)/酌婦(작부)

芍　훈음 함박꽃 작　부수 풀 艹(초)　▶▶▶ 풀 艹(초) + 勺(작)

꽃도 풀의 일종이므로 풀 艹(초)를 의미요소로 勺(작)을 발음기호로 사용했다.

●●●●● 芍藥(작약)

的　훈음 과녁 적　부수 흰 白(백)　▶▶▶ 흰 白(백) + 구기 勺(작) ➡ 술 퍼낸 자리

항아리에서 바가지로 술을 뜰(勺) 때 한가운데를 도려내듯이 과녁도 마치 한가운데(勺) 있는 눈에 확 드러난(白) 부분이므로 연상 추리하여 만든 글자다. 勺(작)은 발음기호로 쓰였다.

●●●●● 標的(표적)/的中(적중)/目的(목적)/物的證據(물적증거)

約　훈음 묶을 약　부수 실 糸(사)　▶▶▶ 실 사 糸(사) + 구기 勺(작) ➡ 혼인 주로 부부의 연을 맺음

約婚(약혼)이란 남녀가 부부됨을 約束(약속)하는 것으로 흔히 混酒(혼주)라 하여 한 잔(勺) 술을 나눠 마심으로 부부로 엮어지게 된다 하여, 묶는데 사용하는 실 糸(사)를 의미요소로 勺(작)을 발음기호로 했다.

●●●●● 約束(약속)/勤儉節約(근검절약)/約婚(약혼)/言約(언약)

匊　훈음 움켜 뜰/움킬 국　부수 쌀 米(미)　▶▶▶ 勹(포) + 쌀 米(미)

쌀을 양손으로 움켜잡고 뜨는 모습을 그린 글자이며 가죽(革) 안에 천둥을 채워 넣어 공(匊)을 만들어 차던 풍습에서 축국(蹴鞠)/국문(鞠問)의 공 국(鞠)자가 생겨났다.

菊　훈음 국화 국　부수 풀 艹(초)　▶▶▶ 풀 艹(초) + 움킬 匊(국)

국화란 풀의 일종이므로 풀 艹(초)가 의미요소로 匊(국)은 발음기호로 쓰였다.

●●●●● 菊花(국화)

勿(물)　　物(물)　　忽(홀)　　惚(홀)　　昜(양)　　陽(양)　　易(이)

物　훈음 만물 물　부수 소 牛(우)

▶▶▶ 소 牛(우) + 말 勿(물) ➡ 부정하지 않은 소를 제물로

소(牛)와 소를 잡는 행위(勿)를 통해 뿔과 고기와 가죽과 피 등 많은 것을 얻었다 하여 '만물' '모두'의 뜻으로 발전됐다. 여기서 勿(물)은 발음기호 역할도 한다.

●●●●● 事物(사물)/物價(물가)/物望(물망)/物心兩面(물심양면)

훈음 말/깃발 물　부수 쌀 勹(포)

▶▶▶ 쌀 勹(포) + 삐침 별(丿 + 丿) ➡ 죽은 짐승 모습 혹은 펄럭이는 깃발 모습

'없거나 금지하다'의 뜻으로 갑골문의 그림은 칼 도(刀)의 변형으로 보이며 짐승의 피(丿-핏방울이라는 설이 있음)가 쏟아져 나오는 모습이다. 따라서 동물을 칼로 잡으니 피가 쏟아져 죽게 되어 '없어지다/(살상)금지'라는 뜻으로, 무생물과 관련되어 사용될 경우는 갈라진 천 조각(丿)이 흩날리는 깃발을 상징한다.

※ 말 물(勿) - 부수자는 아님 - 쌀 勹(포)에 2획.

●●●●● 勿論(물론)/勿驚(물경)

 훈음 소홀히 할/돌연 홀　부수 마음 心(심)　▶▶▶ 말 勿(물) + 마음 心(심) ➡ 별로 마음에 담아 두지 않다

'소홀하다는 것은 그다지 마음에 담아 두지 않다'는 뜻이므로 마음 心(심)을 의미요소로 勿(물)을 발음기호로 사용했으나, '마음(心)을 도통 주지 않음(勿)'이라 하여 두 글자 모두 의미에 기여한 會意(회의)자로 볼 수도 있다.

●●●●● 忽待(홀대)/忽然(홀연)히/疎忽(소홀)

 훈음 황홀할 홀　부수 마음 忄(심)　▶▶▶ 마음 忄(심) + 소홀히 할 忽(홀) ➡ 넋 나간 사람

황홀하다는 것은 일명 '약 먹은 사람처럼 넋이 나간 상태'와 비슷함으로 다른 모든 것들을 소홀히(忽) 할 정도로 마음(忄)을 빼앗겼다 하여 만들어진 글자다.

●●●●● 恍惚(황홀)

 훈음 볕 양(= 陽)　부수 해 日(일)　▶▶▶ 아침 旦(단) + 없을 勿(물) ➡ 햇살/햇살이 피어오르는 모습

햇살을 나타내기 위한 글자이므로 떠오른 태양을 상징하는 아침 旦(단)을 의미요소로, 훗날 햇살의 모양이 피어오르는 아지랑이와 휘날리는 깃발의 모습과 비슷하다 하여 이미 깃발의 의미로 사용되던 말 勿(물)을 첨가하여 만든 글자다. 따라서 본뜻은 '햇볕'이다.

 훈음 볕 양　부수 언덕 阜(부)　▶▶▶ 언덕 阝(부) + 볕 昜(양) ➡ 언덕 위로 떠오른 아침 해

볕 昜(양)자의 의미를 더욱 분명히 하기 위해, 아침 해가 떠오르는(旦) 산등성이나 언덕(阝)을 추가하여 햇살이 찬란하게 쏟아지는(勿) 장면을 분명히 한 글자로 볕 昜(양)이 발음기호다.

●●●●● 陽地(양지)/太陽(태양)/陽傘(양산)/斜陽(사양)/夕陽(석양)

易 훈음 쉬울 이/바꿀 역　부수 해 日(일)　▶▶▶ 해 日(일) + 말 勿(물) ➡ 낮밤이 바뀌는 순간

서산에 걸려 있는 해(日)와 마지막 빛을 발하는 햇살(勿)의 모양을 그린 글자로 해가 지면 낮과 밤이 바뀌므로 '바꾸다'가 원뜻으로 훗날 '쉽다'로 의미 확대됐다.

●●●●● 難易度(난이도)/容易(용이)하다/易地思之(역지사지)

足 발족

✍ 발이 하는 일로써
   – 걷고(오르고/내려오고/걷어차고) / 뛰고(넘고/춤추고/달리고)

足(족)   蹴(축)   踏(답)   踐(천)   跡(적)   蹟(적)   跳(도)
躍(약)   踊(용)   距(거)   路(로)   促(촉)   蹉(차)   跌(질)

足

훈음 발 족 **부수** 제 부수
정강이와 종아리 및 발목의 모습을 총괄하여 발 足(족)이라는 글자를 만들었으며 '발'이라는 기본 의미에서
'만족하다, 지나치다, 더하다'의 뜻이 파생되었다.
●●●●● 足球(족구)/足湯(족탕)/手足(수족)/滿足(만족)/不足(부족)

蹴

훈음 찰 축 **부수** 발 足(족) ▶▶▶ 발 足(족) + 이룰 就(취) ➡ 발로 걷어차다
'발로 밟다, 발로 차다'는 뜻을 나타내기 위한 것이므로 발 足(족)이 의미요소고 나머지 이룰 취(就)가 발음
요소이다.
●●●●● 蹴球(축구)

踏

훈음 밟을 답 **부수** 발 足(족) ▶▶▶ 발 足(족) + 유창할 沓(답) ➡ 발로 땅을 밟다
'발로 땅을 디디다'가 본뜻이므로 발 足(족)을 의미요소로 沓(답)은 발음기호로 쓰였다.
●●●●● 踏襲(답습)/踏査(답사)/踏步(답보)/前人未踏(전인미답)

踐

훈음 밟을 천 **부수** 발 족 ▶▶▶ 발 足(족) + 해칠 잔/쌓일 戔(전) ➡ 실제로 행동에 옮김
'발로 밟다'라는 뜻을 나타내기 위한 것이었으므로 발 足(족)을 의미요소고, 쌓일 戔(전)이 발음기호다.
●●●●● 實踐(실천)/實踐躬行(실천궁행)

跡

훈음 발자취 적 **부수** 발 足(족) ▶▶▶ 발 足(족) + 또 亦(역) ➡ 발자취 – 사람의 흔적
발자취를 나타내기 위한 글자이므로 발 足(족)을 의미요소로 亦(역)은 발음기호로 쓰였다.
●●●●● 人跡(인적)/痕迹(흔적)/筆跡(필적)/足跡(족적)

蹟

훈음 자취 적 **부수** 발 足(족) ▶▶▶ 발 足(족) + 꾸짖을 責(책) ➡ 역사의 흔적
지나온 발자국을 뜻하기 위한 글자이므로 발 足(족)을 의미요소로 責(책)은 발음기호로 쓰였다.
●●●●● 史蹟(사적)

跳

훈음 뛸 도 **부수** 발 足(족) ▶▶▶ 발 足(족) + 조짐 兆(조) ➡ 뛰어오름
兆朕(조짐)이 너무 좋아 껑충껑충 뛰어오르는(足) 모습에서 만들어진 글자
※ 挑(도) – 휠 도/逃(도) – 달아날 도
●●●●● 跳躍(도약)

躍 훈음 뛸 약 부수 발 足(족) ▶▶▶ 발 足(족) + 꿩 翟(적) → 새가 날기 위해 뛰어가다
'발 빠르게 뛰다' '뛰어오르다'는 뜻을 나타내기 위해, 발 足(족)과 새 중에서도 날기도 하지만 엄청나게 빠른 꿩 翟(적)을 함께 써서 만든 글자로 꿩 翟(적)은 발음기호로도 사용됐다.
●●●●● 跳躍(도약)/躍進(약진)/躍動(약동)/活躍(활약)/一躍(일약)/歡呼雀躍(환호작약)/暗躍(암약)

踊 훈음 뛸 용 부수 발 足(족) ▶▶▶ 발 足(족) + 길 甬(용) → 뛰어오르다
'높이 뛰어오르다'를 나타내기 위한 글자로, 발 足(족)이 주 의미요소로 勇(용)이 발음 및 의미를 더욱 강조하는데 기여했다.
●●●●● 舞踊(무용)

距 훈음 떨어질 거 부수 발 足(족) ▶▶▶ 발 足(족) + 클 巨(거) → 발걸음 사이
'공간적으로 떨어지다, 멀리'라는 뜻을 나타내기 위해, 발 足(족)을 의미요소로 巨(거)를 발음기호로 '발을 크게(巨) 벌려 거리를 두어 멀리 떨어지다'는 뜻으로 본다면 회의자이다.
●●●●● 距離(거리)/長距離(장거리)

路 훈음 길 로 부수 발 足(족) ▶▶▶ 발 足(족) + 각각 各(각) → 사람들이 오가는 길/신이 오는 길
사람들이 오가는 길을 가리키는 것이었으므로 발 足(족)을 의미요소로 各(각)은 발음에 영향을 미쳤다.
※ 賂(뢰) - 뇌물 줄 뢰/略(략) - 다스릴 략
●●●●● 道路(도로)/路線(노선)/活路(활로)/岐路(기로)/大路(대로)

促 훈음 재촉할 촉 부수 사람 亻(인) ▶▶▶ 사람 亻(인) + 발 足(족) → 가라고 사람을 밀어냄
재촉하다는 것은 거리나 시간을 좁혀 오면서 요구하다는 뜻이므로 '사람에게 다가오다'로 만든 글자이므로 사람 亻(인)과 발 足(족)이 다 의미요소이며 발 足(족)은 발음에도 영향을 주었다.
●●●●● 促求(촉구)/促迫(촉박)/督促(독촉)

蹉 훈음 넘어질 차 부수 발 족(足) ▶▶▶ 어긋날 차(差) + 발 足(족) → 발이 어긋나면 넘어짐
어긋날 차(差)를 발음기호로 하면 넘어질 차(蹉)요 잃을 실(失)을 발음기호로 하면 넘어질 질(跌)이요 두 글자를 합하면 차질(蹉跌)이 된다.
●●●●● 蹉跌(차질)/跌宕(질탕)

止 발/그칠 지

止(지) 正(정) 定(정) 歲(세) 歷(력) 此(차) 企(기) 步(보)

止
훈음 발/그칠 지 **부수** 제 부수
다섯 개의 발가락을 넣어서 만든 대표적인 발 모양을 그린 글자로 '그치다'라는 추상적 개념은 가다 서다를 하는 반복하는 발의 역할에서 따온 것이다.
••••• 禁止(금지)/行動擧止(행동거지)/明鏡止水(명경지수)

正
훈음 바를 정 **부수** 그칠 止(지) ▶▶▶ 一(일) + 그칠 止(지) ➡ 성을 정복하러 나아감
성(一)을 정벌하기 위해 전진하고 있는 군인들의 발(止)걸음으로 정벌하다가 원뜻이나, 확대되어 '올바르다, 바로잡다'로 사용되자 갈 彳(척)을 더하여 본래의 의미를 회복한 글자가 아래의 칠 征(정)이다.
••••• 正路(정로)/正道(정도)/公明正大(공명정대)

定
훈음 정할 정 **부수** 집 宀(면) ▶▶▶ 집 宀(면) + 발 疋(疋-正(정)의 변형) ➡ 집으로 돌아옴
전쟁(正)에 나갔던 남편이 집(宀)에 돌아온 모습과 관련이 있어서 '편안히 쉬다'가 본뜻이며, 훗날 집은 최종 정착지이므로 '정하다'는 뜻으로도 사용됐다.
••••• 安定(안정)/定價(정가)/決定(결정)/定石(정석)/定說(정설)

歲
훈음 해 세 **부수** 그칠 止(지)
▶▶▶ 그칠 止(지) + 도끼 戊(월) +발 疋(필) ➡ 강제로 인생을 멈추게 하는 세월
걸음(步)을 멈추게 하는 무기는 도끼(戊)로서 걸음 步(보)를 止(지)와 疋(필) 둘로 갈라버려 '강제로 걸음을 멈추게 하다'는 뜻을 만들어 낸 글자다. 그래서 "歲月(세월) 앞에 壯士(장사) 없다"는 말이 나온 것이다.
••••• 歲月(세월)/年歲(연세)/歲拜(세배)

歷
훈음 지낼 력 **부수** 그칠 止(지) ▶▶▶ 다스릴 厤(력) + 그칠 止(지)
歷史(역사)란 지난 시대와 사람들이 걸어온(止) 길과 발자취를 말하는 것으로 걸음 止(지)가 의미요소고 다스릴 厤(력)이 발음기호이다.
※ 다스릴 厤(력) - (曆의 古字) - 추수(禾)하여 집 안(厂) 창고에 식량을 거두어들임.
••••• 歷史(역사)/經歷(경력)/歷代(역대)/履歷(이력)

此
훈음 이 차 **부수** 발 止(지) ▶▶▶ 발 止(지) + 비수 匕(비) ➡ 사람의 발자국
발자국(止)과 사람(亻)의 모습이 어우러져 무엇인가 단서를 잡기 위해 혐의자의 발자국을 가리키는 것에서 '이, 이곳, 이것' 등의 뜻으로 발전했다.
••••• 此日彼日(차일피일)/此後(차후)/如此(여차)

企
훈음 꾀할 기 **부수** 사람 人(인) ▶▶▶ 人(인) + 발 止(지) ➡ 발뒤꿈치를 들고 서 있는 사람
발(止) 위에 사람(人)을 얹어 놓은 모양의 글자로, 발뒤꿈치를 쫑긋이 들고 서 있는 사람의 모습에서 무엇인가를 하기 위해 시도하는 장면을 나타내어 '발돋움하다, 도모하다, 꾀하다'로 의미 확대됐다.
••••• 企圖(기도)/企劃(기획)/企業(기업)

步 훈음 걸음 보 부수 그칠 止(지) ▶▶▶ 그칠 止(지) + 그칠 止(지) ➡ 걸어가는 두 발자국
걸어가고 있는 두 개의 발자국(止)을 그려서 '걷다, 걸음'으로 사용한다.
••••• 步行(보행)/步道(보도)/步兵(보병)/進步(진보)/步調(보조)

步(보)　　　涉(섭)　　　陟(척)　　　降(강)　　　降(항)

步 훈음 걸음 보 부수 그칠 止(지) ▶▶▶ 그칠 止(지) + 그칠 止(지)
걸어가고 있는 두 개의 발자국(止)을 그려서 '걷다, 걸음'으로 사용한다.
••••• 步行(보행)/步道(보도)

涉 훈음 건널/겪을/관계할 섭 부수 물 氵(수) ▶▶▶ 물 氵(수) + 걸음 步(보) ➡ 물을 건너다
내를 건너다가 원뜻이므로 물 氵(수)와 걸음 步(보)가 다 의미요소로 사용되었으며, '경계를 넘다, 건너다'는
것은 상대편과 관계를 맺는 것을 의미하여 '관계하다'로도 사용된다.
••••• 內政干涉(내정간섭)/交涉(교섭)

陟 훈음 오를 척 부수 언덕 阝(부) ▶▶▶ 언덕 阝(부) + 걸음 步(보) ➡ 언덕을 오르는 발자국
언덕(阝)과 언덕을 향한 두 발바닥(步)을 통해 언덕을 올라가는 것을 나타낸 글자로 주로 人名(인명)/地名
(지명)에 사용되는 글자다.
••••• 三陟郡(삼척군)

降 훈음 내릴 강/항복할 항 부수 언덕 阝(부) ▶▶▶ 언덕 阝(부) + 어그러질 夅(천) ➡ 언덕을 내려오는 발자국
'오르다'가 언덕(阝)과 위로 향한 발자국(步) 두 개를 그렸다면 '내려오다'는 아래로 향한 발자국(夅) 두 개
를 그려서 언덕에서 내려온다는 것을 '상형 화'하였다. 언덕에서 내려왔다는 것은 투항하였다는 의미이기도
하여 '항복하다'로 의미 확대됐다.
••••• 昇降機(승강기)/降水量(강수량)/降伏(항복)

正(정)　　征(정)　　政(정)　　整(정)　　症(증)　　歪(왜)　　武(무)

正 훈음 바를 정 부수 그칠 止(지) ▶▶▶ 一(일) + 그칠 止(지) ➡ 성을 치러 나감
성(一)을 정벌하기 위해 전진하고 있는 군인들의 발(止)걸음으로 정벌하다가 원뜻이나, 확대되어 '올바르다,
바로잡다'로 사용되자 갈 彳(척)을 더하여 본래의 의미를 회복한 글자가 아래의 칠 征(정)이다.
••••• 正路(정로)/正道(정도)/公明正大(공명정대)

征 훈음 칠 정 부수 갈 彳(척) ▶▶▶ 갈 彳(척) + 바를 正(정) ➡ 정복하러 가다
갈 彳(척)을 추가하여 정복하다는 뜻을 보존한 글자로 正(정)은 발음기호이기도 하다.
••••• 征服(정복)/征伐(정벌)/東征西伐(동정서벌)

整 훈음 가지런할 정 부수 칠 攵(복)
▶▶▶ 묶을 束(속) + 칠 攵(복) + 바를/바로잡을 正(정) ➡ 나뭇단을 가지런히 하다
'가지런히 하다'는 사상을 전달하기 위한 글자로 나무를 다발로 묶고(束) 튀어나온 부분을 두드려(攵) 똑바
로(正) 하는 모습에서 만든 글자로 正(정)은 발음기호 역할도 한다.
••••• 整理(정리)/整地作業(정지작업)/調整(조정)

政 훈음 정사 정 부수 칠 攵(복) ▶▶▶ 바를 正(정) + 칠 攵(복) ➡ 올바르게 침

나라와 백성이 바르고(正) 잘 되도록 권력(攵)을 올바르게 사용해야 하는 것이 정치의 본래 목적이다. 正(정)은 발음기호로도 사용된다.

●●●●● 政治(정치)/政府(정부)/政敵(정적)/政界(정계)/暴政(폭정)

症 훈음 증세 증 부수 병 질 疒(엄) ▶▶▶ 병들 疒(녁) + 바를/바로잡을 正(정) ➡ 정상에서 벗어난 상태

증세란 앓고 있는 병이 어떠한 상태로 나타나는가를 말하는 것으로 정상에서 벗어난 상황이 어떠냐를 묻는 것이므로 병을 상징하는 疒(녁)도 의미요소로 '바를 正(정)'은 의미요소와 발음기호로 사용되고 있다.

●●●●● 症勢(증세)/渴症(갈증)/症候(증후)/痛症(통증)

歪 훈음 비뚤 왜 부수 그칠 止(지) ▶▶▶ 아니 不(불) + 바를 正(정) ➡ 바르지 않은 것

비뚤어진 것을 묘사하는 글자이므로 바른 것(正)이 아닌 것(不)을 나타낸다.

●●●●● 歪曲(왜곡)

武 훈음 굳셀 무 부수 발 止(지) ▶▶▶ 창 戈(과) + 발 止(지) ➡ 무장한 군인의 모습

창(戈)과 발자국(止)을 그려서 전쟁터로 향하는 군인들의 씩씩한 모습에서 '굳세다, 용맹스럽다, 군인, 무기' 등의 뜻으로 의미 발전됐다.

●●●●● 武勇(무용)/武器(무기)/武力(무력)/文武(문무)

疋 **발 소/필 필**

疋(필) 走(주) 疏(소) 疎(소) 疑(의) 是(시) 旋(선) 楚(초)

疋

훈음 필 필/발 소
무릎 아래 장딴지를 포함 다리의 전체적 모양을 본떠서 만든 글자로 필 疋(필)/발 소(疋)라고 한다. 1疋(필)은 40자(尺)로 피륙을 세는 단위이다.

走

훈음 달릴 주 **부수** 제 부수 ▶▶▶ 큰 大(대) + 그칠 止(지) ➡ 힘차게 걷다 곧 달리다
힘차게 팔을 휘젓는 모양의 상부(大)와 발 모양을 나타내는 발 止(지)의 합자이므로 '힘차게 걷는다, 나아가서 달린다'로 뜻이 굳혀졌다.
••••• 走者(주자)/疾走(질주)/走力(주력)/走馬看山(주마간산)/脫走(탈주)/走馬燈(주마등)/東奔西走(동분서주)

疏

훈음 트일 소 **부수** 짝 疋(필) ▶▶▶ 발 疋(소) + 흐를 流(류) ➡ 물길이 터져 물이 빠져나감
'물이 흘러가다'가 본뜻으로 가다라는 뜻을 발 疋(필)로 나타냈고, 흐를 流(류)에서 보듯 태아가 태어나면서 터져 흘러 나오는 양수의 모습을 본뜬 글자다. 막힌 곳이 트여서 물길이 흘러가게 되므로 '트이다'의 원뜻과 물길 따라 멀리멀리 가므로 '멀어지다'로 의미 확대됐다.
••••• 疏通(소통)/疏忽(소홀)/疏遠(소원)

疎

훈음 트일 소 **부수** 짝 疋(필) ▶▶▶ 발 疋(필) + 묶을 束(속) ➡ 묶인 발
글자는 다르나 발음과 뜻이 위의 트일 疏(소)와 같은 글자로 묶을 束(속)이 발음요소이다.
••••• 疎忽(소홀)/疎遠(소원)

疑

훈음 의심할 의 **부수** 짝 疋(필) ▶▶▶ 匕(비) + 화살 矢(시) + 矛(모)의 윗부분 + 疋(필) ➡ 사거리에서 머뭇거리는 노인네
지금의 꼴로는 의미 유추가 어려우나 갑골문에는 疋(필)은 가다라는 뜻을 가진 사거리 行(행)의 변형으로, 화살 矢(시)는 지팡이로, 비수 匕(비)는 노인네로 변해서 지팡이를 짚고 사거리에서 고개를 갸우뚱하는 모습의 글꼴도 보이므로 '골똘히 생각하다, 머뭇거리다, 의심하다'로 의미가 확대되었음을 충분히 짐작할 수 있다.
••••• 疑惑(의혹)/疑問(의문)/容疑者(용의자)/半信半疑(반신반의)

是

훈음 옳을 시 **부수** 해 日(일) ▶▶▶ 해 日(일) + 바를 正(정)의 변형 ➡ 밝은 곳을 향해 나아감
해(日)를 향하여 전진하는(正) 모습에서 '똑바로', 똑바른 것은 옳다 하여 '옳다'라는 뜻이 생겼다.
••••• 是是非非(시시비비)/是認(시인)/或是(혹시)/國是(국시)

旋

훈음 돌 선 **부수** 모 方(방) ▶▶▶ 깃발 언(方+人) + 필 疋(필) ➡ 깃발 아래 행진하는 군인들
깃발(方+人) 아래 발(疋)을 그려 넣음으로 성을 정복하기 위해 성 주위를 돌고 있는 군사들을 그려서 돌다/회전하다를 나타냈다.
••••• 旋回(선회)/旋盤(선반)/旋風的(선풍적)/旋律(선율)/旋毛(선모)

楚

훈음 모형 초 **부수** 나무 木(목) ▶▶▶ 수풀 林(림) + 발 疋(소) ➡ 선악과와 생명나무를 따먹으로 들어감
牡荊(모형)은 가시가 있는 나무를 가리키는 말로 '발에 차꼬를 채우거나 채찍질하여' 고통을 주는 모습을 나타낸 글자로 두 글자 모두 의미요소이다. 가시나무 사이로 걸어가면서 겪는 고통을 나타내기도 하였다. 금지된 선악과와 생명나무를 따먹으려고 들어간 발로 본다면 처벌은 당연
••••• 四面楚歌(사면초가)/苦楚(고초)

走(주) 徒(도) 越(월) 赴(부) 起(기) 超(초) 趣(취) 趙(조) 捷(첩)

走
훈음 달릴 주 **부수** 제 부수 ▶▶▶ 큰 大(대) + 그칠 止(지) ➡ 힘차게 걷다 곧 달리다
힘차게 팔을 휘젓는 모양의 상부(人)와 발 모양을 나타내는 발 止(지)의 합자이므로 '힘차게 걷는다, 나아가서 달리다'로 뜻이 굳어졌으며 잡으려(扌)하는 사람보다 더 빨리 달아나는 사람(辵-빠를 첩)이 민첩(敏捷)/행주대첩(人捷)의 이길/빠를 첩(捷)자이다.
●●●●● 走者(주자)/疾走(질주)/走馬看山(주마간산)/脫走(탈주)/捷徑(첩경)

徒
훈음 무리 도 **부수** 길 갈 彳(척) ▶▶▶ 길 갈 彳(척) + 달릴 走(주) ➡ 함께 달리는 사람들
땅 위를 돌아다니는 사람을 나타내기 위해서 처음엔 발 止(지)와 흙 土(토)에서 길을 가다라는 뜻으로 彳(척)이 첨가되어 '걷다'에서 '비다, 무리' 등으로 확대 사용됐다.
'무리'란 같은 길을 가는 사람들이란 뜻이므로 제대로 파생된 글자이다.
●●●●● 使徒(사도)/徒步(도보)/信徒(신도)/徒勞(도로)

越
훈음 넘을 월 **부수** 달릴 走(주) ▶▶▶ 달릴 走(주) + 도끼 戉(월) ➡ 담을 뛰어넘음
장애물을 타고 넘는 모습을 그린 글자로 달릴 走(주)를 의미요소로 戉(월)은 발음기호로 쓰였다.
●●●●● 越境(월경)/越班(월반)/播越(파월)/越權(월권)/卓越(탁월)

赴
훈음 나아갈 부 **부수** 달릴 走(주) ▶▶▶ 달릴 走(주) + 점 卜(복) ➡ 점괘를 듣고 달려감
'달려가다'가 본뜻이므로 달릴 走(주)를 의미요소고 卜(복)은 발음기호다. 일설에는 점괘를 듣고 좋아서 그 사실을 알리기 위해 달려가는 것으로 보기도 한다.
●●●●● 赴任(부임)/赴援(부원)

起
훈음 일어날 기 **부수** 달릴 走(주) ▶▶▶ 달릴 走(주) + 자기 己(기) ➡ 달리기 위해 몸을 일으켜 세움
달리기(走) 위해서 몸(己)을 일으켜 세우는 모습에서 '일어나다, 비롯하다, 시작하다' 등의 뜻으로 파생된 글자다. 두 글자 모두 의미요소고 자기 己(기)가 발음기호다.
●●●●● 奮起(분기)/起立(기립)/起死回生(기사회생)/再起(재기)

超
훈음 뛰어넘을 초 **부수** 달릴 走(주) ▶▶▶ 달릴 走(주) + 부를 召(소) ➡ 공중을 붕붕 날아다님
무당이 신을 부르면서(召) 공중으로 뛰어오르는 행위에서 달릴 走(주)를 의미요소로, 부를 召(소)를 발음기호로 '뛰어 넘는다'라는 글자를 만들어 냈다.
●●●●● 超越(초월)/超現實(초현실)/超過(초과)/超然(초연)

趣
훈음 달릴 취 **부수** 달릴 走(주) ▶▶▶ 달릴 走(주) + 취할 取(취) ➡ 승전보를 전하기 위해 뛰어가는 병사
전쟁에서 승리한 후 전리품을 챙긴(取) 병사가 자랑하기 위해 얼마나 빨리 고향으로 달려가고(走) 싶었겠는가? 그 모습이 너무나 멋졌던지 '멋' '풍치' 등으로 의미 발전했다.
●●●●● 趣味(취미)/情趣(정취)

趙
훈음 나라 조 – 나라 이름 및 성씨에 주로 쓰임 **부수** 달릴 走(주)
▶▶▶ 달릴 走(주) + 닮을 肖(초)
마치 씽씽 잘 달리는(走) 잽싼 어린아이(肖) 같은 병사들을 거느리고 있는 나라라 해서 생긴 글자다.

癶(발)　登(등)　燈(등)　鄧(등)　證(증)　澄(징)
發(발)　潑(발)　醱(발)　廢(폐)　癸(계)

훈음 등질/필 발　**부수** 제 부수　▶▶▶ 단독 쓰임 없음

밖을 향해 혹은 위를 향해 발이 움직이는 모양에서 만들어진 글자로 '걷다, 벌리다, 등지다'의 뜻을 갖는 글자이나, 단독 사용이 없으므로 타 글자에 부수자로 들어가 발의 주역할인 '걷다'의 의미요소로 그리고 발음기호로 사용될 따름이다.

훈음 오를 등　**부수** 등질 癶(발)　▶▶▶ 등질 癶(발) + 제단 豆(두) ➡ 높은 곳으로 올라감

제단(豆) 즉 높은 곳에 올라가는(癶) 모습 또는 한발 한발 내딛으며 높은 곳을 오르는 모습에서 '오르다'라는 뜻이 탄생했다.

●●●●● 登山(등산)/登頂(등정)/登校(등교)/登記(등기)/登場(등장)/登用(등용)/登壇(등단)/岩壁登攀(암벽등반)

훈음 등잔 등　**부수** 불 火(화)　▶▶▶ 불 火(화) + 오를 登(등) ➡ 높이 올려놓아야 하는 등잔

등잔이란 높이 올려놓는 불을 가리키므로 불 火(화)를 의미요소로 登(등)을 발음 및 의미요소에도 사용했다.

●●●●● 燈臺(등대)/燈下不明(등하불명)/燈盞(등잔)/風前燈火(풍전등화)/燈火可親(등화가친)/燈火管制(등화관제)/
電燈(전등)

훈음 나라 이름 등　**부수** 고을 읍(阝=邑)　▶▶▶ 오를 登(등) + 고을 읍(阝=邑) ➡ 사람 이름에 사용

사람들이 모여 사는 마을이나 나라를 상징하므로 고을 읍(阝=邑)을 의미요소로 登(등)은 발음기호로 사용했다.

●●●●● 鄧小平(등소평)

훈음 증거 증　**부수** 말씀 言(언)　▶▶▶ 말씀 言(언) + 오를 登(등) ➡ 천하에 드러난 말(言)

증거란 사건의 是非(시비)를 명백히 밝혀 주는 단서가 되는 것으로, 증거 제시는 '말로 고발하는 것으로 시작'되었으므로 말씀 言(언)을 의미요소로 登(등)은 발음기호이다. 등불처럼 높이 올려(登)진 말(言)은 백일하에 드러나 있으므로 '명백한 증거'가 될 것이다.

●●●●● 證人(증인)/證據(증거)/證明(증명)/僞證(위증)/反證(반증)

훈음 맑을 징　**부수** 물 氵(수)　▶▶▶ 물 氵(수) + 登(등) ➡ 높이 올려 진 물

더 없이 맑고 깨끗한 물이란 뜻을 나타내기 위함이었으므로, 물 氵(수)를 의미요소고 登(등)은 발음기호다.

●●●●● 淸澄(청징)/明澄(명징)/澄水(징수)

훈음 쏠 발 **부수** 등질 癶(발) ▶▶▶ 필 癶(발) + 활 弓(궁) + 창 殳(수) ➡ 활 쏘는 자세

현대의 글자는 활(弓)을 쏘고 창(殳)을 던지는 자세(癶)를 나타낸 것으로 보이나 짓밟을 癶(발)을 발음기호로 활 弓(궁)을 의미요소로 했다. '활을 쏘다'를 의미하게 한 글자였으나 후에 '시작하다, 떠나다' 등으로 의미 확대됐으며 발(發)을 발음기호로 술(酉)이 발효(醱酵)식품이므로 술 괼/익을 발(醱)자와 고기들이 물(氵) 위로 뛰어 오를 때 물방울 튀기는 모습이 발랄(潑剌)의 뿌릴 발(潑)자를 만들어내게 된다.

●●●●● 發射(발사)/出發(출발)/發生(발생)/發起(발기)/發展(발전)/活潑(활발)

훈음 폐할 폐 **부수** 집 广(엄) ▶▶▶ 집 广(엄) + 쏠 發(발) ➡ 적의 공격으로 무너진 성

성(广)이 공격(發)을 당하여 쑥대밭이 되어 황폐해진 모습을 그린 글자로 두 글자 모두 의미요소에 관여했다.

●●●●● 廢業(폐업)/廢鑛(폐광)/廢家(폐가)

훈음 열째 천간 계 **부수** 필 癶(발) ▶▶▶ 필 癶(발) + 天(천)

필발머리(癶)와 아무런 관계가 없고 두 개의 나무를 열십자 형태로 맞추어 놓은 것으로 계절로는 겨울, 방위로는 북, 오행으로는 물에 해당한다. 쓰임새는 없는 글자다.

●●●●● 癸酉(계유)/癸亥(계해)

舛(천) 桀(걸) 傑(걸) 降(항·강) 陟(척) 舞(무) 舜(순)

舛

훈음 어그러질 천 **부수** 제 부수 ▶▶▶ 7획이 아니라 6획임

양발(止)이 반대 방향(대칭)을 향하는 모습으로 '어그러지다, 어지럽다, 어수선하다'의 뜻으로 쓰이며 '발과 관련된 글자로 생각하여 '발의 일'과 연관시켜라.

桀

훈음 홰 걸 **부수** 나무 木(목) ▶▶▶ 어그러질 舛(천) + 나무 木(목) ➡ 대들보 사이에 걸쳐 놓은 막대기나 선반

창고에 물건을 얹어 놓기 위해 천정의 대들보에 막대(木)를 어긋나게 걸쳐 놓은(舛) 것으로 선반에 해당한다. 따라서 두 글자 모두 의미요소로 쓰였다.

●●●●● 桀紂(걸주) - 폭군의 상징으로 夏(하)의 桀(걸)왕과 殷(은)의 紂(주)왕을 말함 ↔ 堯舜(요순)

傑

훈음 뛰어날 걸 **부수** 사람 亻(인) ▶▶▶ 사람 亻(인) + 홰 桀(걸) ➡ 선반 위로 올라간 사람

우뚝 솟아 있어 모두가 우러러 본다는 의미로 물건을 올려두는 선반을 가리키는 홰 桀(걸)과 사람 亻(인)을 조합하여 '우뚝 솟아 있는 사람, 나아가 뛰어난 사람'의 글자를 탄생시켰다.

●●●●● 人傑(인걸)/傑作(걸작)/傑出(걸출)/女傑(여걸)

降

훈음 내릴 강/항복할 항 **부수** 언덕 阝(부) ▶▶▶ 언덕 阝(부) + 어그러질 舛(천) ➡ 언덕을 내려오는 두 발자국

'오르다'가 언덕(阝)과 위로 향한 발자국(步) 두 개를 그렸다면 '내려오다'는 아래로 향한 발자국(舛) 두 개를 그려서 언덕에서 내려온다는 것을 '상형화'하였다. 언덕에서 내려왔다는 것은 투항하였다는 의미이기도 하여 '항복하다'로 의미 확대됐다.

●●●●● 昇降機(승강기)/降水量(강수량)/降伏(항복)

陟

훈음 오를 척 **부수** 언덕 阝(부) ▶▶▶ 언덕 阝(부) + 걸음 步(보) ➡ 언덕을 오르는 두 발자국

언덕(阝)과 언덕을 향한 두 발바닥(步)을 통해 언덕을 올라가는 것을 나타낸 글자로 주로 人名(인명)/地名(지명)에 사용되는 글자다.

●●●●● 三陟郡(삼척군)

舞

훈음 춤출 무 **부수** 어그러질 舛(천) ▶▶▶ 없을 無(무) + 어그러질 舛(천) ➡ 무아지경에 빠져 춤을 추다

원래는 없을 無(무)라는 글자가 춤추는 모습을 그린 글자였으나 '없다'라는 뜻으로 사용되자, 원래의 뜻을 더 분명히 하기 위해 춤출 때 어긋나게 움직이는 발의 동작을 묘사한 어그러질 舛(천)자를 더하여 '춤추다'는 글자를 새로 만들었다. 없을 無(무)는 발음기호다.

●●●●● 舞踊(무용)/按舞(안무)/舞姬(무희)/亂舞(난무)/群舞(군무)/飮酒歌舞(음주가무)/僧舞(승무)

舜

훈음 순임금/메꽃 순 **부수** 어그러질 舛(천)

▶▶▶ 손톱 爪(조) + 冖(멱) + 어그러질 舛(천) ➡ 휘감고 올라가는 나팔꽃

불타는 듯이 나팔꽃이 덩굴의 좌우로(舛) 엉키며 갈라져 피어오르는 모습에서 메꽃과 비슷한 무궁화/나팔꽃 등을 일컫는다.

●●●●● 堯舜(요순)/堯舜之節(요순지절)

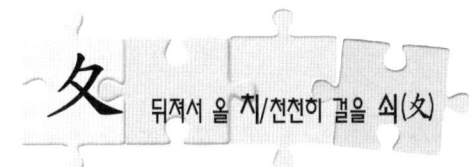

夂(치)　夊(쇠)　各(각)　後(후)　夏(하)　冬(동)　夆(봉)　久(구)

夂 훈음 뒤져 올 치　부수 제 부수　▶▶▶ 발 지(止)가 뒤집어진 꼴
발 모양으로 발바닥을 나타내는 발 止(지)의 위치가 앞을 향하지 않고 뒤집어져 뒤를 향한 모습에서 '뒤져오다' '뒤쳐져 오다'의 뜻을 갖게 되었다. 또한 마치 누군가 뒤에서 잡아당겨 걷는데 방해를 받아 빨리 갈 수 없는 모습에서 '뒤쳐지다'라는 뜻이 되었다고도 한다.

夊 훈음 천천히 걸을 쇠　부수 제 부수　▶▶▶ 夂(치)와 同字(동자)로 여겨라
갑골문을 보면 발 止(지)의 위치가 바뀐 글자로 무엇인가에 의해 방해를 받아 걸어가기 힘들게 된 모습에서 '천천히 걷다'의 의미를 가지게 됐다. 뒤져서 올 夂(치)와 같은 글자로 취급함이 좋고 나아가 발 止(지)와 그 의미요소가 비슷하다고 생각하는 것이 좋으며 더 나아가 모두 '발과 관련된 글자이므로 통 틀어 발이 하는 역할과 관련시키기 바란다.

各 훈음 각각 각　부수 입 口(구)　▶▶▶ 뒤져서 올 夂(치) + 입 口(구) → 집으로 돌아오는 발걸음
거꾸로 그린 발(夂)과 움집의 상형(口)으로 보는 설과 입 口(구)로 보는 설이 있는데 말하는 방식과 걸음걸이가 사람마다 제 각각이어서 각각 각이 되었다(?) 날 出(출)이 움막을 떠나는 모습이라면 각각 各(각)은 집으로 돌아오는 발걸음이다.
●●●●● 各各(각각)/各國(각국)/各自(각자)/各個戰鬪(각개전투)

後 훈음 뒤 후　부수 길 갈 彳(척)
▶▶▶ 조금 걸을 彳(척) + 실 糸(사) + 뒤져 올 夂(치) → 뒤쳐져 가다
밧줄(糸)에 발(夂)이 묶인 죄인이 걷는 것이 불편하여 뒤쳐져(夂)서 걸어갈(彳) 수밖에 없는 상황에서 '늦다, 뒤, 능력이 처지다' 등의 뜻으로 파생됐다.
●●●●● 前後(전후)/後半戰(후반전)/死後(사후)/後嗣(후사)

夏 훈음 여름 하　부수 천천히 걸을 夊(쇠)
▶▶▶ 머리 頁(혈) + 천천히 걸을 夊(쇠) → 기우제에서 유래
사람의 머리(頁)와 발(夊)과 손(𦥑-현재의 글자에는 없다)으로 구성된 글자다. 기우제를 지내는 신들린 무당의 춤추는 모습이라는 설에서, 모든 제사 가운데 가장 큰 祈雨祭(기우제)가 특히 여름철을 상징하는 비를 기원하는 제사이고, 여름철에 제사를 올린다 하여 東周(동주)시대에 '여름'이라는 뜻으로 쓰이게 되었다.
●●●●● 夏服(하복)/夏爐冬扇(하로동선)/夏至(하지)

冬 훈음 겨울 동　부수 얼음 冫(빙)　▶▶▶ 앙상한 나뭇가지
현재의 글꼴은 뒤져서 올 夂(치)자이나 아무런 관련이 없는 글자다. 갑골문을 보면 마치 '앙상한 나뭇 가지'의 모양을 그린 것이라는 설과, '마칠 終(종)자에서 실의 양쪽 끝 즉 '실 끝'이 본뜻이라는 설도 있다. '앙상한 나뭇잎이나 실 끝' 역시 모두 마지막을 의미하므로 후에 얼음 冫(빙)을 추가하여 겨울 冬(동)으로 가차하여 사용하였다.
●●●●● 春夏秋冬(춘하추동)/冬至(동지)/嚴冬雪寒(엄동설한)

夆 훈음 이끌다/만날 봉 부수 夊(치) - 발음기호 ▶▶▶ 뒤져서 올 夊(치) + 어여쁠 丰(봉)
풀(丰) 우거진 풀밭으로 향하는 발(夊)을 그려, 사람 눈을 피해 풀 무성한 곳에서 누군가를 '만나다'라는 뜻에서 '만나다, 발이 이끌리다'의 뜻이 탄생했다.

久 훈음 오랠 구 부수 삐침 丿(별)
이 글자의 갑골문을 보면 두 획까지는 사람 人(인)의 상형이나 마지막 3획은 의견이 많다. 그러나 사람을 붙잡는다거나 발을 묶어 걷는데 어렵게 만든 글자임에는 틀림없다. 따라서 목적지까지 상당한 시간이 걸리므로 '오래다'는 뜻이 파생되었다.
●●●●● 永久(영구)히/持久力(지구력)/耐久性(내구성)/長久(장구)

夏(복)　復(복)　腹(복)　複(복)　覆(복)　鰒(복)　馥(복)　履(이)

夏 훈음 돌아올 복 부수 夊(쇠) - 발음기호로 많이 쓰임 ▶▶▶ → 바람이 빠졌다 들어갔다 하는 풀무
갑골문은 이 글자의 원형이 바람을 일으키는 풀무를 밟는 발을 그려서 부풀었다 빠졌다 하는 풀무의 모습에서 '가 본 적이 있던 길을 다시 걷다'를 본뜻으로, '가다, 오다, 돌아오다'의 뜻을 갖게 되었으나 주로 발음기호로 사용되어 나날이 익어가는 벼에서 나는 향기(香)를 복(夏)을 발음으로 향기 복(馥)과 입을 벌렸다 닫았다(夏) 하는 해물(魚)인 전복(全鰒) 복(鰒)자 등의 탄생에 기여했다.

復 훈음 돌아올 복/다시 부 부수 길 갈 彳(척) ▶▶▶ 자축거릴 彳(척) + 돌아올 夏(복) → 되돌아오다
길과 가다의 의미가 있는 길 갈 彳(척)을 추가하여 반복해서 가다/오다 즉 '돌아오다, 다시'라는 '본뜻'을 살린 글자다. 夏(복)은 발음기호이다.
●●●●● 往復(왕복)/復活(부활)/復舊(복구)/復習(복습)

腹 훈음 배 복 부수 육달 月(월) ▶▶▶ 肉(육)달 月(월) + 夏(복) → 부풀어 오르는 배
신체 가운데 배를 나타내는 글자이므로 신체를 상징하는 肉(육)달 월(月)을 의미요소로 夏(복)은 발음기호로 쓰였다.
●●●●● 空腹(공복)/異腹兄弟(이복형제)/腰折腹痛(요절복통)

複 훈음 겹옷/겹치다 복 부수 옷 衤(의) ▶▶▶ 옷 衤(의) + 夏(복) → 겹쳐 입으니 배가 불러오다
두껍고 두 겹의 겹쳐진 솜 털옷을 나타내기 위한 글자였으므로 옷 衤(의)가 의미요소로 夏(복)은 발음기호로 사용됐다.
●●●●● 複利(복리)/複雜(복잡)/複道(복도)/重複(중복)

覆 훈음 뒤집힐 복 부수 덮을 襾(아) ▶▶▶ 덮을 襾(아) + 돌아올 復(복)
'뒤집다, 덮다'가 본뜻이므로 '뒤집히다'의 뜻일 경우는 돌아올 復(복)이 주 의미요소이고, '덮다'의 경우는 덮을 襾(아)가 의미요소로 復(복)은 발음기호이다.
●●●●● 顚覆(전복)/飜覆(번복)/覆蓋(복개)

履 훈음 신/신다/밟을 이(리) 부수 주검 尸(시) ▶▶▶ 주검 尸(시) + 돌아올 復(복) → 주검까지 이른 여정
발에 신는 '신'에서 출발하여 '밟다'로 나아가 '지나온 발자취'까지 아무튼 근본적으로는 발과 관련된 글자임을 알 수 있다. 현재의 글자는 彳(척)과 夊(치)가 '발, 길'과 관련된 글자이나 그냥 외워야 할 것 같다.
●●●●● 履歷書(이력서)/履修(이수)/履行(이행)

彳 조금 걸을/길 갈/길 척

✎ 길, 천천히 가다 : 두 가지 뜻으로 나누어 보았다

彳(척) 彷(방) 徨(황) 徘(배) 徊(회) 往(왕) 循(순) 從(종) 徐(서)

彳

훈음 조금 걸을 척 **부수** 제 부수

쩔뚝쩔뚝 걷는 모습 혹은 부축하고 걷는 두 사람의 모습에서 두 인변이라는 이름이 생겼다. 그러나 네거리를 뜻하는 갈 行(행)의 생략형으로 '거리, 걷다'를 의미한다.

彷

훈음 거닐 방 **부수** 걸을 彳(척) ▶▶▶ 자축거릴 彳(척) + 모 方(방) ➡ 아무 곳이나 돌아다님

특별한 목적 없이 여기저기 기웃대는 모양을 그린 글자로, 천천히 걸을 彳(척)이 의미요소고 方(방)은 발음기호이다. 그런데 여기 方(방)이 사방을 의미하므로 '아무 곳, 여기저기'를 거닐다(彳)에 의미요소로 참가했을 것이다.

●●●●● 彷徨(방황)

徨

훈음 노닐 황 **부수** 걸을 彳(척) ▶▶▶ 彳(척) + 임금 皇(황) ➡ 임금님 걸음

천천히 걷는 것을 나타내는 글자로 갈 彳(척)이 의미요소로 皇(황)이 발음기호이나, 임금 皇(황)이 쓰인 것을 보면 급할 것 없는 '임금님의 걸음걸이'에서 따왔을 것이다.

●●●●● 彷徨(방황)

徘

훈음 노닐 배 **부수** 걸을 彳(척) ▶▶▶ 조금 걸을 彳(척) + 아닐 非(비) ➡ 특별한 목적 없이 어슬렁거림

특별한 목적지를 향해 가는(彳) 게 아니라(非) 그냥 여기저기 기웃기웃하는 것을 나타낸 글자로 두 글자 모두 의미요소에 기여하며 非(비)는 발음기호로 쓰였다.

●●●●● 徘徊(배회)

徊

훈음 노닐 회 **부수** 걸을 彳(척) ▶▶▶ 조금 걸을 彳(척) + 돌 回(회) ➡ 빙빙 돌아다님

특별한 목적지 없이 떠돌아다니는 사람을 묘사한 글자로 걸을 彳(척)은 의미요소고 回(회)는 발음기호다.

●●●●● 徘徊(배회)

往

훈음 갈 왕 **부수** 걸을 彳(척) ▶▶▶ 걸을 彳(척) + 주인 主(주) ➡ 가고 오다할 때의 '가다'

가다라는 뜻을 나타내기 위해 발 止(지)와 발음기호인 王(왕)으로 이루어진 글자였으나, 꼴이 바뀌자 의미를 분명히 하기 위해 걸을 彳(척)을 첨가하여 지금의 꼴로 바뀐 글자다.
훗날 '지난'이란 뜻으로 확대 사용되었다.

●●●●● 往復(왕복)/往年(왕년)/說往說來(설왕설래)

循

훈음 좇을 순 **부수** 걸을 彳(척) ▶▶▶ 길 갈 彳(척) + 방패 盾(순) ➡ 적을 좇아감

길을 따라가다라는 뜻을 나타내기 위해 길 갈 彳(척)을 의미요소로 盾(순)은 발음기호로 쓰였다. 점차 '좇다, 돌아다니다' 등으로 의미 확대됐다.

●●●●● 循環(순환)/循行(순행)

從 훈음 좇을 종 　부수 길 갈 彳(척)　▶▶▶ 彳(척) + 사람 人(인) + 발 止(지) ➡ 무리가 뒤따름
갑골문은 단지 두 사람(人)만 그려 넣어 뒷사람이 앞서 가는 사람을 좇아가는 모습을 하고 있었으나 후에 갈 착(辶=彳+止)을 첨가하여 뒤따른다는 뜻을 분명히 한 글자다.
●●●●● 順從(순종)/服從(복종)/從軍記者(종군기자)/姨從(이종)/白衣從軍(백의종군)/一夫從事(일부종사)

徐 훈음 천천할 서 　부수 갈 彳(척)　▶▶▶ 길 갈 彳(척) + 나 余(여) ➡ 천천히 걷다
'천천히'라는 뜻을 나타내기 위한 글자로 길 갈 彳(척)이 의미요소고 余(여)는 발음요소이다.
※ 敍(서) – 차례 서
●●●●● 徐行(서행)/徐徐(서서)히

徑(경)　　徒(도)　　得(득)　　待(대)　　律(률)　　德(덕)

徑 훈음 지름길 경 　부수 길 갈 彳(척)　▶▶▶ 길 彳(척) + 지하수 巠(경) ➡ 좁고 협착한 길
수레가 다닐 수 없는 '좁고 협착한 길'을 뜻하기 위해 길 갈 彳(척)이 의미요소로 지하수 巠(경)은 발음기호로 쓰였다. 후에 '지름길 곧다'로 확대 사용됐다.
●●●●● 捷徑(첩경)/直徑(직경)/徑路(경로)

徒 훈음 무리 도 　부수 길 갈 彳(척)　▶▶▶ 길 갈 彳(척) + 달릴 走(주) ➡ 함께 달리는 사람들
땅 위를 돌아다니는 사람을 나타내기 위해서 처음엔 발 止(지)와 흙 土(토)에서 길을 가다라는 뜻으로 쓰였으나, 彳(척)이 첨가되어 '걷다'에서 '비다, 무리' 등으로 확대 사용됐다. '무리'란 같은 길을 가는 사람들이란 뜻이므로 제대로 파생된 글자이다.
●●●●● 使徒(사도)/徒步(도보)/信徒(신도)/徒勞(도로)

得 훈음 얻을 득 　부수 걸을 彳(척)　▶▶▶ 彳(척) + 旦(단–貝의 변형) + 寸(촌) ➡ 길에서 조개(돈)을 줍다
돈을 가리키는 貝(패)와 손으로 '잡다'라는 뜻인 又(우)가 합쳐진 꼴로 불로소득이 생긴다는 뜻의 글자였으나, 그 의미를 더욱 분명히 하기 위해 길에 해당하는 걸을 彳(척)을 첨가하여 '길에서 조개 즉 돈을 줍다'의 뜻을 분명히 하였고 후에 '얻다'라는 뜻으로 사용됐다.
●●●●● 所得(소득)/得罪(득죄)/得點(득점)/得失(득실)

待 훈음 기다릴 대 　부수 자축거릴 彳(척)　▶▶▶ 갈/조금 걸을 彳(척) + 절 寺(사) ➡ 행정 서비스
기다림은 어디서 오는 사람을 애타게 기다린다는 뜻이므로 길(彳(척))이 의미요소고, 시중들러 오는 사람(寺)도 의미요소이다. 예나 지금이나 公僕(공복)들의 철밥통 기질로 서비스를 받으려면 한참은 기다려야 한다는 시대 상황을 묘사한 글자다.
●●●●● 待合室(대합실)/待接(대접)/接待(접대)/厚待(후대)

律 훈음 법/법칙 률 　부수 길 갈 彳(척)　▶▶▶ 천천히 걸을 彳(척) + 붓 聿(율) ➡ 붓(법)이 가는 길
"붓(聿)으로 글을 써서 길(彳)에 방을 붙여 널리 알리다"에서 공식적으로 백성에게 공포된 법령으로 따라야 할 '규칙, 법, 법률' 등을 의미하게 되었다. 聿(율)은 발음기호로도 사용됐다.
●●●●● 律法(율법)/法律(법률)/音律(음률)/戒律(계율)

德 훈음 덕 덕 　부수 길 갈 彳(척)　▶▶▶ 걸을 彳(척) + 곧을 直(직) + 마음 心(심) ➡ 올바른 인생 행로
올바른(直) 마음(心)으로 살아가는 인생 행로(彳)가 곧 덕 德(덕)이다.
●●●●● 德行(덕행)/智德體(지덕체)/德談(덕담)/恩德(은덕)/道德(도덕)/德望(덕망)/感之德之(감지덕지)/
　　　謙讓之德(겸양지덕)/背恩忘德(배은망덕)

役(역)　　彼(피)　　御(어)　　微(미)　　徵(징)　　徹(철)

役 훈음 부릴 역　부수 길 갈 彳(척)　▶▶▶ 자축거릴 彳(척) + 창 殳(수) → 권위를 가진 사람
'일을 시키다'는 뜻을 가진 글자로, 남에게 강제로 일을 시킬 수 있는 권위를 상징하는 무기인 창(殳)을 들고 있는 사람(亻)으로 그 뜻을 묘사한 글자이다. 훗날 사람(亻-彳의 변형)이 가야 할 길 갈 彳(척)으로 바뀌었다. '부리다, 일' 등으로 뜻이 확대됐다.
••••• 使役(사역)/苦役(고역)/勞役(노역)/懲役(징역)/兵役(병역)

彼 훈음 저 피　부수 길 갈 彳(척)　▶▶▶ 길 갈 彳(척) + 가죽 皮(피) → 저쪽 길?
저곳, 저쪽을 나타내기 위한 글자이나 皮(피)가 발음기호임은 분명하나 길 갈 彳(척)이 왜 쓰였는지는 여전히 오리무중이다.
••••• 彼此(피차)/知彼知己(지피지기)

御 훈음 어거할 어　부수 길 갈 彳(척)　▶▶▶ 길갈 彳(척) + 풀 卸(사) → 말을 몰다
마차를 몰다가 원뜻이었으니 길 갈 彳(척)과 말고삐를 잡고 있는 모습에서 유래한 풀 卸(사)가 의미요소로 사용되었다. 훗날 '다스리다, 부리다, 그리고 왕같이 높은 지체에 대한 경칭으로 사용됐다.' 본뜻은 말 부릴 馭(어)로 나타냈다.
••••• 御命(어명)/暗行御史(암행어사)/制御(제어)

微 훈음 작을 미　부수 갈 彳(척)　▶▶▶ 사거리 彳(척) + 길 長(장) + 칠 攵(복) → 천천히 움직이는 노인
갑골문에서는 가운데 글자가 긴 머리카락을 풀어헤친 모양의 길 長(장)자로서 노인을 형상화한 글자이다. 따라서 몸을 제대로 가누지 못하는 노인네가 지팡이(攵)에 의지해 조금씩 조금씩 다니는(彳) 모양새에서 '극히 작은' 것을 묘사하는 글자로 발전되었다.
••••• 微微(미미)/微笑(미소)/極微(극미)/微行(미행)

徵 훈음 부를 징　부수 갈 彳(척)　▶▶▶ 彳(척) + 長(장) +壬(정) → 노인을 부르다
위의 글자와 다른 부분은 가운데 부분의 王(왕)자가 까치발을 하고 머리를 쳐든 모습인 壬(정)자의 변형이므로 길 가는 노인(微)을 부르는 모습에서, 하늘이 '천상으로 노인을 불러들이는' 모습에서, '부르다, 조짐' 등으로 의미 확대됐다.
••••• 特徵(특징)/徵收(징수)/徵發(징발)

徹 훈음 통할/밝을 철　부수 갈 彳(척)　▶▶▶ 갈 彳(척) + 기를 育(육) + 칠 攵(복) → 징계를 통한 철저한 교육
'통하다'라는 것은 막힘이 없다는 뜻이므로 四通八達(사통팔달)의 뻥 뚫린 사거리를 연상시키므로 사거리의 생략형인 갈 彳(척)을 의미요소로, 나머지는 발음요소임이 물 맑을 澈(철)/거둘 撤(철)에서 알 수 있다. 소전체 즉 현대의 글자만 가지고 해석하면 자녀를 올바르게 기르기 위해선(育-기를 육) 징계(칠 攵-징계를 의미)가 필수적이며, 그렇게 철저히 양육해야 길이(彳) 뻥 뚫린 것처럼 미래가 밝을 것이다에서 '통하다, 밝다'의 뜻으로 의미 확대됐다.
※ (育+攵)의 갑골문은 - 솥 鼎(정) + 又(우)의 변형으로 솥을 철저하게 닦음이 원뜻으로 '철저할 철'자이나 현재에는 발음기호로만 사용되지 단독 사용은 없다.
••••• 徹頭徹尾(철두철미)/徹底(철저)/貫徹(관철)/透徹(투철)/冷徹(냉철)/徹夜(철야)

行 사거리/갈 행

行(행) 術(술) 衍(연) 街(가) 衝(충) 衛(위) 衡(형) 衛(위) 銜(함) 術(현)

行
훈음 갈 행/항렬 항 부수 제 부수 ▶▶▶ 사거리를 본뜸
네(4)거리를 본뜬 글자로 '도로, 길거리, 다니다, 하다'의 뜻으로 주로 쓰이며 타 글자의 형성에 기여해 왔는데 돌아다니며(行) 자랑하는 모습에서 현(玄)을 발음으로 현학(衒學)의 팔다/발보일 현(衒)이나 소나 말들을 조종하기 위해 입에 물리는 쇠(金)붙이를 명함(名銜)의 재갈 함(銜)자등의 탄생에도 영향을 주었다.
▶▶▶▶▶ 行方不明(행방불명)/論功行賞(논공행상)/走行(주행)/德行(덕행)/行爲(행위)/行列(항렬)

術
훈음 꾀 술 부수 갈 行(행) ▶▶▶ 갈 行(행) + 차조 朮(출) → 사거리를 내는 것
끝이 없이 넓게 펼쳐진 수수밭(朮(출))에 사람이 다닐 수 있는 큰 네거리(行)를 만드는 것은 보통 재주로는 불가능하다. 따라서 대단한 일에 해당하는 '일, 꾀, 술책' 등이 파생되었다.
'장이모우' 감독의 "붉은 수수밭"이란 유명한 중국 영화가 세상을 놀라게 한 적이 있었다. 이 한편의 영화를 통해 '공리'라는 여주인공은 세계적 스타가 되었다. 수수밭이 영화의 소재로 사용된 것을 보면 중국에서 수수밭, 수수라는 것이 얼마나 생활과 밀접한지 알 수 있다.
▶▶▶▶▶ 技術(기술)/術策(술책)/術數(술수)

衍
훈음 넘칠 연 부수 갈 行(행) ▶▶▶ 갈 行(행) + 물 氵(수) → 사거리에 물이 넘침
길에 물이 넘치는 것을 나타내기 위해 물 氵(수)와 사거리 行(행)이 모두 의미요소로 쓰였다.
▶▶▶▶▶ 敷衍(부연) 설명/蔓衍(만연)

街
훈음 거리 가 부수 갈 行(행) ▶▶▶ 갈 行(행) + 홀 圭(규) → 사거리에 서 있는 가로수
사통팔달의 큰 거리를 나타내기 위해서 圭(규)를 발음기호로 行(행)을 의미요소로 사용했다.
※ 佳(가) - 아름다울 가
▶▶▶▶▶ 街頭(가두)/市街(시가)/街路樹(가로수)/商街(상가)

衝
훈음 찌를 충 부수 갈 行(행) ▶▶▶ 갈 行(행) + 무거울 重(중) → 사거리에서 충돌함
길거리에서 우마차가 부딪히는 육중한 소리로 '찌르다, 부딪히다'의 뜻을 나타내고자 하여 사거리 行(행)이 의미요소고 무거울 重(중)이 발음요소이다.
▶▶▶▶▶ 衝突(충돌)/緩衝(완충)/衝天(충천)/折衝(절충)

衛
훈음 지킬 위 부수 갈 行(행) ▶▶▶ 갈 行(행) + 다룸가죽 韋(위) → 사거리를 지킴
韋(위)의 원뜻은 성을 지키는 군사들의 모습을 그린 글자로 다닐 行(행)을 추가하여 성 주위를 부지런히 돌며 지킨다는 뜻을 더 분명히 하였다.
▶▶▶▶▶ 衛兵(위병)/防衛(방위)/護衛(호위)/保衛(보위)

衡
훈음 저울대 형 부수 갈 行(행) ▶▶▶ 사거리 行(행) + 뿔 角(각) + 큰 大(대) → 사거리에서 사람을 보호함
사거리(行)를 오가는 소(人)의 뿔(角)로부터 사람을 보호하기 위해 가로로 덧댄 橫木(횡목)을 가리킨다. 훗날 양쪽의 균형을 잡는 '저울 대'로 발전하였다. 行(행)은 발음기호이다.
※ 珩(형) - 노리개 형
▶▶▶▶▶ 均衡(균형)/衡平(형평)/書類銓衡(서류전형)

辶 쉬엄쉬엄 갈 착

✍ 가깝고/멀고는 길이 멀고 가깝다. 다시 말해 가는데 오래 걸리고 안 걸리고...

辶(착)	遠(원)	近(근)	速(속)	遲(지)	進(진)
過(과)	通(통)	運(운)	週(주)	選(선)	道(도)

辶
훈음 쉬엄쉬엄 갈 착 = 辵(착) **부수** 제 부수
▶▶▶ 조금 걸을 彳(척) + 발 止(지) 혹은 사거리 行(행)의 생략형 + 발 止(지)
쉬엄쉬엄 '가다'가 기본뜻이나 '달리다, 뛰어넘다'의 뜻으로, 그리고 '길'이라는 의미로도 쓰인다. 따라서 '동사, 형용사, 명사'로 구분해 볼 수 있다.

遠
훈음 멀 원 **부수** 갈 辶(착) ▶▶▶ 갈 辶(착) + 옷 길 袁(원) - 먼 길(곳) ➡ 돌아올 수 없는 강을 건넘
'길이 멀다, 먼 길'을 나타내기 위한 것이므로 갈 辶(착)이 의미요소로, 옷 길 袁(원)은 발음 겸 의미요소로도 일부 영향을 미쳤다.
●●●●● 遠距離(원거리)/遠征(원정)/遠近(원근)/永遠(영원)

近
훈음 가까울 근 **부수** 갈 辶(착) ▶▶▶ 갈 辶(착) + 도끼 斤(근) ➡ 가까운 길(곳) - 가깝다
가까운 거리를 나타내기 위한 것으로 거리를 뜻하는 길 갈 辶(착)이 의미요소고 도끼 斤(근)은 발음요소이다. 짧은 도끼(斤) 자루 정도의 떨어진 거리에서 '가깝다'가 파생되었다면 의미에도 관여했음을 알 수 있다.
●●●●● 近視(근시)/遠近法(원근법)/接近(접근)

速
훈음 빠를 속 **부수** 갈 辶(착) ▶▶▶ 갈 辶(착) + 묶을 束(속) ➡ 빨리 가다 - 빠르다
나무나 짐을 잘 묶어(束)야 빨리 갈(辶) 수 있으므로 束(속)은 발음기호로 쓰였다.
●●●●● 過速(과속)/迅速(신속)/速記(속기)/速達(속달)/加速(가속)

遲
훈음 늦을 지 **부수** 갈 辶(착) ▶▶▶ 갈 辶(착) + 무소 犀(서) ➡ 소걸음 - 늦다
덩치 큰 소(무소)가 천천히 걷는 모습에서 '늦다'를 만들어 낸 글자로, 갈 辶(착)과 무소 犀(서) 모두가 의미요소로 쓰였다.
●●●●● 遲刻(지각)/遲滯(지체)/遲延(지연)

進
훈음 나아갈 진 **부수** 갈 辶(착) ▶▶▶ 갈 辶(착) + 새 隹(추) ➡ 앞으로 나아가다
새가 날기 위해 앞으로만 달려 나가는 모습처럼 앞으로 나가다를 나타낸 글자로 갈 辶(착)과 새 隹(추) 모두 의미요소이다.
●●●●● 前進(전진)/進擊(진격)/進步(진보)/進級(진급)/進化(진화)

過
훈음 지날/허물 과 **부수** 갈 辶(착) ▶▶▶ 갈 辶(착) + 입 비뚤어질 咼(괘) ➡ 지나가다
咼(괘)자는 뼈 骨(골)자의 변형으로 살점(月) 대신 입 口(구)가 들어가 속이 텅 비어 버린 뼈로서 바람이 지나다니기(辶) 좋은 모습의 글자다. 앙상한 뼈(咼) 사이로 바람이 지나간다(辶)라는 뜻이다.
●●●●● 通過(통과)/過程(과정)/過速(과속)/過猶不及(과유불급)

훈음 통할 통 **부수** 갈 辶(착) ▶▶▶ 갈 辶(착) + 길 甬(용) ➡ 통과해 가다

통과하여 빠져나간다는 것도 '가다'이므로 갈 辶(착)을 의미요소로, 모든 것이 다 빠져나가 버리는 대나무로 얽어서 만든 바구니 용(甬)을 발음기호 및 의미보조로 사용했다.

●●●●● 通過(통과)/通用(통용)/通關(통관)/通勤(통근)/通讀(통독)

 훈음 돌 운 **부수** 갈 辶(착) ▶▶▶ 갈 辶(착) + 군사 軍(군) ➡ 싣고 가다

병거(軍)에 군수 물자를 싣고 운반한다(辶) 하여 갈 辶(착)을 의미요소로 軍(군)은 발음요소로 쓰였다.

●●●●● 運搬(운반)/運轉(운전)/運營(운영)/運命(운명)/運動(운동)

 훈음 돌/요일 주 **부수** 갈 辶(착) ▶▶▶ 갈 辶(착) + 두루 周(주) ➡ 돌아보다

농작물이 골고루(周) 잘 자라는지 돌아다녀(辶) 보는 농부의 행동에서 갈 辶(착)을 의미요소로 두루 周(주) 는 발음 및 의미보조로 쓰였다.

●●●●● 週末(주말)/週期的(주기적)/隔週(격주)/週報(주보)

 훈음 가릴 선 **부수** 갈 辶(착) ▶▶▶ 갈 辶(착) + 손괘 巽(손) ➡ 선발하여 보내다

뽑아서 보낸다 하여 갈 辶(착)을 의미요소로 巽(손)을 발음기호로 쓰였다. 巽(손)자는 제단이나 단 위에 앉 아 있는 두 사람(巳) 혹은 두 제물 '제물로 바치든가 궁궐이나 사당으로 보내기(辶) 위해' 선택하기 위한 장 면에서 '가리다, 뽑다'가 파생됐다.

●●●●● 選拔(선발)/選擧(선거)/選定(선정)/選手(선수)/落選(낙선)/取捨選擇(취사선택)/入選(입선)/當選謝禮(당선사례)

 훈음 길 도 **부수** 갈 辶(착) ▶▶▶ 갈 辶(착) + 머리 首(수) ➡ 가야할 길 – 명사

길이란 사람(首)들이 다니(辶)는 '문자적 도로'를 가리키며, 또 한편으로 사람들이 마땅히 가야 할 따라야 할 길을 의미하므로 사람을 상징하는 머리 首(수)와 길을 의미하는 辶(착) 모두가 의미요소로 쓰였다.

●●●●● 道路(도로)/道理(도리)/道德(도덕)/修道(수도)/王道(왕도)/大道無門(대도무문)/言語道斷(언어도단)

廴 길게 걸을 인

廴(인) 延(연) 誕(탄) 廷(정) 庭(정) 艇(정) 建(건) 廻(회)

廴

훈음 길게 걸을 인 부수 제 부수 ▶▶▶ 무덤에 이르는 길

갈 行(행)의 왼편인 彳(척)을 길게 늘려놓은 모습으로 '길, 보폭을 길게 하여 걷다' 등의 뜻으로 사용됐다.

延

훈음 끝/늘일 연 부수 길게 걸을 廴(인)

▶▶▶ 길게 걸을 廴(인) + 바를 正(정)의 변형 ➡ 시간을 끌면서 가다

한걸음이면 갈 수 있는 길을 마치 발을 길게 해야 즉 두세 걸음 더 가야 갈 수 있을 정도로 늘어났다는 사상을 전달하는 글자다. 길게 걷는 모양의 廴(인)과 목적지를 향해 가는 발(正)을 다 의미요소로 사용했다.

•••• 延期(연기)/遲延(지연)/延命(연명)/延長(연장)

誕

훈음 태어날 탄 부수 말씀 言(언) ▶▶▶ 말씀 言(언) + 늘일 延(연) ➡ 말을 길게 하다

'말을 길게 하다, 큰소리 치다'라는 사상을 나타내는 글자로서 말씀 言(언)과 끝 延(연) 모두 의미요소에 기여한다. 귀중한 사람의 출생은 크게 기뻐하고 멀리 오래 공표해야 할 성질이므로 태어날 탄으로 의미 확대되었다.

••••• 誕生(탄생)/聖誕節(성탄절)/誕辰(탄신)/虛誕(허탄)

廷

훈음 조정 정 부수 끝 廴(인) ▶▶▶ 壬(정) + 끝 廴(인) ➡ 줄지어 선 신하들

국사를 논하기 위해 임금님 앞에 신하들이 길게(廴) 양옆으로 늘어서 있는 장소를 나타내기 위해 만들어진 글자로, 길게 걸을 廴(인)이 의미요소고 정(壬)은 발음기호이다.

••••• 朝廷(조정)/宮廷(궁정)/出廷(출정)

庭

훈음 뜰 정 부수 집 广(엄) ▶▶▶ 큰 집 广(엄) + 조정 廷(정) ➡ 초목이 늘어서 있는 곳

정원은 궁궐 같은 큰 집에나 있으므로 집 广(엄)이 의미요소고 廷(정)은 발음기호다.

••••• 庭園(정원)/親庭(친정)/庭球(정구)/宮庭(궁정)

艇

훈음 거룻배 정 부수 배 舟(주) ▶▶▶ 배 舟(주) + 조정 廷(정) ➡ 작은 배

돛 없는 작은 배를 나타내는 글자로 배 舟(주)가 의미요소고, 廷(정)은 발음기호이다.

••••• 快速艇(쾌속정)/艦艇(함정)/小艇(소정)

建

훈음 세울 건 부수 걸을 廴(인) ▶▶▶ 길게 걸을 廴(인) + 붓 聿(율) ➡ 길 건축 계획

사람이 다니는 도로를 세우고 짓기 위해 사전에 도면을 그리는 데 필요한 도구인 붓 聿(율)과 사람들이 다니는 도로의 의미로 '늘어선 길'을 의미하는 인(廴)을 조합한 글자로 후에 '세우다, 일으키다'로 의미 확대됐다.

••••• 建築(건축)/建設(건설)/建國(건국)/建立(건립)/建造(건조)

廻

훈음 돌 회 부수 廴(인) ▶▶▶ 길게 걸을 廴(인) + 돌 回(회) ➡ 돌고 도는 것

'도는 길, 이어져 결국은 연결된 순환길'을 나타낸 글자로, 길의 상형인 廴(인)과 '돌다'의 상형인 回(회)의 합체자로 '돌아가다, 돌다, 순환하다'의 뜻으로 사용한다.

➡ 巡廻(순회)/上廻(상회)/下廻(하회)

九 절름발이 왕

| 尢(왕) | 尤(우) | 就(취) | 蹴(축) | 抛(포) |

尢

훈음 절름발이 왕 부수 제 부수 ▶▶▶ 큰 大(대)자에서 다리 하나를 짧게 한 모습

다리가 짧거나 등이 굽고 키 작은 사람을 나타내기 위해 만든 글자로, 글자 자체의 모양에서 '절름발이, 곱사등이' 등의 뜻을 충분히 유추해낼 수 있다. 쪼그리고 앉아(尢→九) 쟁기질(力) 하며 자갈들을 밖으로 던져 버리는(扌) 장면에서 포물선(抛物線)/포기(抛棄)의 던질 포(抛)

尤

훈음 더욱 우 부수 절름발이 尢(왕) ▶▶▶ 절름발이 尢(왕) + 점 丶(주) ➡ 손가락으로 가리킴

옛글자는 손(又)에 가로 획(丶)을 그린 형태로, 손가락으로 '특별한 무엇'을 가리키든가 나무라는 모습으로 '나무라다'가 원뜻이고 '허물, 더욱' 등으로 확대 사용되었다.

●●●●● 尤甚(우심)

就

훈음 이룰/나아갈 취 부수 절름발이 尢(왕) ▶▶▶ 서울/클 京(경) + 더욱 尤(우) ➡ 저 높은 곳을 향하여

'이루다'는 것은 특별하고 큰일을 성취해낸 것을 말하는 것으로 서울(京)처럼 큰 곳을 가리키는 손(尢)을 통해 큰 곳으로 '나아가다'는 뜻을 갖게 됐고, 나아가 마침내 서울이나 높은 곳으로 진출했으니 큰일을 이루었다 하여 '이루다'가 파생됐다.

●●●●● 成就(성취)/就任(취임)/就職(취직)

蹴

훈음 찰 축 부수 발 足(족) ▶▶▶ 발 足(족) + 이룰 就(취) ➡ 발로 차며 나아가다

'발로 밟다, 발로 차다'는 뜻을 나타내기 위한 것이므로 발 足(족)이 의미요소고 나머지 이룰 취(就)가 발음요소이다. 발(足)에 차인 것이 앞으로 나아가게(就) 된다는 의미다.

●●●●● 蹴球(축구)

尤 머뭇거릴 유

| 尤(유) | 眈(탐) | 耽(탐) | 沈(침/심) | 枕(침) |

尤

훈음 머뭇거릴/망설일 유/猶와 同字 **부수** 민머리 ⌐(멱)

▶▶▶ 덮을 ⌐(멱) + 소아마비 人(인) ➡ 베개를 베고 누워 있는 모습

물속에 빠진 사람이나 소의 상형으로 당연히 앞으로 나아가지 못하고 허우적대는 모습에서 '망설이다, 머뭇거리다'의 뜻이 파생됐다. 베개 枕(침)자를 보면 사람이 베개를 베고 있는 누워 있는 모습이라는 설도 설득력 있어 보인다.

＊ 부수자 아님. 덮을 ⌐(멱)에 2획.

●●●●● 猶(尤)豫(유예)

眈

훈음 노려볼 탐 **부수** 눈 目(목) ▶▶▶ 눈 目(목) + 머뭇거릴 尤(유) ➡ 천천히 바라봄

머뭇머뭇하면서(尤) 쳐다본다(目) 즉 완전히 노려보는 것이다.

●●●●● 虎視眈眈(호시탐탐)

耽

훈음 즐길 탐 **부수** 귀 耳(이) ▶▶▶ 귀 耳(이) + 머뭇거릴 尤(유) ➡ 천천히 듣고 즐김

여기저기 기웃기웃(尤)하면서 별 애기 다 들으며(耳) 시간을 즐겁게 보낸다는 뜻이다.

●●●●● 耽溺(탐닉)/耽讀(탐독)/耽美(탐미)

沈

훈음 잠길 침/성 심 **부수** 물 氵(수) ▶▶▶ 물 氵(수) + 머뭇거릴 尤(유) ➡ 천천히 물속으로

물(氵) 속에 빠져 허우적대는 소(尤)를 가리키는 말로서 '가라앉다, 담그다'의 뜻이 파생됐다.

소가 물속에서 머뭇거리면 당연히 물에 빠진다.

●●●●● 沈黙(침묵)/沈滯(침체)/沈着(침착)/沈氏(심씨)

枕

훈음 베개 침 **부수** 나무 木(목) ▶▶▶ 나무 木(목) + 머뭇거릴 尤(유) ➡ 나무 베개

베개는 사람이 잘 때 목 받침을 하는 도구로써 예전엔 나무 베개가 주류를 이루었으므로 나무 木(목)과 그 것을 베고 자는 모습인 尤(유)를 합하여 의미를 더욱 확실히 한 글자다.

●●●●● 高枕短命(고침단명)/枕木(침목)

无 없을 무 兂 목멜 기

无(무) 兂(기) 旡(기) 槪(개) 慨(개) 漑(개) 朁(참) 潛(잠) 簪(잠) 蠶(잠)

无
훈음 없을 무 - 無(무)의 古字 **부수** 제 부수
▶▶▶ 한 一(일) + 절름발이 尢(왕) ➡ 없을 無(무)와 같은 뜻으로 쓰임
하늘에는(一) 절름발이(尢)가 없다/불경 읽을 때의 發語辭(발어사)로 쓰인다.
●●●●● 无垢(무구)/天眞無垢(천진무구)

兂
훈음 목멜 기 - 단독으로는 쓰이지 않음 **부수** 없을 无(무)
▶▶▶ 꺾인 한 一(일) + 절름발이 尢(왕) ➡ 눈물이 나오려 하여 얼굴을 돌림
갑골문은 '얼굴을 돌려 외면한' 모양을 하고 있고, 說文(설문)에서는 '음식을 먹을 때 구역질이 나서 숨이 막힌 모습'이라고 하였다. 아무튼 얼굴을 반대편으로 돌린 모습의 글자이다.

旡
훈음 이미 기 **부수** 없을 无(무) ▶▶▶ 고소할 皀(흡) + 목멜 兂(기) ➡ 밥상을 쳐다보고 싶지 않다
皀(흡)자는 밥그릇에 담긴 밥의 상형이고, 목멜 兂(기)는 '배가 너무 불러 더 이상 먹고 싶은 마음이 없음을 나타내려고 머리를 밥상 반대쪽으로 돌린' 모습으로 '더 이상 먹고 싶지 않다, 이미 충분히 먹었다'가 본뜻이다. 그러나 '다 마치다, 다 없어지다, 이미' 등으로 뜻이 확대 파생된 글자이다.
●●●●● 旣決(기결)/旣往(기왕)/旣得權(기득권)/旣往之事(기왕지사)

槪
훈음 대강/대개 개 **부수** 나무 木(목) ▶▶▶ 나무 木(목) + 이미 旣(기) ➡ 적당히 담아 주던 풍습
평미레로 정확이 밀어서 곡식을 포대에 담지 않고 대충 담던 모습을 그린 글자로 나무 木(목)이 의미요소고 旣(기)는 발음요소이다.
※ 평미레 : 됫박에 곡식을 담고 밀어서 그 위를 고르게 하던 곤봉 같은 둥근 나뭇조각
●●●●● 大槪(대개)/槪括(개괄)/槪要(개요)

慨
훈음 분개할 개 **부수** 마음 忄(심) ▶▶▶ 마음 忄(심) + 이미 旣(기)
억울함으로 인해 깊은 슬픔을 나타내려는 글자이므로 마음 忄(심)을 의미요소고 旣(기)는 발음기호다.
●●●●● 慨嘆(개탄)/憤慨(분개)/悲憤慷慨(비분강개)

漑
훈음 물댈 개 **부수** 물 氵(수) ▶▶▶ 물 氵(수) + 이미 旣(기)
물길을 트고 농토에 물 대는 것을 나타내기 위함으로 물 氵(수)가 의미요소고 旣(기)는 발음기호이다.
●●●●● 灌漑施設(관개시설)

潛
훈음 자맥질 할 잠 **부수** 물 氵(수)
▶▶▶ 물 氵(수) + 목멜 兂(기) + 가로 曰(왈) ➡ 유쾌히 물놀이 하는 어린이들
고개를 돌려(兂) 서로 마구 잡담(曰)하는 장면이 일찍이 참(朁)자이며 물 수(氵)를 더하면 물장구치며 유쾌하게 놀고 있는 어린아이들 모습에서 만들어진 글자가 잠수(潛水)의 자맥질 할 잠(潛)자이고 비녀의 재료인 대 죽(竹)을 더하면 옥잠(玉簪)의 비녀 잠(簪)자이다.
※ 蠶(잠) - 누에 잠/簪(잠) - 비녀 잠
●●●●● 潛伏(잠복)/潛入(잠입)/潛在能力(잠재능력)

◐ 비슷한 글자 정리 ◑

尢(유)　　尤(우)　　尢(왕)　　无(무)　　旡(기)　　儿(인)　　兀(올)

尢
훈음 머뭇거릴/망설일 유 − 猶와 同字　**부수** 민머리 ⺍(멱)
▶▶▶ 덮을 ⺍(멱) + 소아마비 人(인) ➡ 베개 베고 누운 사람
물속에 빠진 사람이나 소의 상형으로 당연히 앞으로 나아가지 못하고 허우적대는 모습에서 '망설이다, 머뭇 거리다'의 뜻이 파생됐다. 베개 枕(침)자를 보면 사람이 베개를 베고 누워 있는 모습이라는 설도 설득력 있어 보인다.
●●●●● 猶(尢)豫(유예)

尤
훈음 더욱 우　**부수** 절름발이 尢(왕)　▶▶▶ 개 犬(견)에서 발 하나가 불편하거나 저는 모습
옛글자는 손(又)에 가로 획(丶)을 그린 형태로, 손가락으로 '특별한 무엇'을 가리키든가 나무라는 모습으로 '나무라다'가 원뜻이고 '허물, 더욱' 등으로 확대 사용되었다.
●●●●● 尤甚(우심)

尢
훈음 절름발이 왕　**부수** 제 부수
큰 人(대)자에서 다리를 하나 저는 모습/한쪽 발이 짧거나 굽은 모습을 상형화한 글자다.

无
훈음 없을 무 − 無(무)의 古字　**부수** 제 부수
▶▶▶ 한 一(일) + 절름발이 尢(왕) ➡ 없을 無(무)와 같은 뜻으로 쓰임
하늘(一)에는 절름발이(尢)가 없다/불경 욀 때의 發語辭(발어사)로 쓰인다.
●●●●● 无垢(무구)/天眞無垢(천진무구)

旡
훈음 목멜 기　**부수** 없을 无(무)　▶▶▶ 꺾인 한 一(일) + 절름발이 尢(왕) ➡ 머리를 돌림
밥을 다 먹은 사람이 얼굴을 뒤로 돌려 '다 먹었음'을 나타내는 글자로, 음식이 목에 걸려 마치 목이 메이는 것처럼 생각해서인지 '목멜 기'라고 불린다.

儿
훈음 사람 인　**부수** 제 부수
단독으로 쓰이진 않고 다른 글자와 함께 쓰이면서 '사람'이라는 의미를 부여하는 글자이다.

兀
훈음 우뚝할 올　**부수** 사람 儿(인)
사람(儿)의 머리나 그 위에 있는 그 무엇(一)을 강조한 글자로, '높이 솟은 사람' '하늘에 미친 사람' 등의 뜻으로 유추할 수 있다. 단독으로 쓰이지 않고 타글자의 부품으로 많이 사용돼 쓰인다.
●●●●● 兀兀(올올)하다

立 설 립

✍ 발보다는 사람 쪽이 가깝다

立(립) 童(동) 憧(동) 瞳(동) 撞(당) 鐘(종) 竣(준) 端(단)
競(경) 竝(병) 普(보) 譜(보) 粒(립) 泣(읍) 拉(랍)

立
훈음 설 립 부수 제 부수 ▶▶▶ 큰 大(대) + 땅 一(일) ➡ 딱 버티고 서 있는 장정
땅(一)을 두 발로 앙팡지게 버티고 서 있는 장부(人)의 모습에서 '확고히 서다'라는 뜻의 글자다.
●●●●● 設立(설립)/立場(입장)/立身揚名(입신양명)/孤立(고립)

童
훈음 아이 동 부수 설 立(립) ▶▶▶ 설 立(립) + 마을 里(리) ➡ 남자 노예
아이 동(童)의 윗부분이 설 立(립)이 아니라 매울 辛(신)자로 전쟁 포로를 도망가지 못하도록 눈을 찌르거나
제거하여 종으로 삼은 남자 노예의 모습이며 여기에 눈 목(目)을 추가하면 동공(瞳孔)의 눈동자 동(瞳)이 되며
손 수(扌)를 추가하면 당구(撞球)의 칠 당(撞)이 되고 쇠 금(金)을 더하면 종로(鐘路)의 쇠북 종(鐘)이 된다.
※ 첩 妾(첩) - 여자 노예를 가리키는 단어
●●●●● 童話(동화)/兒童服(아동복)/童心(동심)

憧
훈음 그리워할 동 부수 마음 忄(심) ▶▶▶ 마음 忄(심) + 아이 童(동) ➡ 그리운 마음
누군가를 마음으로 그리워하는 것을 나타내기 위해 마음 忄(심)을 의미요소로 童(동)을 발음기호로 했다.
●●●●● 憧憬(동경)

竣
훈음 마칠 준 부수 설 立(립) ▶▶▶ 설 立(립) + 진실로 允(윤) + 천천히 걸을 夊(쇠) ➡ 완전히 홀로 서다
믿음직한 아이(允)가 아장아장 걷다가(夊) 점점 자라 마침내 혼자 힘으로 서(立) 있게 된다는 스토리를 담
은 글자로 마침내 '마치다'의 뜻을 갖게 됐다. 글자의 오른편은 발음기호이다.
●●●●● 竣工(준공)

端
훈음 바를/끝 단 부수 설 立(립) ▶▶▶ 설 立(립) + 시초 耑(단) ➡ 똑바른 자세
자세가 바르다는 뜻을 나타내기 위한 글자로 설 立(립)이 의미요고 耑(단)은 발음기호이다.
●●●●● 末端(말단)/端正(단정)/尖端(첨단)

競
훈음 다툴/겨룰 경 부수 설 立(립) ▶▶▶ 설 立(립) + 맏 兄(형) ➡ 다투는 두 사람
설 立(립)과 兄(형)의 형태가 아니라 말씀 言(언) 아래에 사람 儿(인)이 붙어 두 사람 위에 말씀 言(언)자가
붙어 있는 꼴로 서로 말다툼하는 모습을 그린 글자다. '다투다, 겨루다'로 의미 확대됐다.
●●●●● 競爭(경쟁)/競馬(경마)/運動競技(운동경기)/競走(경주)

竝
훈음 아우를 병 부수 설 立(립) ▶▶▶ 설 立(립)×2 ➡ 나란히 서 있는 두 사람
두 사람이 나란히 서 있는 모습을 그대로 글자로 옮겨 놓은 모습에서 '나란히, 함께'라는 뜻을 갖게 되었으
며 두 사람(竝) 즉 여러 사람에게 햇빛이(日) 비친다하여 보급(普及)의 널리/두루 보(普)자와 여러 사람에게
두루(普) 영향을 미치는 말(言)이란 족보(族譜)의 계보 보(譜)자가 자연스럽게 만들어지게 되었다.
●●●●● 竝列(병렬)/竝行(병행)/竝設(병설)

粒 훈음 낟알/알 립 부수 쌀 米(미) ▸▸▸ 쌀 米(미) + 설 立(립) ➡ 쌀 알갱이
곡식의 알갱이를 가리키는 말로 쌀 米(미)를 곡식의 대표로 立(립)은 발음기호로 쓰였다.
••••• 粒子(입자)/微粒子(미립자)

泣 훈음 울 읍 부수 물 氵(수) ▸▸▸ 물 氵(수) + 설 立(립) ➡ 눈물
사람이 흘리는 눈물이라는 의미에서 서 있는 사람 立(립)과 눈물에 해당하는 물 氵(수)가 의미요소로 사용되었으며 설 立(립)이 발음기호이다.
••••• 泣訴(읍소)/感泣(감읍)/泣斬馬謖(읍참마속)

拉 훈음 꺾을 랍 부수 손 扌(수) ▸▸▸ 손 扌(수) + 설 立(립)
손으로 상대방을 묶고 잡아 가다의 뜻이므로 손 扌(수)가 의미요소고 立(립)은 발음기호이다.
••••• 拉致(납치)/被拉(피랍)

位(위)　竟(경)　境(경)　鏡(경)　章(장)　障(장)　彰(창)

位 훈음 자리 위 부수 사람 亻(인) ▸▸▸ 사람 亻(인) + 설 立(립) ➡ 사람은 서 있어야 할 자리가 있다
사람(亻)이 서 있는(立) 위치 혹은 자리라 하여 두 글자 모두 의미요소로 사용됐다.
••••• 位置(위치)/地位(지위)/位階秩序(위계질서)/品位(품위)

竟 훈음 다할/마칠 경 부수 설 立(립) ▸▸▸ 소리 音(음) + 사람 儿(인) ➡ 연주를 끝마침
사람(儿) 위에 있는 악기(音)의 모습으로 이 소리 音(음)은 말씀 言(언)과 통하며 말씀 言(언)은 악기를 입에 대고 부는 모습의 뜻도 가진다. 따라서 사람(儿) 위의 악기(音)의 모습이란 연주가 다 끝난 모습에서 '다하다, 마치다'라는 뜻으로 확대되어 사용되고 있다.
••••• 畢竟(필경)/竟夜(경야)

境 훈음 지경 경 부수 흙 土(토) ▸▸▸ 흙 土(토) + 다할 竟(경) ➡ 토지의 경계
토지(土)나 밭이 끝나는(竟) 곳이란 경계를 의미하며 竟(경)을 발음기호로 사용했다.
••••• 地境(지경)/國境(국경)/困境(곤경)/逆境(역경)/心境(심경)/環境(환경)/死境(사경)/三昧境(삼매경)

鏡 훈음 거울 경 부수 쇠 金(금) ▸▸▸ 쇠 金(금) + 다할 竟(경)
竟(경)을 발음기호로 쇠 金(금)을 의미요소로 사용하여 과거 청동거울을 포함 유리거울이 나오기 전엔 금속을 닦아서 거울 대용으로 사용하였기에 의미요소로 쇠 金(금)이 사용됐다.
••••• 破鏡(파경)/眼鏡(안경)/顯微鏡(현미경)

章 훈음 글 장 부수 설 立(립) ▸▸▸ 소리 音(음) + 열 十(십) = 辛(신) + 日(왈) 또는 早(조) ➡ 새겨진 글자
문신용 날붙이 즉 칼(辛)로 문신을 새기는 것에서 '글'이라는 의미가 나왔고, 또 한편으로는 소리(音)가 모여져(十) 글과 문장으로 새겨지고 기록되었다 하여 '글, 도장, 한 단락'이라는 뜻으로 의미 확대됐다.
••••• 文章(문장)/樂章(악장)/勳章(훈장)/印章(인장)

障 훈음 가로막을 장 부수 언덕 阝(부) ▸▸▸ 언덕 阝(부) + 글 章(장) ➡ 글로 사람을 망침
산 같은 장애물이란 표현처럼 큰 언덕 같은 것이 앞을 가로막아 진행을 방해한다는 뜻을 나타내기 위해 언덕 阝(부)가 의미요소로 章(장)은 발음기호로 쓰였다.
••••• 障碍(장애)/故障(고장)

彰 훈음 밝을/밝힐 창 부수 터럭 彡(삼) ▸▸▸ 글 章(장) + 터럭 彡(삼) ➡ 문장으로 장식을 함
얽히고 설킨 무늬나 채색을 나타내기 위한 글자이므로 무늬를 가리키는 터럭 彡(삼)이 의미요소고 章(장)은 발음기호이다. 글(章)로 장식(彡)을 한다는 뜻이 파생됐다.
••••• 表彰狀(표창장)

入 들 입

入(입) 內(내) 全(전) 兩(량) 輛(량) 滿(만) 瞞(만) 納(납) 訥(눌)

훈음 들 입 **부수** 제 부수 ▶▶▶ 출입구의 모습

자원에 대한 정설은 없으나 밖에서 안으로 들어감을 표시한 부호 또는 땅 속으로 파고드는 모습 등에서 '들어가다, 구성원이 되다, 빠지다' 등으로 사용됐다.

●●●●● 入場(입장)/出入口(출입구)/稅入(세입)/入門(입문)/入闕(입궐)

훈음 안 내 **부수** 들 入(입) ▶▶▶ 멀 冂(경) + 들 入(입) ➡ 안으로 들어감 – 출입구 안쪽

집 宀(면)의 변형인 冂(경)과 안으로 들어가는 들 入(입)의 조화로 '안으로 들어가다'가 본뜻이고, '바깥과 대비되는 안'이 파생된 의미이다.

●●●●● 案內(안내)/內國人(내국인)/內部(내부)/內幕(내막)/內紛(내분)

훈음 온전할/완전할 전 **부수** 들 入(입) ▶▶▶ 들 入(입) + 임금 王(왕) ➡ 위아래가 잘 들어맞다

명칭은 들 入(입)과 임금 王(왕)이나 전혀 관계없는 글자이고, 쇠 金(금)과 맥락을 같이하는 글자로 거푸집의 상형으로 위아래 즉 몸체와 덮개가 서로 알맞게 잘 들어맞아 있는 모습에서 '온전하다, 완전하다'의 뜻으로 의미 발전된 글자다.

※ 집 안에 순수하고 '깨끗한' 옥을 '들여놓다'에서 발전되었다는 설도 있다.

●●●●● 完全(완전)/全部(전부)/純全(순전)

훈음 두 량 **부수** 들 入(입)

두 개의 멍에를 본뜬 것으로 추정되는 글자다. 현재의 글자를 잘 보면 멍에를 멘 두 필의 말이 마차를 끌고 가는 장면을 떠올릴 수 있을 것이다. 여기에 수레 거(車)를 더하면 두 필의 말이나 소가 끄는(兩) 마차(車)가 되어 차량(車輛)의 수레 량(輛)자로 발전하며 수레(兩)나 큰 물통에 물(氵)을 가득 채운 것을 만조(滿潮)/충만(充滿)의 찰 만(滿)자라고 하며 마치 수레나 물통에 물건이나 물이 가득 찬 것처럼 눈(目)속임 하려는 것에서 기만(欺瞞)의 속일 만(瞞)자가 생겨났다.

●●●●● 兩國(양국)/兩立(양립)

훈음 바칠 납 **부수** 실 糸(사)

▶▶▶ 실 糸(사) + 안 內(내) ➡ 공물로 귀한 비단을 바치던 풍습

당시 가장 高價(고가)였던 비단을 바치다가 원뜻이므로 비단을 상징하는 실 糸(사)를 주 의미요소로, 받은 비단을 곳간 안으로 들여놓다 하여 안 內(내)도 의미요소로 쓰였으며 말(言)이 밖으로 잘 나오지 않고 입 안에서(內) 맴도는 현상을 어눌(語訥)의 말 더듬을 눌(訥)이라 한다.

●●●●● 納品(납품)/格納庫(격납고)/收納(수납)/納骨(납골)

俞

훈음 점점/통할/나아갈 유 **부수** 들 入(입) – 발음기호 ▶▶▶ 들 入(입) + 한 一(일) + 달 月(월) + 내 巛(천)

'병을 낫게' 하기 위해 외과수술을 하는 장면이라는 설이 유력하다. 이 경우 月(월)처럼 생긴 글자는 '피고름을 받아내는 그릇'으로 보고 나머지 부분은 수술용 칼로 보았다. 또 한편으로는 물살(巛)을 헤치며 앞으로 나아가는 배(舟)의 모습에서 모든 것이 점점 앞으로 나아가다 즉 '통하다, 좋아지다, 점점' 등의 뜻으로 확대되었다.

愈

훈음 나을 유 **부수** 마음 心(심) ▶▶▶ 점점/통할 俞(유) + 마음 心(심)

마음의 병을 낫게 하여 점차 좋아진다는 뜻이므로 마음 心(심)과 점점 俞(유) 모두 의미요소로 쓰였고 俞(유)는 발음기호이기도 하다.

愉

훈음 즐거울 유 **부수** 마음 忄(심)

▶▶▶ 마음 忄(심) + 점점/통할 俞(유) ➡ 병이 나아 마음이 한결 가벼워짐

모든 것이 좋아져 마음에 끼었던 구름 같은 것이 다 걷혀 거칠 것 없는 기분 상태를 나타내는 말이므로 마음 忄(심)이 의미요소고 俞(유) 역시 발음기호이면서 의미에 기여했다.

●●●●● 愉快(유쾌)한/愉樂(유락)

癒

훈음 병 나을 유 **부수** 병들어 기댈 疒(녁) ▶▶▶ 병들어 기댈 疒(녁) + 나을 愈(유) ➡ 병이 낫다

나을 愈(유)가 병이 낫다라는 글자이나 그다지 사용되지 못하자 병을 상징하는 병들어 기댈 疒(녁)을 추가하여 '병이 낫다'라는 뜻을 분명히 한 글자다.

●●●●● 治癒(치유)/癒着(유착)

喩

훈음 깨우칠 유 **부수** 입 口(구) ▶▶▶ 입 口(구) + 점점/통할 俞(유) ➡ 말로 치유

말(口)로 사람을 통하게(俞) 즉 앞으로 나아가게 해 준다는 것은 사람을 깨우쳐 준다는 것이다. 두 글자 모두 의미요소고 俞(유)는 발음기호다.

●●●●● 喩言(유언)/比喩(비유)/直喩(직유)/隱喩(은유)

훈음 넘을 유 **부수** 갈 辶(착) ▶▶▶ 갈 辶(착) + 점점/통할 俞(유) ➡ 장애물을 넘어 앞으로 나아감

넘어가다는 것은 장애물을 넘어 앞으로 나아가는 것을 말하므로 갈 辶(착)과 나아갈 俞(유) 모두가 의미요소이며 俞(유)는 발음기호이기도 하다.

●●●●● 逾越節(유월절)

훈음 나를/보낼 수 **부수** 수레 車(거) ▶▶▶ 수레 車(거) + 점점/통할 俞(유) ➡ 배와 수레로 실어 나르다

육지의 운송 수단인 수레(車)에 물건을 실어 보낸다는 것을 나타내려고, 배가 앞으로 나아가는 모습을 하고 있는 글자인 俞(유)를 의미 및 발음기호에 이용한 글자다.

●●●●● 運輸業(운수업)/輸送(수송)/輸出(수출)/輸血(수혈)

훈음 앞 전 **부수** 칼 刀(도) ▶▶▶ ++(초의 변형) + 달 月(월) + 칼 刂(도) ➡ 배의 앞머리/목욕재개의 정신

현재의 글자꼴은 배(月)의 앞머리(丷)에 서 있는 모습에서 전방(前方)의 앞 여겨지나 과거의 글자꼴은 쟁반(月)에 담긴 물로 발(止)을 씻는 모습으로 제단에 나아가기에 앞서 손발을 깨끗이 하는 모습으로 훗날 칼 도(刂)를 첨가하여 여행길에 앞서 발톱을 깎는 모습에서 전진(前進)의 앞 전(前)자가 되었고 앞 전(前)이 '앞으로, 전진하다'는 뜻으로 쓰이자 칼 도(刀)를 첨가하여 원래의 의미를 복원한 글자가 자를/밸 전(剪)자이고 불 화(灬)발을 더하면 전병(煎餅)의 달일 전(煎)자가 된다.

●●●●● 前後(전후)/前進(전진)/前途有望(전도유망)/前生(전생)/煎餅(전병)

◆ 다음 글자의 음과 훈을 쓰시오.

( )身( ) – ( )射( ) – ( )謝( ) – ( )躬( ) – ( )窮( ) – ( )軀( )

◆ 다음 글자를 분해하시오.

1. 謝 = [   ] + [   ] + [   ]　　2. 窮 = [   ] + [   ]

3. 射 = [   ] + [   ]　　4. 躬 = [   ] + [   ]

5. 軀 = [   ] + [   ]

6. "射"자에 대한 쓰임 중 적당한 것은?
   ① 예방주사　　② 사망신고　　③ 사무실　　④ 멸사봉공

7. "窮"의 반대의 뜻을 가진 글자는?
   ① 水　　② 事　　③ 順　　④ 始

8. 다음 중 "몸, 신체"의 뜻이 아닌 글자는?
   ① 謝　　② 軀　　③ 身　　④ 躬

◆ 다음 글자를 소리 부분(聲符)과 뜻 부분(意符)으로 분해하시오.

9. 謝 = 소리 부분(聲符) [   ] + 뜻 부분(意符) [   ]

10. 躬 = 소리 부분(聲符) [   ] + 뜻 부분(意符) [   ]

11. 軀 = 소리 부분(聲符) [   ] + 뜻 부분(意符) [   ]

◆ 다음 중 주어진 글자로 이루어지는 단어를 2개 이상 한자 또는 한글로 쓰시오.

12. 身 – [   ]　　13. 射 – [   ]

14. 謝 – [   ]　　15. 躬 – [   ]

16. 窮 – [   ]　　17. 軀 – [   ]

◆ 다음 글자의 음과 훈을 쓰시오.

( )己( ) – ( )記( ) – ( )紀( ) – ( )起( ) – ( )忌( ) –
( )改( ) – ( )妃( ) – ( )配( )

1. 다음 중 "기"로 발음 되지 <u>않는</u> 것은?

① 紀   ② 忌   ③ 記   ④ 妃

◆ 다음 글자를 소리 부분(聲符)과 뜻 부분(意符)으로 분해하시오.

2. 記 = 소리 부분(聲符) ☐ + 뜻 부분(意符) ☐

3. 紀 = 소리 부분(聲符) ☐ + 뜻 부분(意符) ☐

4. 起 = 소리 부분(聲符) ☐ + 뜻 부분(意符) ☐

5. 忌 = 소리 부분(聲符) ☐ + 뜻 부분(意符) ☐

6. 改 = 소리 부분(聲符) ☐ + 뜻 부분(意符) ☐

7. 妃 = 소리 부분(聲符) ☐ + 뜻 부분(意符) ☐

8. "忌"자의 아래 부분인 心은 어떤 마음을 의미하는가?

① 즐겁다, 좋아하다   ② 지루하다, 흥미없다
③ 피하다, 꺼리다   ④ 우울하다, 외롭다

9. "紀(벼리 기)"의 "벼리"에 해당하지 <u>않는</u> 것은?

① 밑바탕, 터   ② 근본, 뼈대   ③ 규율, 법, 기준   ④ 사소한 것, 작은 것

10. 다음 중 "記"자와 비슷한 뜻이 <u>아닌</u> 것은?

① 書   ② 暗   ③ 筆   ④ 錄

11. 다음 중 성격이 <u>다른</u> 하나는?

① 大   ② 立   ③ 伏   ④ 起

❖ 다음 중 주어진 글자로 이루어지는 단어를 2개 이상 한자 또는 한글로 쓰시오.

12. 己 –

13. 記 –

14. 紀 –

15. 起 –

16. 忌 –

17. 改 –

18. 妃 –

19. 配 –

◆ 다음 글자의 음과 훈을 쓰시오.

( )心( ) – ( )忄( ) – ( )小( ) – ( )思( ) – ( )感( )
( )意( ) – ( )性( ) – ( )情( ) – ( )恭( ) – ( )慕( )

◆ 다음 글자를 분해하시오.

1. 感 = ☐ + ☐ + ☐　　2. 情 = ☐ + ☐

3. 恭 = ☐ + ☐　　4. 思 = ☐ + ☐

5. 慕 = ☐ + ☐ + ☐　　6. 性 = ☐ + ☐

7. 意 = ☐ + ☐　　8. 小 = ☐ + ☐

◆ 다음 글자를 소리 부분(聲符)과 뜻 부분(意符)으로 분해하시오.

9. 感 = 소리 부분(聲符) ☐ + 뜻 부분(意符) ☐

10. 性 = 소리 부분(聲符) ☐ + 뜻 부분(意符) ☐

11. 情 = 소리 부분(聲符) ☐ + 뜻 부분(意符) ☐

12. 恭 = 소리 부분(聲符) ☐ + 뜻 부분(意符) ☐

13. "心"자는 무엇을 본떠 만들었는가?
　① 심장　　② 간　　③ 머리　　④ 콩팥

14. "思"의 윗부분인 田은 원래 무엇이었는가? 설명하시오.

15. 다음 중 성격이 <u>다른</u> 하나는?
　① 思　　② 意　　③ 情　　④ 行

16. 다음 중 나머지 셋과 <u>반대</u>되는 글자는?

① 恭　　　　　　② 崇　　　　　　③ 忌　　　　　　④ 敬

◆ 다음 중 주어진 글자로 이루어지는 단어를 2개 이상 한자 또는 한글로 쓰시오.

17. 心 -

18. 思 -

19. 感 -

20. 意 -

21. 性 -

22. 情 -

23. 恭 -

24. 慕 -

◆ 다음 글자의 음과 훈을 쓰시오.

(　)愛(　) - (　)憎(　) - (　)憤(　) - (　)怒(　) - (　)愉(　) -
(　)快(　) - (　)悲(　) - (　)慘(　)

◆ 다음 글자를 분해하시오.

1. 愛 = 　　　 + 　　　 + 　　　　　2. 悲 = 　　　 + 　　　

3. 怒 = 　　　 + 　　　　　4. 快 = 　　　 + 　　　

5. 憎 = 　　　 + 　　　　　6. 憤 = 　　　 + 　　　

7. 愉 = 　　　 + 　　　　　8. 慘 = 　　　 + 　　　

9. 다음 중 서로 관계 <u>없는</u> 것은?

① 憎　　　　　　② 愉　　　　　　③ 忌　　　　　　④ 悲

10. "愛"자와 비슷한 뜻의 글자는?

① 慕　　　　　② 快　　　　　③ 悲　　　　　④ 奴

11. 다음 중 좋지 않은 뜻의 글자는?
① 慘　　　　　② 思　　　　　③ 端　　　　　④ 敬

◘ 다음 글자를 소리 부분(聲符)과 뜻 부분(意符)으로 분해하시오.

12. 憎 = 소리 부분(聲符) [   ] + 뜻 부분(意符) [   ]

13. 憤 = 소리 부분(聲符) [   ] + 뜻 부분(意符) [   ]

14. 怒 = 소리 부분(聲符) [   ] + 뜻 부분(意符) [   ]

15. 愉 = 소리 부분(聲符) [   ] + 뜻 부분(意符) [   ]

16. 快 = 소리 부분(聲符) [   ] + 뜻 부분(意符) [   ]

17. 悲 = 소리 부분(聲符) [   ] + 뜻 부분(意符) [   ]

18. 慘 = 소리 부분(聲符) [   ] + 뜻 부분(意符) [   ]

19. 다음 중 관계가 나머지 셋과 다른 것은?
① 愛 – 憎　　② 憤 – 怒　　③ 愉 – 快　　④ 悲 – 慘

20. 다음 중 서로 관계 없는 것은?
① 心　　　　　② 忄　　　　　③ 小　　　　　④ 灬

◘ 다음 중 주어진 글자로 이루어지는 단어를 2개 이상 한자 또는 한글로 쓰시오.

21. 愛 – [   ]　　　　22. 憎 – [   ]

23. 憤 – [   ]　　　　24. 怒 – [   ]

25. 愉 – [   ]　　　　26. 快 – [   ]

27. 悲 – [   ]　　　　28. 慘 – [   ]

◘ 다음 글자의 음과 훈을 쓰시오.

( )必( ) – ( )泌( ) – ( )秘( ) – ( )密( ) – ( )蜜( ) –
( )忝( ) – ( )添( )

◪ 다음 글자를 분해하시오.

1. 蜜 = [____] + [____] + [____]   2. 秘 = [____] + [____]

3. 泌 = [____] + [____]   4. 密 = [____] + [____]

5. 添 = [____] + [____] + [____]   6. 忝 = [____] + [____]

7. 必 = [____] + [____]

8. "必"과 "心"의 관계를 말한 것 중 옳은 것은?
　① 두 마음　　　　　　　　　② 마음에 칼을 꽂음
　③ 냉정하다　　　　　　　　　④ 서로 관계 없다

◪ 다음 글자를 소리 부분(聲符)과 뜻 부분(意符)으로 분해하시오.

9. 泌 = 소리 부분(聲符)  + 뜻 부분(意符) [____]

10. 秘 = 소리 부분(聲符)  + 뜻 부분(意符) [____]

11. 添 = 소리 부분(聲符)  + 뜻 부분(意符) [____]

12. 다음 중 나머지 셋과 <u>반대</u>되는 글자는?
　① 加　　　　　　② 添　　　　　　③ 減　　　　　　④ 增

13. 다음 중 "蜜"과 관계 깊은 글자는?
　① 苦　　　　　　② 甘　　　　　　③ 魚　　　　　　④ 辛

◪ 다음 중 주어진 글자로 이루어지는 단어를 2개 이상 한자 또는 한글로 쓰시오.

14. 必 – [____]

15. 泌 – [____]

16. 秘 – [____]

17. 密 – [____]

18. 蜜 – [____]

19. 添 – [____]

◆ 다음 글자의 음과 훈을 쓰시오.

(　　)骨(　) － (　　)體(　) － (　　)禮(　) － (　　)豊(　)

◆ 다음 글자를 분해하시오.

1. 禮 = [　　] + [　　] + [　　]　　　2. 體 = [　　] + [　　]

3. 豊 = [　　] + [　　]　　　　　　　4. 骨 = [　　] + [　　]

5. "骨"자와 관계 깊은 것은?
　① 血　　　　　② 手/扌　　　　　③ 歹/歺　　　　　④ 辶/辵

6. "體"자와 비슷한 뜻이 <u>아닌</u> 글자는?
　① 躬　　　　　② 軀　　　　　③ 身　　　　　④ 射

7. 다음 중 서로 관계 <u>없는</u> 것은?
　① 貧　　　　　② 富　　　　　③ 厚　　　　　④ 豊

◆ 다음 중 주어진 글자로 이루어지는 단어를 2개 이상 한자 또는 한글로 쓰시오.

8. 骨 － [　　　　　　　　]

9. 體 － [　　　　　　　　]

10. 禮 － [　　　　　　　　]

11. <u>豊/豐</u> － [　　　　　　　]

◆ 다음 글자의 음과 훈을 쓰시오.

(　　)咼(　) － (　　)剐(　) － (　　)拐(　) － (　　)過(　) － (　　)禍(　) － (　　)渦(　)

◆ 다음 글자를 분해하시오.

1. 拐 = [　　] + [　　] + [　　]　　2. 過 = [　　] + [　　]

3. 禍 = [　　] + [　　]　　4. 渦 = [　　] + [　　]

◆ 다음 글자를 소리 부분(聲符)과 뜻 부분(意符)으로 분해하시오.

5. 剮 = 소리 부분(聲符) [　　] + 뜻 부분(意符) [　　]

6. 過 = 소리 부분(聲符) [　　] + 뜻 부분(意符) [　　]

7. 禍 = 소리 부분(聲符) [　　] + 뜻 부분(意符) [　　]

8. 渦 = 소리 부분(聲符) [　　] + 뜻 부분(意符) [　　]

9. "禍"자와 비슷한 뜻의 글자는?
　① 殃　　　　② 福　　　　③ 過　　　　④ 渦

◆ 다음 중 주어진 글자로 이루어지는 단어를 2개 이상 한자 또는 한글로 쓰시오.

10. 過 – [　　　　　　　　　　]

11. 禍 – [　　　　　　　　　　]

◆ 다음 글자의 음과 훈을 쓰시오.

(　)骨( ) – (　)滑( ) – (　)猾( ) – (　)髓( ) – (　)骸( ) – (　)肯( )

◆ 다음 글자를 분해하시오.

1. 髓 = [　　] + [　　] + [　　]　　2. 猾 = [　　] + [　　]

3. 滑 = [　　] + [　　]　　4. 骸 = [　　] + [　　]

◆ 다음 글자를 소리 부분(聲符)과 뜻 부분(意符)으로 분해하시오.

5. 滑 = 소리 부분(聲符) [　　] + 뜻 부분(意符) [　　]

6. 猾 = 소리 부분(聲符) [　　] + 뜻 부분(意符) [　　]

7. 骸 = 소리 부분(聲符) [　　] + 뜻 부분(意符) [　　]

8. 다음 중 "뼈"와 관계 <u>없는</u> 것은?
　① 骨　　　　　② 骸　　　　　③ 滑　　　　　④ 髓

9. "肯"자에 대한 설명 중 옳은 것은?
　① 배부르다　　② 화나다　　③ 졸리다　　④ 옳다

◆ 다음 중 주어진 글자로 이루어지는 단어를 2개 이상 한자 또는 한글로 쓰시오.

10. 骨 - [　　　　]

11. 滑 - [　　　　]

12. 猾 - [　　　　]

13. 髓 - [　　　　]

14. 骸 - [　　　　]

15. 肯 - [　　　　]

◆ 다음 글자의 음과 훈을 쓰시오.

(　)肯( ) - (　)哨( ) - (　)削( ) - (　)消( ) - (　)逍( ) -
(　)梢( ) - (　)趙( ) - (　)硝( )

◆ 다음 글자를 분해하시오.

1. 哨 = [　　] + [　　] + [　　]　　　2. 削 = [　　] + [　　]

3. 消 = [　　] + [　　]　　　4. 肖 = [　　] + [　　]

5. 梢 = [　　] + [　　]　　　6. 逍 = [　　] + [　　]

◆ 다음 글자를 소리 부분(聲符)과 뜻 부분(意符)으로 분해하시오.

7. 哨 = 소리 부분(聲符) [　　] + 뜻 부분(意符) [　　]

8. 消 = 소리 부분(聲符) [　　] + 뜻 부분(意符) [　　]

9. 逍 = 소리 부분(聲符) [　　　] + 뜻 부분(意符) [　　　]

10. 梢 = 소리 부분(聲符) [　　　] + 뜻 부분(意符) [　　　]

11. 趙 = 소리 부분(聲符) [　　　] + 뜻 부분(意符) [　　　]

12. 硝 = 소리 부분(聲符) [　　　] + 뜻 부분(意符) [　　　]

13. "削"자가 나타내는 의미는 이 글자의 어느 부분 때문인가?
　　　① 小　　　　　　② 月　　　　　　③ 刂　　　　　　④ 肖

14. "消"자와 비슷한 뜻의 글자는?
　　　① 滅　　　　　　② 生　　　　　　③ 民　　　　　　④ 彳

15. 다음 중 음이 서로 <u>다른</u> 것은?
　　　① 消　　　　　　② 哨　　　　　　③ 硝　　　　　　④ 梢

◆ 다음 중 주어진 글자로 이루어지는 단어를 2개 이상 한자 또는 한글로 쓰시오.

16. 肖 –

17. 哨 –

18. 削 –

19. 消 –

20. 逍 –

21. 梢 –

◆ 다음 글자의 음과 훈을 쓰시오.

( )歹/歺( ) – ( )死( ) – ( )列( ) – ( )烈( ) – ( )例( )

◆ 다음 글자를 분해하시오.

1. 烈 = ⬜ + ⬜ + ⬜   2. 例 = ⬜ + ⬜

3. 列 = ⬜ + ⬜   4. 死 = ⬜ + ⬜

5. "烈"자의 뜻은 이 글자의 어느 부분에서 나타내는가?
   ① 歹   ② 刂   ③ 灬   ④ 列

6. "死"의 반대는?
   ① 見   ② 羊   ③ 肉   ④ 生

7. "烈"과 비슷한 뜻을 가진 글자는?
   ① 方   ② 辛   ③ 夂   ④ 臼

8. 다음 "例"를 사용한 문장 중 적당한 것은?
   ① 예습을 철저히 했다니까요.   ② 인생을 짧고 예술은 길다
   ③ 예를 들어 설명해 보시오!   ④ 예금통장 하나 만들까?

◆ 다음 중 주어진 글자로 이루어지는 단어를 2개 이상 한자 또는 한글로 쓰시오.

9. 死 –

10. 列 –

11. 烈 –

12. 例 –

◪ 다음 글자의 음과 훈을 쓰시오.

( )歿( ) – ( )殃( ) – ( )殆( ) – ( )殉( ) – ( )殊( ) –
( )殖( ) – ( )殘( ) – ( )葬( )

◪ 다음 글자를 분해하시오.

1. 葬 = [　　] + [　　] + [　　]   2. 歿 = [　　] + [　　]

3. 殉 = [　　] + [　　]   4. 殃 = [　　] + [　　]

5. 殊 = [　　] + [　　] + [　　]   6. 殘 = [　　] + [　　]

7. 殆 = [　　] + [　　]   8. 殖 = [　　] + [　　]

9. 다음 중 "죽음"과 관계 없는 것은?
   ① 殃   ② 烈   ③ 歿   ④ 死

10. "殘"과 음이 같은 것은?
   ① 錢   ② 賤   ③ 盞   ④ 餞

11. "殆"자와 반대의 뜻을 가진 글자는?
   ① 殉   ② 死   ③ 順   ④ 安

12. "殃"자와 비슷한 뜻을 가진 글자는?
   ① 福   ② 災   ③ 血   ④ 欽

◪ 다음 글자를 소리 부분(聲符)과 뜻 부분(意符)으로 분해하시오.

13. 殃 = 소리 부분(聲符) [　　]   + 뜻 부분(意符) [　　]

14. 殆 = 소리 부분(聲符) [　　]   + 뜻 부분(意符) [　　]

15. 殉 = 소리 부분(聲符) [　　]   + 뜻 부분(意符) [　　]

16. 殊 = 소리 부분(聲符) [　　]   + 뜻 부분(意符) [　　]

17. 殖 = 소리 부분(聲符) [　　]   + 뜻 부분(意符) [　　]

18. 殘 = 소리 부분(聲符) [　　]   + 뜻 부분(意符) [　　]

◪ 다음 중 주어진 글자로 이루어지는 단어를 2개 이상 한자 또는 한글로 쓰시오.

19. 歿 –

20. 殃 –

21. 殆 –

22. 殉 –

23. 殊 –

24. 殖 –

25. 殘 –

26. 葬 –

◆ 다음 글자의 음과 훈을 쓰시오.

( )手( ) - ( )擧( ) - ( )拜( ) - ( )看( ) - ( )承( ) -
( )拳( ) - ( )掌( ) - ( )拏( ) - ( )摩( ) - ( )擊( )

◆ 다음 글자를 분해하시오.

1. 擧 = [   ] + [   ] + [   ] 2. 拳 = [   ] + [   ]

3. 拜 = [   ] + [   ] 4. 看 = [   ] + [   ]

5. 承 = [   ] + [   ] + [   ] 6. 摩 = [   ] + [   ]

7. 拏 = [   ] + [   ] 8. 掌 = [   ] + [   ]

9. 擊 = [   ] + [   ] + [   ]

10. "주먹"을 의미하는 글자는?

① 拏   ② 拳   ③ 看   ④ 摩

11. "손바닥"을 의미하는 글자는?

① 掌   ② 承   ③ 拳   ④ 與

◆ 다음 글자를 소리 부분(聲符)과 뜻 부분(意符)으로 분해하시오.

12. 掌 = 소리 부분(聲符) [   ] + 뜻 부분(意符) [   ]

13. 拏 = 소리 부분(聲符) [   ] + 뜻 부분(意符) [   ]

14. 魔 = 소리 부분(聲符) [   ] + 뜻 부분(意符) [   ]

15. 擊 = 소리 부분(聲符) [   ] + 뜻 부분(意符) [   ]

◆ 다음 중 주어진 글자로 이루어지는 단어를 2개 이상 한자 또는 한글로 쓰시오.

16. 手 -

17. 擧 -

18. 拜 -

19. 看 -

20. 承 -

21. 拳 -

22. 掌 -

23. 摩 -

24. 擊 -

◆ 다음 글자의 음과 훈을 쓰시오.

( )手( ) - ( )扌( ) - ( )打( ) - ( )把( ) - ( )投( ) -
( )折( ) - ( )技( ) - ( )抱( ) - ( )拍( ) - ( )招( ) -
( )挽( ) - ( )排( ) - ( )指( ) - ( )持( ) - ( )擇( ) - ( )操( )

◆ 다음 글자를 분해하시오.

1. 操 =   +   +

2. 投 =   +

3. 持 =   +

4. 排 =   +

5. 操 =   +

6. 排 =   +

7. 指 =   +

8. 擇 =   +

9. 抱 =   +   +

10. 招 =   +

11. 把 =   +

12. 拍 =   +

13. 다음 중 성격이 <u>다른</u> 글자는?
   ① 擊   ② 打   ③ 拍   ④ 抱

14. 다음 중 뜻이 서로 <u>다른</u> 글자는?
   ① 把   ② 抱   ③ 操   ④ 投

15. "把"자와 비슷한 뜻을 가진 글자는?
   ① 投   ② 拍   ③ 操   ④ 擊

◆ 다음 글자를 소리 부분(聲符)과 뜻 부분(意符)으로 분해하시오.

16. 把 = 소리 부분(聲符) [ ] + 뜻 부분(意符) [ ]

17. 技 = 소리 부분(聲符) [ ] + 뜻 부분(意符) [ ]

18. 抱 = 소리 부분(聲符) [ ] + 뜻 부분(意符) [ ]

19. 拍 = 소리 부분(聲符) [ ] + 뜻 부분(意符) [ ]

20. 招 = 소리 부분(聲符) [ ] + 뜻 부분(意符) [ ]

21. 挽 = 소리 부분(聲符) [ ] + 뜻 부분(意符) [ ]

22. 排 = 소리 부분(聲符) [ ] + 뜻 부분(意符) [ ]

23. 指 = 소리 부분(聲符) [ ] + 뜻 부분(意符) [ ]

24. 持 = 소리 부분(聲符) [ ] + 뜻 부분(意符) [ ]

25. 擇 = 소리 부분(聲符) [ ] + 뜻 부분(意符) [ ]

26. 操 = 소리 부분(聲符) [ ] + 뜻 부분(意符) [ ]

◆ 다음 중 주어진 글자로 이루어지는 단어를 2개 이상 한자 또는 한글로 쓰시오.

27. 手 –

28. 打 –

29. 把 –

30. 投 –

31. 折 –

32. 技 –

33. 抱 –

34. 拍 –

35. 招 –

36. 挽 –

37. 排 –

38. 指 –

39. 持 –

40. 擇 –

41. 操 –

◆ 다음 글자의 음과 훈을 쓰시오.

( )反( ) – ( )阪( ) – ( )販( ) – ( )版( ) – ( )板( ) –
( )返( ) – ( )叛( ) – ( )飯( )

◆ 다음 글자를 분해하시오.

1. 叛 = [   ] + [   ] + [   ]   2. 板 = [   ] + [   ]

3. 返 = [   ] + [   ]   4. 版 = [   ] + [   ]

5. 販 = [   ] + [   ]   6. 飯 = [   ] + [   ]

7. 阪 = [   ] + [   ]   8. 反 = [   ] + [   ]

9. 다음 중 음이 서로 <u>다른</u> 하나는?
① 飯   ② 販   ③ 返   ④ 叛

10. 다음 중 "販"자와 함께 많이 쓰이는 글자는?
① 足   ② 賣   ③ 雨   ④ 情

◆ 다음 글자를 소리 부분(聲符)과 뜻 부분(意符)으로 분해하시오.

11. 阪 = 소리 부분(聲符) [   ]   + 뜻 부분(意符) [   ]

12. 販 = 소리 부분(聲符) [   ]   + 뜻 부분(意符) [   ]

13. 版 = 소리 부분(聲符) [   ]   + 뜻 부분(意符) [   ]

14. 板 = 소리 부분(聲符) [   ]   + 뜻 부분(意符) [   ]

15. 返 = 소리 부분(聲符) [   ]   + 뜻 부분(意符) [   ]

16. 叛 = 소리 부분(聲符) [   ]   + 뜻 부분(意符) [   ]

17. 飯 = 소리 부분(聲符) 　　　 + 뜻 부분(意符) 　　　

◆ 다음 중 주어진 글자로 이루어지는 단어를 2개 이상 한자 또는 한글로 쓰시오.

18. 反 - 　　　　　　　　　　　　　　　19. 販 - 　　　　　　　　　　

20. 版 - 　　　　　　　　　　　　　　　21. 板 - 　　　　　　　　　　

22. 返 - 　　　　　　　　　　　　　　　23. 叛 - 　　　　　　　　　　

24. 飯 - 　　　　　　　　　　

◆ 다음 글자의 음과 훈을 쓰시오.

(　)又(　) - (　)右(　) - (　)佑(　) - (　)祐(　) - (　)友(　) -
(　)左(　) - (　)佐(　)

◆ 다음 글자를 분해하시오.

1. 祐 = 　　　 + 　　　 + 　　　　　2. 友 = 　　　 + 　　　

3. 右 = 　　　 + 　　　　　　　　　4. 佑 = 　　　 + 　　　

5. 佐 = 　　　 + 　　　　　　　　　6. 左 = 　　　 + 　　　

7. 다음 중 음이 <u>다른</u> 하나는?
　　① 佑　　　　　　② 左　　　　　　③ 祐　　　　　　④ 友

8. 다음 중 "손"이 들어가지 <u>않은</u> 글자는?
　　① 占　　　　　　② 左　　　　　　③ 右　　　　　　④ 擧

9. 다음에서 나머지 셋과 "뜻"이 <u>다른</u> 한자는?
　　① 佑　　　　　　② 佐　　　　　　③ 反　　　　　　④ 祐

◆ 다음 글자를 소리 부분(聲符)과 뜻 부분(意符)으로 분해하시오.

10. 佑 = 소리 부분(聲符) 　　　 + 뜻 부분(意符) 　　　

11. 祐 = 소리 부분(聲符) 　　　 + 뜻 부분(意符)

12. 佐 = 소리 부분(聲符)  + 뜻 부분(意符)

◪ 다음 중 주어진 글자로 이루어지는 단어를 2개 이상 한자 또는 한글로 쓰시오.

13. 又 -

14. 右 -

15. 佑 -

16. 友 -

17. 左 -

18. 佐 -

◪ 다음 글자의 훈과 음을 쓰시오.

( )又( ) – ( )及( ) – ( )急( ) – ( )級( ) – ( )扱( ) – ( )吸( )

◪ 다음 글자를 분해하시오.

1. 急 = [   ] + [   ] + [   ]   2. 級 = [   ] + [   ]

3. 及 = [   ] + [   ]   4. 吸 = [   ] + [   ]

5. 扱 = [   ] + [   ]

6. "음"이 <u>다른</u> 한 글자는?
   ① 級   ② 吸   ③ 急   ④ 扱

7. "急"자에 대한 설명 중 맞지 <u>않는</u> 것은?
   ① 초조하다   ② 급하다   ③ 화나다   ④ 빠르다

8. "及"자는 사람의 신체 중 어느 부분과 관계 깊은가?
   ① 손   ② 눈   ③ 귀   ④ 배

9. 다음 중 "吸"자와 관계 깊은 것은?
   ① 손   ② 발   ③ 입   ④ 머리카락

◪ 다음 글자를 소리 부분(聲符)과 뜻 부분(意符)으로 분해하시오.

10. 急 = 소리 부분(聲符) ⬚ + 뜻 부분(意符) ⬚

11. 級 = 소리 부분(聲符) ⬚ + 뜻 부분(意符) ⬚

12. 扱 = 소리 부분(聲符) ⬚ + 뜻 부분(意符) ⬚

13. 吸 = 소리 부분(聲符) ⬚ + 뜻 부분(意符) ⬚

◪ 다음 중 주어진 글자로 이루어지는 단어를 2개 이상 한자 또는 한글로 쓰시오.

14. 及 – _____

15. 急 – _____

16. 級 – _____

17. 扱 – _____

18. 吸 – _____

◪ 다음 글자의 훈과 음을 쓰시오.

( )又( ) – ( )叉( ) – ( )蚤( ) – ( )搔( ) – ( )騷( )

◪ 다음 글자를 분해하시오.

1. 騷 = ⬚ + ⬚ + ⬚

2. 搔 = ⬚ + ⬚

3. 蚤 = ⬚ + ⬚

4. 叉 = ⬚ + ⬚

5. 다음 "搔"자에 대한 설명 중 적당한 것은?
   ① 즐거운 소풍
   ② 부모님께 야단맞았어…
   ③ 너무 긁어서 피가 날 지경이야
   ④ 좀 더 빨리 달려라.

6. 다음 "騷"자에 대한 설명으로 맞는 것은?

① 그만 좀 떠들어!　　　　　　　② 배가 너무 불러요
③ 수심이 깊다　　　　　　　　　④ 부모님 사랑

◖ 다음 글자를 소리 부분(聲符)과 뜻 부분(意符)으로 분해하시오.

7. 搔 = 소리 부분(聲符) [　　　] ＋ 뜻 부분(意符) [　　　]

8. 騷 = 소리 부분(聲符) [　　　] ＋ 뜻 부분(意符) [　　　]

◖ 다음 중 주어진 글자로 이루어지는 단어를 2개 이상 한자 또는 한글로 쓰시오.

9. 叉 – [　　　　　　　　　　]

10. 搔 – [　　　　　　　　　　]

11. 騷 – [　　　　　　　　　　]

◖ 다음 글자의 훈과 음을 쓰시오.

(　)叔( ) – (　)菽( ) – (　)淑( ) – (　)督( ) – (　)寂( ) – (　)戚( )

◖ 다음 글자를 분해하시오.

1. 淑 = [　　] ＋ [　　] ＋ [　　]　　2. 督 = [　　] ＋ [　　]

3. 叔 = [　　] ＋ [　　]　　　　　　　4. 寂 = [　　] ＋ [　　]

5. "친척"과 관련된 단어에 많이 쓰이는 글자는?
　　① 肢　　　　　② 叔　　　　　③ 延　　　　　④ 寂

6. 다음 중 여성의 "이름"에 가장 많이 쓰이는 글자는?
　　① 大　　　　　② 滿　　　　　③ 主　　　　　④ 淑

7. 다음 중 "사람"과 관계 없는 것은?
　　① 叔　　　　　② 資　　　　　③ 孫　　　　　④ 妹

8. "음"이 서로 다른 글자는?
　　① 寂　　　　　② 菽　　　　　③ 叔　　　　　④ 淑

◆ 다음 글자를 소리 부분(聲符)과 뜻 부분(意符)으로 분해하시오.

9. 菽 = 소리 부분(聲符) [____] + 뜻 부분(意符) [____]

10. 淑 = 소리 부분(聲符) [____] + 뜻 부분(意符) [____]

11. 督 = 소리 부분(聲符) [____] + 뜻 부분(意符) [____]

12. 寂 = 소리 부분(聲符) [____] + 뜻 부분(意符) [____]

13. 戚 = 소리 부분(聲符) [____] + 뜻 부분(意符) [____]

◆ 다음 중 주어진 글자로 이루어지는 단어를 2개 이상 한자 또는 한글로 쓰시오.

14. 叔 - [____]

15. 菽 - [____]

16. 淑 - [____]

17. 督 - [____]

18. 寂 - [____]

19. 戚 - [____]

◆ 다음 글자의 훈과 음을 쓰시오.

( )奴( ) - ( )努( ) - ( )怒( ) - ( )拏( )

◆ 다음 글자를 소리 부분(聲符)과 뜻 부분(意符)으로 분해하시오.

1. 努 = 소리 부분(聲符) [____] + 뜻 부분(意符) [____]

2. 怒 = 소리 부분(聲符) [____] + 뜻 부분(意符) [____]

3. 拏 = 소리 부분(聲符) [____] + 뜻 부분(意符) [____]

4. 다음 중 "음"이 서로 <u>다른</u> 글자는?

① 怒 ② 拏 ③ 奴 ④ 努

5. 다음 중 "손"이 들어가지 <u>않은</u> 글자는?

① 右   ② 聿   ③ 正   ④ 奴

◆ 다음 중 주어진 글자로 이루어지는 단어를 2개 이상 한자 또는 한글로 쓰시오.

6. 奴 -

7. 努 -

8. 怒 -

◆ 다음 글자의 훈과 음을 쓰시오.

(   )瘦(   ) - (   )搜(   ) - (   )嫂(   ) - (   )叟(   ) - (   )兒(   )

◆ 다음 글자를 소리 부분(聲符)과 뜻 부분(意符)으로 분해하시오.

1. 瘦 = 소리 부분(聲符)   + 뜻 부분(意符)

2. 搜 = 소리 부분(聲符)   + 뜻 부분(意符)

3. 嫂 = 소리 부분(聲符)   + 뜻 부분(意符)

4. 다음 중 "음"이 서로 <u>다른</u> 글자는?

① 搜   ② 挿   ③ 首   ④ 叟

5. "瘦"자와 <u>반대</u>의 뜻을 가진 글자는?

① 肥   ② 夭   ③ 妌   ④ 骨

6. 다음 중 "사람"을 나타내는 것이 <u>아닌</u> 것은?

① 嫂   ② 老   ③ 成   ④ 兒

◆ 다음 중 주어진 글자로 이루어지는 단어를 2개 이상 한자 또는 한글로 쓰시오.

7. 瘦 -   8. 搜 -

9. 嫂 -   10. 兒 -

◆ 다음 글자의 음과 훈을 쓰시오.

```
(   )尹(   ) – (   )君(   ) – (   )郡(   ) – (   )群(   ) – (   )伊(   ) –
(   )史(   ) – (   )使(   ) – (   )吏(   )
```

◆ 다음 글자를 분해하시오.

1. 郡 = ☐ + ☐ + ☐   2. 群 = ☐ + ☐

3. 君 = ☐ + ☐   4. 尹 = ☐ + ☐

5. 使 = ☐ + ☐ + ☐   6. 吏 = ☐ + ☐

7. 史 = ☐ + ☐   8. 伊 = ☐ + ☐

◆ 다음 글자를 소리 부분(聲符)과 뜻 부분(意符)으로 분해하시오.

9. 君 = 소리 부분(聲符) ☐ + 뜻 부분(意符) ☐

10. 郡 = 소리 부분(聲符) ☐ + 뜻 부분(意符) ☐

11. 群 = 소리 부분(聲符) ☐ + 뜻 부분(意符) ☐

12. 吏 = 소리 부분(聲符) ☐ + 뜻 부분(意符) ☐

13. 使 = 소리 부분(聲符) ☐ + 뜻 부분(意符) ☐

14. "君"자와 비슷한 뜻이 <u>아닌</u> 글자는?
   ① 帝   ② 臣   ③ 皇   ④ 王

15. 다음 중 "음"이 서로 <u>다른</u> 글자는?
   ① 煮   ② 郡   ③ 君   ④ 群

16. "群"자와 <u>반대</u>의 뜻을 가진 글자는?

①貝 　　　　　②獨 　　　　　③洋 　　　　　④衆

17. "시키다, 심부름"이란 뜻과 관계 깊은 것은?
　　① 宀 　　　　　② 叟 　　　　　③ 使 　　　　　④ 臼

18. "오래된 기록, 옛날 이야기"와 관계 깊은 글자는?
　　① 北 　　　　　② 高 　　　　　③ 戶 　　　　　④ 史

◆ 다음 중 주어진 글자로 이루어지는 단어를 2개 이상 한자 또는 한글로 쓰시오.

19. 君 –

20. 郡 –

21. 群 –

◆ 다음 글자의 훈과 음을 쓰시오.

(　)帚(　) – (　　)掃(　) – (　　)婦(　) – (　　)歸(　) – (　　)侵(　) –
(　)浸(　) – (　　)寢(　)

◆ 다음 글자를 분해하시오.

1. 寢 = 　　　　+ 　　　　+ 　　　　

2. 掃 = 　　　　+ 　　　　　　　　　3. 侵 = 　　　　+ 　　　　

4. 婦 = 　　　　+ 　　　　　　　　　5. 浸 = 　　　　+ 　　　　

6. 歸 = 　　　　+ 　　　　　　　　　7. 帚 = 　　　　+ 　　　　

8. "帚"자에는 사람 몸의 어느 부분이 들어가 있는가?
　　① 머리 　　　　　② 목 　　　　　③ 손 　　　　　④ 다리

9. 다음 중 "음"이 서로 <u>다른</u> 글자는?
　　① 侵 　　　　　② 掃 　　　　　③ 浸 　　　　　④ 寢

10. 다음 중 "歸"자와 같이 쓰이지 <u>않는</u> 글자는?
　　① 鄕 　　　　　② 鹿 　　　　　③ 家 　　　　　④ 順

11. 다음 중 "청소 도구"와 관계 깊은 것은?

　　① 帚　　　　　　② 申　　　　　③ 犭　　　　　④ 小

12. "婦"자와 같은 음이 <u>아닌</u> 글자는?

　　① 父　　　　　　② 缶　　　　　③ 阝　　　　　④ 无

◆ 다음 중 주어진 글자로 이루어지는 단어를 2개 이상 한자 또는 한글로 쓰시오.

13. 掃 –

14. 婦 –

15. 歸 –

16. 侵 –

17. 浸 –

18. 寢 –

◆ 다음 글자의 음과 훈을 쓰시오.

( )又( ) – ( )隶( ) – ( )逮( ) – ( )隸( ) – ( )康( ) – ( )求( ) – ( )球( ) – ( )救( )

◆ 다음 글자를 분해하시오.

1. 逮 = [ ] + [ ] + [ ]   2. 隸 = [ ] + [ ]

3. 隶 = [ ] + [ ]   4. 康 = [ ] + [ ]

◆ 다음 글자를 소리 부분(聲符)과 뜻 부분(意符)으로 분해하시오.

5. 球 = 소리 부분(聲符) [ ]   +   뜻 부분(意符) [ ]

6. 救 = 소리 부분(聲符) [ ]   +   뜻 부분(意符) [ ]

7. 다음 중 "음"이 서로 다른 글자는?
   ① 球   ② 丘   ③ 隶   ④ 臼

8. "隶"자는 무엇을 본떠 만들었는가?
   ① 손과 발   ② 눈과 코   ③ 손과 꼬리   ④ 눈과 귀

9. 다음 중 나머지 셋과 뜻이 다른 글자는?
   ① 寧   ② 安   ③ 忘   ④ 康

10. "2002 월드컵 4강, 박찬호, 농구 대잔치"와 관계 깊은 글자는?
    ① 胃   ② 球   ③ 氵   ④ 刂

11. "康"자와 반대의 뜻을 가진 글자는?
    ① 指   ② 財   ③ 泰   ④ 危

◪ 다음 중 주어진 글자로 이루어지는 단어를 2개 이상 한자 또는 한글로 쓰시오.

12. 逮 –

13. 隸 –

14. 康 –

15. 求 –

16. 球 –

17. 救 –

◆ 다음 글자의 음과 훈을 쓰시오.

( )支( ) - ( )枝( ) - ( )肢( ) - ( )妓( ) - ( )岐( ) -
( )技( ) - ( )鼓( )

◆ 다음 글자를 분해하시오.

1. 支 = [ ] + [ ]   2. 枝 = [ ] + [ ]

3. 肢 = [ ] + [ ]   4. 妓 = [ ] + [ ]

5. 岐 = [ ] + [ ]   6. 技 = [ ] + [ ]

7. 鼓 = [ ] + [ ]

◆ 다음 글자를 소리 부분(聲符)과 뜻 부분(意符)으로 분해하시오.

8. 枝 = 소리 부분(聲符) [ ] + 뜻 부분(意符) [ ]

9. 肢 = 소리 부분(聲符) [ ] + 뜻 부분(意符) [ ]

10. 妓 = 소리 부분(聲符) [ ] + 뜻 부분(意符) [ ]

11. 岐 = 소리 부분(聲符) [ ] + 뜻 부분(意符) [ ]

12. 技 = 소리 부분(聲符) [ ] + 뜻 부분(意符) [ ]

13. 다음 중 "음"이 서로 다른 글자는?
 ① 枝   ② 利   ③ 肢   ④ 至

14. 다음 중 "사람"과 관계 없는 글자는?
 ① 肢   ② 妓   ③ 岐   ④ 立

15. 다음 중 "肢"에 속하지 않는 글자는?

① 又   ② 亠   ③ 足   ④ 脚

16. 다음 중 "支"에 대한 표현으로 적당한 것은?
    ① 현대건설 본사   ② 국민은행 을지로 지점
    ③ 몸통   ④ 그 연설의 주제가 무엇이죠?

17. 다음 중 "음"이 서로 <u>다른</u> 글자는?
    ① 其   ② 技   ③ 妓   ④ 肥

◆ 다음 중 주어진 글자로 이루어지는 단어를 2개 이상 한자 또는 한글로 쓰시오.

18. 支 –

19. 枝 –

20. 肢 –

21. 妓 –

22. 岐 –

23. 技 –

24. 鼓 –

◪ 다음 글자의 음과 훈을 쓰시오.

( )攵( ) - ( )攻( ) - ( )敍( ) - ( )敎( ) - ( )效( ) -
( )數( ) - ( )救( ) - ( )牧( ) - ( )政( )

◪ 다음 글자를 분해하시오.

1. 敎 = ⬜ + ⬜ + ⬜   2. 攻 = ⬜ + ⬜

3. 牧 = ⬜ + ⬜   4. 救 = ⬜ + ⬜

5. 數 = ⬜ + ⬜ + ⬜   6. 效 = ⬜ + ⬜

7. 敍 = ⬜ + ⬜   8. 政 = ⬜ + ⬜

◪ 다음 글자를 소리 부분(聲符)과 뜻 부분(意符)으로 분해하시오.

9. 攻 = 소리 부분(聲符) ⬜ + 뜻 부분(意符) ⬜

10. 敍 = 소리 부분(聲符) ⬜ + 뜻 부분(意符) ⬜

11. 效 = 소리 부분(聲符) ⬜ + 뜻 부분(意符) ⬜

12. 救 = 소리 부분(聲符) ⬜ + 뜻 부분(意符) ⬜

13. 政 = 소리 부분(聲符) ⬜ + 뜻 부분(意符) ⬜

14. 다음 중 "손"과 관계 없는 글자가 있는가?
   ① 才   ② 攵   ③ 又   ④ 疋

15. "敎"자와 반대의 뜻을 가진 글자는?
   ① 授   ② 學   ③ 名   ④ 食

16. 다음 중 관계가 나머지 셋과 다른 하나는?

① 攻 – 守　　　　　② 受 – 授　　　　　③ 救 – 援　　　　　④ 賣 – 買

17. 다음 중 "敍"자와 비슷한 뜻이 <u>아닌</u> 글자는?
　　① 序　　　　　　② 第　　　　　　③ 美　　　　　　④ 秩

◆ 다음 중 주어진 글자로 이루어지는 단어를 2개 이상 한자 또는 한글로 쓰시오.

18. 攻 –

19. 敍 –

20. 敎 –

21. 效 –

22. 數 –

23. 救 –

24. 牧 –

25. 政 –

◆ 다음 글자의 훈과 음을 쓰시오.

（　　）放（　）－（　　）敬（　）－（　　）改（　）－（　　）赦（　）－（　　）敵（　）－
（　　）敏（　）－（　　）傲（　）

◆ 다음 글자를 분해하시오.

1. 傲 = [　　] + [　　] + [　　]　　　2. 放 = [　　] + [　　]

3. 改 = [　　] + [　　]　　　　　　　4. 敬 = [　　] + [　　]

5. 敏 = [　　] + [　　] + [　　]　　　6. 敵 = [　　] + [　　]

7. 赦 = [　　] + [　　]

◆ 다음 글자를 소리 부분(聲符)과 뜻 부분(意符)으로 분해하시오.

8. 放 = 소리 부분(聲符) [　　]　　+　뜻 부분(意符) [　　]

9. 改 = 소리 부분(聲符) [   ] + 뜻 부분(意符) [   ]

10. 敵 = 소리 부분(聲符) [   ] + 뜻 부분(意符) [   ]

11. 다음 중 "敬"자와 비슷한 뜻의 글자는?
    ① 欽   ② 賤   ③ 共   ④ 降

12. "赦"자와 비슷한 뜻의 글자는?
    ① 適   ② 覺   ③ 功   ④ 恕

13. "敏"자와 음이 같은 글자는?
    ① 勉   ② 溫   ③ 民   ④ 榮

14. 다음 "傲"자에 대한 문장 중 적당한 것은?
    ① 너무 얌전해서 탈이야   ② 열심히 공부하다
    ③ 음악을 감상할 참이야   ④ 건방진 놈 같으니라구

◆ 다음 중 주어진 글자로 이루어지는 단어를 2개 이상 한자 또는 한글로 쓰시오.

15. 放 –

16. 敬 –

17. 改 –

18. 赦 –

19. 敵 –

20. 敏 –

21. 傲 –

◆ 다음 글자의 훈과 음을 쓰시오.

( )收( ) – ( )整( ) – ( )敦( ) – ( )敷( ) – ( )散( ) –
( )敗( ) – ( )敢( )

◆ 다음 글자를 분해하시오.

1. 敷 = [　　] + [　　] + [　　]　　2. 收 = [　　] + [　　]

3. 散 = [　　] + [　　]　　　　　　4. 整 = [　　] + [　　]

5. 敦 = [　　] + [　　] + [　　]　　6. 敗 = [　　] + [　　]

7. 敢 = [　　] + [　　]

◆ 다음 글자를 소리 부분(聲符)과 뜻 부분(意符)으로 분해하시오.

8. 整 = 소리 부분(聲符) [　　] + 뜻 부분(意符) [　　]

9. 敗 = 소리 부분(聲符) [　　] + 뜻 부분(意符) [　　]

10. "整"자를 바르게 설명한 것은?
　① 회자정리　　② 정리정돈　　③ 외유내강　　④ 파안대소

11. "敗"자와 반대의 뜻을 가진 글자로 적당하지 않는 것은?
　① 成　　② 完　　③ 投　　④ 勝

12. "散"자와 반대의 뜻을 가진 글자는?
　① 集　　② 海　　③ 企　　④ 空

13. "更"자와 비슷한 뜻을 가진 글자는?
　① 至　　② 玄　　③ 改　　④ 左

◆ 다음 중 주어진 글자로 이루어지는 단어를 2개 이상 한자 또는 한글로 쓰시오.

14. 收 – [　　　　　　　　]

15. 整 – [　　　　　　　　]

16. 敦 – [　　　　　　　　]

17. 敷 – [　　　　　　　　]

18. 散 – [　　　　　　　　]

19. 敗 – [　　　　　　　　]

20. 敢 –

❖ 다음 글자의 훈과 음을 쓰시오.

( )敝( ) – ( )幣( ) – ( )弊( ) – ( )蔽( )

❖ 다음 글자를 분해하시오.

1. 敝 = [ ] + [ ] + [ ] 2. 幣 = [ ] + [ ]

3. 弊 = [ ] + [ ] 4. 蔽 = [ ] + [ ]

❖ 다음 글자를 소리 부분(聲符)과 뜻 부분(意符)으로 분해하시오.

5. 幣 = 소리 부분(聲符) [ ] + 뜻 부분(意符) [ ]

6. 弊 = 소리 부분(聲符) [ ] + 뜻 부분(意符) [ ]

7. 蔽 = 소리 부분(聲符) [ ] + 뜻 부분(意符) [ ]

8. "蔽"자와 반대의 뜻을 가진 글자는?
① 甘   ② 開   ③ 辶   ④ 打

9. 다음 중 "음"이 서로 다른 글자는?
① 廢   ② 弊   ③ 避   ④ 弊

10. "幣"자와 관계 깊은 것은?
① 농기구   ② 기름진 음식   ③ 벌레, 곤충   ④ 옷감, 천

❖ 다음 중 주어진 글자로 이루어지는 단어를 2개 이상 한자 또는 한글로 쓰시오.

11. 敝 –

12. 幣 –

13. 弊 –

14. 蔽 –

◆ 다음 글자의 훈과 음을 쓰시오.

( )微( ) – ( )徵( ) – ( )懲( ) – ( )徹( ) – ( )撤( )

◆ 다음 글자를 분해하시오.

1. 微 = ⬜ + ⬜ + ⬜　　　2. 徵 = ⬜ + ⬜

3. 懲 = ⬜ + ⬜　　　　　　4. 徹 = ⬜ + ⬜

◆ 다음 글자를 소리 부분(聲符)과 뜻 부분(意符)으로 분해하시오.

5. 懲 = 소리 부분(聲符) ⬜ + 뜻 부분(意符) ⬜

6. 撤 = 소리 부분(聲符) ⬜ + 뜻 부분(意符) ⬜

7. 다음 중 "음"이 서로 다른 글자는?
　① 徹　　　　　② 鐵　　　　　③ 銅　　　　　④ 撤

8. "微"자와 반대의 뜻을 가진 글자로 적당하지 않은 것는?
　① 巨　　　　　② 安　　　　　③ 弘　　　　　④ 大

9. "懲"자와 반대의 뜻을 가진 글자는?
　① 賞　　　　　② 擊　　　　　③ 寢　　　　　④ 殺

◆ 다음 중 주어진 글자로 이루어지는 단어를 2개 이상 한자 또는 한글로 쓰시오.

10. 微 – ⬜

11. 徵 – ⬜

12. 懲 – ⬜

13. 徹 – ⬜

14. 撤 – ⬜

◆ 다음 글자의 음과 훈을 쓰시오.

( )爪( ) - ( )爭( ) - ( )受( ) - ( )授( ) - ( )爰( ) - ( )援( )
( )媛( ) - ( )緩( ) - ( )暖( ) - ( )爲( ) - ( )僞( ) - ( )愛( )

◆ 다음 글자를 분해하시오.

1. 受 = ⬜ + ⬜ + ⬜ 2. 授 = ⬜ + ⬜

3. 爰 = ⬜ + ⬜ + ⬜ + ⬜

4. 爭 = ⬜ + ⬜ + ⬜ 5. 援 = ⬜ + ⬜

6. 媛 = ⬜ + ⬜ 7. 緩 = ⬜ + ⬜

◆ 다음 글자를 소리 부분(聲符)과 뜻 부분(意符)으로 분해하시오.

8. 授 = 소리 부분(聲符) ⬜ + 뜻 부분(意符) ⬜

9. 援 = 소리 부분(聲符) ⬜ + 뜻 부분(意符) ⬜

10. 媛 = 소리 부분(聲符) ⬜ + 뜻 부분(意符) ⬜

11. 緩 = 소리 부분(聲符) ⬜ + 뜻 부분(意符) ⬜

12. 暖/煖 = 소리 부분(聲符) ⬜ + 뜻 부분(意符) ⬜

13. 僞 = 소리 부분(聲符) ⬜ + 뜻 부분(意符) ⬜

14. 다음 중 "손 두 개"가 들어가지 <u>않은</u> 글자는?
   ① 爭   ② 妥   ③ 爰   ④ 受

15. 다음 중 "뜻"이 서로 <u>다른</u> 글자는?
   ① 如   ② 鬪   ③ 戰   ④ 爭

16. 다음 중 "援"자와 뜻이 <u>비슷한</u> 글자는?
　　① 多　　　　　② 可　　　　　③ 助　　　　　④ 完

17. "緩"자와 <u>반대</u>의 뜻을 가진 글자는?
　　① 士　　　　　② 急　　　　　③ 由　　　　　④ 耳

18. "暖/煖"자와 <u>반대</u>의 뜻을 가진 글자는?
　　① 冷　　　　　② 晟　　　　　③ 日　　　　　④ 牙

19. "僞"자와 <u>반대</u>의 뜻을 가진 글자는?
　　① 乎　　　　　② 郞　　　　　③ 眞　　　　　④ 長

20. 다음 중 "뜻"이 서로 <u>다른</u> 글자는?
　　① 慈　　　　　② 愛　　　　　③ 戰　　　　　④

◪ 다음 중 주어진 글자로 이루어지는 단어를 2개 이상 한자 또는 한글로 쓰시오.

21. 爭 -

22. 受 -

23. 授 -

24. 援 -

25. 媛 -

26. 緩 -

27. 暖/煖 -

28. 爲 -

29. 僞 -

30. 愛 -

◪ 다음 글자의 훈과 음을 쓰시오.

　(　)爭(　) - (　)淨(　) - (　)靜(　)

◆ 다음 글자를 분해하시오.

1. 爭 = ⬜ + ⬜ + ⬜   2. 淨 = ⬜ + ⬜

3. 靜 = ⬜ + ⬜

◆ 다음 글자를 소리 부분(聲符)과 뜻 부분(意符)으로 분해하시오.

4. 淨 = 소리 부분(聲符) ⬜ + 뜻 부분(意符) ⬜

5. 靜 = 소리 부분(聲符) ⬜ + 뜻 부분(意符) ⬜

6. 다음 중 "음"이 서로 다른 글자는?
① 淨   ② 定   ③ 爭   ④ 靜

7. "靜"자와 비슷한 뜻을 가진 글자는?
① 水   ② 寂   ③ 單   ④ 騷

◆ 다음 중 주어진 글자로 이루어지는 단어를 2개 이상 한자 또는 한글로 쓰시오.

8. 爭 – ⬜

9. 淨 – ⬜

10. 靜 – ⬜

◆ 다음 글자의 훈과 음을 쓰시오.

( )采( ) – ( )菜( ) – ( )探( ) – ( )彩( )

◆ 다음 글자를 분해하시오.

1. 探 =  + ⬜ + ⬜   2. 彩 =  +

3. 菜 = ⬜ +    4. 采 = ⬜ + ⬜

◆ 다음 글자를 소리 부분(聲符)과 뜻 부분(意符)으로 분해하시오.

5. 菜 = 소리 부분(聲符)  + 뜻 부분(意符)

6. 採 = 소리 부분(聲符) [   ] + 뜻 부분(意符) [   ]

7. 彩 = 소리 부분(聲符) [   ] + 뜻 부분(意符) [   ]

8. 다음 중 "음"이 서로 <u>다른</u> 글자는?
  ① 採   ② 菜   ③ 乳   ④ 彩

9. "菜"자와 관계 깊은 것은?
  ① 石   ② 草   ③ 月   ④ 骨

◆ 다음 중 주어진 글자로 이루어지는 단어를 2개 이상 한자 또는 한글로 쓰시오.

10. 采 – [   ]

11. 採 – [   ]

12. 菜 – [   ]

13. 彩 – [   ]

◆ 다음 글자의 훈과 음을 쓰시오.

( )奚( ) – ( )溪( ) – ( )鷄( ) – ( )稻( ) – ( )滔( )

◆ 다음 글자를 분해하시오.

1. 奚 = [   ] + [   ] + [   ]   2. 溪 = [   ] + [   ]

3. 鷄 = [   ] + [   ]   4. 稱 = [   ] + [   ]

◆ 다음 글자를 소리 부분(聲符)과 뜻 부분(意符)으로 분해하시오.

5. 溪 = 소리 부분(聲符) [   ] + 뜻 부분(意符) [   ]

6. 鷄 = 소리 부분(聲符) [   ] + 뜻 부분(意符) [   ]

7. 다음 중 "음"이 서로 <u>다른</u> 글자는?
  ① 計   ② 溪   ③ 鷄   ④ 類

8. "溪"자와 관계 깊은 것은?

　　① 水　　　　　　② 天　　　　　　③ 米　　　　　　④ 女

◆ 다음 중 주어진 글자로 이루어지는 단어를 2개 이상 한자 또는 한글로 쓰시오.

9. 溪 -

10. 鷄 -

11. 稻 -

12. 滔 -

◆ 다음 글자의 음과 훈을 쓰시오.

（　　）印（　）－（　　）妥（　）－（　　）孚（　）－（　　）浮（　）－（　　）孵（　）－
（　　）乳（　）

◆ 다음 글자를 분해하시오.

1. 浮 =　　　　　+　　　　　+　　　　　　　　2. 孚 =　　　　　+

3. 妥 =　　　　　+　　　　　　　　　　　　　4. 乳 =　　　　　+

5. 印 =　　　　　+　　　　　　　　　　　　　6. 孵 =　　　　　+

◆ 다음 글자를 소리 부분(聲符)과 뜻 부분(意符)으로 분해하시오.

7. 浮 = 소리 부분(聲符)　　　　　+　뜻 부분(意符)

8. 孵 = 소리 부분(聲符)　　　　　+　뜻 부분(意符)

9. 다음 중 "음"이 서로 <u>다른</u> 글자는?

　　① 浮　　　　　　② 夫　　　　　　③ 孵　　　　　　④ 后

10. "乳"자는 무엇을 본떠 만든 것인가?

　　① 어미소와 송아지　　　　　　　　② 야채와 물
　　③ 엄마와 애기　　　　　　　　　　④ 손과 음식

11. "印"자는 무엇을 본떠 만든 것인가?

　　① 사람과 손　　　　② 나무와 칼　　　　③ 뿔과 돌　　　　④ 손과 지팡이

◆ 다음 중 주어진 글자로 이루어지는 단어를 2개 이상 한자 또는 한글로 쓰시오.

12. 印 -

13. 妥 -

14. 浮 -

15. 孵 -

16. 乳 -

◆ 다음 글자의 음과 훈을 쓰시오.

```
(　)淫(　) - (　)亂(　) - (　)辭(　) - (　)爵(　) - (　)稱(　)
```

◆ 다음 글자를 분해하시오.

1. 淫 = 　　　 + 　　　 + 　　　　　2. 亂 = 　　　 + 　　　

3. 辭 = 　　　 + 　　　　　　　　　4. 稱 = 　　　 + 　　　

5. 亂 = 　　　 + 　　　 + 　　　 + 　　　 + 　　　

6. "亂"자와 <u>반대</u>의 뜻을 가진 글자는?

　　① 玄　　　　　　② 功　　　　　　③ 整　　　　　　④ 心

◆ 다음 중 주어진 글자로 이루어지는 단어를 2개 이상 한자 또는 한글로 쓰시오.

7. 淫 -　　　　　　　　　　　　　　8. 亂 -

9. 辭 -　　　　　　　　　　　　　　10. 爵 -

11. 稱 -

◆ 다음 글자의 음과 훈을 쓰시오.

( )臼( ) - ( )學( ) - ( )擧( ) - ( )興( ) - ( )與( ) -
( )輿( ) - ( )譽( ) - ( )覺( )

◆ 다음 글자를 분해하시오.

1. 擧 = [ ] + [ ] + [ ] + [ ]

2. 學 = [ ] + [ ] + [ ] + [ ]

3. 興 = [ ] + [ ] + [ ]

4. 與 = [ ] + [ ] + [ ]

5. 輿 = [ ] + [ ] + [ ]

6. 다음 중 "음"이 서로 다른 글자는?
　① 與　　　　　② 興　　　　　③ 如　　　　　④ 要

7. "學"자에는 손이 몇 개 있는가?
　① 1　　　　　② 2　　　　　③ 3　　　　　④ 4

8. "學"자와 반대의 뜻을 가진 글자는?
　① 年　　　　　② 片　　　　　③ 敎　　　　　④ 文

9. "與"자와 비슷한 뜻을 가진 글자는?
　① 以　　　　　② 授　　　　　③ 毋　　　　　④ 每

◆ 다음 중 주어진 글자로 이루어지는 단어를 2개 이상 한자 또는 한글로 쓰시오.

10. 學 - [ ]

11. 擧 -

12. 興 -

13. 與 -

14. 輿 -

15. 譽 -

16. 覺 -

◆ 다음 글자의 훈과 음을 쓰시오.

| (　　)臼(　) - (　　)貴(　) - (　　)遺(　) - (　　)遣(　) - (　　)追(　) |

◆ 다음 글자를 분해하시오.

1. 遺 = [　　] + [　　] + [　　]   2. 貴 = [　　] + [　　]

3. 遣 = [　　] + [　　]   4. 追 = [　　] + [　　]

5. "遺"자 같이 가장 많이 쓰이는 글자는?
   ① 暗   ② 一   ③ 書   ④ 正

6. "貴"자와 반대의 뜻이 <u>아닌</u> 글자는?
   ① 卑   ② 卿   ③ 賤   ④ 奴

◆ 다음 중 주어진 글자로 이루어지는 단어를 2개 이상 한자 또는 한글로 쓰시오.

7. 貴 -

8. 遺 -

9. 遣 -

10. 追 -

◀ 다음 글자의 음과 훈을 쓰시오.

(　)廾(　) – (　)共(　) – (　)開(　) – (　)算(　) – (　)兵(　) – (　)戒(　)
(　)弄(　) – (　)具(　) – (　)奉(　) – (　)送(　) – (　)遷(　)

◀ 다음 글자를 분해하시오.

1. 開 = 　　　 + 　　　 + 　　　　　2. 共 = 　　　 + 　　　

3. 弄 = 　　　 + 　　　　　　　　　4. 具 = 　　　 + 　　　

5. 算 = 　　　 + 　　　 + 　　　　　6. 兵 = 　　　 + 　　　

7. 戒 = 　　　 + 　　　　　　　　　8. 送 = 　　　 + 　　　

9. 다음 중 "음"이 서로 다른 글자는?
　　① 工　　　　　　② 廾　　　　　　③ 洪　　　　　　④ 共

10. "開"자는 무엇을 본떠 만들었는가?
　　① 하늘, 구름, 비　　　　　　　② 채소, 고기, 밥
　　③ 창, 칼, 방패　　　　　　　　④ 손, 문, 빗장

11. "兵"자와 관계 깊은 것은?
　　① 무기와 손　　② 생선　　　　③ 여자와 노리개　　④ 붓과 종이

12. 다음 중 "두 손"과 관계 없는 것은?
　　① 戒　　　　　　② 共　　　　　　③ 走　　　　　　④ 兵

13. "具"자와 같은 음을 가진 글자는?
　　① 宀　　　　　　② 求　　　　　　③ 辶　　　　　　④ 耂

14. "遷"자와 비슷한 뜻을 가진 글자는?

① 敗   ② 政   ③ 移   ④ 好

◆ 다음 중 주어진 글자로 이루어지는 단어를 2개 이상 한자 또는 한글로 쓰시오.

15. 共 –

16. 開 –

17. 算 –

18. 兵 –

19. 戒 –

20. 弄 –

21. 具 –

22. 奉 –

23. 送 –

24. 遷 –

◆ 다음 글자의 훈과 음을 쓰시오.

(　　)戒(　) – (　　)械(　) – (　　)誡(　)

◆ 다음 글자를 분해하시오.

1. 誡 = ⬜ + ⬜ + ⬜

2. 械 = ⬜ + ⬜

3. 戒 = ⬜ + ⬜

◆ 다음 글자를 소리 부분(聲符)과 뜻 부분(意符)으로 분해하시오.

4. 械 = 소리 부분(聲符) ⬜ + 뜻 부분(意符) ⬜

5. 誡 = 소리 부분(聲符) ⬜ + 뜻 부분(意符) ⬜

6. 다음 중 "음"이 서로 <u>다른</u> 글자는?
   ① 界   ② 械   ③ 璣   ④ 誡

◆ 다음 중 주어진 글자로 이루어지는 단어를 2개 이상 한자 또는 한글로 쓰시오.

7. 戒 –

8. 械 –

9. 誡 –

◆ 다음 글자의 음과 훈을 쓰시오.

( )奔( ) – ( )賁( ) – ( )噴( ) – ( )憤( ) – ( )墳( )

◆ 다음 글자를 분해하시오.

1. 噴 = [ ] + [ ] + [ ]   2. 賁 = [ ] + [ ]

3. 墳 = [ ] + [ ]   4. 憤 = [ ] + [ ]

◆ 다음 글자를 소리 부분(聲符)과 뜻 부분(意符)으로 분해하시오.

5. 噴 = 소리 부분(聲符) [ ] + 뜻 부분(意符) [ ]

6. 憤 = 소리 부분(聲符) [ ] + 뜻 부분(意符) [ ]

7. 墳 = 소리 부분(聲符) [ ] + 뜻 부분(意符) [ ]

8. "奔"자와 <u>비슷</u>한 뜻을 가진 글자는?
   ① 彳   ② 京   ③ 走   ④ 永

9. 다음 중 "음"이 서로 <u>다른</u> 글자는?
   ① 憤   ② 噴   ③ 半   ④ 粉

10. "憤"자와 <u>비슷</u>한 뜻을 가진 글자는?
    ① 丹   ② 怒   ③ 禁   ④ 順

11. 다음 중 "뜻"이 서로 <u>다른</u> 글자는?
    ① 塚   ② 墳   ③ 基   ④ 墓

◆ 다음 중 주어진 글자로 이루어지는 단어를 2개 이상 한자 또는 한글로 쓰시오.

12. 奔 – [ ]   13. 噴 – [ ]

14. 憤 – [ ]   15. 墳 – [ ]

◆ 다음 글자의 음과 훈을 쓰시오.

( )共( ) – ( )供( ) – ( )恭( ) – ( )洪( ) – ( )港( ) – ( )異( )

◆ 다음 글자를 분해하시오.

1. 恭 =  + + 　　2. 供 =  +

3. 洪 = + 　　　　　4. 共 = +

◆ 다음 글자를 소리 부분(聲符)과 뜻 부분(意符)으로 분해하시오.

5. 供 = 소리 부분(聲符)  + 뜻 부분(意符)

6. 恭 = 소리 부분(聲符)  + 뜻 부분(意符)

7. 洪 = 소리 부분(聲符)  + 뜻 부분(意符)

8. 다음 중 "음"이 서로 <u>다른</u> 글자는?
　　① 恭　　　　　② 洪　　　　　③ 工　　　　　④ 供

9. "共"자와 <u>반대</u>의 뜻을 가진 글자는?
　　① 獨　　　　　② 南　　　　　③ 古　　　　　④ 行

10. "洪"자와 같은 음을 가진 글자는?
　　① 京　　　　　② 興　　　　　③ 港　　　　　④ 弘

11. 관계가 나머지 셋과 <u>다른</u> 것은?
　　① 異 － 同　　② 恭 － 傲　　③ 田 － 天　　④ 氵 － 火

◆ 다음 중 주어진 글자로 이루어지는 단어를 2개 이상 한자 또는 한글로 쓰시오.

12. 共 － 　　13. 供 －

14. 恭 －　　　　　　　　　　15. 洪 －

16. 港 －　　　　　　　　　　17. 異 －

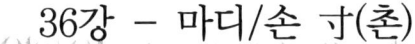

◆ 다음 글자의 음과 훈을 쓰시오.

( )寸( ) – ( )村( ) – ( )射( ) – ( )付( ) – ( )守( ) – ( )狩( )

◆ 다음 글자를 분해하시오.

1. 狩 = [　　] + [　　] + [　　]　　2. 守 = [　　] + [　　]

3. 付 = [　　] + [　　]　　4. 村 = [　　] + [　　]

5. 射 = [　　] + [　　]　　6. 寸 = [　　] + [　　]

◆ 다음 글자를 소리 부분(聲符)과 뜻 부분(意符)으로 분해하시오.

7. 村 = 소리 부분(聲符) [　　] + 뜻 부분(意符) [　　]

8. 狩 = 소리 부분(聲符) [　　] + 뜻 부분(意符) [　　]

9. "村"자와 비슷한 뜻을 가진 글자는?
　　① 光　　　　② 里　　　　③ 肉　　　　④ 中

10. "守"자와 반대의 뜻을 가진 글자는?
　　① 衛　　　　② 友　　　　③ 侵　　　　④ 見

11. "射"자와 관계 깊은 것은?
　　① 활, 총　　② 가축, 애완동물　　③ 비바람, 천둥　　④ 친척, 친지

◆ 다음 중 주어진 글자로 이루어지는 단어를 2개 이상 한자 또는 한글로 쓰시오.

12. 寸 – [　　]　　13. 村 – [　　]

14. 射 – [　　]　　15. 付 – [　　]

16. 守 – [　　]　　17. 狩 – [　　]

◆ 다음 글자의 음과 훈을 쓰시오.

( )付( ) – ( )附( ) – ( )符( ) – ( )府( ) – ( )腐( )

◆ 다음 글자를 분해하시오.

1. 腐 = [ ] + [ ] + [ ]   2. 附 = [ ] + [ ]

3. 府 = [ ] + [ ]   4. 付 = [ ] + [ ]

◆ 다음 글자를 소리 부분(聲符)과 뜻 부분(意符)으로 분해하시오.

5. 附 = 소리 부분(聲符) [ ] + 뜻 부분(意符) [ ]

6. 符 = 소리 부분(聲符) [ ] + 뜻 부분(意符) [ ]

7. 府 = 소리 부분(聲符) [ ] + 뜻 부분(意符) [ ]

8. 腐 = 소리 부분(聲符) [ ] + 뜻 부분(意符) [ ]

9. 다음 중 "음"이 서로 다른 글자는?

① 腐   ② 附   ③ 傳   ④ 符

10. "腐"자와 반대의 뜻을 가진 글자로 틀린 것은?

① 活   ② 新   ③ 生   ④ 折

11. 다음 "府"자에 대한 설명 중 맞지 않는 것은?

① 관청   ② 마을   ③ 창고   ④ 구름

◆ 다음 중 주어진 글자로 이루어지는 단어를 2개 이상 한자 또는 한글로 쓰시오.

12. 付 – [ ]   13. 附 – [ ]

14. 符 – [ ]   15. 府 – [ ]

16. 腐 – [ ]

◆ 다음 글자의 훈과 음을 쓰시오.

( )專( ) – ( )傳( ) – ( )轉( ) – ( )團( ) – ( )專( )

◪ 다음 글자를 분해하시오.

1. 轉 = ⬜ + ⬜ + ⬜ 　　2. 傳 = ⬜ + ⬜

3. 專 = ⬜ + ⬜ 　　　　　4. 專 = ⬜ + ⬜

◪ 다음 글자를 소리 부분(聲符)과 뜻 부분(意符)으로 분해하시오.

5. 傳 = 소리 부분(聲符) ⬜ + 뜻 부분(意符) ⬜

6. 轉 = 소리 부분(聲符) ⬜ + 뜻 부분(意符) ⬜

7. 다음 중 "음"이 서로 <u>다른</u> 글자는?
　① 博　　　　② 傳　　　　③ 轉　　　　④ 專

8. "專"자와 음이 같은 글자는?
　① 團　　　　② 全　　　　③ 現　　　　④ 薄

◪ 다음 중 주어진 글자로 이루어지는 단어를 2개 이상 한자 또는 한글로 쓰시오.

9. 專 – ⬜　　　　　　10. 傳 – ⬜

11. 轉 – ⬜　　　　　　12. 團 – ⬜

◪ 다음 글자의 훈과 음을 쓰시오.

( )寺( ) – ( )侍( ) – ( )時( ) – ( )詩( ) – ( )持( ) – ( )痔( )
( )待( ) – ( )特( ) – ( )等( )

◪ 다음 글자를 분해하시오.

1. 詩 = ⬜ + ⬜ + ⬜ 　　2. 侍 = ⬜ + ⬜

3. 待 = ⬜ + ⬜ 　　　　　4. 痔 = ⬜ + ⬜

5. 特 = ⬜ + ⬜ 　　　　　6. 等 = ⬜ + ⬜

7. 持 = ⬜ + ⬜ 　　　　　8. 時 = ⬜ + ⬜

9. 寺 = ⬜ + ⬜

◆ 다음 중 주어진 글자로 이루어지는 단어를 2개 이상 한자 또는 한글로 쓰시오.

10. 寺 -

11. 侍 -

12. 時 -

13. 詩 -

14. 持 -

15. 痔 -

16. 待 -

17. 特 -

18. 等 -

19. 다음 중 "음"이 서로 <u>다른</u> 글자는?
　　① 時　　　　　　　② 指　　　　　　　③ 尸　　　　　　　④ 侍

20. "寺"자가 "소리 부분(聲符)"으로 쓰이지 <u>않은</u> 것은?
　　① 持　　　　　　　② 特　　　　　　　③ 時　　　　　　　④ 侍

21. 다음 "詩"자에 대한 문장 중 적당한 것은?
　　① 적군을 무찔렀다　　　　　　　② 그물을 던지시오
　　③ 시집을 한 권 선물 받았다　　　　④ 늦잠을 잤다

22. "特"자와 <u>반대</u>의 뜻을 가진 글자는?
　　① 凡　　　　　　　② 兄　　　　　　　③ 國　　　　　　　④ 食

◆ 다음 글자를 소리 부분(聲符)과 뜻 부분(意符)으로 분해하시오.

1. 侍 = 소리 부분(聲符) 　　　　　 + 뜻 부분(意符)

2. 時 = 소리 부분(聲符) 　　　　　 + 뜻 부분(意符)

3. 詩 = 소리 부분(聲符) 　　　　　 + 뜻 부분(意符)

4. 持 = 소리 부분(聲符) 　　　　　 + 뜻 부분(意符)

◆ 다음 글자의 음과 훈을 쓰시오.

( )力( ) – ( )男( ) – ( )勇( ) – ( )湧( ) – ( )踊( )

◆ 다음 글자를 분해하시오.

1. 勇 = ⬜ + ⬜ + ⬜   2. 男 = ⬜ + ⬜

3. 湧 = ⬜ + ⬜   4. 踊 = ⬜ + ⬜

5. 다음 중 "음"이 서로 다른 글자는?
　① 踊　　　　② 勇　　　　③ 良　　　　④ 容

6. "勇"자와 반대의 뜻을 가진 글자는?
　① 速　　　　② 兵　　　　③ 怯　　　　④ 見

7. 다음 중 "뜻"이 서로 다른 글자는?
　① 跳　　　　② 踊　　　　③ 趾　　　　④ 躍

◆ 다음 중 주어진 글자로 이루어지는 단어를 2개 이상 한자 또는 한글로 쓰시오.

8. 力 – ⬜　　　　　　9. 男 – ⬜

10. 勇 – ⬜　　　　　　11. 湧 – ⬜

12. 踊 – ⬜

◆ 다음 글자의 훈과 음을 쓰시오.

( )努( ) – ( )勞( ) – ( )動( ) – ( )劣( ) – ( )勤( ) –
( )勉( ) – ( )螢( )

◆ 다음 글자를 분해하시오.

1. 勞 = [　　] + [　　] + [　　]　　2. 努 = [　　] + [　　]

3. 劣 = [　　] + [　　]　　　　　　　4. 動 = [　　] + [　　]

5. 螢 = [　　] + [　　] + [　　]　　6. 勉 = [　　] + [　　]

◆ 다음 글자를 소리 부분(聲符)과 뜻 부분(意符)으로 분해하시오.

7. 努 = 소리 부분(聲符) [　　] + 뜻 부분(意符) [　　]

8. 動 = 소리 부분(聲符) [　　] + 뜻 부분(意符) [　　]

9. 勤 = 소리 부분(聲符) [　　] + 뜻 부분(意符) [　　]

10. 勉 = 소리 부분(聲符) [　　] + 뜻 부분(意符) [　　]

11. 다음 중 "음"이 서로 <u>다른</u> 글자는?
　　① 拏　　　　　② 努　　　　　③ 勞　　　　　④ 怒

12. "動"자와 <u>반대</u>의 뜻을 가진 글자는?
　　① 止　　　　　② 運　　　　　③ 作　　　　　④ 工

13. "勤"자와 <u>반대</u>의 뜻을 가진 글자는?
　　① 權　　　　　② 勞　　　　　③ 怠　　　　　④ 命

14. 관계가 나머지 셋과 <u>다른</u> 것은?
　　① 勤勉　　　　② 明暗　　　　③ 遠近　　　　④ 優劣

◆ 다음 중 주어진 글자로 이루어지는 단어를 2개 이상 한자 또는 한글로 쓰시오.

15. 努 - [　　]　　　　　　　16. 勞 - [　　]

17. 動 - [　　]　　　　　　　18. 劣 - [　　]

19. 勤 - [　　]　　　　　　　20. 勉 - [　　]

21. 螢 - [　　]

◆ 다음 글자의 훈과 음을 쓰시오.

( )加( ) – ( )架( ) – ( )賀( ) – ( )功( ) – ( )助( )

◆ 다음 글자를 분해하시오.

1. 架 = ☐ + ☐ + ☐   2. 加 = ☐ + ☐

3. 賀 = ☐ + ☐   4. 助 = ☐ + ☐

◆ 다음 글자를 소리 부분(聲符)과 뜻 부분(意符)으로 분해하시오.

5. 架 = 소리 부분(聲符) ☐ + 뜻 부분(意符) ☐

6. 賀 = 소리 부분(聲符) ☐ + 뜻 부분(意符) ☐

7. 다음 중 "음"이 서로 <u>다른</u> 글자는?
   ① 架   ② 架   ③ 賀   ④ 歌

8. "加"자와 <u>반대</u>의 뜻을 가진 글자는?
   ① 減   ② 固   ③ 億   ④ 主

9. "功"을 세우면 무엇을 주는가?
   ① 罰   ② 賞   ③ 罪   ④ 責

10. 다음 중 "助"자와 <u>비슷한</u> 뜻이 <u>아닌</u> 글자는?
    ① 扶   ② 佑   ③ 援   ④ 建

◆ 다음 중 주어진 글자로 이루어지는 단어를 2개 이상 한자 또는 한글로 쓰시오.

11. 加 – ☐   12. 架 – ☐

13. 賀 – ☐   14. 功 – ☐

15. 助 – ☐

◆ 다음 글자의 음과 훈을 쓰시오.

( )協( ) – ( )脅( ) – ( )肋( ) – ( )筋( ) – ( )勝( ) – ( )勵( )

◆ 다음 글자를 분해하시오.

1. 筋 = [ ] + [ ] + [ ]   2. 肋 = [ ] + [ ]

3. 脅 = [ ] + [ ]   4. 協 = [ ] + [ ]

◆ 다음 글자를 소리 부분(聲符)과 뜻 부분(意符)으로 분해하시오.

5. 協 = 소리 부분(聲符) [ ] + 뜻 부분(意符) [ ]

6. 脅 = 소리 부분(聲符) [ ] + 뜻 부분(意符) [ ]

7. 다음 중 "음"이 서로 <u>다른</u> 글자는?
　　① 夾　　　　　② 協　　　　　③ 脅　　　　　④ 吸

8. "脅"과 거리가 가장 가까운 것은?
　　① 腰　　　　　② 首　　　　　③ 足　　　　　④ 脚

9. "肋"은 어디에 위치해 있는가?
　　① 身　　　　　② 天　　　　　③ 山　　　　　④ 湖

10. "勝"자와 <u>반대</u>의 뜻을 가진 글자는?
　　① 然　　　　　② 易　　　　　③ 敗　　　　　④ 軍

11. "勵"자와 <u>비슷한</u> 뜻을 가진 글자는?
　　① 思　　　　　② 用　　　　　③ 勉　　　　　④ 干

◆ 다음 중 주어진 글자로 이루어지는 단어를 2개 이상 한자 또는 한글로 쓰시오.

12. 協 – [ ]

13. 脅 – [ ]

14. 肋 – [ ]

15. 筋 – [ ]

16. 勝 – [ ]

17. 勵 – [ ]

◆ 다음 글자의 음과 훈을 쓰시오.

（　　）包（　）－（　　）胞（　）－（　　）抱（　）－（　　）砲（　）－（　　）泡（　）－
（　　）咆（　）－（　　）匍（　）－（　　）葡（　）

◆ 다음 글자를 분해하시오.

1. 抱 = 　　　　　 ＋ 　　　　　 ＋ 　　　　　　　　 2. 咆 = 　　　　　 ＋ 　　　　　

3. 胞 = 　　　　　 ＋ 　　　　　　　　　　　　　 4. 包 = 　　　　　 ＋ 　　　　　

◆ 다음 글자를 소리 부분(聲符)과 뜻 부분(意符)으로 분해하시오.

5. 包 = 소리 부분(聲符) 　　　　　 ＋ 뜻 부분(意符) 　　　　　

6. 胞 = 소리 부분(聲符) 　　　　　 ＋ 뜻 부분(意符) 　　　　　

7. 抱 = 소리 부분(聲符) 　　　　　 ＋ 뜻 부분(意符) 　　　　　

8. 砲 = 소리 부분(聲符) 　　　　　 ＋ 뜻 부분(意符) 　　　　　

9. 泡 = 소리 부분(聲符) 　　　　　 ＋ 뜻 부분(意符) 　　　　　

10. 咆 = 소리 부분(聲符) 　　　　　 ＋ 뜻 부분(意符) 　　　　　

11. 匍 = 소리 부분(聲符) 　　　　　 ＋ 뜻 부분(意符) 　　　　　

12. 葡 = 소리 부분(聲符) 　　　　　 ＋ 뜻 부분(意符) 　　　　　

13. 다음 중 "음"이 서로 다른 글자는?
　　　① 勻　　　　　　② 抱　　　　　　③ 包　　　　　　④ 勹

14. "飽"자와 반대의 뜻을 가진 글자는?
　　　① 飢　　　　　　② 咆　　　　　　③ 本　　　　　　④ 飮

15. 다음 중 "음"이 서로 다른 글자는?

   ① 匍   ② 捕   ③ 補   ④ 葡

16. 다음 "砲"자에 대한 설명 중 적당한 것은?

   ① 남녀 관계   ② 전쟁 무기   ③ 필기 도구   ④ 식사 종류

17. "葡"자에 대한 해설 중 적당한 것은?

   ① 과일   ② 고기   ③ 토양   ④ 농기구

◆ 다음 중 주어진 글자로 이루어지는 단어를 2개 이상 한자 또는 한글로 쓰시오.

18. 包 –   19. 胞 –

20. 抱 –   21. 砲 –

22. 泡 –   23. 咆 –

24. 匍 –   25. 葡 –

◆ 다음 글자의 훈과 음을 쓰시오.

( )匐( ) – ( )葡( ) – ( )陶( ) – ( )淘( )

◆ 다음 글자를 소리 부분(聲符)과 뜻 부분(意符)으로 분해하시오.

1. 葡 = 소리 부분(聲符) ☐   + 뜻 부분(意符) ☐

2. 陶 = 소리 부분(聲符) ☐   + 뜻 부분(意符) ☐

3. 淘 = 소리 부분(聲符) ☐   + 뜻 부분(意符) ☐

4. 다음 중 "음"이 서로 다른 글자는?

   ① 陶   ② 度   ③ 缺   ④ 匋

◆ 다음 중 주어진 글자로 이루어지는 단어를 2개 이상 한자 또는 한글로 쓰시오.

5. 葡 –

6. 陶 –

7. 淘 –

다음 글자의 훈과 음을 쓰시오.

( )句( ) – ( )苟( ) – ( )拘( ) – ( )狗( ) – ( )敬( ) –
( )警( ) – ( )驚( )

다음 글자를 분해하시오.

1. 敬 = ☐ + ☐ + ☐   2. 警 = ☐ + ☐

3. 驚 = ☐ + ☐   4. 苟 = ☐ + ☐

5. 拘 = ☐ + ☐   6. 狗 = ☐ + ☐

7. 句 = ☐ + ☐

다음 글자를 소리 부분(聲符)과 뜻 부분(意符)으로 분해하시오.

8. 苟 = 소리 부분(聲符) ☐ + 뜻 부분(意符) ☐

9. 拘 = 소리 부분(聲符) ☐ + 뜻 부분(意符) ☐

10. 狗 = 소리 부분(聲符) ☐ + 뜻 부분(意符) ☐

11. 警 = 소리 부분(聲符) ☐ + 뜻 부분(意符) ☐

12. 驚 = 소리 부분(聲符) ☐ + 뜻 부분(意符) ☐

13. 다음 중 "음"이 서로 <u>다른</u> 글자는?
    ① 救   ② 拘   ③ 句   ④ 旬

14. "拘"자와 <u>반대</u>의 뜻을 가진 글자는?
    ① 妄   ② 成   ③ 放   ④ 日

15. "狗"자와 <u>비슷</u>한 뜻을 가진 글자는?
    ① 云   ② 犬   ③ 鹿   ④ 又

16. "警"자와 <u>비슷</u>한 뜻을 가진 글자는?
    ① 誡   ② 波   ③ 問   ④ 先

17. 다음 중 "음"이 서로 <u>다른</u> 글자는?
    ① 警   ② 影   ③ 景   ④ 敬

◆ 다음 중 주어진 글자로 이루어지는 단어를 2개 이상 한자 또는 한글로 쓰시오.

18. 句 - 　　　　　　　　　　　　　19. 苟 -

20. 拘 - 　　　　　　　　　　　　　21. 狗 -

22. 敬 - 　　　　　　　　　　　　　23. 警 -

24. 驚 -

◆ 다음 글자의 훈과 음을 쓰시오.

(　)勾( ) - (　)曷( ) - (　)謁( ) - (　)喝( ) - (　)渴( )
(　)葛( ) - (　)揭( ) - (　)歇( ) - (　)凶( ) - (　)匈( )

◆ 다음 글자를 분해하시오.

1. 勾 = 　　　　+ 　　　　+ 　　　　　2. 曷 = 　　　　+

3. 謁 = 　　　　+ 　　　　　　　　　　4. 歇 = 　　　　+

5. 葛 = 　　　　+ 　　　　+ 　　　　　6. 揭 = 　　　　+

7. 渴 = 　　　　+ 　　　　　　　　　　8. 喝 = 　　　　+

9. 匈 = 　　　　+ 　　　　+ 　　　　　10. 凶 = 　　　　+

◆ 다음 글자를 소리 부분(聲符)과 뜻 부분(意符)으로 분해하시오.

11. 謁 = 소리 부분(聲符) 　　　　　+ 뜻 부분(意符)

12. 喝 = 소리 부분(聲符) 　　　　　+ 뜻 부분(意符)

13. 渴 = 소리 부분(聲符) 　　　　　+ 뜻 부분(意符)

14. 葛 = 소리 부분(聲符) 　　　　　+ 뜻 부분(意符)

15. 歇 = 소리 부분(聲符) 　　　　　+ 뜻 부분(意符)

16. 匈 = 소리 부분(聲符) 　　　　　+ 뜻 부분(意符)

17. 다음 중 "음"이 서로 <u>다른</u> 글자는?

①渴　　　　　②喝　　　　　③揭　　　　　④葛

18. "喝"자와 <u>비슷한</u> 뜻을 가진 글자는?
　①責　　　　　②只　　　　　③言　　　　　④意

19. 뜻으로 볼 때 "渴"자에 필요한 것은 무엇인가?
　①米　　　　　②石　　　　　③金　　　　　④水

20. 다음 중 "음"이 서로 <u>다른</u> 글자는?
　①曷　　　　　②凶　　　　　③匈　　　　　④胸

◆ 다음 중 주어진 글자로 이루어지는 단어를 2개 이상 한자 또는 한글로 쓰시오.

21. 謁 –

22. 喝 –

23. 渴 –

24. 葛 –

25. 揭 –

26. 歇 –

27. 凶 –

28. 匈 –

◆ 다음 글자의 훈과 음을 쓰시오.

| (　)勻(　) – (　)灼(　) – (　)酌(　) – (　)芍(　) – (　)的(　) – (　)約(　) – (　)匊(　) – (　)菊(　) |

◆ 다음 글자를 분해하시오.

1. 菊 = 　　　 + 　　　 + 　　　　　2. 匊 = 　　　 + 　　　

3. 酌 = 　　　 + 　　　　　　　　　4. 約 = 　　　 + 　　　

5. 芍 = 　　　 + 　　　 + 　　　　　6. 勻 = 　　　 + 　　　

7. 菊 = 　　　 + 　　　　　　　　　8. 灼 = 　　　 + 　　　

◆ 다음 글자를 소리 부분(聲符)과 뜻 부분(意符)으로 분해하시오.

9. 灼 = 소리 부분(聲符) 　　　　　 + 뜻 부분(意符) 　　　　

10. 酌 = 소리 부분(聲符) 　　　　　 + 뜻 부분(意符)

11. 勺 = 소리 부분(聲符) ⬚ + 뜻 부분(意符) ⬚

12. 的 = 소리 부분(聲符) ⬚ + 뜻 부분(意符) ⬚

13. 約 = 소리 부분(聲符) ⬚ + 뜻 부분(意符) ⬚

14. 菊 = 소리 부분(聲符) ⬚ + 뜻 부분(意符) ⬚

15. 다음 중 "음"이 서로 <u>다른</u> 글자는?
　　① 灼　　　　② 約　　　　③ 酌　　　　④ 勺

16. "酌"자와 관계 깊은 것은?
　　① 포도주, 소주　　② 불, 장작　　③ 짚단, 보따리　　④ 안개, 서리

17. "菊"자와 음이 같은 글자는?
　　① 采　　　　② 迷　　　　③ 番　　　　④ 局

18. "菊"자와 관계 깊은 것은?
　　① 음식　　　　② 군인　　　　③ 꽃　　　　④ 건물

◆ 다음 중 주어진 글자로 이루어지는 단어를 2개 이상 한자 또는 한글로 쓰시오.

19. 炸 - ⬚　　　　20. 酌 - ⬚

21. 勺 - ⬚　　　　22. 的 - ⬚

23. 約 - ⬚　　　　24. 菊 - ⬚

◆ 다음 글자의 훈과 음을 쓰시오.

( )勿( ) – ( )物( ) – ( )忽( ) – ( )惚( ) – ( )昜( ) –
( )陽( ) – ( )易( )

◆ 다음 글자를 분해하시오.

1. 惚 = ⬚ + ⬚ + ⬚　　2. 物 = ⬚ + ⬚

3. 忽 = ⬚ + ⬚　　　　4. 勿 = ⬚ + ⬚

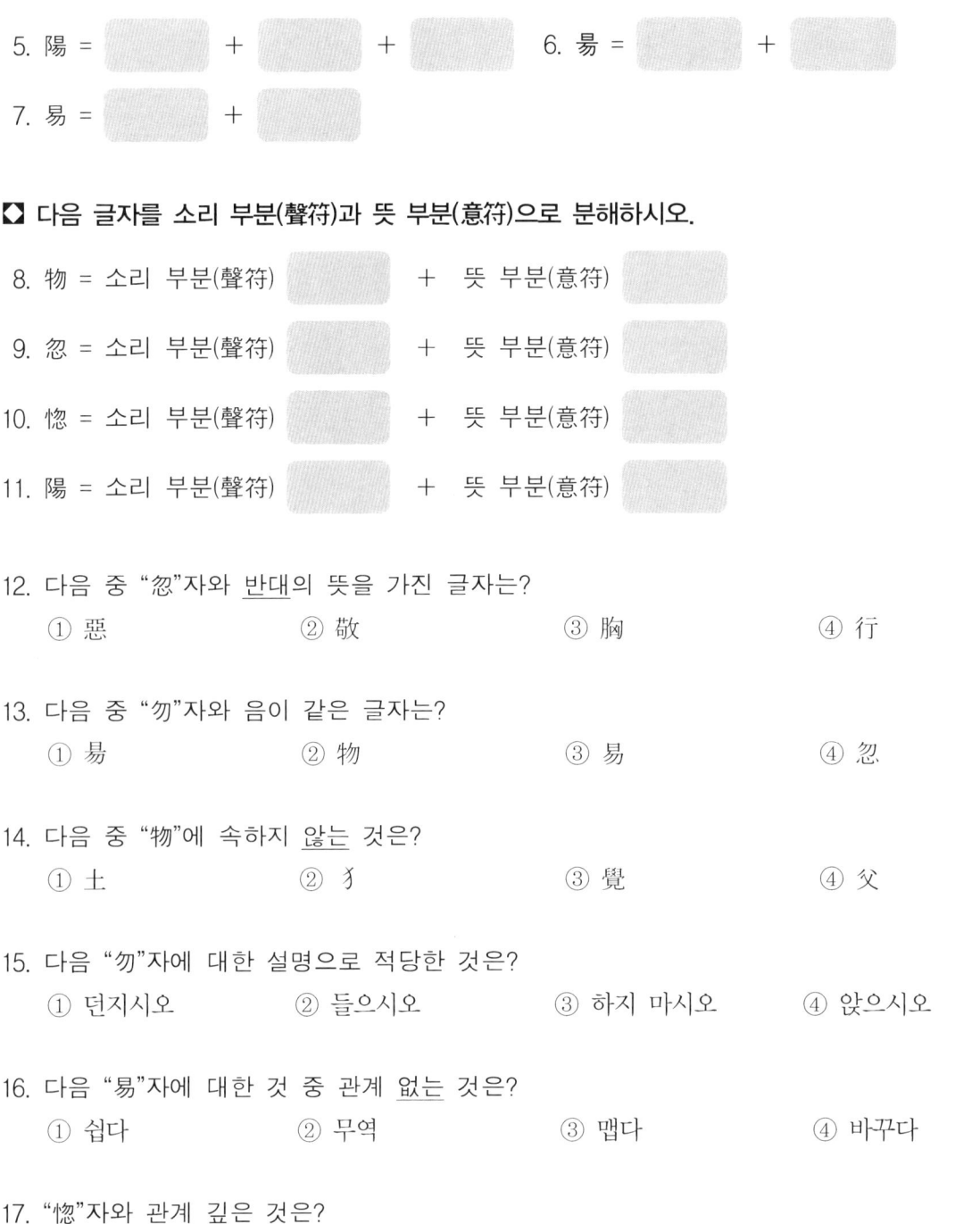

5. 陽 = ⬚ + ⬚ + ⬚   6. 昜 = ⬚ + ⬚

7. 易 = ⬚ + ⬚

◪ 다음 글자를 소리 부분(聲符)과 뜻 부분(意符)으로 분해하시오.

8. 物 = 소리 부분(聲符) ⬚ + 뜻 부분(意符) ⬚

9. 勿 = 소리 부분(聲符) ⬚ + 뜻 부분(意符) ⬚

10. 惚 = 소리 부분(聲符) ⬚ + 뜻 부분(意符) ⬚

11. 陽 = 소리 부분(聲符) ⬚ + 뜻 부분(意符) ⬚

12. 다음 중 "惚"자와 반대의 뜻을 가진 글자는?
　① 惡　　　　② 敬　　　　③ 胸　　　　④ 行

13. 다음 중 "勿"자와 음이 같은 글자는?
　① 昜　　　　② 物　　　　③ 易　　　　④ 忽

14. 다음 중 "物"에 속하지 않는 것은?
　① 土　　　　② 犭　　　　③ 覺　　　　④ 父

15. 다음 "勿"자에 대한 설명으로 적당한 것은?
　① 던지시오　② 들으시오　③ 하지 마시오　④ 앉으시오

16. 다음 "易"자에 대한 것 중 관계 없는 것은?
　① 쉽다　　　② 무역　　　③ 맵다　　　④ 바꾸다

17. "惚"자와 관계 깊은 것은?
　① 흙, 돌　　② 물, 얼음　③ 벌레, 곤충　④ 마음, 정신

◪ 다음 중 주어진 글자로 이루어지는 단어를 2개 이상 한자 또는 한글로 쓰시오.

18. 勿 – ⬚　　　　　　19. 物 – ⬚

20. 忽 – ⬚　　　　　　21. 惚 – ⬚

22. 易 – ⬚　　　　　　23. 陽 – ⬚

39강 - 발 관련 문제

◆ 다음 글자의 음과 훈을 쓰시오.

( )足( ) - ( )止( ) - ( )疋( ) - ( )步( ) - ( )走( ) - ( )癶( )
( )舛( ) - ( )彳( ) - ( )行( ) - ( )夂( ) - ( )夊( ) - ( )辶( )
( )廴( ) - ( )入( ) - ( )出( ) - ( )年( )

◆ 다음 중 주어진 글자로 이루어지는 단어를 2개 이상 한자 또는 한글로 쓰시오.

1. 足 -

2. 止 -

3. 步 -

4. 走 -

5. 行 -

6. 入 -

7. 出 -

8. 年 -

◆ 다음 글자의 음과 훈을 쓰시오.

(   )足( ) – (   )蹴( ) – (   )踏( ) – (   )踐( ) – (   )跡( ) – (   )蹟( )
(   )跳( ) – (   )躍( ) – (   )踊( ) – (   )距( ) – (   )路( ) – (   )促( )

◆ 다음 글자를 분해하시오.

1. 躍 = ☐ + ☐ + ☐   2. 蹴 = ☐ + ☐

3. 跳 = ☐ + ☐   4. 跡 = ☐ + ☐

5. 踏 = ☐ + ☐ + ☐   6. 蹟 = ☐ + ☐

7. 踐 = ☐ + ☐   8. 路 = ☐ + ☐

9. 促 = ☐ + ☐   10. 踊 = ☐ + ☐

◆ 다음 글자를 소리 부분(聲符)과 뜻 부분(意符)으로 분해하시오.

11. 踏 = 소리 부분(聲符) ☐ + 뜻 부분(意符) ☐

12. 踐 = 소리 부분(聲符) ☐ + 뜻 부분(意符) ☐

13. 跡 = 소리 부분(聲符) ☐ + 뜻 부분(意符) ☐

14. 蹟 = 소리 부분(聲符) ☐ + 뜻 부분(意符) ☐

15. 跳 = 소리 부분(聲符) ☐ + 뜻 부분(意符) ☐

16. 躍 = 소리 부분(聲符) ☐ + 뜻 부분(意符) ☐

17. 踊 = 소리 부분(聲符) ☐ + 뜻 부분(意符) ☐

18. 距 = 소리 부분(聲符) ☐ + 뜻 부분(意符) ☐

19. 促 = 소리 부분(聲符) ☐ + 뜻 부분(意符) ☐

20. 다음 중 "음"이 서로 <u>다른</u> 글자는?
　　① 跡　　　　　② 赤　　　　　③ 責　　　　　④ 蹟

21. "踏, 踐"자와 관계 깊은 것은?
　　① 손　　　　　② 발　　　　　③ 입　　　　　④ 눈

22. 다음 중 관계가 나머지 셋과 <u>다른</u> 것은?
　　① 蹴 - 足/止　　② 投 - 手/扌　　③ 喝 - 口/言　　④ 踊 - 甬, 用

23. 다음 중 서로 관계 <u>없는</u> 것은?
　　① 地　　　　　② 途　　　　　③ 路　　　　　④ 道

◆ 다음 중 주어진 글자로 이루어지는 단어를 2개 이상 한자 또는 한글로 쓰시오.

24. 足 -　　　　　　　　　　　　25. 蹴 -

26. 踏 -　　　　　　　　　　　　27. 踐 -

28. 跡 -　　　　　　　　　　　　29. 蹟 -

30. 跳 -　　　　　　　　　　　　31. 躍 -

32. 踊 -　　　　　　　　　　　　33. 距 -

34. 路 -　　　　　　　　　　　　35. 促 -

◆ 다음 글자의 훈과 음을 쓰시오.

```
(   )疋(  ) - (   )走(  ) - (   )疎(  ) - (   )疏(  ) - (   )疑(  ) -
(   )是(  ) - (   )旋(  ) - (   )楚(  )
```

◆ 다음 글자를 분해하시오.

1. 旋 =　　　　　+　　　　　+　　　　　2. 走 =　　　　　+

3. 疏 =　　　　　+　　　　　　4. 是 =　　　　　+

5. 다음 중 "음"이 서로 <u>다른</u> 글자는?
　　① 流　　　　　② 疏　　　　　③ 疎　　　　　④ 김

6. "走"자와 관계 깊은 것은?
　　① 눈과 귀　　　　　② 배와 가슴　　　　　③ 팔과 다리　　　　　④ 코와 입

7. 의미로 볼 때 "疑"자와 관계 깊은 글자는?
　　① 思　　　　　　② 具　　　　　　③ 手　　　　　　④ 食

8. "是"자와 <u>비슷한</u> 뜻의 글자는?
　　① 不　　　　　　② 義　　　　　　③ 出　　　　　　④ 誤

◆ 다음 중 주어진 글자로 이루어지는 단어를 2개 이상 한자 또는 한글로 쓰시오.

9. 走 -　　　　　　　　　　　　10. 疏 -

11. 疑 -　　　　　　　　　　　　12. 是 -

13. 旋 -　　　　　　　　　　　　14. 楚 -

◆ 다음 글자의 훈과 음을 쓰시오.

> (　)止(　) - (　)正(　) - (　)定(　) - (　)歲(　) - (　)歷(　)
> (　)步(　) - (　)企(　) - (　)此(　) - (　)歸(　)

◆ 다음 글자를 분해하시오.

1. 歲 =　　　　+　　　　+　　　　　　2. 定 =　　　　+

3. 正 =　　　　+　　　　　　　　　　4. 企 =　　　　+

5. 歷 =　　　　+　　　　+　　　　　　6. 步 =　　　　+

7. 此 =　　　　+　　　　　　　　　　8. 歸 =　　　　+

◆ 다음 글자를 소리 부분(聲符)과 뜻 부분(意符)으로 분해하시오.

9. 定 = 소리 부분(聲符)　　　　　+ 뜻 부분(意符)

10. 歷 = 소리 부분(聲符)　　　　　+ 뜻 부분(意符)

11. 다음 중 "음"이 서로 <u>다른</u> 글자는?
　　① 歪　　　　　　② 政　　　　　　③ 正　　　　　　④ 定

12. "歲"자와 <u>비슷한</u> 뜻을 가진 글자는?

　　① 年　　　　　　② 月　　　　　　③ 日　　　　　　④ 旬

13. "步"와 관계 깊은 것은?

　　① 밥상　　　　　② 느낌　　　　　③ 다리　　　　　④ 눈과 귀

14. "企"자는 무엇을 본떠 만들었는가?

　　① 사람과 손　　　② 손과 발　　　③ 사람과 발　　　④ 사람과 개

◆ 다음 중 주어진 글자로 이루어지는 단어를 2개 이상 한자 또는 한글로 쓰시오.

15. 止 - 　　　　　　　　　　　　　　16. 正 -

17. 定 -　　　　　　　　　　　　　　18. 歲 -

19. 歷 -　　　　　　　　　　　　　　20. 步 -

21. 企 -　　　　　　　　　　　　　　22. 此 -

23. 歸 -

◆ 다음 글자의 훈과 음을 쓰시오.

(　)步( ) - (　)涉( ) - (　)陟( ) - (　)降( )

◆ 다음 글자를 분해하시오.

1. 降 = 　　　　　+ 　　　　　+ 　　　　　　2. 陟 = 　　　　　+

3. 涉 = 　　　　　+ 　　　　　　　　　　　4. 步 = 　　　　　+

5. "陟"자와 <u>반대</u>의 뜻을 가진 글자는?

　　① 昇　　　　　　② 降　　　　　　③ 平　　　　　　④ 弟

6. "步"자와 관계 깊은 것은?

　　① 두 귀　　　　② 손과 발　　　　③ 두 발　　　　④ 팔과 다리

◆ 다음 중 주어진 글자로 이루어지는 단어를 2개 이상 한자 또는 한글로 쓰시오.

7. 步 -　　　　　　　　　　　　　　8. 涉 -

9. 陟 -　　　　　　　　　　　　　　10. 降 -

◆ 다음 글자의 훈과 음을 쓰시오.

( )正( ) - ( )征( ) - ( )政( ) - ( )整( ) - ( )症( ) -
( )歪( ) - ( )武( )

◆ 다음 글자를 분해하시오.

1. 整 = ⬜ + ⬜ + ⬜　　2. 政 = ⬜ + ⬜

3. 征 = ⬜ + ⬜　　4. 正 = ⬜ + ⬜

5. 歪 = ⬜ + ⬜　　6. 武 = ⬜ + ⬜

◆ 다음 글자를 소리 부분(聲符)과 뜻 부분(意符)으로 분해하시오.

7. 征 = 소리 부분(聲符) ⬜ + 뜻 부분(意符) ⬜

8. 政 = 소리 부분(聲符) ⬜ + 뜻 부분(意符) ⬜

9. 整 = 소리 부분(聲符) ⬜ + 뜻 부분(意符) ⬜

10. 症 = 소리 부분(聲符) ⬜ + 뜻 부분(意符) ⬜

11. 다음 중 "음"이 서로 다른 글자는?
　　① 整　　② 征　　③ 症　　④ 政

12. "武"자에 대한 설명 중 맞는 것은?
　　① 창과 발　　② 머리와 방패　　③ 활과 칼　　④ 칼과 창

13. "歪"자와 반대의 뜻을 가진 글자는?
　　① 正　　② 定　　③ 似　　④ 不

◆ 다음 중 주어진 글자로 이루어지는 단어를 2개 이상 한자 또는 한글로 쓰시오.

14. 正 - ⬜　　15. 征 - ⬜

16. 政 - ⬜　　17. 整 - ⬜

18. 症 - ⬜　　19. 歪 - ⬜

20. 武 - ⬜

확인학습문제

41강 - 달릴 走(주)

◆ 다음 글자의 음과 훈을 쓰시오.

( )走( ) - ( )徒( ) - ( )起( ) - ( )超( ) - ( )越( ) -
( )趣( ) - ( )赴( ) - ( )趙( )

◆ 다음 글자를 분해하시오.

1. 走 = [ ] + [ ]   2. 徒 = [ ] + [ ]

3. 起 = [ ] + [ ]   4. 超 = [ ] + [ ]

5. 越 = [ ] + [ ]   6. 趣 = [ ] + [ ]

7. 赴 = [ ] + [ ]   8. 趙 = [ ] + [ ]

◆ 다음 글자를 소리 부분(聲符)과 뜻 부분(意符)으로 분해하시오.

9. 起 = 소리 부분(聲符) [ ] + 뜻 부분(意符) [ ]

10. 越 = 소리 부분(聲符) [ ] + 뜻 부분(意符) [ ]

11. 超 = 소리 부분(聲符) [ ] + 뜻 부분(意符) [ ]

12. 趣 = 소리 부분(聲符) [ ] + 뜻 부분(意符) [ ]

◆ 다음 중 주어진 글자로 이루어지는 단어를 2개 이상 한자 또는 한글로 쓰시오.

13. 超 - [ ]   14. 越 - [ ]

15. 徒 - [ ]   16. 起 - [ ]

17. 趣 - [ ]   18. 赴 - [ ]

◆ 다음 글자의 음과 훈을 쓰시오.

( )癶( ) - ( )登( ) - ( )燈( ) - ( )鄧( ) - ( )證( ) -
( )澄( ) - ( )發( ) - ( )廢( ) - ( )癸( )

◆ 다음 글자를 분해하시오.

1. 發 = [ ] + [ ] + [ ]

2. 廢 = [ ] + [ ]

3. 登 = [ ] + [ ]

4. 證 = [ ] + [ ]

◆ 다음 글자를 소리 부분(聲符)과 뜻 부분(意符)으로 분해하시오.

5. 燈 = 소리 부분(聲符) [ ] + 뜻 부분(意符) [ ]

6. 鄧 = 소리 부분(聲符) [ ] + 뜻 부분(意符) [ ]

7. 證 = 소리 부분(聲符) [ ] + 뜻 부분(意符) [ ]

8. 澄 = 소리 부분(聲符) [ ] + 뜻 부분(意符) [ ]

9. 다음 중 "음"이 서로 <u>다른</u> 글자는?
   ① 登   ② 證   ③ 等   ④ 燈

10. "癶"자와 관계 깊은 것은?
   ① 두 눈   ② 두 손   ③ 두 발   ④ 두 귀

11. "登"자와 <u>비슷</u>한 뜻을 가진 글자는?
   ① 下   ② 滑   ③ 昇   ④ 彳

12. "廢"자와 <u>반대</u>의 뜻을 가진 글자는?

　① 問　　　　　　② 興　　　　　　③ 古　　　　　　④ 皿

13. "發"자와 관계 깊은 것은?

　① 弓　　　　　　② 食　　　　　　③ 雨　　　　　　④ 土

◆ 다음 중 주어진 글자로 이루어지는 단어를 2개 이상 한자 또는 한글로 쓰시오.

14. 登 －

15. 燈 －

16. 證 －

17. 發 －

18. 廢 －

확인학습문제

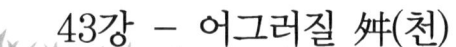

◆ 다음 글자의 음과 훈을 쓰시오.

```
(    )舛(    ) – (    )桀(    ) – (    )傑(    ) – (    /    )降(    /    ) –
(    )陟(    ) – (    )舞(    ) – (    )舜(    )
```

◆ 다음 글자를 분해하시오.

1. 傑 = ＿＿＿ + ＿＿＿ + ＿＿＿　　2. 桀 = ＿＿＿ + ＿＿＿

3. 舞 = ＿＿＿ + ＿＿＿　　4. 降 = ＿＿＿ + ＿＿＿

5. 다음 중 "음"이 서로 다른 글자는?

① 母　　　　② 無　　　　③ 舞　　　　④ 毋

6. "降"자에 대한 설명 중 맞지 않는 것은?

① 강, 항　　　　　　　② 내려가다
③ 항복하다　　　　　　④ 뛰어가다

7. "傑"자에 대한 표현 중 맞지 않는 것은?

① 군계일학(群鷄一鶴)　　　② 백미(白眉)
③ 발군(拔群)　　　　　　　④ 지지부진(遲遲不進)

◆ 다음 중 주어진 글자로 이루어지는 단어를 2개 이상 한자 또는 한글로 쓰시오.

8. 傑 – ＿＿＿＿＿＿＿＿＿＿

9. 降 – ＿＿＿＿＿＿＿＿＿＿

10. 舞 – ＿＿＿＿＿＿＿＿＿＿

◆ 다음 글자의 음과 훈을 쓰시오.

( )夊( ) - ( )夂( ) - ( )各( ) - ( )後( ) - ( )夆( ) -
( )冬( ) - ( )久( )

◆ 다음 글자를 분해하시오.

1. 後 = ⬜ + ⬜ + ⬜   2. 各 = ⬜ + ⬜

3. 夆 = ⬜ + ⬜   4. 冬 = ⬜ + ⬜

5. "夊(치)"자에 대한 설명 중 맞는 것은?
   ① 손   ② 다리   ③ 허리   ④ 발

6. 다음 "各"자의 반대의 뜻 글자가 아닌 것은?
   ① 協   ② 合   ③ 分   ④ 和

7. "冬"자와 관계 없는 것은?
   ① 雪   ② 氷   ③ 寒   ④ 雲

8. "久"자와 반대의 뜻을 가진 글자는?
   ① 田   ② 新   ③ 牙   ④ 舊

◆ 다음 중 주어진 글자로 이루어지는 단어를 2개 이상 한자 또는 한글로 쓰시오.

9. 各 -

10. 後 -

11. 冬 -

12. 久 -

◆ 다음 글자의 훈과 음을 쓰시오.

( )复( ) − ( )復( ) − ( )腹( ) − ( )複( ) − ( )覆( ) − ( )履( )

◆ 다음 글자를 분해하시오.

1. 復 = [ ] + [ ] + [ ]   2. 腹 = [ ] + [ ]

3. 復 = [ ] + [ ]   4. 複 = [ ] + [ ]

◆ 다음 글자를 소리 부분(聲符)과 뜻 부분(意符)으로 분해하시오.

5. 復 = 소리 부분(聲符) [ ] + 뜻 부분(意符) [ ]

6. 腹 = 소리 부분(聲符) [ ] + 뜻 부분(意符) [ ]

7. 覆 = 소리 부분(聲符) [ ] + 뜻 부분(意符) [ ]

8. 履 = 소리 부분(聲符) [ ] + 뜻 부분(意符) [ ]

9. 다음 중 "음"이 서로 <u>다른</u> 글자는?
　① 復　　　　② 卜　　　　③ 複　　　　④ 麥

10. 다음 "月"중에서 "腹"자에 쓰인 "月"과 성격이 <u>다른</u> 것은?
　① 腎　　　　② 胞　　　　③ 胎　　　　④ 期

◆ 다음 중 주어진 글자로 이루어지는 단어를 2개 이상 한자 또는 한글로 쓰시오.

11. 復 − [ ]

12. 腹 − [ ]

13. 複 − [ ]

14. 覆 − [ ]

15. 履 − [ ]

◆ 다음 글자의 음과 훈을 쓰시오.

( )彷( ) – ( )徨( ) – ( )徘( ) – ( )徊( ) – ( )往( ) –
( )復( ) – ( )循( ) – ( )從( ) – ( )後( ) – ( )徐( )

◆ 다음 글자를 분해하시오.

1. 從 = [ ] + [ ] + [ ]   2. 彷 = [ ] + [ ]

3. 徨 = [ ] + [ ]   4. 徘 = [ ] + [ ]

5. 後 = [ ] + [ ] + [ ]   6. 徊 = [ ] + [ ]

7. 往 = [ ] + [ ]   8. 復 = [ ] + [ ]

◆ 다음 글자를 소리 부분(聲符)과 뜻 부분(意符)으로 분해하시오.

9. 彷 = 소리 부분(聲符) [ ] + 뜻 부분(意符) [ ]

10. 徨 = 소리 부분(聲符) [ ] + 뜻 부분(意符) [ ]

11. 徘 = 소리 부분(聲符) [ ] + 뜻 부분(意符) [ ]

12. 徊 = 소리 부분(聲符) [ ] + 뜻 부분(意符) [ ]

13. 復 = 소리 부분(聲符) [ ] + 뜻 부분(意符) [ ]

14. 循 = 소리 부분(聲符) [ ] + 뜻 부분(意符) [ ]

15. 徐 = 소리 부분(聲符) [ ] + 뜻 부분(意符) [ ]

16. "徐"자와 <같은 뜻 – 반대 뜻>을 바로 적은 것은?
   ① 緩 – 急   ② 速 – 高
   ③ 老 – 少   ④ 下 – 長

17. 뜻으로 볼 때 "彷, 徨, 徘, 徊, 往, 復"의 공통점은 무엇인가?
    ① 먹고 마시다   ② 걷다, 가다
    ③ 다투다, 싸우다   ④ 쉬다, 잠자다

18. 다음 중 관계가 나머지 셋과 <u>다른</u> 것은?
    ① 前 － 後   ② 彷 － 徨
    ③ 主 － 從   ④ 緩 － 急

◆ 다음 중 주어진 글자로 이루어지는 단어를 2개 이상 한자 또는 한글로 쓰시오.

19. 彷 －   20. 徨 －

21. 徘 －   22. 徊 －

23. 往 －   24. 復 －

25. 循 －   26. 從 －

27. 後 －   28. 徐 －

◆ 다음 글자의 훈과 음을 쓰시오.

(   )徑( ) － (   )徒( ) － (   )德( ) － (   )待( ) － (   )得( ) － (   )律( )

◆ 다음 글자를 소리 부분(聲符)과 뜻 부분(意符)으로 분해하시오.

1. 徑 = 소리 부분(聲符)   + 뜻 부분(意符)

2. 律 = 소리 부분(聲符)   + 뜻 부분(意符)

3. "徒"자와 <u>비슷한</u> 뜻의 글자는?
    ① 孤   ② 衆   ③ 好   ④ 方

4. 다음 중 "음"이 서로 <u>다른</u> 글자는?
    ① 徑   ② 經   ③ 京   ④ 亨

5. "得"자와 <u>반대</u>의 뜻을 가진 글자는?
    ① 干   ② 取   ③ 失   ④ 易

◪ 다음 중 주어진 글자로 이루어지는 단어를 2개 이상 한자 또는 한글로 쓰시오.

6. 徑 –

7. 徒 –

8. 德 –

9. 待 –

10. 得 –

11. 律 –

◪ 다음 글자의 훈과 음을 쓰시오.

| ( )役( ) – ( )彼( ) – ( )御( ) – ( )微( ) – ( )徵( ) – ( )徹( ) |

◪ 다음 글자를 소리 부분(聲符)과 뜻 부분(意符)으로 분해하시오.

1. 彼 = 소리 부분(聲符)   + 뜻 부분(意符)

2. 御 = 소리 부분(聲符)   + 뜻 부분(意符)

3. "役"자와 비슷한 뜻을 가진 글자는?
   ① 史   ② 亡   ③ 昌   ④ 使

4. "微"자와 반대의 뜻이 아닌 글자는?
   ① 大   ② 徵   ③ 弘   ④ 巨

5. 다음 중 뜻이 서로 다른 하나는?
   ① 稱   ② 見   ③ 呼   ④ 徵

6. 다음 중 "음"이 서로 다른 글자는?
   ① 徹   ② 哲   ③ 撤   ④ 折

◪ 다음 중 주어진 글자로 이루어지는 단어를 2개 이상 한자 또는 한글로 쓰시오.

7. 彼 –

8. 御 –

9. 微 –

10. 徵 –

11. 徹 –

◆ 다음 글자의 음과 훈을 쓰시오.

(　)行( ) - (　)衍( ) - (　)術( ) - (　)街( ) - (　)衝( ) -
(　)衛( ) - (　)衡( )

◆ 다음 글자를 분해하시오.

1. 衝 = [　　　] + [　　　]

2. 衛 = [　　　] + [　　　]

3. 衡 = [　　　] + [　　　]

4. 街 = [　　　] + [　　　]

5. 衍 = [　　　] + [　　　]

6. 術 = [　　　] + [　　　]

◆ 다음 글자를 소리 부분(聲符)과 뜻 부분(意符)으로 분해하시오.

7. 街 = 소리 부분(聲符) [　　　]　　+　뜻 부분(意符) [　　　]

8. 衛 = 소리 부분(聲符) [　　　]　　+　뜻 부분(意符) [　　　]

9. 다음 "行"자에 대한 설명 중 맞지 않는 것은?

　① 행, 항　　　　　　　　　　　② 가다, 길거리, 가게
　③ 우러러 받들다　　　　　　　　④ 네거리를 본뜬 것

10. "衛"자와 비슷한 뜻을 가진 글자는?
　① 守　　　　　② 偉　　　　　③ 乎　　　　　④ 山

11. "衡"자와 비슷한 뜻을 가진 글자는?
　① 丁　　　　　② 車　　　　　③ 均　　　　　④ 才

◆ 다음 중 주어진 글자로 이루어지는 단어를 2개 이상 한자 또는 한글로 쓰시오.

12. 行 －

13. 衍 －

14. 術 －

15. 街 －

16. 衝 －

17. 衛 －

18. 衡 －

◆ 다음 글자의 음과 훈을 쓰시오.

( )辶( ) − ( )遠( ) − ( )近( ) − ( )遲( ) − ( )進( ) − ( )速( )
( )過( ) − ( )通( ) − ( )運( ) − ( )週( ) − ( )選( ) − ( )道( )

◆ 다음 글자를 분해하시오.

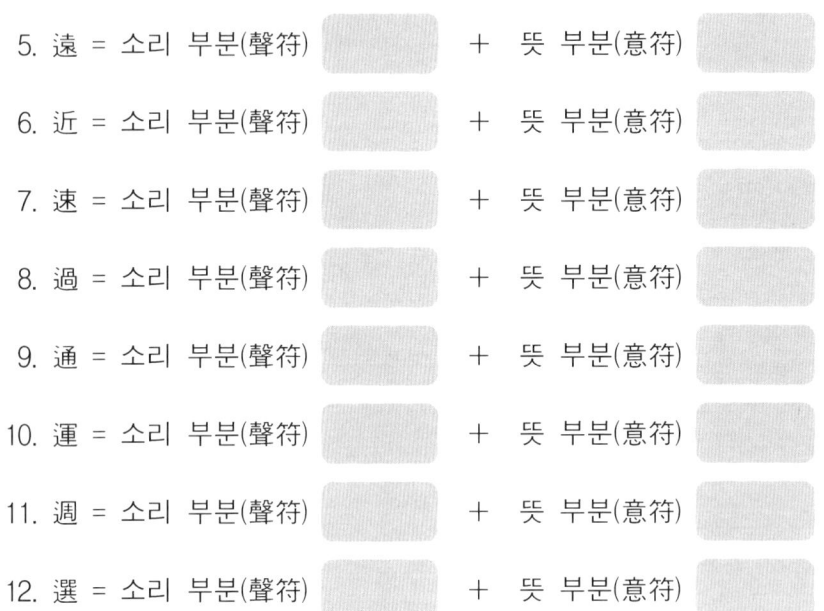

1. 遲 =   +   +   2. 遠 =   +

3. 近 =   +   4. 通 =   +

◆ 다음 글자를 소리 부분(聲符)과 뜻 부분(意符)으로 분해하시오..

5. 遠 = 소리 부분(聲符)   + 뜻 부분(意符)

6. 近 = 소리 부분(聲符)   + 뜻 부분(意符)

7. 速 = 소리 부분(聲符)   + 뜻 부분(意符)

8. 過 = 소리 부분(聲符)   + 뜻 부분(意符)

9. 通 = 소리 부분(聲符)   + 뜻 부분(意符)

10. 運 = 소리 부분(聲符)   + 뜻 부분(意符)

11. 週 = 소리 부분(聲符)   + 뜻 부분(意符)

12. 選 = 소리 부분(聲符)   + 뜻 부분(意符)

13. "辶"자와 비슷한 뜻을 가진 글자는?
　　① 尸　　　　　　② 宀　　　　　　③ 彳　　　　　　④ 士

14. 다음 셋 중 성격이 다른 하나는?
　　① 彼 − 此　　　　② 進 − 退　　　　③ 遠 − 近　　　　④ 道 − 德

286 ✻ 사람

15. "遲"자와 <u>반대</u>의 뜻을 가진 글자는?

① 夕   ② 早   ③ 暗   ④ 七

◆ 다음 중 주어진 글자로 이루어지는 단어를 2개 이상 한자 또는 한글로 쓰시오.

16. 遠 –

17. 近 –

18. 遲 –

19. 進 –

20. 速 –

21. 過 –

22. 通 –

23. 運 –

24. 週 –

25. 選 –

26. 道 –

◆ 다음 글자의 음과 훈을 쓰시오.

( )廴( ) – ( )延( ) – ( )誕( ) – ( )廷( ) – ( )庭( ) –
( )艇( ) – ( )建( ) – ( )廻( )

◆ 다음 글자를 분해하시오.

1. 誕 = [   ] + [   ] + [   ]

2. 延 = [   ] + [   ]

3. 廷 = [   ] + [   ]

4. 建 = [   ] + [   ]

◆ 다음 글자를 소리 부분(聲符)과 뜻 부분(意符)으로 분해하시오.

5. 廷 = 소리 부분(聲符) [   ] + 뜻 부분(意符) [   ]

6. 庭 = 소리 부분(聲符) [   ] + 뜻 부분(意符) [   ]

7. 艇 = 소리 부분(聲符) [   ] + 뜻 부분(意符) [   ]

8. 廻 = 소리 부분(聲符) [   ] + 뜻 부분(意符) [   ]

9. 다음 중 "음"이 서로 <u>다른</u> 글자는?
   ① 延   ② 庭   ③ 廷   ④ 艇

10. 다음 중 "가다, 걷다, 움직임"을 나타내는 것이 <u>아닌</u> 글자는?
   ① 辶   ② 廴   ③ 宀   ④ 彳

11. "誕"자와 <u>비슷</u>한 뜻을 가진 글자는?
   ① 責   ② 歹   ③ 生   ④ 草

12. "建"자와 <u>반대</u>의 뜻을 가진 글자는?

　　① 破　　　　　　　　② 家　　　　　　　　③ 木　　　　　　　　④ 父

◆ 다음 중 주어진 글자로 이루어지는 단어를 2개 이상 한자 또는 한글로 쓰시오.

13. 延 －

14. 誕 －

15. 廷 －

16. 庭 －

17. 艇 －

18. 建 －

19. 廻 －

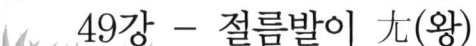 
◆ 다음 글자의 음과 훈을 쓰시오.

( )尢( ) – ( )尤( ) – ( )就( ) – ( )蹴( )

◆ 다음 글자를 분해하시오.

1. 蹴 = ☐ + ☐ + ☐   2. 就 = ☐ + ☐

3. 尤 = ☐ + ☐   4. 尢 = ☐ + ☐

◆ 다음 글자를 소리 부분(聲符)과 뜻 부분(意符)으로 분해하시오.

5. 蹴 = 소리 부분(聲符) ☐ + 뜻 부분(意符) ☐

◆ 다음 중 주어진 글자로 이루어지는 단어를 2개 이상 한자 또는 한글로 쓰시오.

6. 就 – ☐

7. 蹴 – ☐

◆ 다음 글자의 음과 훈을 쓰시오.

( )尤( ) – ( )眈( ) – ( )耽( ) – ( )沈(/) – ( )枕( )

◆ 다음 글자를 분해하시오.

1. 沈 = ☐ + ☐ + ☐   2. 尤 = ☐ + ☐

3. 枕 = ☐ + ☐   4. 眈 = ☐ + ☐

5. 다음 중 "음"이 서로 다른 글자는?
　① 耽　　　　　② 貪　　　　　③ 眈　　　　　④ 貪

6. "枕"자와 관계 깊은 것은?

　　① 寢　　　　　　② 鬪　　　　　　③ 犭　　　　　　④ 冬

◆ 다음 중 주어진 글자로 이루어지는 단어를 2개 이상 한자 또는 한글로 쓰시오.

7. 眈 –

8. 耽 –

9. 沈 –

10. 枕 –

◆ 다음 글자의 음과 훈을 쓰시오.

（　　）旡（　　） – （　　）旡（　　） – （　　）旣（　　） – （　　）槪（　　） – （　　）慨（　　） –
（　　）漑（　　） – （　　）潛（　　）

◆ 다음 글자를 분해하시오.

1. 旣 = 　　　　　+ 　　　　　+ 　　　　　　2. 槪 = 　　　　　+ 　　　　

3. 漑 = 　　　　　+ 　　　　　　　　　　　　4. 旡 = 　　　　　+ 　　　　

◆ 다음 글자를 소리 부분(聲符)과 뜻 부분(意符)으로 분해하시오.

5. 旣 = 소리 부분(聲符) 　　　　　+ 뜻 부분(意符) 　　　　

6. 槪 = 소리 부분(聲符) 　　　　　+ 뜻 부분(意符) 　　　　

7. 慨 = 소리 부분(聲符) 　　　　　+ 뜻 부분(意符) 　　　　

8. 漑 = 소리 부분(聲符) 　　　　　+ 뜻 부분(意符) 　　　　

9. 다음 중 "음"이 서로 다른 글자는?

　　① 改　　　　　　② 慨　　　　　　③ 槪　　　　　　④ 記

10. "旣"자에 대한 문장 중 적당한 것은?

　　① 늦잠을 잤다.　　　　　　　　　　② 장래 희망이 무엇인가?
　　③ 그건 이미 지나간 일이다!　　　　④ 산과 강과 들판

11. "潛"자와 관계 깊은 것은?

　　① 물　　　　　　　② 불　　　　　　　③ 돌　　　　　　　④ 나무

◆ 다음 중 주어진 글자로 이루어지는 단어를 2개 이상 한자 또는 한글로 쓰시오.

12. 旣 －

13. 槪 －

14. 慨 －

15. 漑 －

16. 潛 －

◆ 다음 글자의 음과 훈을 쓰시오.

(　)尤(　) － (　)尣(　) － (　)尢(　) － (　)旡(　) － (　)旡(　) －
(　)儿(　) － (　)兀(　)

◆ 다음 글자를 분해하시오.

1. 尤 = 　　　　 ＋ 　　　　　　　　　　　2. 尣 = 　　　　 ＋

3. 尢 = 　　　　 ＋ 　　　　　　　　　　　4. 旡 = 　　　　 ＋

5. 旡 = 　　　　 ＋ 　　　　　　　　　　　6. 兀 = 　　　　 ＋

7. 儿 = 　　　　 ＋

◆ 다음 글자의 음과 훈을 쓰시오.

(   )童(   ) – (   )憧(   ) – (   )竣(   ) – (   )端(   ) – (   )競(   ) –
(   )竝(   ) – (   )泣(   ) – (   )粒(   ) – (   )拉(   )

◆ 다음 글자를 분해하시오.

1. 竣 = ☐ + ☐ + ☐   2. 端 = ☐ + ☐

3. 泣 = ☐ + ☐   4. 競 = ☐ + ☐

◆ 다음 글자를 소리 부분(聲符)과 뜻 부분(意符)으로 분해하시오.

5. 憧 = 소리 부분(聲符) ☐   +   뜻 부분(意符) ☐

6. 粒 = 소리 부분(聲符) ☐   +   뜻 부분(意符) ☐

7. 拉 = 소리 부분(聲符) ☐   +   뜻 부분(意符) ☐

8. "음"이 같은 것끼리 짝지은 것이 <u>아닌</u> 것은??
① 童 – 憧   ② 竣 – 俊   ③ 竝 – 病   ④ 泣 – 拉

9. 다음 중 "뜻"이 나머지 셋과 전혀 <u>다른</u> 글자는?
① 憧   ② 慕   ③ 愛   ④ 惡

10. "童"자와 <u>비슷한</u> 뜻의 글자는?
① 老   ② 兒   ③ 胎   ④ 長

11. "泣"자와 <u>비슷한</u> 뜻의 글자는?
① 哭   ② 哥   ③ 景   ④ 音

12. 다음 중 "사람"과 관계 <u>없는</u> 글자는?
① 立   ② 竝   ③ 粒   ④ 泣

◆ 다음 중 주어진 글자로 이루어지는 단어를 2개 이상 한자 또는 한글로 쓰시오.

13. 童 －

14. 憧 －

15. 竣 －

16. 端 －

17. 競 －

18. 竝 －

19. 泣 －

20. 粒 －

21. 拉 －

◆ 다음 글자의 훈과 음을 쓰시오.

(   )位(   ) － (   )竟(   ) － (   )境(   ) － (   )鏡(   ) － (   )章(   ) －
(   )障(   ) － (   )彰(   )

◆ 다음 글자를 분해하시오.

1. 障 =   +   +

2. 彰 =   +

3. 章 =   +

4. 竟 =   +

◆ 다음 글자를 소리 부분(聲符)과 뜻 부분(意符)으로 분해하시오.

5. 境 = 소리 부분(聲符)   + 뜻 부분(意符)

6. 鏡 = 소리 부분(聲符)   + 뜻 부분(意符)

7. 障 = 소리 부분(聲符)   + 뜻 부분(意符)

8. 彰 = 소리 부분(聲符)   + 뜻 부분(意符)

9. 다음 중 "음"이 서로 다른 글자는?
   ① 意   ② 竟   ③ 更   ④ 敬

10. "章"자와 비슷한 뜻을 가진 글자는?
    ① 畵   ② 談   ③ 文   ④ 映

11. "障"자와 비슷한 뜻을 가진 글자는?
    ① 妨   ② 佑   ③ 兄   ④ 協

◪ 다음 중 주어진 글자로 이루어지는 단어를 2개 이상 한자 또는 한글로 쓰시오.

12. 位 –

13. 竟 –

14. 境 –

15. 鏡 –

16. 章 –

17. 障 –

18. 彰 –

◆ 다음 글자의 음과 훈을 쓰시오.

( )入( ) - ( )內( ) - ( )全( ) - ( )兩( ) - ( )納( )

◆ 다음 글자를 분해하시오.

1. 納 = ☐ + ☐ + ☐

2. 內 = ☐ + ☐

3. 全 = ☐ + ☐

4. 兩 = ☐ + ☐

5. "入"자와 반대의 뜻을 가진 글자는?
　① 內　　　　② 下　　　　③ 出　　　　④ 之

6. "兩"자와 관계 깊은 것은?
　① 二　　　　② 貴　　　　③ 木　　　　④ 不

7. "全"자와 비슷한 뜻을 가진 글자는?
　① 曷　　　　② 馬　　　　③ 完　　　　④ 耐

◆ 다음 중 주어진 글자로 이루어지는 단어를 2개 이상 한자 또는 한글로 쓰시오.

8. 入 -

9. 內 -

10. 全 -

11. 兩 -

12. 納 -

◆ 다음 글자의 훈과 음을 쓰시오.

( )俞( ) – ( )愈( ) – ( )愉( ) – ( )癒( ) – ( )喻( ) –
( )逾( ) – ( )輸( ) – ( )前( )

◆ 다음 글자를 분해하시오.

1. 俞 = [　　] + [　　] + [　　]

2. 愉 = [　　] + [　　]

3. 愈 = [　　] + [　　]

4. 輸 = [　　] + [　　]

◆ 다음 글자를 소리 부분(聲符)과 뜻 부분(意符)으로 분해하시오.

5. 愈 = 소리 부분(聲符) [　　] + 뜻 부분(意符) [　　]

6. 愉 = 소리 부분(聲符) [　　] + 뜻 부분(意符) [　　]

7. 癒 = 소리 부분(聲符) [　　] + 뜻 부분(意符) [　　]

8. 喻 = 소리 부분(聲符) [　　] + 뜻 부분(意符) [　　]

9. 逾 = 소리 부분(聲符) [　　] + 뜻 부분(意符) [　　]

10. 輸 = 소리 부분(聲符) [　　] + 뜻 부분(意符) [　　]

11. 다음 중 "음"이 서로 <u>다른</u> 글자는?
　① 輸　　　② 愉　　　③ 愈　　　④ 喻

12. "愈"자와 관계 깊은 것은?
　① 病　　　② 學　　　③ 羊　　　④ 地

13. "愉"자와 <u>반대</u>의 뜻을 가진 글자는?
　① 樂　　　② 悲　　　③ 平　　　④ 皇

14. 다음 중 관계가 나머지 셋과 <u>다른</u> 것은?
　① 出 – 入　　② 前 – 後　　③ 內 – 外　　④ 愉 – 快

◆ 다음 중 주어진 글자로 이루어지는 단어를 2개 이상 한자 또는 한글로 쓰시오.

15. 兪 –

16. 愈 –

17. 愉 –

18. 癒 –

19. 喩 –

20. 逾 –

21. 輸 –

22. 前 –

人 사람 인

人(인) 合(합) 僉(첨) 檢(검) 劍(검) 儉(검) 險(험) 驗(험) 斂(렴)

훈음 사람 인 **부수** 제 부수

사람의 옆모습을 본떠서 만든 글자로 '사람'을 대표하는 글자이나 단독 쓰임은 그다지 많지 않다. 글자 모양의 조화를 위해 다른 글자와 어울릴 때는 사람 亻(인)변으로 많이 쓰인다.

▪▪▪▪▪ 人命(인명)/盡人事待天命(진인사대천명)/人之常情(인지상정)/人品(인품)/偉人(위인)/三人組(삼인조)/ 經濟人(경제인)

훈음 합할/들어맞을 합 **부수** 입 口(구) ▶▶▶ 삼합 亼(집) + 입 口(구) ➡ 밥그릇과 밥뚜껑

'뚜껑을 덮어놓은 그릇'의 상형으로 '서로 합하다'가 본뜻이며, '모이다, 만나다' 등으로 의미가 파생되어 나간다는 설이 거의 정설로 받아들여지고 있다. 필자는 입 口(구)의 쓰임새를 밥그릇보다는 '사람, 언어'로 보아 '함께하는 사람, 같은 언어'로 보는 것에 무게를 둔다.

▪▪▪▪▪ 合格(합격)/綜合(종합)/合計(합계)

훈음 모두 첨 **부수** 사람 人(인) ▶▶▶ 삼합 亼(집) + 입 口(구) + 사람 儿(인) ➡ 여러 사람

여러 사람(口+儿)을 모아(亼)둔 모습에서 '다, 모두, 여러 사람의 말' 등의 의미를 갖게 됐다.

▪▪▪▪▪ 僉議(첨의)

훈음 검사할/봉함 검 **부수** 나무 木(목) ▶▶▶ 나무 木(목) + 모두 僉(첨) ➡ 재목에 대해 한마디씩

재목감(木)인지 여러 사람이 한마디 품평(僉)하는 모습에서 '검사하다' 합격품에 한해 '도장'을 찍어 식별하는 데서 '봉하다'는 뜻이 파생되었으며, 僉(첨)은 발음기호 역할도 하고 있다.

▪▪▪▪▪ 檢查(검사)/檢擧(검거)/檢診(검진)

훈음 칼 검 **부수** 칼 刂(도) ▶▶▶ 모두 僉(첨) + 칼 刂(도) ➡ 발음기호

파헤쳐 보기 위해 속을 베어내는 칼을 나타내기 위한 글자이므로 칼 刂(도)가 의미요소고 僉(첨)은 발음기호이다.

▪▪▪▪▪ 劍法(검법)/劍道(검도)/劍客(검객)/劍術(검술)/短劍(단검)

훈음 검소할 검 **부수** 사람 亻(인) ▶▶▶ 사람 亻(인) + 모두 僉(첨)

검소한 사람을 나타내기 위한 글자이므로 사람 亻(인)이 의미요소고 僉(첨)은 발음기호이다.

▪▪▪▪ 儉素(검소)/勤儉節約(근검절약)

훈음 험할 험 **부수** 좌 阝(부)변 ▶▶▶ 언덕 阝(부) + 모두 僉(첨)

'산 같은 장애물'에서 암시하듯 '언덕이나 산같이 높고 험한 것'이 앞을 가로막고 있어 넘기가 힘들다는 사상을 전달하기 위해 언덕 阝(부)가 의미요소로 僉(첨)은 발음기호로 쓰였다.

▪▪▪▪▪ 險難(험난)/險惡(험악)/險談(험담)/冒險(모험)/保險(보험)

훈음 증험할/시험할 험 **부수** 말 馬(마) ▶▶▶ 말 馬(마) + 다 僉(첨) ➡ 명마를 여러 사람이 시험함

'명마(馬)'인지 아닌지 여러 사람(僉)이 살펴보는 모습에서 만들어진 글자로 僉(첨)은 발음기호다.

▪▪▪▪ 試驗(시험)/證驗(증험)

斂

훈음 거둘 렴 부수 칠 攵(복) ▶▶▶ 모두 僉(첨) + 칠 攵(복) → 모두에게 쳐서 거두어들임

'거두어들인다는 것'은 빼앗는 것을 말하므로 칠 攵(복)을 의미요소로 僉(첨)을 발음기호로 쓰였다. 모두(僉)를 쳐서 조금씩 '내게 하다'는 뜻으로 보면 두 글자 모두 의미요소이다.

••••• 苛斂誅求(가렴주구)/收斂(수렴)

余(여)　餘(여)　敍(서)　徐(서)　除(제)　斜(사)　途(도)　塗(도)

余

훈음 나 여/남을 여 부수 사람 人(인) ▶▶▶ 사람 人(인) + (于 +八 = 들보)

지붕(人)을 떠받치는 들보(丁 +八 = 들보)를 사용하여 어떤 집이든지 기둥 없이는 견딜 수 없음을 나타내어 '가장 중심이 되는 사물이나 사람'을 나타낸 글자로서, 그 의미에서 '나'로 사용되나 독자적으로는 거의 사용되지 않는다. *余(여)와 舍(사)는 다른 글자임

••••• 余等(여등) – 우리들 = 吾等(오등) – 우리들

餘

훈음 남을 여 부수 밥 食(식) ▶▶▶ 밥 食(식) + 나 余(여)

余(여)를 발음기호로 '음식이 남았다'는 사상을 의미요소인 밥 食(식)을 더하여 만든 글자다.

••••• 餘分(여분)/餘暇(여가)/餘念(여념)/餘白(여백)

敍

훈음 차례 서 부수 칠 攵(복) ▶▶▶ 나 余(여) + 칠 攵(복) → 질서를 바로 잡기위해 치고 때리고

'차례나 질서'를 유지하고 지킨다는 뜻이므로 칠 攵(복)이 의미요소고, 나 余(여)는 발음요소이다. 후에 '말하다, 글을 적다'로 의미 확대됐다. 敍述(서술)/敍事詩(서사시)/敍任(서임)/敍勳(서훈)

•••••

徐

훈음 천천할 서 부수 갈 彳(척) ▶▶▶ 길 갈 彳(척) + 나 余(여) → 송곳으로 찌르며 나아감

'천천히'라는 뜻을 나타내기 위한 글자로 조금 걸을 彳(척)이 의미요소고 余(여)는 발음요소이다.

※ 敍(서) – 차례 서

••••• 徐行(서행)/徐徐(서서)히

除

훈음 덜/섬돌 제 부수 좌 阝(부)변 ▶▶▶ 언덕 阝(부) + 나 余(여) → 계단을 깎다

제단을 오르는 계단(섬돌)을 가리키는 말이므로 언덕 阝(부)가 의미요소고 나 余(여)는 발음기호이다. 제단으로 오르는 계단을 청소하는 모습에서 '덜다, 없애다'가 파생됐다.

••••• 加減乘除(가감승제)/除去(제거)

斜

훈음 비낄 사 부수 말 斗(두)방 ▶▶▶ 나 余(여) + 말 斗(두) → 적당히 덜다

옛날 됫박(斗)으로 곡식을 사고 팔 때는 평평하게 됫박을 싹 밀어내는 것이 아니라 사는 사람도 파는 사람도 조금씩 경사지게 즉 남도록(余) 하여 팔고 샀다. 余(여)는 발음기호다.

••••• 傾斜(경사)/斜視(사시)/斜面(사면)/斜線(사선)

途

훈음 길 도 부수 갈 辶(착) ▶▶▶ 갈 辶(착) + 나 余(여)

길을 가리키는 말이므로 길 갈 辶(착)이 의미요소고 余(여)는 발음기호이다.

••••• 途中(도중)/前途(전도)/中途抛棄(중도포기)/前途遙遠(전도요원)

塗

훈음 진흙/칠할 도 부수 흙 土(토) ▶▶▶ 도랑 涂(도) + 흙 土(토) → 진흙으로 페인트 칠함

흙탕물색인 진흙을 나타내기 위한 글자로 흙 土(토)가 의미요소고, 도랑 涂(도)가 발음기호다.

••••• 塗抹(도말)/塗料(도료)/塗裝(도장)

合(합)　　　舍(사)　　　倉(창)　　　創(창)　　　蒼(창)　　　槍(창)

合

훈음 합할 합/들어맞을 합　**부수** 입 口(구)　▶▶▶ 삼합 스(집) + 입 口(구) ➡ 같은 언어를 쓰는 사람

'뚜껑을 덮어놓은 그릇'의 상형으로 '서로 합하다'가 본뜻이며, '모이다, 만나다' 등으로 의미가 파생되어 나 간다는 설이 거의 정설로 받아들여지고 있다. 필자는 입 口(구)의 쓰임새를 밥그릇보다는 '사람, 언어'로 보 아 '함께하는 사람, 같合格(합격)/綜合(종합)/合計(합계)은 언어'로 보는 것에 무게를 둔다.

舍

훈음 집 사　**부수** 혀 舌(설)　▶▶▶ 사람 人(인) + 혀 舌(설) ➡ 집의 골격

금문을 보면 지붕(人)과 그 지붕을 받치는 기둥(干) 하나와 기초를 심기 위해 파 놓은 터(凵=口)의 모양을 하고 있어 사람이 기거하는 집을 짓고 있는 모습임을 쉽게 알 수 있다. 여기에서 '집, 머무르다' 등의 뜻이 파생되었다.

●●●●● 寄宿舍(기숙사)/舍監(사감)/舍廊(사랑)

倉

훈음 곳집 창　**부수** 사람 人(인)　▶▶▶ 삼합 스(집) + 외짝 문(門의 왼편) + 口(구) ➡ 물품 창고

양곡 창고의 상형으로 지붕(人)과 외짝 문(門)과 움집(口)의 상형이 잘 표현된 글자이다.

●●●●● 倉庫(창고)/倉卒(창졸)/常平倉(상평창)

創

훈음 비롯할 창　**부수** 칼 刂(도)　▶▶▶ 곳집 倉(창) + 칼 刂(도)

칼에 찔린 상처의 모양에서 시작된 글자이므로 칼 刂(도)가 의미요소이고, 倉(창)은 발음기호이며 지금은 '비롯하다, 시작하다, 처음' 등과 같은 뜻으로 파생돼 주로 쓰인다.

●●●●● 創世記(창세기)/創造(창조)/創刊(창간)/創造主(창조주)

蒼

훈음 푸를 창　**부수** 풀 艹(초)　▶▶▶ 풀 艹(초) + 倉(창)

초원의 푸른 풀을 파란 하늘에 빗대어 일컫는 말로써 풀 艹(초)가 의미요소고 倉(창)은 발음기호이다.

●●●●● 蒼空(창공)/鬱蒼(울창)/古色蒼然(고색창연)

以(이)　　　似(사)　　　企(기)　　　介(개)　　　界(계)　　　傘(산)

以

훈음 써 이　**부수** 사람 人(인)

농기구인 쟁기의 보습 모양을 본뜬 것이라는 설이 있으나, 단순히 갈고리 모양만 가지고 그렇게 말하다니 놀랍기도 하다. 그러나 현재는 농기구를 가지고 농사를 짓는 수단으로 삼아서 그런지 '...으로써, ...로부터'와 같은 전치사로만 사용된다.

●●●●● 以心傳心(이심전심)/以後(이후)/以南(이남)

似

훈음 같을 사　**부수** 사람 人(인)　▶▶▶ 사람 亻(인) + 써 以(이) ➡ 비슷한 사람

'비슷하다, 닮다'라는 뜻을 나타내기 위한 글자이므로 사람 亻(인)을 의미요소로 以(이)는 발음기호로 쓰였다.

●●●●● 似而非(사이비)/類似品(유사품)/近似値(근사치)/非夢似夢(비몽사몽)

介

훈음 끼일 개　**부수** 사람 人(인)　▶▶▶ 사람 人(인) + 여덟 八(팔) ➡ 중간에 들어섬

양쪽(八)의 사이에 서 있는 사람(人)의 모습에서 '끼이다'라는 글자를 만들어 냈다. 비늘 모양의 단단한 갑 옷을 입고 있는 사람의 모양에서 갑옷이라는 의미도 있다. 갑옷에 달린 비늘 사이로 틈새가 있어 '끼이다' 라는 뜻을 만들기 쉬웠을 것이다.

●●●●● 介入(개입)/紹介(소개)/仲介人(중개인)

훈음 지경 계 **부수** 밭 田(전) ▶▶▶ 밭 田(전) + 끼일 介(개) → 논밭 사이 논두렁 밭두렁

논두렁 밭두렁이란 말은 논과 밭의 경계를 말하는 것으로, 어떻게 보면 밭과 논 사이에 끼여 있는 꼴이므로 밭 田(전)과 사이에 낄 介(개) 모두가 의미요소고 介(개)는 발음기호로도 쓰였다.

●●●●● 境界(경계)/世界(세계)/限界(한계)/花柳界(화류계)

 훈음 꾀할 기 **부수** 사람 人(인) ▶▶▶ 사람 人(인) + 발 止(지)

까치발(止) 하고 뭔가를 하려고 서 있는 사람(人)이 기도(企圖)의 꾀할 기(企)자이고 펼쳐든(十) 우산(人)속에 사람들(人)이 있는 모습이 산하(傘下)의 우산 산(傘)자이다.

●●●●● 企劃(기획)/企業(기업)/雨傘(우산)/陽傘(양산)/落下傘(낙하산)

亻 사람 인

信(신)　休(휴)　化(화)　倍(배)　億(억)　停(정)　宿(숙)

信

훈음 믿을 신　**부수** 사람 人(인)　▶▶▶ 사람 亻(인) + 말씀 언(言) ➡ 사람의 말

사람(亻)의 말(言)이 지켜질 때 상호간에 신용이 싹트는 것이다.

●●●●● 信用(신용)/盲信(맹신)/確信(확신)

休

훈음 쉴 휴　**부수** 사람 人(인)　▶▶▶ 사람 亻(인) + 나무 목(木) ➡ 나무에 기댄 사람

나무(木)에 기대어 쉬고 있는 사람(亻)이라는 뜻에서 쉴 休(휴)자가 만들어졌다.

●●●●● 休息(휴식)/休憩室(휴게실)/休暇(휴가)/休戰(휴전)

化

훈음 될 화　**부수** 비수 匕(비)　▶▶▶ 사람 亻(인) + 비수 비(匕) ➡ 꼬부라진 사람

서 있는 사람(亻)과 거꾸로 서 있는 사람(匕)을 가리키는 글자로, 갓난아기(亻)로 태어나 언젠가는 늙은이(匕)로 변하는 삶의 이치에서 '되다, 화하다, 변하다'로 의미 확대된 글자다.

●●●●● 變化(변화)/進化(진화)/退化(퇴화)/化石(화석)

倍

훈음 곱/더할 배　**부수** 사람 人(인)　▶▶▶ 사람 亻(인) + 咅(부풀 부) ➡ 사람이 증가함

이 글자(立+口)들은 식물이 발아하여 대지를 뚫고 나와 부풀어 오르는 모습에서 '부풀다, 늘어나다'의 뜻을 가지고 있는 글자로, 사람 인(亻)을 추가하여 사람이 불어나는 모습을 묘사한 글자에서 '곱절, 더하다'의 뜻으로 파생됐다.

●●●●● 倍數(배수)/倍前(배전)/勇氣百倍(용기백배)

億

훈음 억/헤아릴 억　**부수** 사람 人(인)　▶▶▶ 사람 亻(인) + 뜻 의(意) ➡ 사람의 뜻을 헤아리려

헤아린다는 것은 사람(亻)의 깊은 뜻(意)을 파악한다는 의미이므로 '헤아리다'의 뜻과, 사람의 뜻이란 헤아리기 힘들 정도로 복잡하여 '수많은'이라는 '억'의 의미를 갖게 됐다.

●●●●● 億劫(억겁)/億萬長者(억만장자)/億測(억측)

停

훈음 머무를 정　**부수** 사람 人(인)

▶▶▶ 사람 亻(인) + 정자 정(亭) ➡ 정자에 머무름

머무르고 쉰다는 것은 머무를 곳(亭)과 쉬는 주체인 사람(亻)이 필요하므로 둘 다 의미요소이고 정자 정(정)이 발음기호이다.

●●●●● 停車場(정거장)/停戰協定(정전협정)/停年(정년)/停止(정지)/停滯(정체)/調停(조정)/停刊(정간)

宿

훈음 묵을 숙　**부수** 쉴 宀(면)

▶▶▶ 집 면(宀) + 사람 亻(인) + 百 ➡ 자리를 펴고 눕다

집 안(宀)에서 자리(百) 펴고 누워 잠을 자는 사람(亻)에서 잘 宿(숙)자가 만들어졌다.

●●●●● 宿泊(숙박)/露宿(노숙)/宿願(숙원)/宿敵(숙적)/宿題(숙제)/留宿(앙숙)/宿命(숙명)/宿患(숙환)/下宿(하숙)/東家食西家宿(동가식서가숙)

仙(선)　　値(치)　　仕(사)　　使(사)　　件(건)
健(건)　　任(임)　　保(보)　　堡(보)　　傳(전)

仙
훈음 신선 선　부수 사람 人(인)　▶▶▶ 사람 亻(인) + 뫼 산(山) ➡ 산에 사는 사람
산(山)에 사는 사람(亻)을 우리는 신선 仙(선)이라 부른다.
●●●●● 仙女(선녀)/仙境(선경)/神仙(신선)

値
훈음 값 치　부수 사람 人(인)　▶▶▶ 사람 亻(인) + 곧을 直(직) ➡ 올곧은 사람
올곧은(直) 사람(亻)이 값어치 있고, 가치 있는 사람이다.
●●●●● 近似値(근사치)/數値(수치)/價値(가치)

仕
훈음 벼슬할 사　부수 사람 人(인)　▶▶▶ 사람 亻(인) + 선비 士(사) ➡ 권력을 가진 사람
도끼(士) 즉 권력을 가지고 있는 사람(亻)에서 '벼슬하다'는 뜻이 파생됐다. 士(사)는 발음기호이다.
●●●●● 仕宦(사환)/給仕(급사)/奉仕(봉사)

使
훈음 하여금 사　부수 사람 人(인)　▶▶▶ 사람 亻(인) + 벼슬아치 吏(리) ➡ 일을 시키는 사람
관리(史)가 종(亻)에게 심부름을 시킨다 하여 하여금/시킬 使(사)자가 파생됐다.
●●●●● 使役(사역)/大使(대사)/使喚(사환)/特使(특사)

件
훈음 사건 건　부수 사람 人(인)　▶▶▶ 사람 亻(인) + 소 牛(우) ➡ 소에 받힌 사람
소를 잡는 사람(亻)인 백정을 가리키는 말이었는데, 사람이 소를 잡는데 있어 살과 뼈를 철저히 분해하여 도려낸다 하여 '분해하다'에서 '나누어진, 하나하나'라는 의미를 갖게 되었다.
●●●●● 事件(사건)/件數(건수)/事事件件(사사건건)/要件(요건)

健
훈음 튼튼할 건　부수 사람 人(인)　▶▶▶ 사람 亻(인) + 세울 建(건) ➡ 세움을 받은 사람
튼튼하다는 것은 사람이 건강하다는 것이므로 사람(亻)을 의미요소로 建(건)을 발음기호로 사용했다.
●●●●● 健康(건강)/健全(건전)/健在(건재)/健忘(건망)/保健(보건)

任
훈음 맡길 임　부수 사람 人(인)　▶▶▶ 사람 亻(인) + 壬(임) ➡ 맡겨진 사람
'맡기다'라는 것은 사람에게 중요한 일을 위탁하는 뜻이므로 사람 亻(인)을 의미요소로 壬(임)은 발음기호로 쓰였다.
●●●●● 任務(임무)/赴任(부임)/責任感(책임감)/適任(적임)

保
훈음 지킬/보전할 보　부수 사람 人(인)　▶▶▶ 사람 亻(인) + 지칠 보(呆) ➡ 아이를 업고 있는 사람
사람(亻)이 아이를 업고(呆) 있는 모습에서 보호(保護)의 지킬 보(保)자이고 홍수나 적의 공격으로부터 마을을 지키는(保) 흙(土)으로 쌓은 둑이나 담장을 보루(堡壘)의 제방/작은 성 보(堡)
●●●●● 保健(보건)/保留(보류)/保姆(보모)/保守(보수)/保安(보안)/安全保障(안전보장)

傳
훈음 전할 전　부수 사람 人(인)　▶▶▶ 사람 亻(인) + 구를 專(전) ➡ 굴러 보내진 사람
사람에게 전갈을 보내다가 원뜻이므로 사람 亻(인)을 의미요소로, '굴려 보내다'의 뜻으로도 사용 가능한 오로지 專(전)을 발음기호 및 의미보조로 해 '말을 굴려 후대나 다른 사람에게 보내다'에서 '전하다'가 파생됐다.
●●●●● 父傳子傳(부전자전)/傳記(전기)/傳達(전달)/傳承(전승)/傳說(전설)/傳播(전파)

儿 사람 인

儿(인) 見(견) 兄(형) 先(선) 光(광) 頁(혈) 兒(아) 允(윤)

儿
훈음 사람 인 부수 제 부수 ▶▶▶ 사람 人(인)과 똑같다고 생각하자
독자적으로 사용되지는 않으나 다른 글자에서 '사람'의 뜻으로 사용됐다.

見
훈음 볼 견 부수 제 부수 ▶▶▶ 눈 目(목) + 사람 儿(인) ➡ 눈이 강조된 사람
사람(儿) 위에 눈(目)만 덩그러니 올려놓아 '앞을 바라보는 모습'에서 '보다'로 의미가 파생됐다.
●●●●● 見學(견학)/見物生心(견물생심)/私見(사견)

兄
훈음 맏 형 부수 사람 儿(인) ▶▶▶ 입 口(구) + 사람 儿(인) ➡ 입이 강조된 사람 – 집안의 대변인
사람(儿) 위에 입(口)을 그려 넣어 가족을 대표하여 말(口)을 하는 사람에서 '맏이'로 의미가 확대됐다.
●●●●● 兄弟(형제)/學父兄(학부형)/呼兄呼弟(호형호제)/兄嫂(형수)

先
훈음 먼저 선 부수 사람 儿(인)
▶▶▶ 소 牛(우) + 사람 儿(인)➡ 발이 강조됨 – 늘 먼저 나가는 발
발(牛 = 止)을 강조한 글자로 사람이 어디를 가든지 항상 먼저 앞으로 나가는 발에서 또한 제단에 들어가기 전 발을 먼저 깨끗이 하는 풍습에서 '앞, 먼저'의 뜻으로 파생 사용됐다.
●●●●● 先生(선생)/先驅者(선구자)/先後(선후)/先發隊(선발대)

光
훈음 빛 광 부수 사람 儿(인) ▶▶▶ 불 火(화) + 사람 儿(인) ➡ 높이 든 횃불
머리에 불(火)을 이고 있는 모습 즉 횃불(火)을 높이 들고 있는 모습에서 '빛, 빛나다'로 뜻이 파생됐다.
●●●●● 光明(광명)/光彩(광채)/榮光(영광)/電光石火(전광석화)

頁
훈음 머리 혈 – 머리 首(수)의 古字(고자) 부수 제 부수
▶▶▶ 一(일) + 自(자) + 儿(인) ➡ 머리 전체를 강조
머리(一)와 얼굴(自) 즉 얼굴을 포함한 머리 전체를 강조한 글자로 부수자로만 사용된다.

兒
훈음 아이 아 부수 사람 儿(인)
▶▶▶ 절구 臼(구) + 사람 인(儿) ➡ 아직 다 자라지 않은 어린아이
사람(儿) 위에 텅 빈 머리(臼)만 올려놓으므로 아직 다 자라지 않은 어린아이를 잘 나타낸 글자라는 설과, 절구 臼(구)가 머리 모양이 아니라 양 갈래로 땋아 묶은 긴 머리라는 설에서 주로 어린아이들이 그렇게 하고 다닌다 하여 '아이'로 발전된 글자다.
●●●●● 兒童(아동)/幼兒(유아)/育兒(육아)/胎兒(태아)/兒名(아명)

允
훈음 진실로 윤 부수 사람 儿(인) ▶▶▶ 사사 사(厶) + 儿 ➡ 갓난 어린이의 머리
갓 태어난 태아(厶)의 머리를 강조하여 순수함과 진실함을 표현한 글자다.
●●●● 允許(윤허)

兄
훈음 맏 형　부수 사람 儿(인)　▶▶▶ 입 口(구) + 사람 儿(인) ➡ 집안의 대변인
입(口)을 강조하여 집안의 대변인격인 맏이인 형을 나타낸 글자다.
••••• 兄弟(형제)/學父兄(학부형)/兄夫(형부)/兄嫂(형수)

兌
훈음 기쁠/바꿀 태　부수 사람 儿(인)　▶▶▶ 여덟 八(팔) + 兄(형) ➡ 팔자가 바뀜
한자에서 八(팔)자는 '나누다, 전부'의 뜻을 갖는데 형(兄)이 축복을 요청하는 기도에 의해 상황이 완전히 역전된(八) 즉 바뀌었다는 의미를 전달하여 '기쁘다, 바꾸다'로 확대 사용됐다.
••••• 兌換(태환) – 단독 사용 거의 없음

悅
훈음 기쁠 열　부수 마음 忄(심)　▶▶▶ 마음 忄(심) + 기쁠 兌(태) ➡ 마음이 바뀌어 좋아짐
상황이 바뀌어(兌) 즉 좋아져서 기쁜 마음(忄)을 나타내고자 하므로 두 글자 모두 의미요소로 사용되며 兌(태)는 발음요소에도 영향을 준다.
••••• 喜悅(희열)/悅樂(열락)

閱
훈음 검열할 열　부수 문 門(문)　▶▶▶ 문 門(문) + 바꿀 兌(태)
과거에 성문을 드나드는 사람을 조사하는 모습에서 나온 글자로 문 門(문)이 의미요소고 兌(태)는 발음요소에 영향을 미친다.
••••• 檢閱(검열)/閱覽(열람)/閱兵式(열병식)

說
훈음 말씀 설/달랠 세/기꺼울 열　부수 말씀 言(언)
▶▶▶ 말씀 言(언) + 바꿀/기쁠 兌(태) ➡ 설교는 사람을 기쁘게 해 주는 말씀
說敎(설교)나 遊說(유세)란, 사람을 말(言)로 바꾸려고(兌) 하는 행위여서 말씀 言(언)이 의미요소고 兌(태)가 의미 및 발음요소로 쓰였다.
••••• 說敎(설교)/說得(설득)/遊說(유세)

脫
훈음 벗을 탈　부수 肉(육)달 月(월)　▶▶▶ 고기 肉(육) + 기쁠 兌(태) ➡ 육신을 벗으니 기쁘다
'벗다'는 몸에 있는 것을 덜어내다, 없애다는 뜻이므로 몸을 상징하는 肉(육)달 月(월)이 의미요소로, 육신의 집착에서 벗어나니 기쁨이(兌), 兌(태)는 발음요소이기도 하다.
••••• 脫走(탈주)/逸脫(일탈)/解脫(해탈)/脫衣室(탈의실)

銳
훈음 날카로울 예　부수 쇠 金(금)　▶▶▶ 쇠 金(금) + 기쁠 兌(태)
금속의 날카로운 성질을 나타내고자 하므로 쇠 金(금)이 의미요소로 兌(태)는 발음요소에 기여했다.
••••• 銳利(예리)/尖銳(첨예)/精銳(정예)/銳鋒(예봉)

稅
훈음 구실 세　부수 벼 禾(화)　▶▶▶ 벼 禾(화) + 바꿀 兌(태)
농작물을 세금으로 바치던 풍습에서 나온 글자로 벼 禾(화)가 의미요소고 兌(태)는 발음기호이다
※ .說(세) – 달랠 세 – 遊說(유세)
••••• 稅金(세금)/課稅(과세)/脫稅(탈세)

況(황)　　　祝(축)　　　競(경)　　　克(극)

況
훈음 하물며 황 　부수 물 氵(수)
▶▶▶ 물 氵(수) + 맏 兄(형) ➡ 오랜 기도가 상달되고 있느냐? - 밖의 동정을 물어봄
비(氵)를 구하는 형(兄)의 기도가 상달되어 비(氵)가 내리는 모양에서 '변한 형편이나 모양'을 나타내었으며, '하물며'라는 부사도 탄생했다. 兄(형)은 발음요소다.
◆◆◆◆◆ 狀況(상황)/近況(근황)/實況(실황)

祝
훈음 빌 축 　부수 귀신/제단 示(시) 　▶▶▶ 제단 示(시) + 맏형(兄) ➡ 신에게 빌다
제단(示) 앞에 꿇어앉아(兄) 신에게 무엇인가를 요청하는 모습에서 '빌다'가 파생됐다.
◆◆◆◆◆ 祝福(축복)/祝辭(축사)/祝賀(축하)/祝禱(축도)

競
훈음 겨룰/다툴 경 　부수 설 立(립) 　▶▶▶ 설 立(립) + 兄(형) ➡ 두 사람이 설전을 벌이다
설 立(립)과 兄(형)의 형태보다는 사람(儿) 위에 말씀 言(언)자의 꼴로 서로 말다툼하는 모습에서 '겨루다, 다투다'로 파생된 글자다.
◆◆◆◆◆ 競爭(경쟁)/競技(경기)/競走(경주)/競馬(경마)

克
훈음 이길 극 　부수 사람 儿(인) 　▶▶▶ 옛 古(고) + 儿(인) ➡ 무거운 짐을 이고 있는 여자
현재의 꼴과는 상당히 다른 글자로 아이 밴 여자가(儿) 무거운 짐(古)을 이거나 지고 있는 꼴로 '힘든 상황'을 묘사한 글자에서 그러한 상황을 '이겨내고, 극복하다'의 뜻이 파생됐다.
◆◆◆◆◆ 克復(극복)/克己訓鍊(극기훈련)/克己復禮(극기복례)

兀(올)　　元(원)　　完(완)　　頑(완)　　玩(완)　　院(원)　　冠(관)　　寇(구)

兀
훈음 우뚝할 올 　부수 사람 儿(인) 　▶▶▶ 一(일) + 儿(인)
사람(儿)의 머리(一)나 머리 위에 있는 하늘(一)을 강조한 글자로 '우뚝 솟은'이라는 의미를 갖고 있다.
◆◆◆◆◆ 兀兀(올올)하다

元
훈음 으뜸 원 　부수 사람 儿(인) 　▶▶▶ 두 二(이) + 儿(인) ➡ 인류의 원조/처음
인류의 첫 조상은 성서에 의하면 '아담과 이브' 두 사람임을 알려 준다. 인류는 이 두 사람을 으뜸으로 하여 지금의 인류로 퍼지게 된 것이어서 두(二) 사람(儿)이 '원조'인 것이다.
◆◆◆◆◆ 元祖(원조)/元旦(원단)/元金(원금)/元年(원년)/元素(원소)

完
훈음 완전할 완 　부수 집 宀(면) 　▶▶▶ 집 宀(면) + 으뜸 元(원) ➡ 가정을 꾸며서 완벽해짐
하느님이 이브를 창조하여 아담에게 아내로 주시면서 "둘(二)이 한 몸(儿)이라" 하시고 한 가정(宀)을 이루게 하시니 보기 좋았다 하여 '완전하다'는 뜻으로 사용됐다.
◆◆◆◆◆ 完全(완전)/完成(완성)/完結(완결)/完勝(완승)/完熟(완숙)

頑
훈음 완고할 완 　부수 머리 頁(혈) 　▶▶▶ 으뜸 元(원) + 머리 頁(혈) ➡ 고집불통인 사람
완고한 것은 사람의 기질이나 특성임으로 머리 頁(혈)을 의미요소로 元(원)은 발음기호로 쓰였다.
◆◆◆◆◆ 頑固(완고)/頑强(완강)

玩
훈음 희롱할 완 　부수 구슬 玉(옥) 　▶▶▶ 구슬 玉(옥) + 元(원) ➡ 노리개로 삼음
고대에 구슬(玉)은 노리개의 대명사였다. 따라서 '가지고 놀다'의 뜻을 나타내기 위해 구슬 玉(옥)을 의미요소로 元(원)은 발음요소로 쓰였다.
※ 弄(롱) - 희롱할 롱 - 구슬을 양손으로 들고 있는 모습
◆◆◆◆◆ 玩具(완구)/愛玩(애완)동물

院

훈음 담 원 부수 언덕 阝(부) ▶▶▶ 언덕 阝(부) + 완전할 完(완) ➡ 울타리

담은 작은 언덕에 해당되므로 언덕 阝(부)를 의미요소로 完(완)을 발음기호로 사용했다.

●●●●● 寺院(사원)/院長(원장)/院內(원내)/大學院(대학원)

冠

훈음 갓 관 부수 덮을 冖(멱) ▶▶▶ 덮을 冖(멱) + 으뜸 元(원) + 마디 寸(촌) ➡ 사람의 머리에 갓을 씌워 줌

사람의 머리(元)에 모자(冖)를 씌워 주는(寸) 모양을 통해 왕관(王冠)에서 보듯 '갓, 모자'라는 뜻의 갓 冠(관)자가 생겨났으며 남의 가정(完)에 들어와 재물을 강제(攵)로 강탈해가는 사람을 왜구(倭寇)의 도둑 구(寇)라는 글자도 만들어졌다.

●●●●● 冕旒冠(면류관)/戴冠式(대관식)/冠婚喪祭(관혼상제)/桂冠詩人(계관시인)/月桂冠(월계관)

兆(조)　　眺(조)　　桃(도)　　跳(도)　　逃(도)　　挑(도)

兆

훈음 조짐 조 부수 사람 儿(인)

▶▶▶ 물 氺(수)의 변형 + 사람 儿(인) – 발음기호 ➡ 손금

거북의 껍질이나 소뼈의 표면에 열을 가하면 생기는 줄무늬(사람의 손금에 해당) 모양이 점 卜(복)이나 조짐 兆(조)자의 원형으로 마치 손금을 보듯 그 갈라진 잔금 모양을 보고 점을 쳤으므로 '조짐'이라는 글이 탄생되었다. 사람 儿(인)과는 아무런 관련이 없다.

●●●●● 兆朕(조짐)/吉兆(길조)/前兆(전조)/兆民(조민)

眺

훈음 바라볼 조 부수 눈 目(목)　▶▶▶ 눈 目(목) + 조짐 兆(조) ➡ 손금을 바라봄

점괘를 알아보기 위해 거북의 껍질이나 소뼈에 나타난 줄무늬(兆)를 '바라본다' 하여 생긴 글자이므로 눈 目(목)이 의미요소고 兆(조)는 발음기호 및 의미요소이다.

●●●●● 眺望(조망)

桃

훈음 복숭아나무 도 부수 나무 木(목)

▶▶▶ 나무 木(목) + 조짐 兆(조) ➡ 조짐이 좋은 나무

복숭아를 조짐(兆)이 좋은 나무(木)로 보았던 것 같다. 그래서 武陵桃源(무릉도원=별천지)이라는 말도 있지 않은가? 兆(조)는 '도'로 발음나는 발음기호이다.

●●●●● 桃花(도화)/武陵桃源(무릉도원)

跳

훈음 뛸 도 부수 발 足(족)　▶▶▶ 발 足(족) + 조짐 兆(조)

뛴다는 것은 발로써 하는 일이므로 발 足(족)이 의미요소고 兆(조)는 발음기호이다.

●●●●● 跳躍(도약)

逃

훈음 달아날 도 부수 책받침 辶(착)　▶▶▶ 갈/뛰어넘을 辶(착) + 조짐 兆(조)

달아나는 것도 발이 하는 일이므로 발 足(족)이 의미요소고 兆(조)는 발음기호이다.

●●●●● 逃亡(도망)/逃走(도주)/逃避(도피)/夜半逃走(야반도주)

挑

훈음 의욕 돋울/집적거릴 도 부수 손 扌(수)　▶▶▶ 손 扌(수) + 조짐 兆(조) ➡

심리작용이 세차게 일도록 자극하기 위해 손 발 짓으로 상대방을 약 올리는 모습으로 손 扌(수)가 의미요소고 兆(조)는 발음기호이다.

●●●●● 挑發(도발)/挑戰(도전)

允
> [훈음] 진실로 윤　[부수] 사람 儿(인)　▶▶▶ 厶(사) + 儿(인) ➡ 태아의 머리를 강조함
>
> 갓 태어난 태아(厶)의 머리를 강조하여 순수함과 진실함을 표현한 글자다.
>
> ●●●●● 允許(윤허)

充
> [훈음] 찰 충　[부수] 사람 亻(인)　▶▶▶ 亠(두) + 진실로 允(윤) ➡ 커진 태아의 머리를 강조
>
> 어느 정도 시간이 지난 태아(允)의 모습을 나타낸 글자로 머리(亠)를 강조하여 시간이 지나면서 더욱 더 또 렷해져 가고 충실해져 가는 아기(允)의 모습에서 '속이 차다, 살찔' 등의 의미를 갖게 됐다.
>
> ●●●●● 充實(충실)/補充(보충)/充滿(충만)/擴充(확충)

流
> [훈음] 흐를 류　[부수] 물 氵(수)　▶▶▶ 氵(수) + 찰 充(충) + 川(천) ➡ 냇가에서 물놀이하는 어린이들
>
> 흐르는 냇물(川)에서 떠 감으며 노는 어린이(充)의 모습이 흐를 류(㐬)자이며 단독 사용이 없자 물 수(氵) 를 더하여 본 의미를 살린 글자가 유수(流水)의 흐를 유(流)자이다. 물 수(氵) 자리에 돌 석(石)을 넣은 것 이 화산 폭발로 돌(石)이 녹아 흐르는(流) 모습에서 유황(硫黃) 유(硫)자가 되었으며 발 소(疋)를 넣은 글자 가 물이 점점 사라지듯(㐬) 멀어져 가는 발걸음(疋=발 소)의 의미로 소원(疏遠)의 트일 소(疏)자이다.
>
> ●●●●● 急流(급류)/流出(유출)/流民(유민)/流言蜚語(유언비어)

育
> [훈음] 기를 육　[부수] 고기 肉(육=月)　▶▶▶ 찰 充(충) + 肉(육)달 月(월) ➡ 태아가 자라가는 모습
>
> 형체가 또렷해져 가는 태아(充)의 머리와 몸(月=肉)을 강조하여 어머니가 아이를 양육하고 키운다는 '기르 다, 자라다'의 의미를 가지게 됐다.
>
> ●●●●● 育兒(육아)/養育(양육)/敎育(교육)/生育(생육)

銃
> [훈음] 총 총　[부수] 쇠 金(금)　▶▶▶ 쇠 金(금) + 찰 充(충) ➡ 총알을 채움
>
> 총을 나타내는 글자로 총의 성분인 쇠 金(금)을 의미요소로 充(충)은 발음기호로 사용됐다.
>
> ●●●●● 拳銃(권총)/獵銃(엽총)/銃聲(총성)/銃彈(총탄)/銃殺(총살)

統
> [훈음] 거느릴/큰 줄기 통　[부수] 실 糸(사)　▶▶▶ 실 糸(사) + 찰 充(충) ➡ 실을 채움
>
> 다양한 사람들을 하나로 묶어 거느리고 통솔한다는 뜻을 전달하는 글자이므로, 묶을 때 필요한 끈을 상징 하는 실 糸(사)를 의미요소로 찰 充(충)은 발음기호 및 의미보조로 쓰였다. 다양한 사람들을 하나로 묶어 통솔하기 위해선 속이 꽉 찬(充) 사람이어야 한다. 대통령이나 인솔자는 아무나 하는 것이 아니다.
>
> ●●●●● 統率(통솔)/大統領(대통령)/統一(통일)

允
> [훈음] 진실로 윤　[부수] 사람 儿(인)　▶▶▶ 사사 厶(사) + 儿(인) ➡ 태아의 머리를 강조함
>
> 갓 태어난 태아(厶)를 강조하여 순수함과 진실함을 표현한 글자이며 막 걸음마(夊)를 시작하게 된 어린이 (允)의 모습이 갈 준(允+夊=夋)자이다.
>
> ●●●●● 允許(윤허)

峻 훈음 높을 준 부수 뫼 山(산) ▶▶▶ 뫼 山(산) + 진실로 允(윤) + 뒤져서 올 夂(치) ➡ 높은 산
높은 산을 가리키는 말로 뫼 山(산)이 의미요소고 允(윤)이 발음요소이나, 진실한 사람이 점점 발전하듯이
산이 점점 높아져 간다는 의미요소에도 기여한다.
●●●●● 峻嶺(준령)/險峻(험준)/峻嚴(준엄)/泰山峻嶺(태산준령)

俊 훈음 준걸 준 부수 사람 亻(인)
▶▶▶ 사람 亻(인) + 진실로 允(윤) + 천천히 걸을 夂(쇠) ➡ 완전히 일어선 사람
재주나 슬기가 뛰어난 사람을 가리키는 말로 사람 亻(인)이 의미요소고 그 옆은 발음요소이다.
진실한 사람(允)은 비록 더딜찌라도(夂) 결국엔 훌륭한 사람(亻)이 된다는 의미 글자다.
●●●●● 俊秀(준수)/俊傑(준걸)/俊才(준재)

竣 훈음 마칠 준 부수 설 立(립) ▶▶▶ 설 立(립) + 진실로 允(윤) + 천천히 걸을 夂(쇠) ➡ 완전히 홀로 섬
믿음직한 아이(允)가 아장아장 걷다가(夂) 점점 자라 마침내 혼자 힘으로 일어서게(立) 된다는 스토리를 담
은 글자로 '마치다'의 뜻을 갖는 글자이며 여타 말 보다 우뚝 솟은(夋) 말(馬)을 준마(駿馬)의 준마 준(駿)
이라 한다.
●●●●● 竣工(준공)/駿足(준족)

唆 훈음 부추길 사 부수 입 口(구)
▶▶▶ 입 口(구) + 진실로 允(윤) + 천천히 걸을 夂(쇠) ➡ 어린이를 말로 꾀다
부추기다는 것은 좋은 의미로 잘 되라고 말로 격려하는 것이므로, 입 口(구)가 의미요소고 나머지 글자도
진실한(允) 사람의 성장 과정(夂)을 그린 글자이므로 의미요소이다.
●●●●● 示唆(시사)/殺人敎唆(살인교사)

酸 훈음 초 산 부수 술 酉(유)
▶▶▶ 술/닭 酉(유) + 진실로 允(윤) + 천천히 걸을 夂(쇠) ➡ 술은 발효식품임 – 술로 변함
식초란 신맛이 나는 조미료의 일종으로 발효식품이다. 예전엔 술을 특히 포도주를 발효시켜 식초를 만들었
으므로 술 酉(유)가 의미요소로, 서서히 변한다는 뜻의 오른편 글자들도 의미요소에 영향을 미쳤다.
●●●●● 酸性(산성)/乳酸菌(유산균)/酸化(산화)

免(면)　勉(면)　娩(만)　挽(만)　晩(만)　冕(면)　兎(토)　逸(일)

免 훈음 면할 면 부수 사람 儿(인) ▶▶▶ 불편한 몸(人) + 입 口(구) + 사람 儿(인) ➡ 해산의 고통에서 벗어남
어머니(人)가 엉덩이(冂)를 벌려 아이(儿)를 낳는 모습에서 산모가 해산의 고통에서 벗어났다 하여 '벗어나
다/면하다'의 뜻으로 발전하자, 본뜻을 살리기 위해 계집 女(여)를 추가한 글자가 해산할 娩(만)이다.
●●●●● 免除(면제)/免許(면허)/免疫(면역)/免責(면책)/罷免(파면)

娩 훈음 해산할 만 부수 계집 女(여) ▶▶▶ 계집 女(여) + 면할 免(면) ➡ 여자의 본분은 출산
산모(女)가 해산하는 장면(免)에서 '해산하다'라는 뜻의 글자가 되었으며 免(면)이 발음기호로 사용됐다.
●●●●● 分娩(분만)

勉 훈음 힘쓸 면 부수 힘 力(력) ▶▶▶ 면할 免(면) + 힘 力(력) ➡ 출산 시 힘을 주는 산모
진통이 시작되고 아기를 낳기(免) 위해 온갖 힘을(力) 다 쏟아 놓는 모습에서 힘쓸 勉(면)자가 파생됐다.
●●●●● 勤勉(근면)/勉學(면학)/勸勉(권면)

挽 훈음 당길 만 부수 손 扌(수) ▶▶▶ 손 扌(수) + 면할 免(면) → 어린이를 꺼냄
손(扌)으로 잡아당겨 아기를(免) 꺼내는 모습에서 "당기다"라는 뜻이 생겼다.
●●●●● 挽回(만회)/挽留(만류)

晚 훈음 저물 만 부수 해 日(일) ▶▶▶ 해 日(일) + 면할 免(면) → 해가 넘어감
아이가 태어나듯(免) 서산이나 바다에 걸려 있던 태양도(日) 갑자기 바닷물 속으로 사라지는 장면에서 '저물다'의 뜻이 생겼다. 免(면)은 발음기호로 사용됐다.
●●●●● 晚婚(만혼)/晚秋(만추)/晚年(만년)/晚學(만학)/大器晚成(대기만성)/晚生種(만생종)↔早生種(조생종)

冕 훈음 면류관 면 부수 먼데 冂(경) ▶▶▶ 冃(모- 쓰개/모자) + 면할 免(면)
면류관이란 머리에 쓴 모자를 가리키므로 冃(모)의 윗부분(冃- 쓰개/모자)을 의미요소로, 免(면)을 발음기호로 만든 글자다.
●●●●● 冕旒冠(면류관)

兎 훈음 토끼 토 부수 사람 儿(인)
▶▶▶ 사람 人(인) + 입 口(구) + 사람 儿(인) + 점 丶(주) → 귀가 긴 토끼의 모습
긴 귀(丿)와 몸통(冂) 그리고 토끼 다리(儿)와 꼬리(丶)를 가진 토끼가 앉아 있는 모습을 간략하게 정리한 모습으로 면할 免(면)과는 무관한 글자다.
●●●●● 兎死狗烹(토사구팽)

逸 훈음 숨을/달아날 일 부수 갈 辶(착) ▶▶▶ 갈 辶(착) + 면할 免(면) → 재빨리 달아나는 토끼
달아난다는 것은 빨리 달려 도망간다는 것으로, 갈 辶(착)과 빠르게 도망가는데 선수인 토끼 兎(토)가 모두 의미요소로 훗날 '숨다, 빼어나다, 편안하다'로 의미 확대됐다.
●●●●● 逸話(일화)/逸品(일품)/安逸(안일)

鬼 귀신 귀

| 鬼(귀) | 魂(혼) | 魄(백) | 魅(매) | 魔(마) | 塊(괴) |
| 愧(괴) | 傀(괴) | 魁(괴) | 魃(발) | 醜(추) | 畏(외) |

鬼
훈음 귀신 귀 **부수** 제 부수 ▶▶▶ 귀신머리 田(불) + 사람 儿(인) + 사사 厶(사) ➡ 가면 쓴 인간

갑골문은 큰 가면(田)을 쓴 혹은 얼굴을 가리고(田) 있는 사람(儿)의 모습을 하고 있었으나, 후에 '몰래 해치다'의 뜻을 더욱 분명히 하기 위해 '厶(사)'자가 첨가되었다. '귀신'이 원래 의미이고 '도깨비, 지혜롭다' 등의 의미로도 확대되었다.

••••• 鬼神(귀신)/魔鬼(마귀)/鬼才(귀재)/神出鬼沒(신출귀몰)

魂
훈음 넋 혼 **부수** 귀신 鬼(귀) ▶▶▶ 이를 云(운) + 귀신 鬼(귀) ➡ 귀신이 떠드는 소리

사람이 죽으면 하늘을 떠도는 혼이 있다고 생각한 사람들이 만들어낸 글자로, 귀신 鬼(귀)가 의미요소고 云(운)은 바뀌긴 했지만 발음요소로 사용됐으며 거의 같은 의미의 글자로 흰 백(白)을 넣어서 넋 백(魄)자가 있다. 넋 혼(魂)은 정신을 넋 백(魄)은 육체를 주관한다고도 말함

••••• 魂魄(혼백)/靈魂(영혼)/鎭魂祭(진혼제)/魂飛魄散(혼비백산)

魅
훈음 도깨비 매 **부수** 귀신 鬼(귀) ▶▶▶ 귀신 鬼(귀) + 아닐 未(미) ➡ 도깨비가 아님

사람의 혼을 빼놓는 귀신이라 하여 귀신 鬼(귀)가 의미요소고 아닐 未(미)는 발음요소이다. 후에 '정신을 호리다, 마음을 끌다'로 사용되면서, 사람의 넋을 빼놓을 정도로 예쁜 여자를 '魅力的(매력적)이다, 魅惑的(매혹적)이다'고 이르게 되었다.

••••• 魅力(매력)/魅惑的(매혹적)/魅了(매료)

魔
훈음 마귀 마 **부수** 귀신 鬼(귀) ▶▶▶ 삼 麻(마) + 귀신 鬼(귀) ➡ 에덴동산

수행을 방해하는 나쁜 귀신을 일컫는 범어. 마라를 음역하기 위해 고안된 글자로 귀신 鬼(귀)가 의미요소고 麻(마)는 발음기호이다.

••••• 魔鬼(마귀)/惡魔(악마)/魔力(마력)/病魔(병마)

塊
훈음 흙덩이 괴 **부수** 흙 土(토) ▶▶▶ 흙 土(토) + 귀신 鬼(귀)

흙덩이를 나타내고자 한 글자이므로 흙 土(토)가 의미요소고 鬼(귀)는 발음요소이다.

••••• 金塊(금괴)/塊炭(괴탄)

愧
훈음 부끄러워할 괴 **부수** 마음 心(심) ▶▶▶ 마음 忄(심) + 귀신 鬼(귀) ➡ 귀신처럼 행동한 것을 부끄러워함

부끄러워하다는 것은 마음의 특징이므로 마음 忄(심)을 의미요소로 귀신 鬼(귀)는 발음기호로, 귀신(鬼)같이 행동한 것에 대해 후회하는 마음(忄)이란 부끄럽다와 통하므로 그 의미 확대된 글자다.

••••• 自愧之心(자괴지심)/自愧感(자괴감)

傀 훈음 클/꼭두각시 괴 　부수 사람 人(인)　▶▶▶ 사람 亻(인) + 귀신 鬼(귀) ➡ 귀신의 탈

귀신(鬼)의 탈을 쓴 사람(亻) 혹은 귀신의 대리자인 사람을 가리켜 꼭두각시라고 하며, 그 모습이 괴이하다는 사상을 나타낸 글자로 두 글자 모두 의미요소로 鬼(귀)는 발음기호로도 사용됐다.

●●●●● 傀儡(괴뢰)/傀奇(괴기)

魁 훈음 으뜸 괴 　부수 귀신 鬼(귀)　▶▶▶ 귀신 鬼(귀) + 말 斗(두) ➡ 귀신의 우두머리

국자를 본뜬 말 斗(두)는 별들의 우두머리인 북두칠성(北斗七星)을 의미하기도 함으로 귀신 鬼(귀)를 더하여 귀신의 우두머리라는 의미의 새로운 글자가 만들어졌고 가뭄 들게 하는 귀신(鬼)이 달릴 발(犮)을 발음으로 한발(旱魃)의 가뭄귀신 발(魃)이다.

●●●●● 魁首(괴수)

醜 훈음 더러울 추 　부수 술/닭 酉(유)　▶▶▶ 술 酉(유) + 귀신 鬼(귀) ➡ 귀신같은 행동

술(酉) 취하여 개처럼 행동하는 사람 혹은 아주 이상한 사람(鬼)을 우리는 "귀신 같다"고 하는데 바로 그것을 나타내고자 한 글자로 두 글자 모두 의미요소에 사용됐다.

●●●●● 醜女(추녀)/醜雜(추잡)/醜態(추태)

畏 훈음 두려워할 외 　부수 밭 田(전)　▶▶▶ 밭 田(鬼) + 칼 刂(도) ➡ 귀신이 무기를 들고 있다

옛 글자의 모습은 가면을 쓴 귀신(鬼)이 손에 무기(刂)를 들고 있는 모습으로 그려 보기만 해도 공포심이 느껴지도록 한 글자로 자연스럽게 '두려워하다'의 뜻이 파생됐다.

옛글자를 보면 畏(외)자의 밭 田(전)은 귀신 鬼(귀)의 윗부분과 같은 꼴이다.

●●●●● 畏敬(외경)/敬畏(경외)

匕 비수/수저/사람 비

匕(비)	北(북)	背(배)	乘(승)	乖(괴)	剩(잉)
比(비)	化(화)	死(사)	老(노)	孝(효)	考(고)

匕

훈음 비수 비 부수 제 부수 ▶▶▶ 오른쪽을 향한 사람

비수/수저 "비"라는 명칭을 가지고 있으나 "사람"으로 사용되는 경우가 더 많으며 특히 노약자나 힘없는 사람을 가리킨다.

●●●●● 匕首(비수)

北

훈음 북녘 북 부수 비수 匕(비) ▶▶▶ 두 사람이 등 맞대고 서 있는 모습

좌우대칭, 서로 등지고 앉은 두 사람(匕)의 모습에서 등 돌리다, 등을 돌리는 것은 배반하는 것으로 배반하다, 등을 돌려 북쪽의 찬바람을 피한다하여 북녘 北(북)자가 생겼으며 육(肉) 달 월(月)을 넣어 원 뜻을 살린 글자가 배영(背泳)의 등 배(背)자이며, 나무(禾→木)위에 올라간 사람(北)의 모습에서 탑승(搭乘)의 탈 승(乘)자가, 발판(八)이 없어지자(禾→千) 나무(禾→木)에서 미끄러지는 사람(北)이 괴리(乖離)/괴팍(乖愎)의 어그러질 괴(乖)/괴팍할 괴(乖)자를, 무성한 나뭇가지(乘)를 잘라버리는(刂) 모습이 잉여(剩餘)/과잉(過剩)의 남을 잉(剩)자를 만들었다.

●●●●● 北韓(북한)/對北(대북)/北方(북방)/背信(배신)/背反(배반)

比

훈음 견줄 비 부수 제 부수 ▶▶▶ 비수 匕(비) + 匕(비) → 두 사람을 견주어 보다

좌측을 바라보며 나란히 서 있는 두 사람(匕)을 그려서 마치 비교하는 듯한 모습에서 '비교하다'의 뜻이 나온 글자다.

●●●●● 比較(비교)/比肩(비견)/比喩(비유)/正比例(정비례)/比率(비율)

化

훈음 될 화 부수 비수 匕(비) ▶▶▶ 사람 亻(인) + 비수 匕(비) → 노인으로 변화해 가는 과정

두 사람을 거꾸로 그려 사람은 태어나서(亻) 늙은이(匕)로 변한다는 사상을 전달한 글자다.

●●●●● 變化(변화)/化粧(화장)/老化(노화)

死

훈음 죽을 사 부수 부서진 뼈 歹(알) ▶▶▶ 뼈 歹(알) + 匕(비) → 뼈만 남은 사람

앙상한 뼈(歹)만 남은 노인네(匕)의 모습에서 '시체와 죽음'을 그려낸 글자다.

●●●●● 死亡(사망)/死體(사체)/死力(사력)/拷問致死(고문치사)/死後藥方文(사후약방문)/客死(객사)/病死(병사)/必死(필사)

老

훈음 늙을/늙은이 로(노) 부수 제부수

▶▶▶ 늙은이 耂(로) + 匕(비) → 지팡이 짚고 있는 노인네

긴 머리 휘날리고(耂) 등허리가 구부러져 지팡이에 의지하는 거동 불편한 사람(匕)을 묘사하여 늙은이 老(노)가 됐다. 여기서 비수 匕(비)는 지팡이의 상형이다.

●●●●● 老人(노인)/敬老堂(경로당)/老化(노화)/老小莫論(노소막론)

孝 훈음 효도 효 부수 아들 子(자) ▶▶▶ 늙은이 耂(로) + 아들 子(자) ➡ 아버지를 업고 있는 아들
지팡이(匕) 대신 효성 지극한 아들(子)이 아버지를 업고 있는 모습에서 '효도'라는 의미가 파생됐다.
••••• 孝道(효도)/孝心(효심)/不孝(불효)/孝婦(효부)

考 훈음 상고할 고 부수 늙은이 老(로)
▶▶▶ 늙은이 耂(로) + 지팡이 (丂) ➡ 지팡이 짚고 한 곳에 머무르는 노인
거동이 불편하여 지팡이를 짚고서 한 곳에 계속 머무르는 노인을 상형화한 글자로, '생각하다, 상고하다, 돌아보다'의 의미가 파생됐다.
••••• 考慮(고려)/考察(고찰)/考試(고시)/詳考(상고)

━━━

化(화)　　　花(화)　　　貨(화)　　　頃(경)　　　傾(경)

化 훈음 될 화 부수 비수 匕(비) ▶▶▶ 사람 亻(인) + 비수 匕(비) ➡ 노인으로 바뀌어 가는 과정
두 사람을 거꾸로 그려 사람은 태어나서(亻) 늙은이(匕)로 변한다는 사상을 전달한 글자다.
••••• 變化(변화)/化粧(화장)/老化(노화)

花 훈음 꽃 화 부수 풀 艹(초) ▶▶▶ 艹(초) + 化(화) ➡ 풀이 변하여 꽃이 됨
꽃도 '풀'의 일종이므로 풀 艹(초)가 의미요소고 될 化(화)가 발음요소이다. 풀(艹)이 변하면(化) 즉 시간이 지나면 풀도 꽃이 되므로 의미 있는 결합의 글자이다.
••••• 花草(화초)/菊花(국화)/花信(화신)/花粉(화분)/開花(개화)

貨 훈음 재화 화 부수 조개 貝(패) ▶▶▶ 될 化(화) + 조개 貝(패)
재화 즉 돈을 상징하는 글자이므로 조개 貝(패)를 의미요소로 化(화)는 발음기호로 사용됐다.
••••• 貨物(화물)/財貨(재화)/貨幣(화폐)/外貨(외화)/通貨(통화)

頃 훈음 밭 넓이 단위/잠깐 경 부수 머리 頁(혈) ▶▶▶ 비수 匕(비) + 머리 頁(혈) ➡ 머리가 기울어지는 노인
거꾸러진 사람(匕)의 모양과 머리(頁)를 섞어 머리가 기울어 지다를 나타내려고 하였으나, 잠시/잠깐 등으로 차용되자 사람 亻(인)을 첨가하여 그 의미를 살려 놓은 글자가 아래 '기울 경'이다.
••••• 頃刻(경각)/萬頃蒼波(만경창파)

傾 훈음 기울 경 부수 사람 인(亻) ▶▶▶ 사람 인(亻) + 잠깐 경(頃) ➡ 몸이 기울어지는 사람
노인(匕)이 되면 그냥 가만히 있어도 머리(頁)가 비스듬히 기울어지는 서글픈 모습을 그림으로 담아낸 글자다.
••••• 傾斜(경사)/傾國之色(경국지색)/傾聽(경청)/右傾(우경)

━━━

旨(지)　指(지)　脂(지)　皀(흡)　卽(즉)　旣(기)　節(절)　櫛(즐)

旨 훈음 맛있을 지 부수 해 日(일) ▶▶▶ 수저 匕(비) + 해 日(일) ➡ 맛을 보다
갑골문에선 숟가락(匕)과 입 혹은 그릇(日)의 상형으로 '맛있다'가 본뜻이다. 맛있는 음식을 한술 떠서 입에 넣는 장면이라고 봐도 좋겠다.
••••• 趣旨(취지)/本旨(본지)

指
훈음 손가락/가리킬 지 　부수 손 扌(수)　▶▶▶ 손 扌(수) + 旨(지) → 손가락으로 맛을 보다

음식 맛(旨)을 손가락(扌)으로 본다 하여 '손가락' 나아가 '가리키다'로 의미 확대되었으며, 여기서 旨(지)는 발음기호 역할도 한다.

ⓦ 指示(지시)/指針(지침)/指南鐵(지남철)/指名(지명)

脂
훈음 기름 지　부수 육달 月(월)　▶▶▶ 肉(육)달 月(월) + 맛있을 旨(지) → 고기의 맛은 지방 성분에

고기의 맛있는 부위는 어디일까? 한자를 보면 脂肪(지방)임을 쉽게 알 수 있다. 역시 고기의 맛은 기름기가 적절히 가미되어야 제 맛이다. 따라서 고기를 나타내는 肉(육)달 월(月)과 고소하고 맛있다는 맛있을 旨(지)가 어우러진 글자로 旨(지)는 발음기호로도 사용되었다.

ⓦ 脂肪(지방)/皮脂(피지)/臙脂(연지)/樹脂(수지)/油脂(유지)

旨
훈음 고소할 흡/급　부수 흰 白(백)　▶▶▶ 흰 白(백) + 비수 匕(비) → 밥그릇에 담긴 밥

밥그릇에 담긴 밥의 상형으로 독자적으로 쓰이지는 않는다. 匕(비)는 비수도 사람도 아니다. 형태가 변한 글자다.

卽
훈음 곧/나아갈 즉　부수 병부 卩(절)　▶▶▶ 고소할 旨(흡) + 사람 卩(절) → 곧장 밥상에 다가 앉는 사람

맛있는 밥(旨)을 앞에 두고 기다릴 사람이 어디 있겠는가? 이 그림은 꿇어앉은 자세로 음식 앞으로 급히 다가가는 사람의 모습을 그려서 '곧장, 나아가다' 등의 뜻으로 쓰이게 되었으며 무릎을 꿇고 밥상에 앉는 모습과 규칙적으로 뻗어가는 대나무의 마디를 대비시켜 절개(節槪)의 마디 절(節)을, 대나무의 마디처럼 일정간격을 갖고 있는 머리빗을 나타낸 글자가 나무 목(木)을 첨가한 즐문토기(櫛文土器)의 비/빗 즐(櫛)자이다.

ⓦ 卽時(즉시)/卽刻(즉각)/卽位(즉위)/절약(節約)/절전(節電)

旣
훈음 이미 기　부수 없을 无(무)　▶▶▶ 고소할 旨(흡) + 목멜 无(기) → 밥을 다 먹은 사람

목멜 无(기)는 '배가 너무 불러 더 이상 먹고 싶은 마음이 없음을 나타내려고 머리를 밥상(旨) 반대쪽으로 돌린' 모습으로 "더 이상 먹고 싶지 않다, 이미 충분히 먹었다"가 본뜻으로 '다 마치다, 다 없어지다, 이미' 등으로 뜻이 확대 파생된 글자다.

ⓦ 旣決(기결)/旣往(기왕)/旣成世代(기성세대)/旣得權(기득권)

疑(의)　　凝(응)　　擬(의)　　癡(치)　　能(능)　　熊(웅)

態(태)　　罷(파)　　眞(진)　　愼(신)　　鎭(진)　　顚(전)

疑
훈음 의심할 의　부수 짝 疋(필)　▶▶▶ 匕(비) + 화살 矢(시) + 矛(모)의 윗부분 + 疋(필) → 망설이는 노인

지금의 꼴로는 의미 유추가 어려우나 갑골문에서 疋(필)은 가다라는 뜻을 가진 사거리 行(행)의 변형이다. 화살 矢(시)는 지팡이로, 비수 匕(비)는 노인으로 변해서 지팡이를 짚고 사거리에서 고개를 갸우뚱하는 모습의 글꼴도 보이므로 '골똘히 생각하다, 머뭇거리다, 의심하다'로 의미가 확대되었음을 충분히 짐작할 수 있으며 손(扌)으로 더듬어 찾는 노인(疑)의 모습에서 모의고사(模擬考査)의 헤아릴 의(擬)가 그리고 정신 줄을 조금 놓아버린 사람을 치매(癡呆)의 어리석을 치(癡)자로.

ⓦ 疑惑(의혹)/疑問(의문)/容疑者(용의자)/疑訝(의아)

凝
훈음 엉길 응　부수 얼음 冫(빙)　▶▶▶ 얼음 冫(빙) + 의심할 疑(의) → 얼음덩이

한 곳에 모이고 집결한다는 뜻을 나타내기 위해 덩어리를 상징하는 얼음 冫(빙)을 의미요소로, 한 곳에 머물러 천천히 움직이는 노인네의 모습을 암시하는 의심할 疑(의)도 의미보조로 쓰였다.

ⓦ 凝固(응고)/凝視(응시)/凝結(응결)

能 훈음 능할 능 부수 고기 肉(육) ▶▶▶ ㅿ(사) + 月(육) + 匕(비)×2 ➡ 곰의 모양
어슬렁거리는 곰 모양을 나타낸 글자였으나, '재능, 능하다'로 사용되자 곰의 발 네 개를 상징하는 불 灬
(화)발을 넣어 살려 놓은 것이 아래의 곰 熊(웅)자이다.
••••• 能力(능력)/能熟(능숙)/可能(가능)/技能(기능)/效能(효능)/才能(재능)/本能(본능)/黃金萬能(황금만능)/
再起不能(재기불능)/全知全能(전지전능)

熊 훈음 곰 웅 부수 불 灬(화) ▶▶▶ 능할 能(능) + 불 灬(화)발 ➡ 곰의 발을 강조
유달리 불을 겁내는 짐승이 곰이라 하여 불 灬(화)를 넣어서 곰 熊(웅)을 만들었다.
••••• 熊女(웅녀)/熊膽(웅담)

態 훈음 모양 태 부수 마음 心(심) ▶▶▶ 능할 能(능) + 마음 心(심) ➡ 곰처럼 느낌
能(능)이 곰이 아니라 이미 能力(능력)의 뜻으로 쓰이면서 마음 心(심)이 첨가된 글자로 너무나 자신만만한
모양을 그린 글자로 능할 能(능)과 마음 心(심) 모두가 의미요소에 사용됐다.
••••• 態度(태도)/姿態(자태)/姿勢(자세)

罷 훈음 방면할 파 부수 그물 网(망) ▶▶▶ 그물 罒(망) + 능할 能(능) ➡ 그물에 걸린 곰
그물(网)에 걸린 곰(能)의 모습에서 '죄인을 놓아주다, 쉬다, 그치다, 그만두다' 등의 뜻이 파생되었다. 원래
는 '피곤하다'가 본뜻이라고 한다.
••••• 罷免(파면)/罷業(파업)/罷場(파장)

眞 훈음 참 진 부수 눈 目(목) ▶▶▶ 匕(수저 비) + 솥 정(鼎) ➡ 제관이 먼저 음식 맛을 보다
옛글자는 눈 목(目)이 아니라 솥 정(鼎)으로, 제관이 제사에 바칠 솥에 담긴 음식을 한 순갈(匕) 떠서 神
(신)이 좋아할 만큼 맛있게 만들어졌는지 맛보는 진지한 모습에서 '참, 진실' 등의 뜻이 생겼다.
••••• 眞實(진실)/眞理(진리)/眞價(진가)/眞面目(진면목)/眞率(진솔)

愼 훈음 삼갈/신중할 신 부수 마음 忄(심) ▶▶▶ 마음 忄(심) + 참 眞(진) ➡ 경건한 마음자세
진실(眞)하고 참된 마음(忄)으로 祭物(제물)을 살펴보는 제관의 신중한 태도에서 '삼가다, 신중하다'가 파생
되었으며 眞(진)은 발음기호로 사용됐다.
••••• 愼重(신중)/謹愼(근신)

鎭 훈음 진압할/누를/진정할 진 부수 쇠 金(금) ▶▶▶ 쇠 金(금) + 참 眞(진)
예로부터 상대방을 강제로 누르고 진압하기 위해서 무기를 사용했을 것이므로 쇠 金(금)을 의미부수로 眞
(진)은 발음기호로 쓰였으며 쇠 금(金)대신 머리 혈(頁)을 넣어 만든 글자가 제물(眞)을 머리(頁)처럼 가장
높은 분에게 받친다하여 전도(顚倒)의 꼭대기/넘어질 전(顚)
••••• 鎭壓(진압)/鎭靜劑(진정제)/鎭痛劑(진통제)/顚覆(전복)/顚末(전말)/七顚八起(칠전팔기)

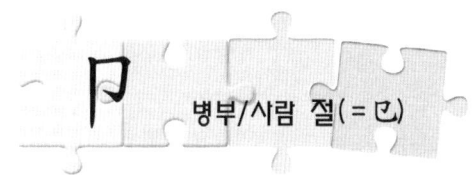

卩 병부/사람 절(=已)

卩(절)	命(명)	令(령)	冷(냉)	零(령)
囹(령)	領(령)	嶺(령)	齡(령)	服(복)

卩
훈음 (=已) – 병부 절 – 명칭은 잊어라 ▸▸▸ 사람을 가리키는 글자
머리를 조아리고 엎드리거나 무릎을 꿇고 앉아 있는 사람의 모습을 나타낸 글자다.

命
훈음 목숨/명령 내릴 명 **부수** 입 口(구)
▸▸▸ 입 口(구) + 하여금 令(령) ➡ 명령은 곧 생명이다 – 명령을 하는 사람
관청(人)에서 무릎 꿇은 사람(卩)에게 상관이 명령(口)을 내리는 모습에서 '명령'의 의미를 갖게 되었으며, 상관의 명령은 곧 생명을 의미함으로 '생명'의 뜻이 파생됐다.
▪▪▪▪▪ 命令(명령)/生命(생명)/運命(운명)/天命(천명)/革命(혁명)/召命意識(소명의식)/盡人事待天命(진인사대천명)

令
훈음 하여금/명령 령 **부수** 사람 人(인) ▸▸▸ 모을 스(집) + 사람 卩(절) ➡ 명령을 받는 사람
관청(人)에서 무릎 꿇고(卩) 앉아 있는 모습에서 상부나 상관의 명령을 듣는 모습이라 하여 '하여금, 시키게 하다'의 뜻이 생겼으며 '명령, 법령' 등의 또 다른 뜻도 파생됐다.
▪▪▪▪▪ 令狀(영장)/令愛(영애)/命令(명령)/法令(법령)

冷
훈음 찰 냉(랭) **부수** 얼음 冫(빙) ▸▸▸ 얼음 冫(빙) + 하여금 令(령) ➡ 얼음처럼 찬 명령
옛날부터 명령(令)이나 지시는 얼음(冫)처럼 차갑고 무서운 것으로 여겼나 보다.
▪▪▪▪▪ 冷氣(냉기)/冷藏庫(냉장고)/寒冷前線(한랭전선)

零
훈음 조용히 오는 비/떨어질 령 **부수** 비 雨(우) ▸▸▸ 비 雨(우) + 명령 令(령) ➡ 명령은 떨어지는 것 같다
'조용히 오는 비나 떨어지다'를 나타내는 글자이므로 비 雨(우)가 의미요소로, 令(령)은 발음기호로 사용됐다. 명령도 떨어지는 것이므로 의미요소에 기여하고 있다.
▪▪▪▪▪ 零下(영하)/零細民(영세민)/零度(영도)

囹
훈음 옥 령 **부수** 큰 입구 몸 囗(국) ▸▸▸ 囗(국) + 영 令(령) ➡ 옥에 갇힌 사람
옥에 갇히게 되는 배경을 설명하는 글자로 명령(令)을 어기면 옥(囗)에 갇히게 된다 하여 만들어진 글자로 두 글자 모두 의미요소에 그리고 令(영)은 발음기호로도 사용됐다.
▪▪▪▪▪ 囹圄(영어)

領
훈음 옷깃/가장 요긴한 곳/목 령 **부수** 머리 頁(혈) ▸▸▸ 영 令(령) + 머리 頁(혈) ➡ 명령을 내리는 머리
머리(頁)가 가장 높으므로 명령(令)을 내리는 게 가장 바람직하다 하여 만들어진 글자로, 옷에서 가장 윗부분이 옷깃이어서 '옷깃'의 의미로, 사물에 있어 가장 위에 오는 위치라는 뜻으로 많이 파생되어 사용된다. 令(령)은 발음기호이기도 하다.
▪▪▪▪▪ 領袖(영수)/大統領(대통령)/要領(요령)

嶺
訓音 재 령 │ 부수 뫼 山(산) ▶▶▶ 뫼 山(산) + 우두머리 領(령) ➡ 산길 중에 가장 높은 곳
산길 중에 가장 높은 곳을 '재'라고 한다. 따라서 山(산)을 의미요소로 높다는 뜻의 領(령)도 의미요소 및
발음기호로 쓰였다.
●●●●● 大關嶺(대관령)/竹嶺(죽령)/嶺東(영동)

齡
訓音 나이 령 │ 부수 이 齒(치) ▶▶▶ 이 齒(치) + 영 令(령) ➡ 이빨을 보면 나이가 보인다.
나이를 먹으면서 이빨이 하나 둘 썩어서 빠져버리는 모습에서 나이를 가늠했나 보다. 따라서 이 齒(치)가
의미요소고 令(령)은 발음기호이다.
●●●●● 年齡(연령)

服
訓音 옷 복 │ 부수 달 月(월) ▶▶▶ 月 + 사람 절(卩) + 손 우(又) ➡ 옷을 입히는 장면
대접(月)과 사람(卩(절)과 손(又(우)의 조합으로 강제로 사람에게 사약을 먹이는, 혹은 물속에 얼굴을 쳐 박
으며 형벌을 가한다거나 고문을 하는 모양에서, 여러 의미의 글자로 파생되어 '굴복시키다/먹다/죄수복'을
상징하는 글자가 되었다.
●●●●● 服從(복종)/服用(복용)/衣服(의복)/服務(복무)/素服丹粧(소복단장)/征服(정복)/私服(사복)

印(앙) 仰(앙) 昂(앙) 迎(영) 印(인) 抑(억) 厄(액) 危(위) 詭(궤) 卵(란)

印
訓音 나 앙 │ 부수 병부 卩(절) ▶▶▶ 사람 亻(인) + 병부 卩(절) ➡ 한쪽이 한쪽을 우러러보다
오른쪽 무릎을 꿇고 앉아 있는 사람(卩)이 왼쪽 사람 (亻)을 우러러보는 모습에서 '우러러보다'가 원뜻이나,
'나'로 주로 쓰이고 있으며 단독 사용은 거의 없다.

仰
訓音 우러를 앙 │ 부수 사람 亻(인) ▶▶▶ 사람 亻(인) + 나 印(앙) ➡ 우러러볼 대상을 추가함
위의 나 印(앙)이 '나'로 쓰이자 본뜻인 '우러러보다'를 보존하기 위해 사람 亻(인)을 추가한 글자가 신앙(信
仰)의 우러를 앙(仰)자이며 해(日)가 솟아오르는(印) 모습이 앙등(昂騰)/격앙(激昂)의 오를 앙(昂)자이다.
●●●●● 仰望(앙망)/추앙(推仰)/崇仰(숭앙)/仰天大笑(앙천대소)

迎
訓音 맞이할 영 │ 부수 갈 辶(착) ▶▶▶ 갈 辶(착) + 나 印(앙) ➡ 우러러보는 손님을 맞이하러 나가야지
'맞이하러 나가다'가 본뜻이므로 갈 辶(착)이 의미요소로 印(앙)은 발음기호로 쓰였다.
●●●●● 歡迎(환영)/送舊迎新(송구영신)/人氣迎合(영합)/迎接(영접)

印
訓音 도장 인 │ 부수 병부 卩(절) ▶▶▶ 손톱 爫(조) + 병부 卩(절) ➡ 눌러 찍다
사람의 머리 위에 손을 얹어 내리누르는 모습으로 '승인한다, 임명하다'의 표시였으나, 훗날 내리누르는 모
습 때문에 눌러서 찍는 '도장'이라는 의미로 더 쓰이게 되었다.
●●●●● 印章(인장)/印刷(인쇄)/印度(인도)/檢印(검인)/封印(봉인)

抑
訓音 누를 억 │ 부수 손 扌(수) ▶▶▶ 손 扌(수) + 나 印(앙) ➡ 손으로 누르다
印(인)이 도장의 뜻으로 더 쓰이게 되자 손 扌(수) 하나를 추가하여 원뜻인 '누르다'를 살려 놓은 글자다.
●●●●● 抑制(억제)/抑壓(억압)/抑留(억류)/抑揚(억양)

厄
訓音 재앙 액 │ 부수 낭떠러지 厂(엄) ▶▶▶ 기슭 厂(엄) + 병부 卩(절) ➡ 낭떠러지에서 떨어진 사람
벼랑(厂) 아래에 무릎을 꿇고 앉아 있는 사람(卩)의 모습에서, "수해나 화재와 같은 재앙을 당해 집을 잃은
사람들이 임시방편으로 언덕 아래에 피신한 상황"을 묘사한 글자로 '재앙, 사나운 운수' 등의 뜻으로 파생
됐다.
●●●●● 災厄(재액)/厄運(액운)/厄年(액년)

危 훈음 위태할 위 부수 병부 卩(절) ▶▶▶ 사람 人(인) + 재앙 厄(액)➡ 낭떠러지 위에 있는 사람
벼랑(厂) 끝에 사람(人)이 매달려 있는 모습에서 '위험하고, 불안정한 모습'을 나타냈다. 흔히 코너에 몰린 상황을 '벼랑 끝에 서 있다'로 묘사한 바로 그 장면의 글자다.
••••• 危險(위험)/危急(위급)/危殆(위태)/危機一髮(위기일발)

詭 훈음 속일 궤 부수 말씀 言(언) ▶▶▶ 말씀 言(언) + 위태할 危(위) ➡ 말로 위태롭게 함
속인다는 것은 말로 사람을 위험에 처하게 하는 것이므로 말씀 言(언)과 위태할 危(위) 모두가 의미요소로 사용되었다.
※ 이러한 종류의 글자로 아첨할 諂(첨)자가 있는데 아첨이란 말로 사람을 함정에 빠뜨리는 것이라 하여 말씀 言(언)과 사람이 함정에 빠진 글자(人+臽)가 함께 쓰였다.
••••• 詭辯(궤변)/詭計(궤계)

卵 훈음 알 란 부수 병부 卩(절) ▶▶▶ 넷째 지지 卯(묘) + 점 丶(주) ➡ 모양만 닮음
부수명은 병부절이지만 또 글자의 모양을 봐도 卩(절)자가 들어 있는 것은 사실이지만 원글자는 '서로 붙어 있는 물고기 알 모양'을 그린 것에서 점차로 모든 알을 나타내는 글자가 되었다.
無精卵(무정란) - 암탉이 교미를 않고 혼자 낳은 알로 병아리를 얻을 수 없다.
••••• 鷄卵(계란)/一卵性(일란성)/無精卵(무정란)/卵子(난자)

犯(범) 氾(범) 範(범) 卷(권) 卽(즉) 鄕(향) 饗(향) 響(향) 卿(경)

犯 훈음 범할 범 부수 개 犭(견) ▶▶▶ 개 犭(견) + 병부 㔾(절) ➡ 감히 개 주제에 사람을 건드려
아무 곳이나 들어가 마구 파헤쳐 놓는 개 견(犭)을 의미요소로, 병부 㔾(절)을 발음요소로 '범하다'의 뜻으로 사용됐다. 원형은 개와 흐트러진 모습(㔾)을 그렸다.
••••• 犯罪(범죄)/犯法(범법)/侵犯(침범)/犯人(범인)/戰犯(전범)

氾 훈음 넘칠 범 부수 물 氵(수) ▶▶▶ 물 氵(수) + 병부 㔾(절) ➡ 물이 사람을 건드리다
물이 넘쳐흐름을 나타내고자 하므로 물 氵(수)가 의미요소고 㔾(절)이 발음기호이다.
원형은 물이 넘쳐 무엇인가 파손된(㔾) 모습을 하고 있다.
••••• 氾濫(범람)

範 훈음 법 범 부수 대 竹(죽) ▶▶▶ 대 竹(죽) + 수레 車(거) + 병부 㔾(절) ➡ 수리 지침서/형틀
犯(범)/氾(범)/範(범) 세 글자에 들어 있는 병부 㔾(절)의 원래 모양은 사람을 상징하는 글자가 아니고 원형이 파손되어 흐트러진 모습을 하고 있는 그 무엇을 가리킨다. 따라서 고장(㔾)난 수레(車)를 고치는 방법이 적혀 있는 수리 지침서(竹)에서 '법, 틀, 본' 등으로 파생됐다.
••••• 模範(모범)/規範(규범)/範圍(범위)/率先垂範(솔선수범)

卷 훈음 말다/책/굽을 권 부수 병부 㔾(절)
▶▶▶ 분별할 釆(변) + 두 손 받들 廾(공) + 병부 㔾(절) ➡ 책을 말다
여기서 釆(변)은 분별하다의 뜻이 아니라 쌀 米(미)를 이용하여 주먹밥을 만들어 놓은 모양으로, 무릎을 구부리고 앉아서(㔾) 두 손으로 주먹밥을 말듯이 두루마리 책을 말고 있는 모습에서 '말다, 책, 굽다' 등의 뜻이 파생됐다.
••••• 卷頭言(권두언)/卷煙(권연)/全卷(전권)/卷末(권말)

卽 훈음 곧/나아갈 **즉** 부수 병부 卩(절) ▶▶▶ 고소할 皀(흡) + 사람 卩(절) ➡ 밥상 앞으로 잽싸게 나아가다

맛있는 밥(皀)을 앞에 두고 기다릴 사람이 어디 있겠는가? 이 그림은 꿇어앉은 자세(卩)로 음식 앞으로 급히 다가가는 사람의 모습을 그려서 '곧장, 나아가다' 등의 뜻으로 쓰이게 되었으며, 이러한 자세로 식사를 끝낸 상태를 나타낸 글자가 아래의 이미 旣(기)이다.

ooooo 卽時(즉시)/卽刻(즉각)/卽位(즉위)/卽死(즉사)

鄕 훈음 시골 **향** 부수 고을 읍(邑=阝) ▶▶▶ 병부 卩(절) + 고소할 皀(흡) + 병부 卩(절) ➡ 겸상한 모습

갑골문은 '음식상(皀)'을 앞에 두고 마주 앉은 두 사람'을 그리고 있으나, 훗날 '고향'으로 가차되자 원래의 뜻을 위해 만든 글자가 잔치할 饗(향)자이다. 전서에 와서는 병부卩(절)이 고을 邑(읍)으로 바뀌어 한 마을 사람들이 모여 식사하는 모습이 됨으로 고향을 연상하기가 훨씬 쉬워졌다.

ooooo 故鄕(고향)/鄕愁(향수)/歸鄕(귀향)/萬里他鄕(타향)

饗 훈음 잔치할 **향** 부수 먹을 食(식) ▶▶▶ 시골 鄕(향) + 먹을 食(식) ➡ 돌아온 사람 환영 잔치

마주 보며 식사를 한다는 뜻이 사라지고 '고향으로' 鄕(향)자가 가차돼 쓰이자, '밥 식(食)'을 추가하여 본래의 뜻을 살리려고 한 글자로 먹을 食(식)이 의미요소고 鄕(향)은 발음기호다.

ooooo 饗宴(향연)/饗應(향응)

響 훈음 울릴 **향** 부수 소리 音(음) ▶▶▶ 시골 鄕(향) + 소리 音(음) ➡ 흥겨운 풍악소리

울린다는 것은 목소리나 악기 소리를 말하는 것이므로 소리 音(음)을 의미요소로 시골 鄕(향)을 발음기호로 하여 만든 글자다.

ooooo 交響曲(교향곡)/音響(음향)

卿 훈음 벼슬 **경** 부수 병부 卩(절) ▶▶▶ 나 卬(앙) + 고소할 皀(흡) ➡ 임금이 내린 밥상을 받는 벼슬아치

시골 鄕(향)과 자원이 동일한 글자로 '음식(皀)'을 앞에 두고 마주 앉은 두 사람(卬=卩(절)의 변형)을 나타낸 글자나, 鄕(향)과 다르다면 앞에 놓인 음식이 아마 '임금'이 내린 것으로 '두 사람의 신분'은 고관이었을 것이다. 따라서 이 글자가 '벼슬 경'이 된 것이다.

ooooo 樞機卿(추기경)/公卿(공경)

夗(원)   怨(원)   苑(원)   鴛(원)   宛(완)   婉(완)   腕(완)

夗 훈음 누워 뒹굴 **원** – 홀로 사용되는 경우는 없다 부수 저녁 夕(석)

▶▶▶ 저녁 夕(석) + 병부 卩(절) ➡ 방콕하는 게으른 친구

卩(절)은 사람을 가리키는 글자로 몸을 구부리고 쪼그리고 앉은 모양이다. 이것은 마치 저녁(夕)에 몸을 뱀처럼 하고 이리저리 뒤척이는 모습으로 '누워 뒹굴다'라는 뜻이 파생됐다.

怨 훈음 원망할/미워할 **원** 부수 마음 心(심) ▶▶▶ 저녁 夕(석) + 누워 뒹굴 夗(원) ➡ 잠도 못 잘 정도의 감정

원망이나 미움의 감정은 마음에서 싹트므로 마음 心(심)을 의미요소로 夗(원)은 발음기호로 쓰였다.
뒤틀린(夗) 마음(心)의 감정을 만들어 낸 글자다.

ooooo 怨望(원망)/怨讐(원수)/怨聲(원성)/怨恨(원한)

苑 훈음 나라 동산 **원** 부수 풀 艹(초) ▶▶▶ 풀 艹(초) + 뒹굴 夗(원) ➡ 풀이 널려 있는 곳

동산을 가리키는 말이므로 초장을 상징하는 풀 艹(초)가 의미요소고 夗(원)은 발음기호다.

ooooo 御苑(어원)/鹿苑(녹원)

鴛 훈음 원앙 원 부수 새 鳥(조) ▶▶▶ 뒹굴 夗(원) + 새 鳥(조) ➡

화목한 부부를 상징하는 원앙새를 나타낸 말로, 새 鳥(조)가 의미요소고 夗(원)은 발음기호이다.

●●●●● 鴛鴦(원앙)/鴛鴦衾枕(원앙금침)

宛 훈음 완연할/굽을 완 – 병색이 宛然(완연)하다 부수 갓 머리 ⌒(면)

▶▶▶ 집 ⌒(면) + 저녁 夕(석) + 병부 卩(절) ➡ 완전히 방구석에 처박혀 살게 된 사람

뱀이 또아리(똬리)를 틀고 있는 모습이 완연히(마치) 집('')구석에 처박혀 누워 뒹구는 사람 모습과 같다고 하여 '완연하다, 둥글다'의 뜻으로 파생됐다. 夗(원)은 발음요소이다.

婉 훈음 순할 완 부수 계집 女(녀) ▶▶▶ 계집 女(여) + 굽을 宛(완) ➡ 둥글둥글한 여자

'순함'을 나타내기 위해 '여성'을 사용했다는 점이 흥미로운 글자로 계집 女(여)가 의미요소고 宛(완)은 발음기호이다. 순한 계집(女)종은 얼굴 하나 안 찌푸리고 언제나 몸을 굽혀(宛) 순종한다.

●●●●● 婉曲(완곡)

腕 훈음 팔 완 부수 고기 月(육) ▶▶▶ 고기 月(육) + 굽을 宛(완) ➡ 굽어지는 팔

신체의 일부인 팔을 나타내기 위한 글자이므로 신체를 상징하는 고기 肉(육)(육 달 월(月))을 의미요소로 宛(완)은 발음기호로 쓰였다. 신체(月) 중에 자유자재로 굽어지는(宛) 게 팔이다.

●●●●● 腕力(완력)/腕章(완장)/手腕(수완)/敏腕(민완)

尸 주검/사람 시

尸(시)	尿(뇨)	尺(척)	局(국)	屈(굴)	窟(굴)
掘(굴)	尾(미)	履(이)	尼(니)	泥(니) – 사람을 상징	

尸
훈음 주검 시 부수 제 부수 ▶▶▶ 사람/집
죽은 사람의 몸뚱이인 '주검'을 '부수 명'으로 하고 있으나 "엉덩이를 땅바닥에 대지 않은 채 쪼그리고 앉은 사람"의 상형으로 주로 '사람'으로 가끔 '사람이 거하는 집'으로 사용된다.
매장할 때 큰 人(대)자로 하는 것이 아니라 쭈그린 형태로 매장한 경우가 많아서 그 모양을 본뜬 것으로 여겨진다.

尿
훈음 오줌 뇨 부수 주검 尸(시) ▶▶▶ 주검 尸(시) + 물 氵(수) ➡ 소변보는 사람
사람(尸)이 서서 소변(氵) 보는 모습을 그린 글자로 주검 尸(시)가 사람임을 알 수 있다.
●●●●● 糞尿(분뇨)/尿道(요도)/尿失禁(요실금)

尺
훈음 자 척 부수 주검 尸(시) ▶▶▶ 주검 尸(시) + 丿(별) ➡ 사람의 다리/장딴지
사람(尸)의 다리에 한 획(丿)을 그어 '장딴지'임을 나타낸 글자로 여기서 발바닥에서 장딴지까지의 거리를 가리키는 '자 척'이 탄생하였다.
●●●●● 尺度(척도)/咫尺(지척)/百尺竿頭(백척간두)/三尺童子(삼척동자)

局
훈음 판 국 부수 주검 尸(시) ▶▶▶ 자 尺(척) + 입 口(구) ➡ 사람을 헤아리다
사람의 입에서 나오는 말(口)로 그 사람의 됨됨이를 잴(尺(척)) 수 있다하여 형국을 살피다/판국이 어떻게 되었느냐? 등의 뜻이 파생됐다.
●●●●● 局面(국면)/形局(형국)/局長(국장)

屈
훈음 굽을 굴 부수 주검 尸(시) ▶▶▶ 주검 尸(尾-원래 글자) + 나갈 出(출) ➡ 도망가는 사람
뒷걸음치며(꼬리(尾)를 감추고) 빠져나가는(줄행랑치는) 모습에서 '굽다, 굽히다, 물러나다'의 뜻이 파생되었으며, 웅크리고 있는 주검 시(尸)와 밖으로 나가다 출(出) 모두가 의미요소이나 出(출)은 발음기호로도 사용됐다.
※ 胐(굴) – 볼기 굴/詘(굴) – 굽힐 굴
●●●●● 屈曲(굴곡)/屈伏(굴복)/屈辱(굴욕)/卑屈(비굴)

窟
훈음 굴/움막 굴 부수 구멍 穴(혈) ▶▶▶ 구멍 穴(혈) + 굽을 屈(굴) ➡ 몸을 굽히고 들어와야 하는 곳
동굴이나 굴 같은 움막을 가리키는 말로 속이 비어 있는 구멍 穴(혈)이 의미요소고 屈(굴)은 발음기호다.
●●●●● 洞窟(동굴)/兎營三窟(토영삼굴)

掘
훈음 팔 굴 부수 손 扌(수) ▶▶▶ 손 扌(수) + 굽을 屈(굴) ➡ 손으로 굴을 파는 모습
'땅을 파내다'를 뜻하는 글자이므로 그 행위를 하는 손 扌(수)를 의미부수로 屈(굴)은 발음기호로 쓰였다.
●●●●● 掘鑿機(굴착기)/盜掘(도굴)

尾 훈음 꼬리 미 부수 주검 尸(시) ▶▶▶ 주검 尸(시) + 털 毛(모) ➡ 꼬리에 털 달린 사람
사람의 엉덩이에 털을 달아 놓아 가장 '뒷부분, 사람의 끝'이라는 의미를 전달하여 '꼬리'라는 뜻으로 사용됐다.
●●●●● 徹頭徹尾(철두철미)/魚頭肉尾(어두육미)/交尾(교미)

履 훈음 신/신다/밟을 이(리) 부수 주검 尸(시) ▶▶▶ 주검 尸(시) + 돌아올 復(복) ➡ 사람의 발자취
사람이 지금까지 살아온 발자취를 나타내는 글자다. 사람의 상형인 尸(시)가 주어로, 돌아올 復(복)이 동사로 사용된 즉 모두 의미요소에 기여한 글자다. 復(복)에는 길을 상징하는 彳(척)과 반복적인 발걸음 즉 삶의 흔적을 뜻하는 夏(복)이 들어 있어 지나온 흔적이라는 의미가 들어 있다.
●●●●● 履歷書(이력서)/履修(이수)/履行(이행)

尼 훈음 중 니 부수 주검 尸(시) ▶▶▶ 주검 尸(시) + 비수 匕(비) ➡ 여자 중(비구니)
뒷사람의 꽁무니를 쫓아가는 모습에서 '친근하다, 추종하다'를 나타낸 글자이나, 불교가 전래되자 여자 수행자를 뜻하는 梵語(범어)의 'Bhiksuni'의 음역이 比丘尼(비구니)여서 여자 중을 가리키는 말로 사용되었다.
●●●●● 比丘尼(비구니)

泥 훈음 진흙/진창 니 부수 물 氵(수) ▶▶▶ 물 氵(수) + 중 尼(니) ➡ 실상은 더러운 성직자?
진흙탕 즉 진창을 나타내기 위한 글자이므로 물 氵(수)가 의미요소로 尼(니)를 발음기호로 사용했다.
●●●●● 泥田鬪狗(이전투구)/雪泥鴻爪(설니홍조)

屍(시) 展(전) 殿(전) 臀(둔) 屠(도) 屛(병) 屢(루) 樓(루) – 시체

屍 훈음 주검 시 부수 주검 尸(시) ▶▶▶ 주검 尸(시) + 죽을 死(사) ➡ 죽은 사람
주검 尸(시)가 사람과 부수로만 사용되자 '주검'을 더욱 분명히 나타내기 위해 죽을 死(사)자를 첨가하여 죽은(死) 사람(尸) 즉 '주검, 시체'에 사용된다.
●●●●● 屍體(시체)/屍身(시신)/斬屍(참시)/檢屍官(검시관)

展 훈음 펼 전 부수 주검 尸(시) ▶▶▶ 주검 尸(시) + 옷 衣(의)의 변형 ➡ 죽은 사람을 염하는 모습
尸(시)를 죽은 사람의 시체로 보면 죽은 사람을 눕혀 놓고 염을 하기 위해 옷(衣)을 벗겨 가지런히 펼치는 장면에서 '펴다, 늘이다'라는 뜻이 생겼다.
●●●●● 展示(전시)/展覽會(전람회)/展開(전개)/展望(전망)

殿 훈음 큰 집/대궐 전 부수 창 殳(수) ▶▶▶ 창 殳(수) + 펼 展(전)
공(共)자는 전문(篆文)에 보면 기(丌)와 올(兀)자의 합자로 의자에 걸터 앉아있는 모습이다 여기에서 통치자의 권위를 상징하는 홀(殳)을 들고 보좌(展)에 앉아있는 모습으로 봐 궁전(宮殿)/전하(殿下)의 대궐/큰집 전(殿)이 만들어졌고 걸터앉는 부분인 엉덩이를 강조하기 위해 신체를 나타내는 육(肉)달 월(月)을 추가하여 둔부(臀部)의 볼기 둔(臀)자를 만들었다.
●●●●● 전하(殿下)/전당(殿堂)/伏魔殿(복마전)

屠 훈음 잡을 도 부수 주검 尸(시) ▶▶▶ 시체/주검 尸(시) + 놈 者(자) ➡ 동물을 잡는 사람
동물을 잡는 행위를 하는 즉 도살자를 나타내기 위한 글자이므로 사람의 상형인 주검 尸(시)를 의미요소로 者(자)는 발음요소이다. 者(자)는 삶다의 의미를 가지고 있으므로 도살한 후 고기를 먹기 위해 삶는 장면에서 '잡을 屠(도)'자가 탄생했다.
※ 賭(도) – 걸 도 – 賭博(도박)/都(도) – 도읍 도 – 都邑(도읍)
●●●●● 屠殺(도살)/屠戮(도륙)

屏 훈음 병풍 병 부수 주검 尸(시) ▶▶▶ 주검 尸(시) + 아우를 幷(병) ➡ 죽은 사람을 가리는 도구
병풍이란 죽은 사람의 시신 앞을 가려 놓는 도구(액자를 나란히 옆으로 붙여 놓은 것)로써 주검 尸(시)가
의미요소고 아우를 幷(병)은 발음 및 의미요소이다.
••••• 屏風(병풍)

屢 훈음 여러 루 부수 주검 尸(시) ▶▶▶ 주검 尸(시) + 거둘/성길婁(루) ➡ 포개진 시체(사람)
포개(婁)진 시체(尸)의 모습에서 '사물의 복수'를 나타내고자 한 것일까? 婁(루)는 머리 위에 많은 물건을
이고 있는 계집(여자)의 모습으로 '거듭거듭'의 의미요소로 사용되었으며, 발음기호이기도 하나 주검 尸(시)
와 어떠한 관련이 있는 지는 정설이 없으며 포개진(婁) 건물(木)을 망루(望樓)의 다락 루(樓)자이다.
••••• 屢次(누차)/屢屢(누누)히/공중누각(空中樓閣)/신기루(蜃氣樓)

居(거) 屋(옥) 握(악) 層(층) 犀(서) 遲(지) 屬(속) 囑(촉) ─ 건물 관련

居 훈음 있을 거 부수 주검 尸(시) ▶▶▶ 주검 尸(시) + 옛 古(고) ➡ 사람이 오래 거하는 곳
웅크리고 앉다가 본뜻이므로 엉거주춤한 자세의 尸(시)가 의미요소고 古(고)는 발음요소로 보인다. 예전(古)
엔 사람들이 태어난 집에서 송장(尸)이 될 때까지 살았으므로 '있을 거'자가 파생됐다.
••••• 居住(거주)/穴居(혈거)/居留民(거류민)/居半(거반)/同居(동거)/群居(군거)/蟄居(칩거)/居處(거처)

屋 훈음 집 옥 부수 주검 尸(시) ▶▶▶ 주검 尸(시) + 이를 至(지) ➡ 신성한 곳에 지은 집
사람이 죽어(尸) 이르는(至) 곳을 가리킨다. 영원한 안식처인 늘 사람(尸)이 누워 있는 곳을 이른다.
집 屋(옥) = 집이란 죽어서도(尸) 찾아오는 곳(至)을 말한다.
••••• 家屋(가옥)/屋上(옥상)/屋外集會(옥외집회)/屋上加屋(옥상가)

握 훈음 쥘/손아귀 악 부수 손 扌(수) ▶▶▶ 손 扌(수) + 집 屋(옥) ➡ 손바닥 안에 있다
손으로 쥐고, 잡다는 뜻을 위한 글자로 손 扌(수)가 의미요소고 屋(옥)은 발음기호이다.
손바닥(扌) 보듯 집(屋)안을 훤히 꿰뚫고 있다 즉 꽉 잡고 있다는 뜻이다.
••••• 握手(악수)/把握(파악)/握力(악력)/掌握(장악)

層 훈음 층 층 부수 주검 尸(시) ▶▶▶ 주검 尸(시) + 일찍/거듭 曾(증) ➡ 포개진 집 - 2층집
포개진 집 즉 2층집을 나타내기 위한 글자로 尸(시)는 '사람'의 뜻 외에도 '집'의 의미로도 많이 사용된다.
두 글자 모두 의미요소이고 曾(증)은 발음요소이기도 하다.
••••• 層階(층계)/高層建物(고층건물)/下層(하층)/地層(지층)

犀 훈음 무소 서 부수 소 牛(우) ▶▶▶ 꼬리 尾(미) + 소 牛(우) ➡ 꼬리 尾(미)와 관련
코뿔소를 가리키는 것으로 코 위에 뿔이 그리고 꼬리와 귀에만 털이 있는 소과의 동물이다.
••••• 犀角(서각)

遲 훈음 늦을 지 부수 갈 辶(착) ▶▶▶ 갈 辶(착) + 무소 犀(서) ➡ 덩치 큰 소의 걸음
덩치 큰 소(무소)가 천천히 걷는 모습에서 '늦다'를 만들어 낸 글자로 갈 辶(착)과 무소 犀(서) 모두가 의미
요소이다.
••••• 遲刻(지각)/遲滯(지체)/遲延(지연)/遲遲不進(지지부진)

屬 훈음 엮을 속/이을 촉 부수 주검 尸(시) ▶▶▶ 꼬리 尾(미) + 나라 이름 蜀(촉) ➡ 꼬리를 묶음
동물의 꼬리나 꼬리털을 연이어 묶어 놓아 연결한 모습으로 꼬리 尾(미)를 의미요소로 蜀(촉)을 발음기호로
하여 만든 글자이며 말(口)로 어디에 속(屬)하게 해 달라고 부탁하니 촉탁(囑託)의 부탁할 촉(囑)
••••• 附屬(부속)/無所屬(무소속)/專屬(전속)/屬望(촉망)/위촉(委囑)

大 큰/사람 대

大(대) 天(천) 夫(부) 扶(부) 夭(요) 奏(주) 立(립) 尢(왕) 犬(견) 太(태)

大
훈음 큰/많을 대　부수 제 부수　▶▶▶ 사람 人(인) + 한 一(일)
사람의 정면 모습으로 양다리와 양팔을 크게 벌리고(一) 서 있는 사람(人)의 모습에서 '크다'라는 본뜻을 가졌으며 '사람 또는 사람의 일'과 관련되어져 사용된다.
●●●●● 大學(대학)/大望(대망)/大衆(대중)

天
훈음 하늘 천　부수 큰 大(대)　▶▶▶ 큰 大(대)의 꼭대기에 한 一(일) ➡ 사람 머리보다 더 높은 하늘
큰 人(대)자 위에 한 一(일)을 더하므로 사람 머리보다 더 높은 곳에 있는 하늘을 가리킨다.
"사람 위에 사람 없고 사람 아래 사람 없다." 따라서 사람 위의 한 一(일)은 하늘을 상징하는 부호이다.
●●●●● 天國(천국)/天地(천지)/天體(천체)/中天(중천)

夫
훈음 지아비 부　부수 큰 大(대)　▶▶▶ 큰 大(대)의 중간에 한 一(일) ➡ 상투 튼 남자
상투(一)를 튼 남자(人)라 하여 장가든 남자를 말하며, '남편, 지아비'로 호칭하게 되었으며 '장부, 일꾼'등의 뜻으로 파생됐다. 장정이 손(扌)으로 힘이 없거나 병든 아버지를 부축하는 장면에서 부양(扶養)의 도울 부(扶)
●●●●● 夫婦(부부)/丈夫(장부)/人夫(인부)/夫婦有別(부부유별)/相扶相助(상부상조)

夭
훈음 어릴 요　부수 큰 大(대)　▶▶▶ 大(대) + 丿(별) ➡ 힘차게 달리는 모습
고개를 한쪽(丿)으로 기울이며 달려가는 힘찬(人) 젊은이의 모습에서 '젊다, 어리다'의 뜻으로 파생됐으며 신이나 임금(夭)에게 중요한 것을(丰) 바치는(丌) 장면에서 국가의 중요행사나 제사 전후로 풍악을 울리며 식이 진행되었으므로 합주(合奏)/주악(奏樂)의 아뢰다/연주하다 주(奏)
●●●●● 夭折(요절)/桃夭時節(도요시절)/夭死(요사)

立
훈음 설 립　부수 제 부수
▶▶▶ 大(대)의 아래에 한 一(일) ➡ 앙팡지게 두 발을 땅에 디디고 서 있는 장부의 모습
땅(一)을 두 발로 앙팡지게 버티고 서 있는 장부(人)의 모습에서 '서다, 세우다, 일으키다'의 뜻이 파생됐다.
●●●●● 設立(설립)/立脚(입각)/立春大吉(입춘대길)/立場(입장)

尢
훈음 절름발이 왕　부수 제 부수　▶▶▶ 큰 大(대)자에서 다리 하나를 짧게 한 모습
다리가 짧거나 등이 굽고 키 작은 사람을 나타내기 위해 만든 글자로 글자 자체의 모양에서 '절름발이, 곱사등이' 등의 뜻을 충분히 유추해낼 수 있다.

犬
훈음 개 견　부수 제 부수　▶▶▶ 大(대)의 위쪽에 점丶(주) ➡ 살랑대는 개 꼬랑지 강조
개의 꼬랑지(丶)를 부각시켜 개의 생김새를 그린 글자로 象形字(상형자)이다.
●●●●● 忠犬(충견)/犬猿之間(견원지간)/愛犬(애견)/鬪犬(투견)/狂犬病(광견병)

太
훈음 클 태　부수 큰 大(대)　▶▶▶ 大(대)의 아래쪽에 점丶(주) ➡ 대단히 크다는 것을 강조
"아주 크다, 정말로 크다"처럼 '크다'는 것을 강조하기 위해 큰 '人(대)'에 점(丶)을 하나 찍어 만든 글자다. 클 泰(태)의 약자 및 두 二(이) + 큰 人(대)의 합체자로 대단히 크다(人)는 것을 강조(二)한 글자로 보는 설이 있다.
●●●●● 太極旗(태극기)/太平聖代(태평성대)/太陽(태양)

夾(협)　峽(협)　狹(협)　挾(협)　陜(합)　麥(맥)　爽(상)　亦(역)

夾
훈음 낄 협　부수 큰 大(대)　▶▶▶ 큰 大(대) + 사람 人(인) ➡ 겨드랑이에 낀 사람
두 겨드랑(人)이 사이에 사람의 목을 넣고 조이는 모습에서 '끼다, 끼움, 좁다'의 뜻이 파생되었으며 모든 글자
가 다 의미요소이다. 낄 협(夾)이 단독 사용을 않게 되자 손 수(扌)를 첨가한 글자가 협공(挾攻)의 낄 협(挾)
●●●●● 夾門(협문)/夾路(협로)/挾軌(협궤)

峽
훈음 골짜기 협　부수 뫼 山(산)　▶▶▶ 뫼 山(산) + 낄 夾(협) ➡ 산 사이에 낀 골짜기
골짜기란 산 사이에 끼인 곳을 말하므로 두 글자 모두 의미요소고, 夾(협)은 발음기호를 겸하기도 한다.
●●●●● 峽谷(협곡)/大韓海峽(대한해협)

狹
훈음 좁을 협　부수 개 犭(견)　▶▶▶ 개 犭(견) + 夾(협) ➡ 속 좁은 사람을 개에 비유
속 좁은 개(犭) 같은 특징을 가진 사람을 일컫는 말로, 개 犭(견)이 의미요소고 夾(협)은 발음 및 의미요소
를 겸한다.
●●●●● 狹窄(협착)/狹小(협소)

陜
훈음 땅 이름 합　부수 언덕 阝(부)　▶▶▶ 언덕 阝(부) + 낄 夾(협) ➡ 언덕 사이에 끼인 마을
땅 이름 및 고을 이름을 위한 글자이므로 언덕 阝(부)가 의미요소고 夾(협)은 발음기호이다.
●●●●● 陜川(합천)

麥
훈음 보리 맥　부수 제 부수　▶▶▶ 올 來(래) + 뒤져서 올 夊(치) ➡ 낄 夾(협)과 다름
낄 夾(협)과 올 來(래)가 생김새는 비슷하나 뜻은 전혀 다르므로 주의를 요하는 글자다. 익어도 머리를 숙
이지 않는 보리의 특징을 보고 만든 글자가 來(래)였으나, '오다'로 가차되자 '보리'라는 글자를 다시 만들기
위해 긴 뿌리를 가진 특성을 첨가하였다. 그러나 그 뿌리 부분이 夕(석) 및 夊(치)로 변형되었다.
●●●●● 麥酒(맥주)/菽麥(숙맥)/麥芽(맥아)

爽
훈음 시원할 상　부수 효 爻(효)　▶▶▶ 큰 大(대) + 爻(효) ➡ 겨드랑이에 바람이 잘 통하여
겨드랑이(人)에 올이 성긴 베(爻)가 그려지면 시원하다는 뜻을 가진 글자가 되는데 올이 성긴 베옷을 입었
으니 얼마나 시원하겠는가?
●●●●● 爽快(상쾌)

亦
훈음 또 역　부수 머리 亠(두)　▶▶▶ 큰 大(대) + 점 丶(주) ➡ 겨드랑이를 가리킴
양겨드랑이(人) 사이에 점(丶)을 표시하여 '겨드랑이'라는 글자를 만들었으나 '또, 또한'이라는 부사어로 가
차되어 쓰이게 되었다.
●●●●● 亦是(역시)

夷(이)　夸(과)　誇(과)　奈(나)　奔(분)　奢(사)　奪(탈)　奮(분)　奧(오)

夷
훈음 오랑캐 이　부수 큰 大(대)　▶▶▶ 큰 大(대) + 활 弓(궁) ➡ 활줄에 동여매진 인간
중국의 동부 지역에 거주하던 소수 민족인 오랑캐 족을 가리키는 글자로, 여기서 활 弓(궁)은 화살이 아니라
사람(人)을 칭칭 동여맨 밧줄을 가리키는 것으로 오랑캐 족을 멸시하기 위해 만든 글자임을 알 수 있다.
●●●●● 東夷(동이)/以夷制夷(이이제이)

夸 훈음 자랑할 과 부수 큰 大(대) ▶▶▶ 큰 大(대) + 어조사 亏(우) ➡ 허풍떨다

크게(人) 부풀려 말하다(亏)가 원뜻이므로 큰 人(대)가 의미요소로 쓰였으나, 독자적으로 사용되지 않자 말씀 言(언)을 추가하여 본뜻을 더욱 분명히 한 글자가 자랑할 誇(과)자이다.

誇 훈음 자랑할 과 부수 말씀 言(언) ▶▶▶ 말씀 言(언) + 자랑할 夸(과) ➡ 허풍떨다

'크게 부풀려 말하다'의 뜻으로 만든 글자이므로 큰 人(대)와 말씀 言(언)이 의미요소이고 夸(과)는 발음기호이다.

••••• 誇示(과시)/誇大(과대)/誇張法(과장법)/誇大妄想(과대망상)

奈 훈음 어찌 내(나) 부수 큰 大(대) ▶▶▶ 큰 大(대) + 보일 示(시) ➡ 신의 큰 벌

의미를 알아 낼 수 없는 글자로 '어찌'라는 뜻으로 쓰인다는 것만 확실하다. 奈落(나락)이란 梵語(범어) Naraka의 音譯(음역)으로 地獄(지옥)을 가리킨다.

••••• 奈落(나락)

奔 훈음 달릴 분 부수 큰 大(대) ▶▶▶ 큰 大(대) + 발 止(지)의 변형인 풀 卉(훼) ➡ 발바닥이 세 개로 보이게 달리는 사람

맹렬히 달리는 모습을 그린 글자로 풀 卉(훼)의 원래 모습은 발(止)을 세 개 그린 글자로 팔을 크게(人) 휘저으면서 분주하게 달리(卉)는 모습을 그린 글자다. 따라서 川(공)과는 무관하다.

••••• 自由奔放(자유분방)/奔走(분주)/狂奔(광분)/東奔西走(동분서주)

奢 훈음 사치할 사 부수 큰 大(대) ▶▶▶ 큰 大(대) + 놈 者(자) ➡ 솥이 넘쳐나는 모습

넘쳐나는 모습을 그린 글자로 큰 人(대)와 놈 者(자) 모두가 의미요소에 기여하였다. 놈 者(자)는 솥에 콩이나 곡물 등 음식물을 삶는 모습을 그린 글자로 너무 많이(人) 삶아 솥에서 '넘쳐나는 혹은 충분하고도 남는'이라는 뜻을 전달하기에 적합한 조합이라 여겨진다.

••••• 奢侈(사치)/華奢(화사)/豪奢(호사)

奪 훈음 빼앗을 탈 부수 큰 大(대) ▶▶▶ 큰 大(대) + 새 佳(추) + 마디 寸(촌) ➡ 날아오르려는 새를 잡다

퍼덕이며 나는 새(人+佳)를 손으로 잡다(寸)가 원뜻으로 '빼앗다, 빼앗기다'가 파생하였으며, 여기서 人(대)는 크게 날갯짓하는 모양을 나타내었다. 人(대)가 옷 衣(의)로 변한 것으로 봐 품속에 있는 새 즉 귀한 것을 '빼앗다'에서 나왔다고도 한다.

••••• 奪取(탈취)/掠奪(약탈)/簒奪(찬탈)

奮 훈음 떨칠 분 부수 큰 大(대) ▶▶▶ 큰 大(대) + 새 佳(추) + 밭 田(전) ➡ 날아오르려고 달리는 새

밭(田)에서 먹이를 먹다 위협을 느낀 새들이 갑자기 날아오르는 모습에서 '떨치다, 분발하다'의 뜻이 파생되었다. 큰 人(대)와 새 佳(추)가 크게 날아오르며 날갯짓하는 새의 상형이요, 밭 田(전)은 날기 전의 새가 앉아서 먹이를 먹고 있던 밭을 의미한다. 큰 人(대)를 옷 衣(의)로 봐 크게(人) 날갯짓(衣)하며 먹잇감을 위해 밭(田) 위를 나는 새(佳) 모습으로 보기도 한다.

••••• 興奮(흥분)/奮發(분발)/奮戰(분전)/孤軍奮鬪(고군분투)

奧 훈음 속/깊을 오 부수 큰 大(대) ▶▶▶ 집 宀(면) + 분별할 釆(변) + 큰 大(대) ➡ 자세히 살펴보다 - 두 손(廾)의 변형

審(심)의 윗부분과 두 손(廾)의 합자로 양손으로 치켜들고 구석구석을 자세히 살펴보는 모습에서 '속, 깊다, 구석'의 뜻이 파생되었으며 모든 글자가 의미요소에 기여한다.
큰 人(대)는 두 손 廾(공)의 변형이다.

••••• 奧地(오지)/奧妙(오묘)/深奧(심오)/奧密稠密(오밀조밀)

夬(앙) 殃(앙) 怏(앙) 映(영) 英(영) 夬(쾌) 快(쾌) 缺(결) 決(결) 訣(결)

央 훈음 가운데 앙 부수 큰 大(대) ▶▶▶ 멀 冂(경) + 큰 大(대) ➡ 사람의 등 한가운데 지게를 짐
사람(人) 어깨의 정중앙에 지게를 져야(冂)만 균형이 잡힌다 하여 사람을 상징하는 큰 人(대)를 의미요소로,
등 한가운데 멜대를 멘 모습으로 사용한 冂(경) 역시 의미요소로 쓰였다.
••••• 中央(중앙)

殃 훈음 재앙 앙 부수 부서진 뼈 歹(알) ▶▶▶ 부서진 뼈 歹(알) + 가운데/끝장날 央(앙)
뼈가 부서져 크게 다쳤다는 것은 재앙을 당한 것이나 마찬가지다. 따라서 뼈 歹(알)이 의미요소고 央(앙)은
발음기호이며 마음(忄) 한 가운데 늘 남아있는 것은 怏心(앙심)의 원망할 앙(怏)자이다.
••••• 災殃(재앙)/池魚之殃(지어지앙)/怏宿

映 훈음 비출 영 부수 해 日(일) ▶▶▶ 해 日(일) + 가운데 央(앙) ➡ 중앙에 떠오른 해
햇살이 비추다가 원뜻이므로 해 日(일)을 의미요소로 가운데 央(앙)을 발음기호로 사용했다.
해(日)가 하늘 중앙(央)에 떠오르면서 만물을 환히 비춘다 하여 '비추다'라는 뜻으로 확대됐다.
••••• 映畵(영화)/映寫機(영사기)/上映(상영)/映窓(영창)/反映(반영)

英 훈음 꽃부리/뛰어날 영 부수 풀 艹(초) ▶▶▶ 풀 艹(초) + 가운데 央(앙) ➡ 식물의 한가운데서 피어나는 꽃
꽃은 언제나 식물(艹)의 한가운데(央)에서 피어나므로 꽃부리는 식물의 한가운데 늘 오게 마련이다. 따라서
풀 艹(초)와 가운데 央(앙)이 다 의미요소이나 央(앙)은 발음도 겸한다.
••••• 英雄(영웅)/英才(영재)/英國(영국)

夬 훈음 터놓을 쾌/깍지 결 부수 큰 大(대) ▶▶▶ 시위를 떠난 화살
맨손으로 활줄을 당기면 피부가 벗겨지기도 하여 옥이나 동물의 뼈로 엄지손가락에 들어가게 하여 활줄을
거는 도구를 만든 것을 깍지(角指(각지))라고 하는데 바로 그것을 가리킨다.
夬(쾌)는 마치 한가운데 央(앙)의 일부가 없어진 모양이어서 현재의 글자만 가지고 해석한다 해도 '가운데
가 터지다'의 뜻을 만들 수 있다.

快 훈음 쾌할 쾌 부수 마음 忄(심) ▶▶▶ 마음 忄(심) + 夬(쾌) ➡ 응어리졌던 부분이 터져 후련한 마음
유쾌한 마음 상태를 나타낸 글자로 마음 忄(심)이 의미요소고 夬(쾌)는 발음기호이다.
••••• 愉快(유쾌)/快感(쾌감)/快樂(쾌락)/快刀亂麻(쾌도난마)

缺 훈음 이지러질 결 부수 장군 缶(부) ▶▶▶ 그릇 缶(부) + 터놓을 夬(결) ➡ 그릇이 깨지다
'그릇이 깨지다'가 원뜻이므로 그릇을 상형한 장군/그릇 缶(부)가 의미요소고 夬(결)은 발음기호다.
••••• 缺格事由(결격사유)/完全無缺(완전무결)/缺勤(결근)

決 훈음 터질 결 부수 물 氵(수) ▶▶▶ 물 氵(수) + 깍지 夬(결)➡ 막혔던 물길이 터지다
막혔던 둑이 터지면서 물이 콸콸 흐르는 장면에서 '터지다, 트다, 끊다, 헤어지다' 등의 뜻으로 파생된 글자
로 물 氵(수)가 의미요소고 夬(결)이 발음기호이다.
••••• 決定(결정)/決裂(결렬)/判決(판결)/決心(결심)/決勝(결승)

訣 훈음 이별할/사별할 결 부수 말씀 言(언) ▶▶▶ 말씀 言(언) + 깍지 夬(쾌/결) ➡ 헤어지는 말
'작별 인사'가 본뜻이므로 말씀 言(언)이 의미요소고 夬(쾌/결)는 발음기호이다.
••••• 訣別(결별)/永訣式(영결식)/秘訣(비결)

奐(환)   換(환)   喚(환)   冥(명)   免(면)

奐 훈음 빛날 환 부수 큰 大(대) ▶▶▶ 사람 人(인) + 큰 大(두 손 廾(공)의 변형) ➡ 태아를 받아내는 장면
두 손(廾)으로 산모의 자궁을 벌려 태아를 받아내는 장면을 그린 글자로 어둠 속에 있던 어린아이가 밝은 세상으로 나왔다 하여 '빛나다'의 뜻을 가지게 된다.

換 훈음 바꿀 환 부수 손 扌(수) ▶▶▶ 손 扌(수) + 빛날 奐(환) ➡ 산파가 태아를 넘겨줌
각자가 손에 들고 있는 물건을 맞바꾸는 장면을 나타낸 글자로 손 扌(수)가 의미요소고 奐(환)은 발음기호이다.
●●●●● 換錢(환전)/換氣(환기)/交換(교환)/換骨奪胎(환골탈태)

喚 훈음 부를 환 부수 입 口(구) ▶▶▶ 입 口(구) + 빛날 奐(환) ➡ 산모의 절규
'큰 소리로 부르다'를 나타내기 위한 글자로 입 口(구)가 의미요소고, 奐(환)은 발음기호이다. 여기서 소리란, 출산시 고통스러워하는 산모의 울부짖음일 수 있고, 태어난 아기의 울음소리일 수도 있고, 아기를 받고 기다리는 남편과 가족을 부르는 산파의 소리일 수도 있다. 아무튼 울부짖음에 가까운 큰 소리임에는 틀림없다.
●●●●● 喚呼(환호)/阿鼻叫喚(아비규환)/喚起(환기)

冥 훈음 어두울 명 부수 덮을 冖(멱) ▶▶▶ 덮을 冖(멱) + 해 日(일) + 여섯 六(육) ➡ 어머니 뱃속의 태아
두 손(六-廾의 변형)으로 자궁(冖)을 벌려 태아(日)를 꺼내는 모습으로 밝은 세상으로 나오기 전 어머니 자궁 속의 어두운 상태를 나타낸 글자로 '어둡다, 깊숙하다, 저승'의 뜻으로 파생됐다. 빛날 奐(환)자가 대조가 되는 의미 글자다.
●●●●● 冥想(명상)/冥福(명복)을 빌다

免 훈음 면할 면 부수 사람 儿(인)
▶▶▶ 불편한 몸(人) + 입 口(구) + 사람 儿(인)➡ 산모가 해산하여 고통에서 벗어남
어머니(人)가 엉덩이(口)를 벌려 아이(儿)를 낳는 모습으로 '해산하다'가 원뜻이나 산모가 해산의 고통에서 벗어났다 하여 '벗어나다/면하다'의 뜻으로 발전하자 본뜻을 살리기 위해 계집 女(여)를 추가한 글자가 해산할 娩(만)자다.
●●●●● 免除(면제)/免許(면허)/免稅(면세)/赦免(사면)

天(요)   妖(요)   喬(교)   橋(교)   嬌(교)   僑(교)   矯(교)   驕(교)

天 훈음 어릴 요 부수 큰 大(대) ▶▶▶ 大(대) + 丿(별) ➡ 힘차게 달리는 모습
고개를 한쪽(丿)으로 기울이며 달려가는 힘찬(人) 젊은이의 모습에서 '젊다, 어리다'의 뜻이 파생됐다.
●●●●● 夭折(요절)/夭死(요사)

妖 훈음 아리따울 요 부수 계집 女(여) ▶▶▶ 계집 女(여) + 어릴 天(요) ➡ 영계(어린 여자)
사람을 홀릴 정도로 예쁘고 똑똑한 여자를 나타내기 위한 글자로, 계집 女(여)가 의미요소이고 天(요)는 발음기호이다.
●●●●● 妖邪(요사)/妖艶(요염)/妖術(요술)

喬 훈음 높을 교 부수 입 口(구) ▶▶▶ 젊을/어릴 天(요) + 갓머리 없는 높을 高(고) ➡ 장식 달린 높은 건물
건물 위의 지붕 난간이나 지붕 꼭대기에 장식(天)이 달려 있는 '높은 건축물'을 가리키는 글자로, 2층 이상의 높은 건물을 상징하는 高(고)가 의미요소고 天(요)는 발음기호이다.
●●●● 喬木(교목)/喬松(교송)

橋 훈음 다리 교 부수 나무 木(목) ▶▶▶ 나무 木(목) + 높을 喬(교) ➡ 높은 나무 - 다리
'강 위로 높게(喬) 매단 나무(木)다리' 옛날의 다리는 거의 다 나무다리였고, 강 위에 높이 걸려 있는 것이
었으므로 간단히 나무(木)와 높다(喬)를 합쳐서 다리 橋(교)를 만들었다.
●●●●● 橋脚(교각)/陸橋(육교)/架橋(가교)/橋頭堡(교두보)

嬌 훈음 아리따울 교 부수 계집 女(여) ▶▶▶ 계집 女(여) + 높을 喬(교) ➡ 콧대 센(높은) 여자
'예쁘다'고 사람들이 말하니까 한껏 코가 높아진(喬) 여자(女)로 계집 女(여)가 의미요소고 喬(교)는 발음기
호이다
●●●●● 嬌態(교태)/嬌聲(교성)/愛嬌(애교)

僑 훈음 우거할/더부살이할 교 부수 사람 亻(인) ▶▶▶ 사람 亻(인) + 높을 喬(교) ➡ 높은 곳, 먼 곳에 사는 사람
키 큰 사람/나아가 잘난 사람을 지칭하고자 하는 글자였으나 잘난 사람들만 외국에 나가 사는 것으로 생각
하였는지 '외국에 사는 사람'에서 점차 '더부살이 하는 사람'으로 의미가 바뀐 글자다. 사람 亻(인)이 의미요
소고 喬(교)는 발음기호이다.
●●●●● 僑胞(교포)/僑民(교민)

矯 훈음 바로잡을 교 부수 화살 矢(시) ▶▶▶ 화살 矢(시) + 높을 喬(교) ➡ 화살을 쏘기 위해 바로잡는 모습
먼 과녁을 맞히기 위해 높이(喬) 쳐든 화살(矢)을 제대로 쏘기 위해 여러 번 '바로잡다'에서 나온 글자로 화
살 矢(시)가 의미요소고 喬(교)는 발음기호이다.
●●●●● 矯正(교정)/矯角殺牛(교각살우)

驕 훈음 교만할 교 부수 말 馬(마) ▶▶▶ 말 馬(마) + 높을 喬(교) ➡ 높은 말안장에 앉아 내려다봄
말(馬) 위 높은(喬) 안장 위에 앉으니 모든 사람들이 발밑에 있는 것으로 착각하는 사람을 가리키는 말로서
말 馬(마)가 의미요소로 높을 喬(교)가 발음 겸 의미요소로 사용되었다.
●●●●● 驕慢(교만)

吳(오)   誤(오)   娛(오)   奄(엄)   掩(엄)   庵(암)

吳 훈음 나라 이름 오 부수 입 구 ▶▶▶ 夭(요) + 口(구) ➡ 어깨에 짐을 멘 모습
吳(오)의 아랫부분은 머리를 옆으로 비스듬히 하고 어깨에 물건(口)을 짊어진 모습의 글자이나 원뜻은 사라
지고 나라 이름 "오"로 가차되어 사용되어지고 있다.
●●●●● 吳越同舟(오월동주)

誤 훈음 그릇할 오 부수 말씀 언 ▶▶▶ 말씀 言(언) + 나라 이름 吳(오) ➡ 말이 빗나가다
'말을 그르치다'의 의미이므로 말씀 言(언)이 의미요소고 吳(오)는 발음기호이다.
●●●●● 誤解(오해)/誤算(오산)/施行錯誤(시행착오)

娛 훈음 즐거워 할 오 부수 계집 女(여) ▶▶▶ 계집 女(여) + 吳(오) ➡ 여자가 있어 즐겁다 - 기쁨조
모임에 여자가 빠지면 앙코 없는 찐빵처럼 재미도 없고 흥도 나지 않았나 보다. 계집 女(여)가 들어가서야
비로소 '즐거워하다'가 된 것을 보면, 吳(오)는 발음기호다.
●●●●● 娛樂(오락)/娛樂物(오락물)/娛樂室(오락실)

奄 훈음 가릴 엄 부수 큰 大(대) ▶▶▶ 큰 大(대) + 납/펼칠 申(신)
번개(申)를 피하는 모습(人)에서 가릴 엄(奄)자가, 번개가 온 하늘을 덮듯이 무기를 들고 때 거리로 몰려와
적진을 새까맣게 덮어 공격하는 모습에서 엄습(掩襲)의 가릴 엄(掩)자를, 번개를 가려주는(奄) 큰(广) 바위
나 산비탈의 암자의 모습에서 암자(庵子) 암(庵)자가 각각 만들어졌다.
●●●●● 掩護射擊(엄호사격)/掩耳盜鐘(엄이도종)/草庵(초암)

疒(녁)

병들어 기댈 역

| 疒(녁) | 疾(질) | 嫉(질) | 病(병) | 療(료) | 症(증) | 癌(암) |

疒
훈음 병들어 기댈 역/녁　부수 제 부수 ▶▶▶ ➡
침대에 누워있는 병든 사람의 모습에서 병들어 기댈 역(疒)
●●●●●

疾
훈음 병 질　부수 병들어 기댈 역(疒) ▶▶▶ 병상 역(疒) + 화살 시(矢) ➡ 화살 맞아 난 상처
전쟁터에서 화살(矢)을 맞아 상처(疒) 난 것이 질병(疾病)의 병 질(疾)
●●●●● 고질(痼疾)/질환(疾患)/각질(脚疾)/질풍노도(疾風怒濤)

嫉
훈음 시기할 질　부수 여자 여(女) ▶▶▶ 병 질(疾) + 여자 여(女) ➡ 여자의 시기는 질병
여자(女)만 주로 가지고 있는 병(疾)중에 하나가 질투(嫉妬)의 시기할 질(嫉)
●●●●● 질시(嫉視)/반목질시(反目嫉視)

病
훈음 병 병　부수 병들어 기댈 역(疒) ▶▶▶ 병상 역(疒) + 남녘 병(丙)
남녘 병(丙)을 발음으로 녁(疒)을 의미요소로 병원(病院)의 병 병(病)
●●●●● 중병(重病)/병상(病床)/병가(病暇)/생로병사(生老病死)

療
훈음 병 고칠 료　부수 병들어 기댈 역(疒) ▶▶▶ 병상 역(疒) +밝을 료(尞)➡ 점차 서광이 비침
병자(疒)를 밝게(尞) 즉 희망을 갖도록 해 주는 것이 치료(治療)의 병 고칠 료(療)
●●●●● 요법(療法)/요양(療養)/의료(醫療)/진료(診療)

症
훈음 증세 증　부수 병들어 기댈 역(疒) ▶▶▶ 병상 역(疒) +바를 정(正) ➡ 몸 상태가 정상인지의 여부
몸이 정상(正)이 아닌(疒) 것을 알아내는 것을 증세(症勢) 증(症)
●●●●● 염증(炎症)/통증(痛症)/갈증(渴症)/불면증(不眠症)

癌
훈음 암 암　부수 병들어 기댈 역(疒) ▶▶▶ 병상 역(疒) +물건 품(品) + 뫼 산(山) ➡ 암 덩어리
마치 산(山)처럼 쌓여 있는 병(疒) 덩어리(品)를 위암(胃癌)의 암 암(癌)
●●●●● 피부암(皮膚癌)/간암(肝癌)/자궁암(子宮癌)

◆ 다음 글자의 음과 훈을 쓰시오.

( )人( ) – ( )亻( ) – ( )儿( ) – ( )匕( ) – ( )比( )
( )巴( ) – ( )卩( ) – ( )尸( ) – ( )疒( ) – ( )大( )

1. "儿, 比, 卩, 疒, 大, 尸"자의 공통점은 무엇인가?
　　① 가축　　　　　　② 사람　　　　　　③ 물고기　　　　　④ 자연현상

2. 다음 중 관계가 나머지 셋과 <u>다른</u> 것은?
　　① 大 – 小　　　　② 疒 – 健　　　　③ 泣 – 笑　　　　④ 前 – 進

3. "疒"자와 관계 깊은 것은?
　　① 운동　　　　　　② 계산　　　　　　③ 질병　　　　　　④ 공부

◆ 다음 글자의 음과 훈을 쓰시오.

( )合( ) – ( )僉( ) – ( )檢( ) – ( )劍( ) – ( )儉( ) –
( )驗( ) – ( )險( ) – ( )斂( )

◆ 다음 글자를 분해하시오.

1. 僉 = [ ] + [ ] + [ ]　　　　2. 檢 = [ ] + [ ]

3. 劍 = [ ] + [ ]　　　　　　　　4. 驗 = [ ] + [ ]

◆ 다음 글자를 소리 부분(聲符)과 뜻 부분(意符)으로 분해하시오.

5. 檢 = 소리 부분(聲符) [ ]　　　+　뜻 부분(意符) [ ]

6. 劍 = 소리 부분(聲符) [ ]　　　+　뜻 부분(意符) [ ]

7. 儉 = 소리 부분(聲符) [ ]　　　+　뜻 부분(意符) [ ]

8. 驗 = 소리 부분(聲符) [ ] + 뜻 부분(意符) [ ]

9. 險 = 소리 부분(聲符) [ ] + 뜻 부분(意符) [ ]

10. 斂 = 소리 부분(聲符) [ ] + 뜻 부분(意符) [ ]

11. 다음 중 "음"이 서로 <u>다른</u> 글자는?

    ① 劍　　　　　② 檢　　　　　③ 險　　　　　④ 儉

12. "合"자와 <u>반대</u>의 뜻을 가진 글자는?

    ① 和　　　　　② 分　　　　　③ 方　　　　　④ 元

13. "劍"자와 관계 <u>없는</u> 것은?

    ① 刂　　　　　② 刃　　　　　③ 勹　　　　　④ 刀

◆ 다음 중 주어진 글자로 이루어지는 단어를 2개 이상 한자 또는 한글로 쓰시오.

14. 合 - [ ]

15. 僉 - [ ]

16. 檢 - [ ]

17. 劍 - [ ]

18. 儉 - [ ]

19. 驗 - [ ]

20. 險 - [ ]

21. 斂 - [ ]

◆ 다음 글자의 음과 훈을 쓰시오.

( )余( ) - ( )餘( ) - ( )敍( ) - ( )徐( ) - ( )除( ) -
( )斜( ) - ( )途( ) - ( )塗( )

◆ 다음 글자를 분해하시오.

1. 塗 = 　　　 + 　　　 + 　　　　　　2. 途 = 　　　 + 　　　

3. 餘 = 　　　 + 　　　　　　　　　　　4. 余 = 　　　 + 　　　

◆ 다음 글자를 소리 부분(聲符)과 뜻 부분(意符)으로 분해하시오.

5. 餘 = 소리 부분(聲符) 　　　 + 뜻 부분(意符) 　　　

6. 敍 = 소리 부분(聲符) 　　　 + 뜻 부분(意符) 　　　

7. 徐 = 소리 부분(聲符) 　　　 + 뜻 부분(意符) 　　　

8. 除 = 소리 부분(聲符) 　　　 + 뜻 부분(意符) 　　　

9. 斜 = 소리 부분(聲符) 　　　 + 뜻 부분(意符) 　　　

10. 途 = 소리 부분(聲符) 　　　 + 뜻 부분(意符) 　　　

11. 塗 = 소리 부분(聲符) 　　　 + 뜻 부분(意符) 　　　

12. 다음 중 "음"이 서로 다른 글자는?
　　① 徐　　　　　　② 序　　　　　　③ 敍　　　　　　④ 斜

13. "徐"자와 반대의 뜻을 가진 글자는?
　　① 速　　　　　　② 途　　　　　　③ 逢　　　　　　④ 道

◆ 다음 중 주어진 글자로 이루어지는 단어를 2개 이상 한자 또는 한글로 쓰시오.

14. 余 –

15. 餘 –

16. 敍 –

17. 徐 –

18. 除 –

19. 斜 –

20. 途 –

21. 塗 –

◆ 다음 글자의 훈과 음을 쓰시오.

(   )合(   ) – (   )舍(   ) – (   )倉(   ) – (   )創(   ) – (   )蒼(   )

◆ 다음 글자를 소리 부분(聲符)과 뜻 부분(意符)으로 분해하시오.

1. 創 = 소리 부분(聲符)   +   뜻 부분(意符)

2. 蒼 = 소리 부분(聲符)   +   뜻 부분(意符)

3. 다음 중 "음"이 서로 다른 글자는?
   ① 創   ② 蒼   ③ 昌   ④ 尙

4. 다음 중 "뜻"이 서로 다른 글자는?
   ① 屋   ② 舍   ③ 亞   ④ 宅

5. "倉"자와 비슷한 뜻의 글자는?
   ① 庫   ② 宀   ③ 夊   ④ 尸

6. "蒼"자와 관계 깊은 것은?
   ① 무게   ② 색깔   ③ 방향   ④ 크기

◆ 다음 중 주어진 글자로 이루어지는 단어를 2개 이상 한자 또는 한글로 쓰시오.

7. 合 –

8. 舍 –

9. 倉 –

10. 創 –

11. 蒼 –

◪ 다음 글자의 음과 훈을 쓰시오.

| (   )以(   ) – (   )似(   ) – (   )乳(   ) – (   )亂(   ) – (   )介(   ) – (   )界(   ) |

◪ 다음 글자를 소리 부분(聲符)과 뜻 부분(意符)으로 분해하시오.

1. 似 = 소리 부분(聲符) [   ] + 뜻 부분(意符) [   ]

2. 界 = 소리 부분(聲符) [   ] + 뜻 부분(意符) [   ]

3. 다음 중 "음"이 서로 <u>다른</u> 글자는?
   ① 而   ② 似   ③ 以   ④ 耳

4. "亂"자와 비슷한 뜻을 가진 글자는?
   ① 易   ② 紊   ③ 安   ④ 竝

5. 다음 중 "뜻"이 서로 <u>다른</u> 하나는?
   ① 域   ② 界   ③ 内   ④ 境

◪ 다음 중 주어진 글자로 이루어지는 단어를 2개 이상 한자 또는 한글로 쓰시오.

6. 以 – [   ]

7. 似 – [   ]

8. 乳 – [   ]

9. 亂 – [   ]

10. 介 – [   ]

11. 界 – [   ]

◆ 다음 글자의 음과 훈을 쓰시오.

( )信( ) - ( )位( ) - ( )休( ) - ( )化( ) - ( )作( ) -
( )便( ) - ( )倍( ) - ( )億( ) - ( )停( ) - ( )宿( )

◆ 다음 글자를 분해하시오.

1. 億 = ☐ + ☐ + ☐   2. 停 = ☐ + ☐

3. 化 = ☐ + ☐   4. 休 = ☐ + ☐

5. 倍 = ☐ + ☐   6. 信 = ☐ + ☐

7. 宿 = ☐ + ☐ + ☐   8. 便 = ☐ + ☐

◆ 다음 글자를 소리 부분(聲符)과 뜻 부분(意符)으로 분해하시오.

9. 倍 = 소리 부분(聲符) ☐ + 뜻 부분(意符) ☐

10. 停 = 소리 부분(聲符) ☐ + 뜻 부분(意符) ☐

11. "信"자와 <u>반대</u>의 뜻을 가진 글자는?
　　① 義　　　　② 怒　　　　③ 叛　　　　④ 快

12. "休"자와 <u>반대</u>의 뜻을 가진 글자는?
　　① 怠　　　　② 務　　　　③ 同　　　　④ 糸

13. 다음 "便"자에 대한 설명 중 맞지 <u>않는</u> 것은?
　　① 소식　　　② 오줌, 똥　　③ 편하다　　④ 생각하다

14. "停"자와 비슷한 뜻을 가진 글자는?
　　① 主　　　　② 止　　　　③ 先　　　　④ 運

◪ 다음 중 주어진 글자로 이루어지는 단어를 2개 이상 한자 또는 한글로 쓰시오.

15. 信 -

16. 休 -

17. 化 -

18. 便 -

19. 倍 -

20. 億 -

21. 停 -

22. 宿 -

◪ 다음 글자의 훈과 음을 쓰시오.

( )仙( ) - ( )値( ) - ( )代( ) - ( )仕( ) - ( )使( ) -
( )件( ) - ( )健( ) - ( )任( ) - ( )傳( )

◪ 다음 글자를 분해하시오.

1. 健 =   +   +   2. 代 =   +

3. 件 =   +   4. 專 =   +

5. 使 =   +   +   6. 傳 =   +

7. 仙 =   +   8. 仕 =   +

◪ 다음 글자를 소리 부분(聲符)과 뜻 부분(意符)으로 분해하시오.

9. 仕 = 소리 부분(聲符)   + 뜻 부분(意符)

10. 健 = 소리 부분(聲符)   + 뜻 부분(意符)

11. 任 = 소리 부분(聲符)   + 뜻 부분(意符)

12. 傳 = 소리 부분(聲符)   + 뜻 부분(意符)

13. 다음 중 "음"이 같은 것끼리 연결된 것이 <u>아닌</u> 것은?
　　① 仕 － 使　　　　② 件 － 健　　　　③ 仙 － 先　　　　④ 任 － 往

14. "値"자와 비슷한 뜻을 가진 글자는?
　　① 買　　　　　　　② 植　　　　　　　③ 價　　　　　　　④ 仙

15. "健"자와 <u>반대</u>의 뜻을 가진 글자는?
　　① 疒　　　　　　　② 用　　　　　　　③ 走　　　　　　　④ 冂

16. "使"자와 비슷한 뜻을 가진 글자는?
　　① 共　　　　　　　② 役　　　　　　　③ 珍　　　　　　　④ 冂

◪ 다음 중 주어진 글자로 이루어지는 단어를 2개 이상 한자 또는 한글로 쓰시오.

17. 仙 －

18. 値 －

19. 代 －

20. 仕 －

21. 使 －

22. 件 －

23. 健 －

24. 任 －

25. 傳 －

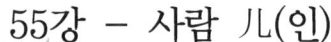 
◆ 다음 글자의 음과 훈을 쓰시오.

( )儿( ) – ( )見( ) – ( )兄( ) – ( )先( ) –( )光( ) –
( )頁( ) – ( )兒( ) – ( )允( )

◆ 다음 글자를 분해하시오.

1. 頁 = ☐ + ☐ + ☐   2. 見 = ☐ + ☐

3. 兄 = ☐ + ☐   4. 兒 = ☐ + ☐

5. 先 = ☐ + ☐   6. 光 = ☐ + ☐

7. 允 = ☐ + ☐   8. 禿 = ☐ + ☐

9. "見"자와 <u>반대</u>의 뜻을 가진 글자는?

   ① 辛   ② 魚   ③ 盲   ④ 斗

10. 다음 중 관계가 나머지 셋과 <u>다른</u> 것은?

   ① 頁 – 首   ② 先 – 後   ③ 光 – 暗   ④ 兄 – 弟

11. "兒"자와 비슷한 뜻을 가진 글자는?

   ① 妹   ② 童   ③ 光   ④ 老

◆ 다음 중 주어진 글자로 이루어지는 단어를 2개 이상 한자 또는 한글로 쓰시오.

12. 見 –

13. 兄 –

14. 先 –

15. 光 –

16. 頁 –

17. 兒 –

18. 允 –

◧ 다음 글자의 음과 훈을 쓰시오.

( )兄( ) - ( )兌( ) - ( )悅( ) - ( )閱( ) - (/)說(/) -
( )脫( ) - ( )銳( ) - ( )稅( )

◧ 다음 글자를 분해하시오.

1. 說 = ⬜ + ⬜ + ⬜   2. 兌 = ⬜ + ⬜

3. 兄 = ⬜ + ⬜   4. 脫 = ⬜ + ⬜

5. 悅 = ⬜ + ⬜   6. 閱 = ⬜ + ⬜

7. 稅 = ⬜ + ⬜   8. 銳 = ⬜ + ⬜

◧ 다음 글자를 소리 부분(聲符)과 뜻 부분(意符)으로 분해하시오.

9. 銳 = 소리 부분(聲符) ⬜   + 뜻 부분(意符) ⬜

10. 稅 = 소리 부분(聲符) ⬜   + 뜻 부분(意符) ⬜

11. 다음 중 "음"이 서로 다른 글자는?
　① 列　　　　　② 悅　　　　　③ 稅　　　　　④ 閱

12. "悅"자와 반대의 뜻이 아닌 글자는?
　① 悼　　　　　② 哀　　　　　③ 笑　　　　　④ 悲

13. "銳"자와 비슷한 뜻을 가진 글자는?
　① 利　　　　　② 銅　　　　　③ 固　　　　　④ 順

◧ 다음 중 주어진 글자로 이루어지는 단어를 2개 이상 한자 또는 한글로 쓰시오.

14. 兄 - ⬜   15. 兌 - ⬜

16. 悅 - ⬜   17. 閱 - ⬜

18. 說 - ⬜   19. 脫 - ⬜

20. 銳 - ⬜   21. 稅 - ⬜

�« 다음 글자의 음과 훈을 쓰시오.

( )兄( ) – ( )況( ) – ( )祝( ) – ( )競( ) – ( )克( )

�« 다음 글자를 분해하시오.

1. 祝 = ☐ + ☐ + ☐   2. 況 = ☐ + ☐

3. 克 = ☐ + ☐   4. 兄 = ☐ + ☐

�« 다음 글자를 소리 부분(聲符)과 뜻 부분(意符)으로 분해하시오.

5. 況 = 소리 부분(聲符) ☐ + 뜻 부분(意符) ☐

6. "況"자와 음이 같은 글자는?
　① 巷　　　　② 兄　　　　③ 工　　　　④ 皇

7. "克"자와 비슷한 뜻을 가진 글자는?
　① 勝　　　　② 佳　　　　③ 今　　　　④ 受

�« 다음 중 주어진 글자로 이루어지는 단어를 2개 이상 한자 또는 한글로 쓰시오.

8. 兄 – ☐　　　　9. 況 – ☐

10. 祝 – ☐　　　　11. 競 – ☐

12. 克 – ☐

�« 다음 글자의 음과 훈을 쓰시오.

( )兀( ) – ( )元( ) – ( )完( ) – ( )頑( ) – ( )玩( ) –
( )院( ) – ( )冠( )

�« 다음 글자를 분해하시오.

1. 完 = ☐ + ☐ + ☐   2. 元 = ☐ + ☐

3. 院 = ☐ + ☐   4. 兀 = ☐ + ☐

◆ 다음 글자를 소리 부분(聲符)과 뜻 부분(意符)으로 분해하시오.

5. 完 = 소리 부분(聲符) [　　] + 뜻 부분(意符) [　　]

6. 頑 = 소리 부분(聲符) [　　] + 뜻 부분(意符) [　　]

7. 玩 = 소리 부분(聲符) [　　] + 뜻 부분(意符) [　　]

8. 院 = 소리 부분(聲符) [　　] + 뜻 부분(意符) [　　]

9. 冠 = 소리 부분(聲符) [　　] + 뜻 부분(意符) [　　]

10. 다음 중 "음"이 서로 <u>다른</u> 글자는?
　① 元　　　　② 院　　　　③ 爰　　　　④ 完

11. "元"자와 비슷한 뜻이 <u>아닌</u> 글자는?
　① 卓　　　　② 最　　　　③ 崔　　　　④ 凡

◆ 다음 중 주어진 글자로 이루어지는 단어를 2개 이상 한자 또는 한글로 쓰시오.

12. 元 - [　　　　　]　　　13. 完 - [　　　　　]

14. 頑 - [　　　　　]　　　15. 玩 - [　　　　　]

16. 院 - [　　　　　]　　　17. 冠 - [　　　　　]

◆ 다음 글자의 음과 훈을 쓰시오.

( )兆( ) - ( )眺( ) - ( )桃( ) - ( )跳( ) - ( )逃( ) - ( )挑( )

◆ 다음 글자를 소리 부분(聲符)과 뜻 부분(意符)으로 분해하시오.

1. 眺 = 소리 부분(聲符) [　　] + 뜻 부분(意符) [　　]

2. 桃 = 소리 부분(聲符) [　　] + 뜻 부분(意符) [　　]

3. 跳 = 소리 부분(聲符) [　　] + 뜻 부분(意符) [　　]

4. 逃 = 소리 부분(聲符) [　　] + 뜻 부분(意符) [　　]

5. 挑 = 소리 부분(聲符) [　　] + 뜻 부분(意符) [　　]

6. 다음 중 "음"이 서로 다른 글자는?
   ① 刀   ② 桃   ③ 逃   ④ 刃

7. "跳"자와 관계 깊은 것은?
   ① 눈   ② 손   ③ 발   ④ 머리

◆ 다음 중 주어진 글자로 이루어지는 단어를 2개 이상 한자 또는 한글로 쓰시오.

8. 兆 –   9. 眺 –

10. 桃 –   11. 跳 –

12. 逃 –   13. 挑 –

◆ 다음 글자의 음과 훈을 쓰시오.

(   )允(   ) – (   )充(   ) – (   )流(   ) – (   )育(   ) – (   )銃(   ) – (   )統(   )

◆ 다음 글자를 분해하시오.

1. 流 =   +   +   2. 充 =   +

3. 允 =   +   4. 銃 =   +

5. 育 =   +   6. 統 =   +

◆ 다음 글자를 소리 부분(聲符)과 뜻 부분(意符)으로 분해하시오.

7. 銃 = 소리 부분(聲符)   + 뜻 부분(意符)

8. 統 = 소리 부분(聲符)   + 뜻 부분(意符)

9. "充"자와 음이 같은 글자는?
   ① 仲   ② 忠   ③ 患   ④ 丁

10. "育"자와 비슷한 뜻을 가진 글자는?
    ① 捨   ② 養   ③ 打   ④ 永

11. 다음 "銃"자에 대한 설명 중 맞는 것은?

① 식물　　　　　② 무기　　　　　③ 필기도구　　　　　④ 음식

12. "統"자와 음이 같은 글자는?
　　① 同　　　　　② 牙　　　　　③ 治　　　　　④ 痛

◆ 다음 중 주어진 글자로 이루어지는 단어를 2개 이상 한자 또는 한글로 쓰시오.

13. 允 –

14. 充 –

15. 流 –

16. 育 –

17. 銃 –

18. 統 –

◆ 다음 글자의 훈과 음을 쓰시오.

(　　)俊(　) – (　　)峻(　) – (　　)竣(　) – (　　)唆(　) – (　　)酸(　)

◆ 다음 글자를 분해하시오.

1. 竣 = 　　　　+　　　　+　　　　　2. 峻 = 　　　　+　　　　

3. 俊 = 　　　　+　　　　　　　　　　4. 唆 = 　　　　+　　　　

◆ 다음 글자를 소리 부분(聲符)과 뜻 부분(意符)으로 분해하시오.

5. 俊 = 소리 부분(聲符) 　　　　+　뜻 부분(意符) 　　　　

6. 竣 = 소리 부분(聲符) 　　　　+　뜻 부분(意符) 　　　　

7. 다음 중 "음"이 서로 다른 글자는?
　　① 俊　　　　　② 峻　　　　　③ 竣　　　　　④ 唆

8. 다음 중 서로 관계 없는 것은?
　　① 秀　　　　　② 俊　　　　　③ 傑　　　　　④ 夫

9. "峻"자와 비슷한 뜻을 가진 글자는?

    ① 高   ② 句   ③ 土   ④ 未

◆ 다음 중 주어진 글자로 이루어지는 단어를 2개 이상 한자 또는 한글로 쓰시오.

10. 俊 –

11. 峻 –

12. 竣 –

13. 唆 –

14. 酸 –

◆ 다음 글자의 훈과 음을 쓰시오.

(   )免(   ) – (   )娩(   ) – (   )勉(   ) – (   )挽(   ) – (   )晚(   ) –
(   )冕(   ) – (   )兎(   ) – (   )逸(   )

◆ 다음 글자를 분해하시오.

1. 免 = ☐ + ☐ + ☐   2. 勉 = ☐ + ☐

3. 挽 = ☐ + ☐   4. 娩 = ☐ + ☐

◆ 다음 글자를 소리 부분(聲符)과 뜻 부분(意符)으로 분해하시오.

5. 娩 = 소리 부분(聲符) ☐   + 뜻 부분(意符) ☐

6. 勉 = 소리 부분(聲符) ☐   + 뜻 부분(意符) ☐

7. 挽 = 소리 부분(聲符) ☐   + 뜻 부분(意符) ☐

8. 晚 = 소리 부분(聲符) ☐   + 뜻 부분(意符) ☐

9. 冕 = 소리 부분(聲符) ☐   + 뜻 부분(意符) ☐

10. 다음 중 같은 음으로 짝지어지지 않은 것은?

    ① 晚 – 娩   ② 免 – 勉   ③ 宀 – 冕   ④ 兎 – 逸

11. "娩"자와 관계 깊은 것은?

① 가수   ② 할머니   ③ 산모   ④ 계집아이

12. "晩"자와 <u>반대</u>의 뜻을 가진 글자는?

① 두   ② 日   ③ 丬   ④ ++

◆ 다음 중 주어진 글자로 이루어지는 단어를 2개 이상 한자 또는 한글로 쓰시오.

13. 免 −

14. 娩 −

15. 勉 −

16. 挽 −

17. 晩 −

18. 冕 −

19. 兎 −

20. 逸 −

◆ 다음 글자의 훈과 음을 쓰시오.

( )鬼( ) − ( )魂( ) − ( )魅( ) − ( )魔( ) − ( )塊( )
( )愧( ) − ( )傀( ) − ( )醜( ) − ( )畏( )

◆ 다음 글자를 분해하시오.

1. 魔 = ☐ + ☐ + ☐   2. 魅 = ☐ + ☐

3. 魂 = ☐ + ☐   4. 醜 = ☐ + ☐

5. 畏 = ☐ + ☐

◆ 다음 글자를 소리 부분(聲符)과 뜻 부분(意符)으로 분해하시오.

6. 魂 = 소리 부분(聲符) ☐ + 뜻 부분(意符) ☐

7. 魅 = 소리 부분(聲符) [ ] + 뜻 부분(意符) [ ]

8. 魔 = 소리 부분(聲符) [ ] + 뜻 부분(意符) [ ]

9. 塊 = 소리 부분(聲符) [ ] + 뜻 부분(意符) [ ]

10. 愧 = 소리 부분(聲符) [ ] + 뜻 부분(意符) [ ]

11. 傀 = 소리 부분(聲符) [ ] + 뜻 부분(意符) [ ]

12. 다음 중 "음"이 서로 <u>다른</u> 글자는?
　　① 傀　　　　② 怪　　　　③ 鬼　　　　④ 愧

13. "醜"자와 <u>반대</u>의 뜻을 가진 글자는?
　　① 反　　　　② 美　　　　③ 何　　　　④ 福

14. "愧"자와 비슷한 뜻을 가진 글자는?
　　① 公　　　　② 恥　　　　③ 夕　　　　④ 化

◻ 다음 중 주어진 글자로 이루어지는 단어를 2개 이상 한자 또는 한글로 쓰시오.

15. 鬼 – [ ]

16. 魂 – [ ]

17. 魅 – [ ]

18. 魔 – [ ]

19. 塊 – [ ]

20. 愧 – [ ]

21. 傀 – [ ]

22. 醜 – [ ]

◆ 다음 글자의 음과 훈을 쓰시오.

( )比( ) - ( )北( ) - ( )比( ) - ( )化( ) - ( )死( ) -
( )老( ) - ( )孝( ) - ( )考( )

◆ 다음 글자를 분해하시오.

1. 北 = ____ + ____   2. 比 = ____ + ____

3. 化 = ____ + ____   4. 死 = ____ + ____

5. 老 = ____ + ____   6. 孝 = ____ + ____

7. 考 = ____ + ____   8. 匕 = ____ + ____

9. 다음 "北"자에 대한 설명 중 맞지 않는 것은?
   ① 두 사람   ② 등   ③ 북쪽   ④ 흰색

10. 다음 중 성격이 다른 하나는?
   ① 老   ② 翁   ③ 婆   ④ 兒

11. "孝"자와 관계 없는 것은?
   ① 父 - 子   ② 祖 - 孫   ③ 母 - 女   ④ 兄 - 弟

12. 다음 중 서로 관계 없는 것은?
   ① 思   ② 行   ③ 考   ④ 念

13. 다음 "比, 化, 孝"자의 공통점은 무엇인가?
   ① 가축   ② 두 사람   ③ 날씨   ④ 전쟁

14. 다음 중 관계가 나머지 셋과 다른 것은?
   ① 生 - 死   ② 老 - 少   ③ 南 - 北   ④ 化 - 花

◆ 다음 중 주어진 글자로 이루어지는 단어를 2개 이상 한자 또는 한글로 쓰시오.

15. 匕 -

16. 北 -

17. 比 -

18. 化 -

19. 死 -

20. 老 -

21. 孝 -

22. 考 -

◆ 다음 글자의 음과 훈을 쓰시오.

( )化( ) – ( )花( ) – ( )貨( ) – ( )頃( ) – ( )傾( )

◆ 다음 글자를 소리 부분(聲符)과 뜻 부분(意符)으로 분해하시오.

1. 花 = 소리 부분(聲符) 　　　　 + 뜻 부분(意符)

2. 貨 = 소리 부분(聲符) 　　　　 + 뜻 부분(意符)

3. 다음 중 "음"이 서로 <u>다른</u> 글자는?
   ① 化　　　　② 花　　　　③ 貨　　　　④ 比

4. "花"자와 관계 깊은 것은?
   ① 菊　　　　② 犬　　　　③ 氷　　　　④ 雲

5. "貨"자의 아랫부분(貝)은 무엇을 의미하는가?
   ① 이름, 권력　　② 돈, 재물　　③ 취미, 특기　　④ 질병, 죽음

◆ 다음 중 주어진 글자로 이루어지는 단어를 2개 이상 한자 또는 한글로 쓰시오.

6. 化 -

7. 花 -

8. 貨 -

9. 頃 -

10. 傾 -

◆ 다음 글자의 훈과 음을 쓰시오.

( )旨( ) – ( )指( ) – ( )脂( ) – ( )皀( ) – ( )卽( ) –
( )旣( ) – ( )節( )

◆ 다음 글자를 분해하시오.

1. 指 = ☐ + ☐ + ☐   2. 卽 = ☐ + ☐

3. 旨 = ☐ + ☐   4. 皀 = ☐ + ☐

5. 節 = ☐ + ☐ + ☐   6. 旣 = ☐ + ☐

7. 脂 = ☐ + ☐

◆ 다음 글자를 소리 부분(聲符)과 뜻 부분(意符)으로 분해하시오.

8. 指 = 소리 부분(聲符) ☐ + 뜻 부분(意符) ☐

9. 脂 = 소리 부분(聲符) ☐ + 뜻 부분(意符) ☐

10. 旣 = 소리 부분(聲符) ☐ + 뜻 부분(意符) ☐

11. 다음 중 "음"이 서로 다른 글자는?
    ① 脂   ② 指   ③ 支   ④ 其

12. "卽, 旣"자는 무엇을 본떠 만들었는가?
    ① 사람과 밥   ② 개와 고양이 ③ 물과 술   ④ 구름과 산

13. "指"자와 관계 깊은 것은?
    ① 毛   ② 手   ③ 耳   ④ 鬼

◆ 다음 중 주어진 글자로 이루어지는 단어를 2개 이상 한자 또는 한글로 쓰시오.

14. 指 - ☐   15. 脂 - ☐

16. 卽 - ☐   17. 旣 - ☐

18. 節 - ☐

◆ 다음 글자의 훈과 음을 쓰시오.

( )疑( ) - ( )凝( ) - ( )能( ) - ( )熊( ) - ( )態( )
( )罷( ) - ( )眞( ) - ( )鎭( ) - ( )愼( )

◪ 다음 글자를 분해하시오.

1. 熊 = [　　　] + [　　　] + [　　　]　　2. 能 = [　　　] + [　　　]

3. 態 = [　　　] + [　　　]　　4. 罷 = [　　　] + [　　　]

5. 疑 = [　　　] + [　　　] + [　　　]　　6. 凝 = [　　　] + [　　　]

7. 鎭 = [　　　] + [　　　]　　8. 愼 = [　　　] + [　　　]

◪ 다음 글자를 소리 부분(聲符)과 뜻 부분(意符)으로 분해하시오.

9. 鎭 = 소리 부분(聲符) [　　　] + 뜻 부분(意符) [　　　]

10. 愼 = 소리 부분(聲符) [　　　] + 뜻 부분(意符) [　　　]

11. 다음 중 "음"이 서로 다른 글자는?
　① 進　　　② 珍　　　③ 愼　　　④ 眞

12. "疑"자와 반대의 뜻을 가진 글자는?
　① 信　　　② 正　　　③ 永　　　④ 心

13. 다음 중 성격이 다른 글자는?
　① 熊　　　② 虍　　　③ 艹　　　④ 馬

14. "眞"자와 반대의 뜻을 가진 글자는?
　① 東　　　② 珍　　　③ 辶　　　④ 假

◪ 다음 중 주어진 글자로 이루어지는 단어를 2개 이상 한자 또는 한글로 쓰시오.

15. 疑 – [　　　]　　16. 凝 – [　　　]

17. 能 – [　　　]　　18. 熊 – [　　　]

19. 態 – [　　　]　　20. 罷 – [　　　]

21. 眞 – [　　　]　　22. 鎭 – [　　　]

23. 愼 – [　　　]

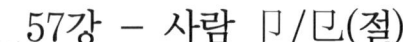

◘ 다음 글자의 음과 훈을 쓰시오.

( )卩( ) – ( )命( ) – ( )令( ) – ( )冷( ) – ( )零( ) –
( )囹( ) – ( )領( ) – ( )嶺( ) – ( )齡( ) – ( )服( )

◘ 다음 글자를 분해하시오.

1. 命 = ☐ + ☐ + ☐   2. 令 = ☐ + ☐

3. 領 = ☐ + ☐   4. 零 = ☐ + ☐

◘ 다음 글자를 소리 부분(聲符)과 뜻 부분(意符)으로 분해하시오.

5. 冷 = 소리 부분(聲符) ☐ + 뜻 부분(意符) ☐

6. 零 = 소리 부분(聲符) ☐ + 뜻 부분(意符) ☐

7. 囹 = 소리 부분(聲符) ☐ + 뜻 부분(意符) ☐

8. 領 = 소리 부분(聲符) ☐ + 뜻 부분(意符) ☐

9. 嶺 = 소리 부분(聲符) ☐ + 뜻 부분(意符) ☐

10. 齡 = 소리 부분(聲符) ☐ + 뜻 부분(意符) ☐

11. 다음 중 "음"이 서로 다른 글자는?
　① 令　　　② 冷　　　③ 領　　　④ 零

12. "命"자와 비슷한 뜻을 가진 글자는?
　① 而　　　② 國　　　③ 令　　　④ 才

13. "冷"자와 관계 깊은 것은?
　① 전쟁 무기　　② 꽃　　③ 보자기　　④ 얼음

14. 다음 "服"자에 대한 설명 중 맞지 <u>않는</u> 것은?

    ① 옷, 의복   ② 약을 먹다   ③ 복종하다   ④ 뛰어가다

◆ 다음 중 주어진 글자로 이루어지는 단어를 2개 이상 한자 또는 한글로 쓰시오.

15. 命 -   16. 令 -

17. 冷 -   18. 零 -

19. 圇 -   20. 領 -

21. 嶺 -   22. 齡 -

23. 服 -

◆ 다음 글자의 훈과 음을 쓰시오.

> ( )卬( ) – ( )仰( ) – ( )迎( ) – ( )印( ) – ( )抑( ) –
> ( )厄( ) – ( )危( ) – ( )詭( ) – ( )卵( )

◆ 다음 글자를 분해하시오.

1. 仰 =   +   +   2. 迎 =   +

3. 抑 =   +   4. 印 =   +

5. 危 =   +   +   6. 詭 =   +

7. 印 =   +   8. 厄 =   +

◆ 다음 글자를 소리 부분(聲符)과 뜻 부분(意符)으로 분해하시오.

9. 仰 = 소리 부분(聲符)   + 뜻 부분(意符)

10. 迎 = 소리 부분(聲符)   + 뜻 부분(意符)

11. 다음 중 "음"이 서로 <u>다른</u> 글자는?

    ① 央   ② 仰   ③ 英   ④ 卬

12. 다음 중 "뜻"이 나머지 셋과 <u>다른</u> 것은?

    ① 崇   ② 仰   ③ 卅   ④ 惡

13. 다음 "印"자에 대한 설명 중 맞지 <u>않는</u> 것은?

    ① 사람의 머리에 손 얹은 모습   ② 도장, 인장

    ③ 깃발 흔드는 모습   ④ 승인, 임명

14. 다음 중 나머지 셋과 성격이 <u>다른</u> 글자는?

    ① 災   ② 厄   ③ 禾   ④ 殃

15. "危"자와 <u>반대</u>의 뜻을 가진 글자는?

    ① 安   ② 辶   ③ 弋   ④ 足

16. "詭"자와 비슷한 뜻을 가진 글자는?

    ① 信   ② 欺   ③ 明   ④ 雨

◈ 다음 중 주어진 글자로 이루어지는 단어를 2개 이상 한자 또는 한글로 쓰시오.

17. 仰 -

18. 迎 -

19. 印 -

20. 抑 -

21. 厄 -

22. 危 -

23. 詭 -

24. 卵 -

◈ 다음 글자의 훈과 음을 쓰시오.

(   )犯(   ) - (   )氾(   ) - (   )範(   ) - (   )卷(   ) - (   )卽(   ) - (   )節(   ) - (   )鄕(   ) - (   )饗(   ) - (   )卿(   )

◈ 다음 글자를 분해하시오.

1. 鄕 =   +   +   2. 響 =   +

3. 饗 =   +   4. 卿 =   +

5. 範 =   +   +   6. 卽 =   +

7. 節 =   +   8. 犯 =   +

◈ 다음 글자를 소리 부분(聲符)과 뜻 부분(意符)으로 분해하시오.

9. 節 = 소리 부분(聲符)   +   뜻 부분(意符)

10. 饗 = 소리 부분(聲符) [   ] + 뜻 부분(意符) [   ]

11. 다음 중 "음"이 서로 <u>다른</u> 글자는?
　　① 範　　　　　② 犯　　　　　③ 卬　　　　　④ 氾

12. "範"자와 비슷한 뜻을 가진 글자는?
　　① 田　　　　　② 法　　　　　③ 受　　　　　④ 弋

13. "卷"자와 관계 깊은 것은?
　　① 冊　　　　　② 菜　　　　　③ 奴　　　　　④ 尸

◆ 다음 중 주어진 글자로 이루어지는 단어를 2개 이상 한자 또는 한글로 쓰시오.

14. 犯 – [   ]　　　　15. 氾 – [   ]

16. 範 – [   ]　　　　17. 卷 – [   ]

18. 卬 – [   ]　　　　19. 節 – [   ]

20. 鄕 – [   ]　　　　21. 饗 – [   ]

22. 卿 – [   ]

◆ 다음 글자의 훈과 음을 쓰시오.

```
(    )夗(    ) – (    )怨(    ) – (    )苑(    ) – (    )鴛(    ) – (    )宛(    ) –
(    )婉(    ) – (    )腕(    )
```

◆ 다음 글자를 분해하시오.

1. 怨 = [   ] + [   ] + [   ]　　2. 苑 = [   ] + [   ]

3. 宛 = [   ] + [   ]　　　　　　4. 夗 = [   ] + [   ]

◆ 다음 글자를 소리 부분(聲符)과 뜻 부분(意符)으로 분해하시오.

5. 怨 = 소리 부분(聲符) [   ] + 뜻 부분(意符) [   ]

6. 苑 = 소리 부분(聲符) [   ] + 뜻 부분(意符) [   ]

7. 鴛 = 소리 부분(聲符)　　　　　 ＋ 뜻 부분(意符)

8. 宛 = 소리 부분(聲符)　　　　　 ＋ 뜻 부분(意符)

9. 婉 = 소리 부분(聲符)　　　　　 ＋ 뜻 부분(意符)

10. 腕 = 소리 부분(聲符)　　　　　 ＋ 뜻 부분(意符)

11. 다음 중 같은 "음"끼리 짝지은 것이 <u>아닌</u> 것은?
　　① 夗 – 苑 – 怨 – 鴛　　　　　② 爰 – 援 – 媛 – 湲
　　③ 方 – 防 – 放 – 房　　　　　④ 宛 – 婉 – 腕 – 院

12. "苑"자와 비슷한 뜻을 가진 글자는?
　　① 介　　　　　② 竹　　　　　③ 園　　　　　④ 玄

13. "鴛"자와 관계 깊은 것은?
　　① 새　　　　　② 물고기　　　　　③ 맹수　　　　　④ 곤충

◆ 다음 중 주어진 글자로 이루어지는 단어를 2개 이상 한자 또는 한글로 쓰시오.

14. 怨 –

15. 苑 –

16. 鴛 –

17. 宛 –

18. 婉 –

19. 腕 –

◆ 다음 글자의 음과 훈을 쓰시오.

( )尸( ) - ( )尿( ) - ( )尺( ) - ( )局( ) - ( )屈( ) - ( )窟( )
( )掘( ) - ( )尾( ) - ( )履( ) - ( )尼( ) - ( )泥( )

◆ 다음 글자를 분해하시오.

1. 掘 = ___ + ___ + ___   2. 屈 = ___ + ___

3. 尿 = ___ + ___   4. 尾 = ___ + ___

5. 窟 = ___ + ___ + ___   6. 局 = ___ + ___

7. 泥 = ___ + ___   8. 尢 = ___ + ___

◆ 다음 글자를 소리 부분(聲符)과 뜻 부분(意符)으로 분해하시오.

9. 屈 = 소리 부분(聲符) ___ + 뜻 부분(意符) ___

10. 窟 = 소리 부분(聲符) ___ + 뜻 부분(意符) ___

11. 掘 = 소리 부분(聲符) ___ + 뜻 부분(意符) ___

12. 泥 = 소리 부분(聲符) ___ + 뜻 부분(意符) ___

13. "尿"자와 관계 깊은 것은?

① 등산   ② 필기도구   ③ 화장실   ④ 양념, 조미료

14. "屈"자와 반대의 뜻을 가진 글자는?

① 流   ② 直   ③ 宀   ④ 西

15. "尾"자와 반대의 뜻을 가진 글자는?

① 宀   ② 扌   ③ 彡   ④ 木

16. "尼"자와 관계 깊은 것은?

　　① 肉　　　　　　　② 寺　　　　　　　③ 土　　　　　　　④ 海

17. "泥"자와 관계 깊은 것은?

　　① 물, 흙　　　　　　　　　② 돈, 재물
　　③ 붓, 종이　　　　　　　　　④ 남자, 여자

◆ 다음 중 주어진 글자로 이루어지는 단어를 2개 이상 한자 또는 한글로 쓰시오.

18. 尿 –　　　　　　　　　　　19. 尺 –

20. 局 –　　　　　　　　　　　21. 屈 –

22. 窟 –　　　　　　　　　　　23. 掘 –

24. 尾 –　　　　　　　　　　　25. 履 –

26. 尼 –　　　　　　　　　　　27. 泥 –

◆ 다음 글자의 훈과 음을 쓰시오.

(　　)屍(　) – (　　)展(　) – (　　)屛(　) – (　　)屠(　) – (　　)屢(　)

◆ 다음 글자를 분해하시오.

1. 屍 = 　　　 + 　　　 + 　　　　2. 展 = 　　　 + 　　　

3. 屛 = 　　　 + 　　　　　　　　4. 屠 = 　　　 + 　　

◆ 다음 글자를 소리 부분(聲符)과 뜻 부분(意符)으로 분해하시오.

5. 屛 = 소리 부분(聲符) 　　　　 + 뜻 부분(意符) 　　　

6. 屠 = 소리 부분(聲符) 　　　　 + 뜻 부분(意符) 　　　

7. "屍"자와 관계 깊은 것은?

　　① 구름　　　　　② 종이　　　　　③ 시체　　　　　④ 강아지

◆ 다음 중 주어진 글자로 이루어지는 단어를 2개 이상 한자 또는 한글로 쓰시오.

8. 屍 –

9. 展 -

10. 屛 -

11. 屠 -

12. 屢 -

◆ 다음 글자의 훈과 음을 쓰시오.

( )居( ) - ( )屋( ) - ( )握( ) - ( )層( ) - ( )犀( ) -
( )遲( ) - ( )屬( ) - 건물 관련

◆ 다음 글자를 분해하시오.

1. 握 = [   ] + [   ] + [   ]   2. 屋 = [   ] + [   ]

3. 居 = [   ] + [   ]   4. 層 = [   ] + [   ]

5. 犀 = [   ] + [   ] + [   ]   6. 遲 = [   ] + [   ]

7. 潶 = [   ] + [   ]   8. 厼 = [   ] + [   ]

◆ 다음 글자를 소리 부분(聲符)과 뜻 부분(意符)으로 분해하시오.

9. 握 = 소리 부분(聲符) [   ]   + 뜻 부분(意符) [   ]

10. 屬 = 소리 부분(聲符) [   ]   + 뜻 부분(意符) [   ]

11. 다음 중 서로 관계 없는 것은?
    ① 屋   ② 家   ③ 靑   ④ 宅

12. "握"자와 비슷한 뜻을 가진 글자는?
    ① 展   ② 象   ③ 方   ④ 把

13. "層"자와 관계 깊은 것은?
    ① 무기   ② 건물   ③ 모기   ④ 연필

14. "遲"자와 반대의 뜻을 가진 글자는?

① 부   ② 리   ③ 明   ④ 面

◆ 다음 중 주어진 글자로 이루어지는 단어를 2개 이상 한자 또는 한글로 쓰시오.

15. 居 –

16. 屋 –

17. 握 –

18. 層 –

19. 遲 –

20. 屬 –

◆ 다음 글자의 음과 훈을 쓰시오.

(　)大(　) – (　)天(　) – (　)夫(　) – (　)夭(　) – (　)立(　) –
(　)尢(　) – (　)犬(　) – (　)太(　) – (　)失(　)

◆ 다음 글자를 분해하시오.

1. 天 = _____ + _____　　　2. 夫 = _____ + _____

3. 夭 = _____ + _____　　　4. 太 = _____ + _____

5. 大 = _____ + _____　　　6. 失 = _____ + _____

7. 犬 = _____ + _____　　　8. 尢 = _____ + _____

◆ 다음 중 주어진 글자로 이루어지는 단어를 2개 이상 한자 또는 한글로 쓰시오.

9. 大 - _____　　　10. 天 - _____

11. 夫 - _____　　　12. 夭 - _____

13. 立 - _____　　　14. 犬 - _____

15. 太 - _____　　　16. 失 - _____

17. 다음 중 관계가 나머지 셋과 <u>다른</u> 것은?

① 大 – 小　　　② 天 – 地　　　③ 得 – 失　　　④ 夫 – 人

18. "夭"자와 관계 깊은 것은?

① 젊다, 죽다　　　　　　② 나이 들다, 속이 깊다
③ 늙다, 가르치다　　　　④ 젊다, 예쁘다

19. 다음 중 "사람"을 본뜬 글자가 <u>아닌</u> 것은?

① 大　　　② 立　　　③ 犬　　　④ 夫

20. 다음 글자 중 "남자"를 나타내는 것은?

    ① 母   ② 婦   ③ 夫   ④ 姑

21. "犬"자와 관계 깊은 것은?

    ① 가축   ② 새   ③ 쥐   ④ 막대기

◆ 다음 글자의 음과 훈을 쓰시오.

( )夾( ) – ( )峽( ) – ( )挾( ) – ( )陜( ) – ( )麥( ) –
( )爽( ) – ( )亦( )

◆ 다음 글자를 분해하시오.

1. 夾 = [ ] + [ ] + [ ]   2. 峽 = [ ] + [ ]

3. 陜 = [ ] + [ ]   4. 挾 = [ ] + [ ]

5. 亦 = [ ] + [ ]   6. 爽 = [ ] + [ ]

7. 來 = [ ] + [ ]

◆ 다음 글자를 소리 부분(聲符)과 뜻 부분(意符)으로 분해하시오.

8. 狹 = 소리 부분(聲符) [ ] + 뜻 부분(意符) [ ]

9. 峽 = 소리 부분(聲符) [ ] + 뜻 부분(意符) [ ]

10. 다음 중 "음"이 서로 <u>다른</u> 글자는?

    ① 峽   ② 挾   ③ 狹   ④ 來

11. "狹"자와 <u>반대</u>의 뜻을 가진 글자는?

    ① 山   ② 元   ③ 廣   ④ 士

12. "麥"자와 관계 깊은 것은?

    ① 농사   ② 고기잡이   ③ 붓   ④ 장난감

13. 다음 "亦"자에 대한 설명 중 맞지 <u>않는</u> 것은?

    ① 겨드랑이   ② 또한, 역시   ③ 大 丶   ④ 장미, 국화

◆ 다음 중 주어진 글자로 이루어지는 단어를 2개 이상 한자 또는 한글로 쓰시오.

14. 夾 －

15. 峽 －

16. 狹 －

17. 陝 －

18. 麥 －

19. 爽 －

20. 亦 －

◆ 다음 글자의 훈과 음을 쓰시오.

(　　)大(　) － (　　)夷(　) － (　　)夸(　) － (　　)誇(　) － (　　)奈(　) －
(　　)奔(　) － (　　)奢(　) － (　　)奪(　) － (　　)奮(　) － (　　)奧(　)

◆ 다음 글자를 분해하시오.

1. 誇 ＝ ＿＿＿ ＋ ＿＿＿ ＋ ＿＿＿

2. 夸 ＝ ＿＿＿ ＋ ＿＿＿

3. 夷 ＝ ＿＿＿ ＋ ＿＿＿

4. 奢 ＝ ＿＿＿ ＋ ＿＿＿

5. 奧 ＝ ＿＿＿ ＋ ＿＿＿ ＋ ＿＿＿

6. 奪 ＝ ＿＿＿ ＋ ＿＿＿

7. 奔 ＝ ＿＿＿ ＋ ＿＿＿

8. 奮 ＝ ＿＿＿ ＋ ＿＿＿

◆ 다음 글자를 소리 부분(聲符)과 뜻 부분(意符)으로 분해하시오.

9. 誇 ＝ 소리 부분(聲符) ＿＿＿ ＋ 뜻 부분(意符) ＿＿＿

10. 다음 중 "음"이 서로 다른 글자는?
　① 果　　　② 夸　　　③ 誇　　　④ 奈

11. "誇"자와 반대의 뜻을 가진 글자는?
　① 恥　　　② 面　　　③ 卜　　　④ 歡

12. "奔"자와 비슷한 뜻을 가진 글자는?
　① 夂　　　② 徐　　　③ 令　　　④ 走

13. "奢"자와 반대의 뜻을 가진 글자는?
　① 用　　　② 檢　　　③ 金　　　④ 反

14. "奪"자와 음이 같은 글자는?

　　① 出　　　　　　　② 打　　　　　　　③ 見　　　　　　　④ 脫

◆ 다음 중 주어진 글자로 이루어지는 단어를 2개 이상 한자 또는 한글로 쓰시오.

15. 大 －　　　　　　　　　　　　　16. 夷 －

17. 誇 －　　　　　　　　　　　　　18. 奈 －

19. 奔 －　　　　　　　　　　　　　20. 奢 －

21. 奪 －　　　　　　　　　　　　　22. 奮 －

23. 奧 －

◆ 다음 글자의 훈과 음을 쓰시오.

(　)央(　) － (　)殃(　) － (　)英(　) － (　)映(　) － (　)夬(　) － (　)快(　) － (　)決(　) － (　)缺(　) － (　)訣(　)

◆ 다음 글자를 분해하시오.

1. 英 ＝ 　　　　＋　　　　＋　　　　　2. 殃 ＝ 　　　　＋

3. 央 ＝ 　　　　＋　　　　　　　　　　4. 映 ＝ 　　　　＋

◆ 다음 글자를 소리 부분(聲符)과 뜻 부분(意符)으로 분해하시오.

5. 殃 ＝ 소리 부분(聲符)　　　　　＋　뜻 부분(意符)

6. 英 ＝ 소리 부분(聲符)　　　　　＋　뜻 부분(意符)

7. 映 ＝ 소리 부분(聲符)　　　　　＋　뜻 부분(意符)

8. 快 ＝ 소리 부분(聲符)　　　　　＋　뜻 부분(意符)

9. 決 ＝ 소리 부분(聲符)　　　　　＋　뜻 부분(意符)

10. 缺 ＝ 소리 부분(聲符)　　　　　＋　뜻 부분(意符)

11. 訣 ＝ 소리 부분(聲符)　　　　　＋　뜻 부분(意符)

12. 다음 중 "음"이 서로 <u>다른</u> 글자는?
　① 英　　　　　② 泳　　　　　③ 映　　　　　④ 殃

13. 다음 중 "음"이 서로 <u>다른</u> 글자는?
　① 決　　　　　② 快　　　　　③ 缺　　　　　④ 結

14. "殃"자와 <u>반대</u>의 뜻을 가진 글자는?
　① 禍　　　　　② 汗　　　　　③ 福　　　　　④ 京

15. "訣"자와 반대의 뜻이 <u>아닌</u> 글자는?
　① 會　　　　　② 合　　　　　③ 英　　　　　④ 逢

◆ 다음 중 주어진 글자로 이루어지는 단어를 2개 이상 한자 또는 한글로 쓰시오.

16. 央 -　　　　　　　　　　　　　　17. 殃 -

18. 英 -　　　　　　　　　　　　　　19. 映 -

20. 快 -　　　　　　　　　　　　　　21. 決 -

22. 缺 -　　　　　　　　　　　　　　23. 訣 -

◆ 다음 글자의 훈과 음을 쓰시오.

(　)奐(　) – (　)換(　) – (　)喚(　) – (　)冥(　) – (　)免(　)

◆ 다음 글자를 분해하시오.

1. 奐 = 　　　　 + 　　　　 + 　　　　　　2. 喚 = 　　　　 + 　　　　

3. 換 = 　　　　 + 　　　　　　　　　　　　4. 免 = 　　　　 + 　　　　

◆ 다음 글자를 소리부분(聲符)과 뜻 부분(意符)으로 분해하시오.

5. 換 = 소리 부분(聲符) 　　　　　 + 뜻 부분(意符) 　　　　　

6. 喚 = 소리 부분(聲符) 　　　　　 + 뜻 부분(意符) 　　　　　

7. 다음 중 "음"이 서로 <u>다른</u> 글자는?
　① 換　　　　　② 奐　　　　　③ 竟　　　　　④ 喚

8. 다음 중 서로 관계 <u>없는</u> 것은?

　① 暗　　　　　　② 冥　　　　　　③ 明　　　　　　④ 昏

9. "喚"자와 관계 깊은 것은?

　① 입　　　　　　② 눈　　　　　　③ 허리　　　　　④ 발

◆ 다음 중 주어진 글자로 이루어지는 단어를 2개 이상 한자 또는 한글로 쓰시오.

10. 奐 - 　　　　　　　　　　　　　　11. 換 -

12. 喚 - 　　　　　　　　　　　　　　13. 冥 -

14. 免 -

◆ 다음 글자의 음과 훈을 쓰시오.

（　）夭（　） - （　）妖（　） - （　）喬（　） - （　）嬌（　） - （　）橋（　） -
（　）僑（　） - （　）矯（　） - （　）驕（　）

◆ 다음 글자를 분해하시오.

1. 喬 = 　　　　　 + 　　　　　 + 　　　　　　2. 橋 = 　　　　　 + 　　　　

3. 驕 = 　　　　　 + 　　　　　　　　　　　　4. 僑 = 　　　　　 + 　　　　

◆ 다음 글자를 소리 부분(聲符)과 뜻 부분(意符)으로 분해하시오.

5. 妖 = 소리 부분(聲符) 　　　　　 + 뜻 부분(意符)

6. 嬌 = 소리 부분(聲符) 　　　　　 + 뜻 부분(意符)

7. 橋 = 소리 부분(聲符) 　　　　　 + 뜻 부분(意符)

8. 僑 = 소리 부분(聲符) 　　　　　 + 뜻 부분(意符)

9. 矯 = 소리 부분(聲符) 　　　　　 + 뜻 부분(意符)

10. 驕 = 소리 부분(聲符) 　　　　　 + 뜻 부분(意符)

11. 다음 중 "음"이 서로 <u>다른</u> 글자는?

　① 妖　　　　　　② 夭　　　　　　③ 妙　　　　　　④ 要

12. "夭"자와 관계 없는 것은?
　　① 젊다, 어리다　　　② 뛰어가다　　　③ 늙다　　　④ 죽다

13. 다음 "驕"자에 대한 설명으로 적당한 것은?
　　① 건방지다　　　② 수줍어하다　　　③ 쓰러지다　　　④ 고자질하다

14. 다음 중 "음"이 서로 다른 글자는?
　　① 橋　　　② 僑　　　③ 稿　　　④ 矯

15. "嬌"자에 대한 설명 중 맞지 않는 것은?
　　① 예쁘다　　　② 말이 많다　　　③ 밉살스럽다　　　④ 달아나다

◆ 다음 중 주어진 글자로 이루어지는 단어를 2개 이상 한자 또는 한글로 쓰시오.

16. 夭 －　　　　　　　　　　　　17. 妖 －

18. 喬 －　　　　　　　　　　　　19. 嬌 －

20. 橋 －　　　　　　　　　　　　21. 僑 －

22. 矯 －　　　　　　　　　　　　23. 驕 －

◆ 다음 글자의 훈과 음을 쓰시오.

```
(　　)吳(　) － (　　)誤(　) － (　　)娛(　)
```

◆ 다음 글자를 분해하시오.

1. 吳 ＝ 　　　　 ＋ 　　　　 ＋ 　　　　　　2. 誤 ＝ 　　　　 ＋

3. 娛 ＝ 　　　　 ＋

◆ 다음 글자를 소리 부분(聲符)과 뜻 부분(意符)으로 분해하시오.

4. 誤 ＝ 소리 부분(聲符) 　　　　 ＋ 뜻 부분(意符)

5. 娛 ＝ 소리 부분(聲符) 　　　　 ＋ 뜻 부분(意符)

6. 다음 중 "음"이 서로 다른 글자는?
　　① 哭　　　② 誤　　　③ 吳　　　④ 娛

7. "誤"자와 반대의 뜻을 가진 글자는?
① 曲   ② 失   ③ 正   ④ 非

8. 다음 중 서로 관계 없는 것은?
① 樂   ② 喜   ③ 眠   ④ 娛

9. "娛"자와 반대의 뜻을 가진 글자는?
① 中   ② 哀   ③ 可   ④ 臣

◪ 다음 중 주어진 글자로 이루어지는 단어를 2개 이상 한자 또는 한글로 쓰시오.

10. 吳 –

11. 誤 –

12. 娛 –

● 사람 신분/성장 과정별로 ●

巳(사) 厶(사) 幺(요) 子(자) 女(녀) 父(부) 母(모) 老(노) 疒(녁) 尸(시) 祖(조)

- ▸ 巳(사) – 어머니 뱃속에 잉태된 태아가
- ▸ 厶(사) – 갓난아기로 태어나
- ▸ 幺(요) – 꿈틀대며 귀여움을 듬뿍 받으며
- ▸ 子女(자녀) – 아들딸로 자라서
- ▸ 父母(부모) – 엄마 아빠가 되지만
- ▸ 老(노) – 결국엔 나이 들어 늙고
- ▸ 疒(녁) – 병들어 자식들에게 귀찮은 존재가 되기 싫어
- ▸ 尸(시) – 죽었더니 그렇게 귀찮다고 할 땐 언제고 울고불고
- ▸ 祖(조) – 먹고 보지도 못할 제상(祭床)이나 받는 조상이 되어 서서히 잊혀져간다.

士(사)　　　臣(신)　　　王(왕)　　　鬼(귀)

- ▸ 士(사) – 가장 낮은 벼슬인 선비와
- ▸ 臣(신) – 신하
- ▸ 王(왕) – 그리고 임금
- ▸ 鬼(귀) – 임금 위에 귀신

巳 뱀/태아/여섯째 지지 사

巳(사) 包(포) 祀(사) 巷(항) 港(항) 巽(손) 選(선) 撰(찬) 饌(찬)

 훈음 태아/뱀/여섯째 지지 사 **부수** 몸 기(己) ▶▶▶ 뱃속에 있는 태아
태아 혹은 아기의 상형으로 뱀과는 무관하며 다른 글자와 함께 사용될 때 '태아, 사람'으로 해석해야 한다.
방위로는 東南(동남), 시간으로는 오전 9시~11시 달로는 음력 4월을 가리킨다.
●●●●● 巳時(사시)/巳月(사월) 관계

包 훈음 쌀 포 부수 쌀 勹(포) ▶▶▶ 쌀/안을 勹(포) + 뱀/자식/태아 巳(사) ➡ 자궁 속의 태아
어머니 품(勹) 혹은 자궁 속에 들어 있는 태아(巳)의 모습에서 '싸다, 감싸다, 꾸러미' 등으로 뜻이 확대되었다. 마치 갓난아기를 두 손으로 따뜻하게 감싸고 있는 모습을 연상하기 바란다.
••••• 包裝(포장)/包含(포함)/包括(포괄)/包容(포용)/小包(소포)

祀 훈음 제사 사 부수 보일 示(시) ▶▶▶ 보일 示(시) + 태아 巳(사) ➡ 신에게 태아를 바침
제사란 신에게 무엇인가를 바친다거나 기원하는 것을 말하므로 神(신)을 상징하는 귀신/보일 礻(시)를 의미요소로 巳(사)는 발음기호로 썼다. 그런데 이 글자는 제단(示) 앞에 엎드려 있는 사람(巳)을 나타내는 글자이므로 두 글자 모두 의미요소에 기여한다.
••••• 祭祀(제사)

巷 훈음 거리 항 부수 자기 己(기) ▶▶▶ 함께 共(공) + 태아 巳(고을 邑(읍)의 변형) ➡ 사람들이 모여 있는 곳
거리란 동네 사람들의 사랑방 같은 곳으로 모든 사람들이 오가고 모여서 노는 곳을 의미하므로 사람들(邑)이 함께(共)하는 곳으로 '거리'라는 글자를 만들어 냈다.
••••• 巷間(항간)/巷謠(항요)/街談巷說(가담항설)

港 훈음 항구 항 부수 물 氵(수) ▶▶▶ 물 氵(수) + 거리 巷(항) ➡ 물이 모여 있는 곳
항구란 배들이 드나드는 곳이므로 물 氵(수)와 사람들이 오가는 거리나 마을의 뜻이 있는 거리 巷(항)을 합하여 만든 글자로 共(공)이 巷(항)의 발음기호로, 巷(항)은 港(항)의 발음기호로 사용됐다.
••••• 港口(항구)/美港(미항)/港灣(항만)/開港(개항)/港都(항도)

選 훈음 가릴 선 부수 갈 辶(착) ▶▶▶ 갈 辶(착) + 손괘 巽(손) ➡ 선발하여 보내다
뽑아서 보낸다 하여 갈 辶(착)을 의미요소로 巽(손)을 발음기호로 사용했다. 巽(손)자는 제단이나 단 위에 앉아 있는 두 사람(巳) 혹은 두 제물, 혹은 제단위에서 나란히 춤추는 두 무속인의 모습으로 '제물로 바치든가 궁궐이나 사당으로 보내기(辶) 위해' 선택하기 위한 장면에서 '가리다, 뽑다'가 파생됐으며 선별(扌)하여 임금님께 바치던(巽) 글을 찬술(撰述)의 지을 찬(撰)자라 한다.
••••• 選拔(선발)/選擧(선거)/選擇(선택)/落選(낙선)/選手(선수)

饌 훈음 반찬 찬 부수 먹을 食(식) ▶▶▶ 먹을 食(식) + 손괘 巽(손) ➡ 골라먹는 음식
반찬도 먹 거리이므로 먹을 食(식)을 의미요소로 巽(손)을 발음기호로, 밥은 반드시 먹어야 하지만 반찬은 이것저것 좋아하는 것만 가려서 먹는다.
••••• 珍羞盛饌(진수성찬)/饌欌(찬장)/飯饌(반찬)

巴(파)　把(파)　芭(파)　肥(비)　邑(읍)　色(색)　艶(염)　絶(절)

巴 훈음 땅 이름/큰 뱀 파 부수 자기 己(기) ▶▶▶ 살찐 태아
병부 卩(절)의 변형으로 꿇어앉아 있는 사람을 가리키는 글자로 '방울뱀'의 상형이기도 하나 주로 '사람'을 가리키는데 사용됨으로 사람으로 알아두자.
••••• 巴人(파인)

把 훈음 잡을 파 부수 손 扌(수) ▶▶▶ 손 扌(수) + 땅 이름 巴(파) ➡ 뱀을 잡다/사람을 움켜잡다
'손으로 꽉 움켜쥐다'라는 뜻이니 손 扌(수)가 의미요소고 巴(파)는 발음기호이다.
••••• 把握(파악)/把守(파수)

芭 　훈음 파초 파 　부수 풀 ++(초) 　▶▶▶ 풀 ++(초) + 큰 뱀 巴(파)

잎이 큰 여러해살이풀을 가리키는 것이므로 풀 ++(초)가 의미요소고 巴(파)는 발음기호이다.

••••• 芭蕉(파초)

 肥 　훈음 살찔 비 　부수 고기 月(육) + 큰 뱀 巴(파) 　▶▶▶ ➡ 살찐 뱀/사람

비대함을 나타내기 위함이었으므로 신체와 관련이 있는 육달 月(월)을 의미요소로 巴(파)는 발음요소로 사용했다. 그러나 큰 뱀(巴)처럼 물컹물컹한 살(月)이 많다고 해서 '살찌다'로 의미 확대됐다.

••••• 肥滿(비만)/肥大(비대)/肥沃(비옥)/天高馬肥(천고마비)

 邑 　훈음 고을 읍 　부수 제 부수 　▶▶▶ 나라 국(□) + 큰 뱀 巴(파) ➡ 사람이 거주하는 지역

여기서 구(□='입 구'가 아님)는 사람들(巴-방울뱀 상형이 아님)이 모여 사는 거주 지역(□)을 말하고 그 아래 큰 뱀 巴(파)는 병부 □(절)의 변형으로 꿇어앉은 사람 즉 거주민 혹은 백성을 말하므로 '사람이 거주하는 지역 즉 마을 고을'을 의미하는 글자이다.

••••• 邑內(읍내)/邑長(읍장)/都邑(도읍)

 色 　훈음 빛 색 　부수 제 부수 　▶▶▶ 人(인) + 큰 뱀 巴(파) ➡ 부부 관계/좋아하는 남녀의 만남

사람(人)이 사람(巴) 위에 올라탄 모습 - 부부 관계를 묘사한 글자로 두(人) 사람(巴)이 바싹 붙어 있는 모습에서 흥분되어 얼굴빛이 변하는 모양에서 '색깔'의 의미를 가지게도 되었다.

••••• 原色(원색)/色感(색감)/彩色(채색)/色骨(색골)/色狂(색광)

 艶 　훈음 고울 염 　부수 빛 色(색) 　▶▶▶ 풍성할 豊(풍) + 빛 色(색) ➡ 풍만한 여자가 곱고 매력적이다

처음엔 차고도 남을 정도의 풍부함을 나타내는 글자였으나 훗날 豊(풍) + 色(색)으로 바뀌어 풍만한 女體(여체)를 상징하여 '성적 매력을 풍기는 뜻의 단어로 사용되고 있다.

••••• 妖艶(요염)/艶聞(염문)을 뿌리다/濃艶(농염)한 연기

 絕 　훈음 끊을 절 　부수 실 糸(사) 　▶▶▶ 실 糸(사) + 빛 色(색) ➡ 칼로 실을 끊다/좋은 감정을 끊다

'밧줄 혹은 실을 끊다'가 본뜻으로 실 糸(사)가 의미요소고, 빛 色(색)의 윗부분은 칼(刀)의 변형으로 '밧줄이나 실을' 자르는 도구를 넣어 역시 의미요소로 사용했으며, 色(색)의 아랫부분인 巴(파)는 □(절)의 변형으로 발음기호로 사용된 글자로 빛 色(색)과는 전혀 무관하다.

••••• 絕交(절교)/斷絕(단절)

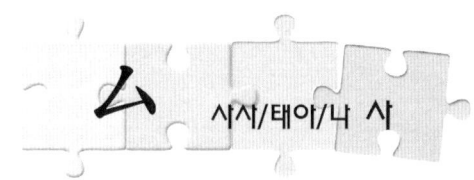

ム 사사/태아/나 사

| ム(사) | 幺(요) | 私(사) | 公(공) | 鬼(귀) | 弘(홍) |

ム
훈음 사사 사 **부수** 부수명은 마늘 모 ▶▶▶ 막 태어난 아기

옛글자가 정확히 무엇을 가리키는지 알 수 없다. 그러나 여러 다른 글자들에 포함된 ム(사)자를 종합해 보면 어머니 뱃속에서 막 태어나는 핏덩이 갓난아기의 모습으로 보여 지기도 한다. 아무튼 정설은 없지만 이 글자는 다른 글자와 어울려 '작다/작은 것/사사로운 것/나' 등의 뜻으로 사용된다는 것만 외우도록 하자.

幺
훈음 작을 요 **부수** 제 부수 ▶▶▶ ム(사) + ム(사) ➡ 힘없는 실 한 가닥

사사 ム(사)와는 아무런 관련이 없는 글자로 한 가닥 실의 상형인 실 糸(사)의 밑 부위를 생략한 글자로, 실이 모여 된 '천'이야 강하지만 실 한 가닥 한 가닥은 보잘 것 없다 하여 '약하고, 미미하며, 취약하다'의 뜻으로 사용된다.

私
훈음 사사 사 **부수** 벼 禾(화) ▶▶▶ 벼 禾(화) + 사사 ム(사) ➡ 작은 쌀 한 톨

벼(禾)의 일종을 이름 하기 위한 것이었으나 어찌된 연고인지 발음기호인 사사로울 ム(사)의 뜻으로 쓰이게 된 아주 특이한 경우의 글자이다.

▶▶▶▶▶ 公私(공사)/私見(사견)/私利私慾(사리사욕)

公
훈음 공변될 공 **부수** 여덟 八(팔) ▶▶▶ 여덟 八(팔) + 사사 ム(사) ➡ 공개적으로 말하다

모두에게(八) 말한다(厶)의 뜻으로 만들어진 글자로, 공개적으로 이야기한 것은 더 이상 비밀이 없고 반드시 지켜져야 하며 오픈된 것이므로 '개인이나 사적인' 것과는 정반대의 뜻을 가진 글자이다. 갑골문을 보면 ム(사)자가 입 口(구)의 형태를 하고 있음을 알 수 있다.

▶▶▶▶▶ 公務員(공무원)/公私(공사)/公共(공공)

鬼
훈음 귀신 귀 **부수** 제 부수 ▶▶▶ 귀신머리 田(불) + 사람 儿(인) + 사사 ム(사) ➡ 마귀의 잔재주

갑골문은 큰 가면(田)을 쓴 혹은 얼굴을 가리고(田) 있는 사람(儿)의 모습을 하고 있었으나 후에 '몰래 해치다'의 뜻을 더욱 분명히 하기 위해 'ム(사)'자가 첨가되었다. '귀신'이 원래 의미이고 '도깨비, 지혜롭다' 등의 의미로도 확대되었다.

▶▶▶▶▶ 鬼神(귀신)/魔鬼(마귀)/鬼才(귀재)

弘
훈음 넓을/클 홍 **부수** 활 弓(궁) ▶▶▶ 활 弓(궁) + 사사 ム(사) ➡ 활줄을 잡아당겨 크게 늘임

여기서 사사 ム(사)는 특별한 의미 없이 변한 글자로, '활소리가 크다' '활이 크다'에 의미 기여하는 바가 없을 것이며 원래 그 의미를 나타내는 다른 부호가 바뀐 것이다.

※ 글꼴을 아름답고, 균형 있게 하기 위해 원래의 글자를 버리고 ム(사)자로 쓰는 경우가 흔하다.

▶▶▶▶▶ 弘報(홍보)/弘益人間(홍익인간)

台(태) 胎(태) 怠(태) 殆(태) 跆(태) 颱(태) 始(시) 治(치)

台
훈음 별/나/기를 태 – 단독 사용 없고 타 글자의 의미와 발음에 기여　부수 입 口(구)
▶▶▶ 사사 厶(사) + 입 口(구) ➡ 옹알이 하는 태아
정설이 없는 글자로 갓난아기의 상형으로 봄이 옳을 듯싶다.

胎
훈음 아이 밸 태　부수 고기 肉(육)　▶▶▶ 고기 月(육) + 별 台(태) ➡ 사람의 모양을 갖춘 태아
태아를 배고 있다 즉 아이를 배고 있다는 뜻을 가진 글자이므로 肉(육)달 月(월)이 의미요소로 台(태)는 발음 및 의미요소에 기여한다.
●●●●● 胎兒(태아)/孕胎(잉태)/落胎(낙태)/胎夢(태몽)/胎敎(태교)

怠
훈음 게으를 태　부수 마음 心(심)　▶▶▶ 별 台(태) + 마음 心(심) ➡ 어린아이의 놀고만 싶어 하는 마음
게으름 피우는 것도 다 마음먹기에 따른 것이므로 마음 心(심)이 의미요소고 台(태)는 발음기호이다.
●●●●● 怠慢(태만)/怠業(태업)/懶怠(나태)/倦怠期(권태기)

殆
훈음 위태할 태　부수 부서진 뼈 歹(알)　▶▶▶ 부서진 뼈 歹(알) + 별 台(태) ➡ 어린아이가 뼈만 남다
위태하다는 것은 큰 부상이나 죽음과 연관되므로 부서진 뼈 歹(알)을 의미요소로 台(태)는 발음기호이다.
●●●●● 危殆(위태)/殆半(태반)

跆
훈음 밟을 태　부수 발 足(족)　▶▶▶ 발 足(족) + 별 台(태) ➡ 뱃속에서 발길질
태아(台)가 어머니 뱃속에서 발길질(足)하는 것을 나타내었든, 밟는다는 것은 발이 하는 행위이므로 발 足(족)을 의미요소로 台(태)는 발음기호로 썼다.
●●●●● 跆拳道(태권도)

颱
훈음 태풍 태　부수 바람 風(풍)　▶▶▶ 바람 風(풍) + 별 台(태) ➡ 태아에게 바람은 태풍에 해당
태풍이란 큰 비바람을 몰고 오는 것이므로 바람 風(풍)을 의미요소로 台(태)는 발음기호로 사용됐다.
●●●●● 颱風(태풍)

始
훈음 처음 시　부수 계집 女(여)　▶▶▶ 계집 女(여) + 별 台(태) ➡ 닭이 먼저다
"닭이 먼저냐, 계란이 먼저냐?" 나의 처음은 어머니(女)가 나를 배는(台) 순간부터이며, 모든 사람의 처음 역시 어머니가 아이를 배는 순간부터 시작되었다 하여 만들어진 글자로 두 글자 모두 의미요소에 기여한다.
●●●●● 始球(시구)/始作(시작)/始末(시말)/始初(시초)/開始(개시)

治
훈음 다스릴 치　부수 물 氵(수)　▶▶▶ 물 氵(수) + 별 台(태) ➡ 물을 다스리는 것이 쉽지 않다
'산동성'에 있는 강을 이름 하기 위해 만들어진 글자이므로 물 氵(수)가 의미요소고 台(태)는 발음기호이다. "여름에 불어난 물처럼 자연을 다스린다는 것이 보통 일이 아니어서" 훗날 '다스리다, 고치다' 등으로 의미 확대 사용됐다.
●●●●● 統治(통치)/治山治水(치산치수)/治療(치료)

去(거)　　却(각)　　脚(각)　　法(법)　　劫(겁)　　怯(겁)

去

훈음 갈/없앨 거　**부수** 사사 厶(사)　▸▸▸ 土 + 厶 ➡ 배설하는 장면

사람(土＝人의 변형)과 입(厶＝ㅂ)-혹은 통의 모습으로 사람(土) 아래에 통(ㅂ)을 두어 마치 배설하는 장면을 떠올리게 함으로 '가다, 없애다'의 뜻으로 파생됐다.

••••• 去頭截尾(거두절미)/逝去(서거)/撤去(철거)

却

훈음 물리칠 각　**부수** 병부 卩(절)　▸▸▸ 갈 去(거) + 병부 卩(절) ➡ 무릎을 꿇게 하다

물리친다는 것은 무릎을 꿇린다는 것과 같은 의미이므로 무릎을 꿇고 앉아 있는 사람의 상형인 병부 卩(절)을 의미요소로, 가다의 뜻을 갖는 去(거)도 의미요소로 쓰였다.

••••• 退却(퇴각)/忘却(망각)/棄却(기각)/却說(각설)

脚

훈음 다리 각　**부수** 병부 卩(절)　▸▸▸ 고기 月(육) + 물리칠 却(각)

신체 부위 중 다리를 나타내고자 하는 글자이므로, 신체를 의미하는 肉(육)달 月(월)을 의미요소로 却(각)은 발음기호로 사용됐다.

••••• 鐵脚(철각)/橋脚(교각)/脚線美(각선미)/脚光(각광)/失脚(실각)/脚註(각주)/脚色(각색)/脚本(각본)

法

훈음 법 법　**부수** 물 氵(수)　▸▸▸ 물 수(氵) + 갈 거(去) ➡ 아래로 흐르는 물의 이치

물(氵)은 위에서 아래로 흐르는(去) 법. 바로 이것을 우리는 순리라고 하는데 인간 사회가 순리에 따를 때 원만히 굴러갈 것이며, 그렇게 되도록 사람과 사회의 자유를 최소한도로 구속하는 것이 바로 法(법)이라 할 수 있다. 秦(진)나라 소전까지만 해도 이 法(법)자에 올바르지 않은 것을 만나면 무시무시한 뿔로 받아 죽인다는 전설상의 무서운 동물인 해태 廌(치)가 들어 있었다. 이처럼 법이란 항상 낮은 곳으로 임하는 물처럼 정의롭게, 해태처럼 공의롭게 집행되어야 하는 것이다.

••••• 法治國家(법치국가)/憲法(헌법)/佛法(불법)/立法(입법)

劫

훈음 위협할 겁　**부수** 힘 力(력)　▸▸▸ 갈 去(거) + 힘 力(력) ➡ 힘으로 가게 함

위협한다는 것은 힘으로 몰아세우는 것을 말하므로 힘 力(력)을 의미요소로 去(거)는 발음요소로 쓰였다. 무력(力) 즉 강제로 사라질(去) 것을 강요하는 모습에서 '위협하다'의 뜻이 파생됐다.

••••• 劫奪(겁탈)/億劫(억겁)

怯

훈음 겁낼 겁　**부수** 마음 忄(심)　▸▸▸ 마음 忄(심) + 갈 去(거) ➡ 마음이 도망감

겁이 많다는 것은 마음이 모질지 못하다는 의미로 마음 忄(심)을 의미요소로 去(거)는 발음기호로 하여 '겁내다'를 만들었다.

••••• 卑怯(비겁)/怯夫(겁부)

子(자)　　孕(잉)　　字(자)　　存(존)　　季(계)　　孝(효)

李(리)　　孤(고)　　孟(맹)　　孫(손)　　孔(공)

子

훈음 아들 자　**부수** 제 부수

男女(남녀) 구분 없이 '어린아이'의 모양을 본뜬 글자였으나, 남아선호사상에 의해 남자의 의미로 더 많이 쓰이게 되었다.

●●●●● 父傳子傳(부전자전)/種子(종자)/微粒子(미립자)/子午線(자오선)

孕

훈음 아이 밸 잉　**부수** 아들 子(자)　▶▶▶ 乃(人의 변형) + 아들 子(자) ➡ 아이 밴 사람

어머니의 뱃속에 있는 태아를 묘사한 글자로 두 글자 모두 의미요소에 기여했다.

●●●●● 孕胎(잉태)

字

훈음 글자 자　**부수** 아들 子(자)　▶▶▶ 집 宀(면) + 아들 子(자)

'집안(宀)에서 아이(子)를 기르다'가 본래 의도였다고 한다면 '글자'는 가차자이며, 子(자)가 발음기호임을 알 수 있다. 집안에 자식이 한둘 태어나면서 대가족이 되듯이 글자 역시 하나 둘씩 모여 문장을 이룬다는 의미에서 파생된 글자다.

●●●●● 文字(문자)/字幕(자막)/字母(자모)/字源(자원)/字典(자전)/識字憂患(식자우환)/一字無識(일자무식)/
八字所關(팔자소관)/十字砲火(십자포화)

存

훈음 있을 존　**부수** 아들 子(자)　▶▶▶ 才(재) + 아들 子(자) ➡ 보살핌을 잘 받아 살아난 아이

'아이를 불쌍히 여기다'가 본뜻이니 아들 子(자)가 의미요소고 才(재)는 발음요소였을 것이다. 훗날 '살피다, 있다' 등으로 확대 사용됐다고도 하며 아이(子)를 존재케 하는 것을 재주(才)로 보았으므로 존재(存在)의 있을 존(存)자가 만들어졌다고도 한다.

●●●●● 存在(존재)/生存(생존)/存廢(존폐)/保存(보존)/存續(존속)

季

훈음 끝 계　**부수** 아들 자　▶▶▶ 벼 禾(화) + 아들 子(자) ➡ 벼의 자식(이삭) 줄기는 계절과 수확의 끝(마무리)

추수의 마지막 과정으로 아이들이나 노약자들을 동원하여 떨어진 벼(禾)의 이삭을 줍게 한 관행에서 '끝, 철, 막내' 등의 의미가 생겨났다.

●●●●● 季節(계절)/冬季(동계)/四季(사계)/季刊誌(계간지)

孝

훈음 효도 효　**부수** 아들 子(자)　▶▶▶ 늙은이 耂(로) + 아들 子(자) ➡ 늙은이를 부축함

지팡이(匕) 대신 효성 지극한 아들(子)이 아버지(耂)를 업고 있는 모습에서 '효도'라는 의미가 파생됐다.

●●●●● 孝道(효도)/孝心(효심)/忠孝(충효)/孝婦(효부)/不孝(불효)

李

훈음 자두나무 리　**부수** 나무 木(목)　▶▶▶ 나무 木(목) + 아들 子(자) ➡ 나무 이름

과일의 일종인 자두나무를 가리키기 위함이어서 나무 木(목)이 의미요소이고, 子(자)의 쓰임새는 정확치 않으나 후에 사람의 姓氏(성씨)로 쓰인 것을 보면 관련은 있었을 것이다.

●●●●● 桃李(도리)

훈음 외로울 고 **부수** 아들 子(자) ▶▶▶ 아들 子(자) + 오이 瓜(과) ➡ 외로이 달려 있는 오이

아버지가 죽고 없는 외로운 아이들을 나타내기 위해 '아이 子(자)'를 의미요소로 瓜(과)를 발음기호로 하여 만들어진 글자다.

••••• 孤兒(고아)/孤軍奮鬪(고군분투)/孤獨(고독)/孤立(고립)

 훈음 맏 맹 **부수** 아들 子(자) ▶▶▶ 아들 子(자) + 그릇 皿(명) ➡ 맏아들을 바침

맏아들을 잡아먹는 풍습에서 나온 글자로 두 글자 모두 의미요소에 기여하고 있는 글자로, 자신의 첫아들을 잡아 요리를 해서 그릇에 담아낸 모습이라는 설이다. 皿(명)은 발음부호이다.

••••• 孟母三遷之敎(맹모삼천지교)/虛無孟浪(허무맹랑)

 훈음 손자 손 **부수** 아들 子(자) ▶▶▶ 아들 子(자) + 이을 系(계) ➡ 대를 이어주는 아들

대가 끊어지지 않도록 이어주는(系) 아이(子)를 孫子(손자)라 한다. 따라서 윗세대와 아랫세대를 이어주는 아이라 하여 실 糸(사)가 사용되었다.

••••• 孫子(손자)/外孫(외손)/玄孫(현손)/曾孫(증손)

 훈음 구멍 공 **부수** 아들 子(자) ▶▶▶ 아들 子(자) + 새 乙(을) ➡ 젖먹이용 유방

아이(子)에게 젖을 먹이는 어머니나 여자의 모습으로 여겨진다. 따라서 둥근 유방의 모습에서 둥글다, 젖이 나오는 乳腺(유선)에서 구멍이라는 뜻의 글자들이 만들어졌다.

여기서 새 乙(을)의 모습은 젖 乳(유)에서 보듯이 어머니의 모습임을 알 수 있다.

••••• 孔子(공자)/瞳孔(동공)/毛孔(모공)/孔孟(공맹)

女 계집 여

女(여) 妄(망) 妨(방) 娼(창) 妓(기) 姦(간) 奸(간) – 나쁜 쪽

女
훈음 계집 여 부수 제 부수
두 손을 가지런히 무릎에 올려놓고 꿇어앉아 있는 모습을 단순 간결하게 처리한 글자로, '여자, 여성'이라는 의미이며 타 글자와 합쳐지며 '여자의 특성, 특징'의 의미부여를 한다.
••••• 男尊女卑(남존여비)/女性(여성)/女權伸張(여권신장)

妄
훈음 허망할/망령될 망 부수 계집 女(여) ▶▶▶ 망할 亡(망) + 계집 女(여) ➡ 여자 때문에 패가망신
계집 즉 여자 때문에 패가망신하는 경우가 있는데 그 얼마나 허망하겠는가? 계집 女(여)는 의미요소고 亡(망)은 발음기호이다.
••••• 虛妄(허망)/妄發(망발)/輕擧妄動(경거망동)/妄言(망언)/誇大妄想(과대망상)/被害妄想(피해망상)

妨
훈음 방해할/거리낄 방 부수 계집 女(여) ▶▶▶ 계집 女(여) + 모 方(방) ➡ 출세에 장애요소
출세에 여자가 방해된다 하여 계집 女(여)를 의미요소로 方(방)을 발음기호로 사용했으며 아름답게(昌) 치장한 여자(女)를 창기(娼妓)의 몸 파는 여자 창(娼)이라 하며 여자(女)의 간사한 특징을 간(干)을 발음으로 간신(奸臣)/간사(奸邪)의 범할/간악할 간(奸)자도 만들었다.
••••• 妨害(방해)/無妨(무방)/私娼街(사창가)/公娼(공창)/娼女(창녀)

妓
훈음 기생 기 부수 계집 女(여) ▶▶▶ 계집 女(여) + 가를/가지 支(지) ➡ 몸 파는 여자
기생이란 이 남자 저 남자에게 몸을 파는 여자를 말하므로 계집 女(여)가 의미요소고, 가를 支(지)도 발음기호 겸 의미요소에 관여했다.
••••• 妓生(기생)/官妓(관기)/娼妓(창기)/名妓(명기)

姦
훈음 간사할 간 부수 계집 女(여) ▶▶▶ 계집 女(여) ➡ 여자 셋이 모이니
계집 女(여)를 세 개 겹쳐 그려서 남자가 '여러 여자와 정을 통하다'를 표현하고자 했으나, '간사하다, 간통하다'로 의미가 확대되자 '여자 셋이 모이니' 간사스럽다 등의 뜻이 생겼다는 그럴듯하게 들리는 설들이 생겼다.
••••• 姦通(간통)/强姦(강간)/姦淫(간음)/姦夫(간부)

妖(요)   妙(묘)   媛(원)   嬌(교)   姿(자) – 외모

妖
훈음 아리따울 요 부수 계집 女(여) ▶▶▶ 계집 女(여) + 어릴 夭(요) ➡ 홀리는 여자
사람을 홀릴 정도로 예쁘고 똑똑한 여자를 나타내기 위한 글자로 계집 女(여)가 의미요소이고, 夭(요)는 발음기호이다.
••••• 妖邪(요사)/妖艶(요염)/妖術(요술)/妖妄(요망)

妙 훈음 묘할 묘 부수 계집 女(여) ▶▶▶ 계집 女(여) + 적을 少(소) → 묘한 매력을 가진 여자
젊은 여자를 나타내기 위한 글자로 두 글자 모두 의미요소이며, 젊으니까 '예쁘다'로 묘한 매력이 있다 하여 '묘하다'의 뜻이 파생됐다.
••••• 妙齡(묘령)/妙技(묘기)/妙案(묘안)/妙藥(묘약)/妙策(묘책)/巧妙(교묘)/微妙(미묘)/絕妙(절묘)/奧妙(오묘)

媛 훈음 미인 원 부수 계집 女(여) ▶▶▶ 계집 女(여) + 당길 爰(원) → 시선을 당기는 여자
너무나 예뻐서 모든 사람의 시선을 끄는(爰) 여자(女)를 나타내는 글자로가 미인 媛(원)자라면 콧대 높은 (喬) 여자(女)를 교태(嬌態)/애교(愛嬌)의 아리따울 교(嬌)라고 한다.
••••• 才媛(재원)

姿 훈음 맵시 자 부수 계집 女(여) ▶▶▶ 버금 次(차) + 계집 女(여) → 따라가기 힘든 여자
곱고 아리따운 여성의 맵시를 나타내고자 한 글자로 계집 女(여)가 의미요소고 次(차)는 발음기호이다.
••••• 姿態(자태)/雄姿(웅자)/放恣(방자)/不動姿勢(부동자세)

如(여)　恕(서)　奴(노)　努(노)　怒(노)　婢(비)　妾(첩)
接(접)　要(요)　腰(요)　委(위)　倭(왜)　矮(왜)　- 천대/멸시

如 훈음 같을 여 부수 계집 女(여) ▶▶▶ 계집 女(여) + 입 口(구) → 솔직한 여자의 말
포로로 잡혀와 무릎을 꿇고 있는 여자(女)가 심문(口)을 당하며 털어놓는 말들이 사실과 같다 하여 '같다'가 파생된 글자로 두 글자 모두 의미요소이다.
••••• 如反掌(여반장)/如前(여전)/如意(여의)/如何間(여하간)/百聞不如一見(백문불여일견)/如三秋(여삼추)/如此如此(여차여차)

恕 훈음 용서할 서 부수 마음 心(심) ▶▶▶ 같을 如(여) + 마음 心(심) → 상대방과 같은 마음
용서한다는 것은 상대방과 같은 마음을 갖는 것을 말하므로 마음 心(심)과 같을 如(여)가 모두 의미요소임을 알 수 있다.
••••• 容恕(용서)

奴 훈음 종 노 부수 계집 女(여) ▶▶▶ 계집 女(여) + 손 又(우) → 여자의 머리채를 잡아채다
여자(女)의 머리채를 잡아(又)챈 모습에서 종처럼 함부로 취급되는 여자임을 알 수 있다. 전쟁 포로로 잡아온 여자들을 노예로 부리는 장면에서 두 글자 모두 의미요소이다.
••••• 奴隸(노예)/奴婢(노비)/官奴(관노)/賣國奴(매국노)

努 훈음 힘쓸 노 부수 힘 力(력) ▶▶▶ 종 奴(노) + 힘 力(력) → 종처럼 힘씀
힘쓴다는 것은 대충대충 일하는 것을 말하는 것이 아니라 자유가 없는 종처럼 힘(力)을 써서 일하는 것을 말하므로 종 奴(노) 및 힘 力(력) 모두가 의미요소이며 奴(노)는 발음을 겸한다.
••••• 努力(노력)

怒 훈음 성낼 노 부수 마음 心(심) ▶▶▶ 종 奴(노) + 마음 心(심) → 종처럼 취급당한 심정
하찮게 취급받든가 무시당하면 당연히 화나지 않겠는가? 따라서 종(奴)처럼 취급당했다는 느낌(心)이 성내는 이유가 되므로 두 글자 모두 의미요소이며, 奴(노)는 발음기호를 겸한다.
••••• 怒發大發(노발대발)/憤怒(분노)/怒氣衝天(노기충천)/怒濤(노도)/怒聲(노성)/激怒(격노)/喜怒哀樂(희노애락)

婢
훈음 여자종 비 부수 계집 女(여) ▶▶▶ 계집 女(여) + 낮을 卑(비) ➡ 신분이 낮은 여자
여자종을 나타내는 말로 신분이 낮다의 卑(비)와 계집 女(여)를 합한 글자로, 두 글자 모두 의미요소이며 卑(비)는 발음기호를 겸한다.
••••• 奴婢(노비)/官婢(관비)/婢妾(비첩)

妾
훈음 첩 첩 부수 계집 女(여) ▶▶▶ 매울 辛(신) + 계집 女(여) ➡ 묵형당한 여자
문신 새기는 칼(辛)로 여자(女)의 이마에 경형(문신을 새겨 벌하는 것)을 새겨 포로로 잡아온 여자나 사형을 당한 죄인의 처나 딸을 종으로 부리던 풍습을 반영한 글자로, 훗날 그런 여자들 가운데 '첩'으로 삼는 일이 있어서 '첩 첩'자가 되었다.
••••• 愛妾(애첩)/臣妾(신첩)/蓄妾(축첩)/婢妾(비첩)

接
훈음 사귈 접 부수 손 扌(수) ▶▶▶ 손 扌(수) + 첩 妾(첩) ➡ 가지고 놀다
첩(종/노예)이 가까이에서 시중들게 함으로 '手足(수족)'처럼 부리는 모습을 그린 글자로, 손 扌(수)가 의미요소고 妾(첩)은 의미요소 및 발음기호로써 '사귀다, 가까이하다' 등의 뜻으로 파생되었다. 성적 노리개감의 이미지가 풍기는 글자다.
••••• 接近(접근)/皮骨相接(피골상접)/接受(접수)/神接(신접)

要
훈음 구할 요 부수 덮을 襾(아)
▶▶▶ 덮을 襾(아) + 계집 女(여) ➡ 여자를 제압하는데 가장 중요한 것은 허리를 잡는 것
뒤에서 여자(女)의 허리를 남자가 우악스럽게 두 손으로(襾-양손의 변형) 들어올리는 모양으로 '허리'가 본뜻이었으나, '요구하다, 요망하다'의 뜻으로 더 쓰이게 되자 본뜻을 보존하기 위한 글자가 아래의 허리 腰(요)이다.
••••• 要求(요구)/重要(중요)/要領(요령)/要緊(요긴)/要塞(요새)/要素(요소)/要約(요약)/要因(요인)/要點(요점)/要注意(요주의)/要式行爲(요식행위)

腰
훈음 허리 요 부수 肉(육)달 月(월) ▶▶▶ 肉(육)달 月(월) + 구할 要(요)
신체 부위인 허리를 분명히 하기 위해 신체를 상징하는 육달 月(월)을 추가하여 만든 글자로 둘 다 의미요소이긴 하지만 要(요)는 발음을 겸하기도 한다.
••••• 腰痛(요통)/腰折腹痛(요절복통)/腰帶(요대)

委
훈음 맡길 위 부수 계집 女(여) ▶▶▶ 벼 禾(화) + 계집 女(여) ➡ 여자에게 허드렛일을 맡기다
볏단(禾)을 지고 가는 험한 일도 마다 않는 여자(女)의 모습에서 '순종하는 사람'의 뜻이 생겼으나, 후에 '맡기다, 버리다' 등으로 확대 사용됐다.
••••• 委任(위임)/委託(위탁)/委員(위원)/委囑(위촉)

倭
훈음 왜국 왜 부수 사람 亻(인) ▶▶▶ 사람 亻(인) + 맡길 委(위)
일본을 멸시할 때 우리는 "왜(倭)놈/왜놈들"이라 한다. 키가 작다는 뜻이 아니라 하찮은 여자(委)와 같은 사람(亻)이라는 뜻으로 일본 사람들을 무시하는 표현으로, 두 글자 모두 의미요소에 관여하며 委(위)는 발음에 영향을 미쳤다.
••••• 倭寇(왜구)/壬辰倭亂(임진왜란)/倭人(왜인)

好(호)　姙(임)　娠(신)　娩(만)　始(시)　嫉(질) – 여자의 본능

好
훈음 좋을 호 부수 계집 女(여) ▶▶▶ 계집 女(여) + 아들 子(자) ➡ 자식을 품에 안고 있는 어머니의 표정
자식(子)을 안고 바라보는 인자하고 흐뭇해하는 어머니(女)의 표정에서 '좋다, 좋아하다, 아름답다'의 뜻이 파생됐다.
••••• 好感(호감)/好意(호의)/好景氣(호경기)/好事多魔(호사다마)

姙
훈음 아이 밸 임 부수 계집 女(여) ▶▶▶ 계집 女(여) + 맡길 任(임) ➡ 임신은 여자에게 맡겨진 일
여자에게 맡겨진 가장 큰 일은 아이를 배고 낳는 일이므로, 두 글자 모두 의미요소로 사용되고 있으며 任(임)은 발음기호도 겸하고 있다.
••••• 姙娠(임신)/姙産婦(임산부)/不姙(불임)

娠
훈음 아이 밸 신 부수 계집 女(여) ▶▶▶ 계집 女(여) + 날 辰(신) ➡ 아이 밴 여자
임신한 여자를 가리키는 글자이므로 계집 女(여)가 의미요소고 辰(신)은 발음기호이다.
••••• 姙娠(임신)

娩
훈음 해산할 만 부수 계집 女(여) ▶▶▶ 계집 女(여) + 면할 免(면) ➡ 산통에서 벗어나려면 해산해야 함
산모(女)가 해산하는 장면(免)에서 '해산하다'의 뜻의 글자가 되었으며 免(면)이 발음기호로 쓰였다.
애를 낳고 있는 모습의 글자 免(면)이 '면하다'로 가차되자, 출산하는 일의 주체가 되는 어머니를 상징하는 계집 女(여)를 추가하여 '해산하다'의 뜻을 보존한 글자다.
••••• 分娩(분만)/自然分娩(자연분만)

始
훈음 처음 시 부수 계집 女(여) ▶▶▶ 계집 女(여) + 별 台(태) ➡ 닭이 먼저
"닭이 먼저냐, 계란이 먼저냐?" 나의 처음은 어머니(女)가 나를 배는(台) 순간부터이며, 모든 사람의 처음 역시 어머니가 아이를 배는 순간부터 시작되었다 하여 만들어진 글자로, 두 글자 모두 의미요소에 기여했다.
••••• 始球(시구)/創始(창시)/始作(시작)/始發(시발)/始終一貫(시종일관)/開始(개시)/始末書(시말서)/始動(시동)

嫉
훈음 미워할 질 부수 계집 女(여) ▶▶▶ 계집 女(여) + 병 疾(질) ➡ 시기는 질병과 같다
미워하고 시기하는 일은 남녀의 구분이 없지만 여자들에게서 더 나타나는 특징이므로, 계집 女(여)를 의미요소로 병 疾(질)은 발음기호로 쓰였다.
••••• 嫉妬(질투)/反目嫉視(반목질시)

娘(낭) 姪(질) 妻(처) 悽(처) 凄(처) 妾(첩) 妃(비) 嬪(빈)
姉(자) 妹(매) 姑(고) 婦(부) 嫡(적) 嫂(수) – 호칭

娘
훈음 아가씨 낭 부수 계집 女(여) ▶▶▶ 계집 女(여) + 어질 良(량) ➡ 아가씨
나긋나긋한 젊은 여자를 가리키는 말로 계집 女(여)를 의미요소로 良(량)은 발음기호로 쓰였다.
••••• 娘子(낭자)/娘子軍(낭자군)

姪
훈음 조카 질 부수 계집 女(여) ▶▶▶ 계집 女(여) + 이를 至(지) ➡ 조카
여자 조카를 지칭하는 말이므로 계집 女(여)를 의미요소고 至(지)는 발음기호이다.
※ 窒(질) : 막을 질 – 窒息(질식)
••••• 姪女(질녀)/姪婦(질부)/長姪(장질)

妻
훈음 아내 처 　부수 계집 女(여) 　▶▶▶ 十(십) + 彐(又) + 女(여) → 비녀 꽂은 여자 – 아내
아내를 상징하는 글자이므로, 비녀(十)를 머리에 꽂는 손(又)과 계집 女(여) 모두가 의미요소에 사용된 글자이다. 비녀는 결혼을 상징하는 것이었다. 남편 잃은 아내(妻)의 심정(忄)이 처참(悽慘)의 슬퍼할 처(悽)자이며 힘든 인고(冫)의 세월을 보내야 할 아내(妻)의 모습이 처량(凄凉)의 쓸쓸할 처(凄)자이다.
▪▪▪▪▪ 妻子息(처자식)/妻家(처가)/妻妾(처첩)/悽絶(처절)

妾
훈음 첩 첩 　부수 계집 女(여) 　▶▶▶ 매울 辛(신) + 계집 女(여) → 묵형당한 여자 – 첩
문신 새기는 칼(辛)로 여자(女)의 이마에 경형(문신을 새겨 벌하는 것)을 새겨 포로로 잡아온 여자나 사형을 당한 죄인의 처나 딸을 종으로 부리던 풍습을 반영한 글자로, 훗날 그런 여자들 가운데 '첩'으로 삼는 일이 있어서 '첩 첩'자가 되었다.
▪▪▪▪▪ 愛妾(애첩)/臣妾(신첩)/蓄妾(축첩)/婢妾(비첩)

妃
훈음 왕비 비 　부수 계집 女(여) 　▶▶▶ 계집 女(여) + 몸 己(기) → 태아를 쳐다보는 여자 – 왕비
태아(匚-己)를 쳐다보는 여자(女)의 모습에서 왕비와 배우자로 의미 발전됐으며 가장 귀한 여자(女) 손님(賓)은 아내이므로 비빈(妃嬪)의 아내 빈(嬪)이라 한다.
▪▪▪▪▪ 王妃(왕비)/妃嬪(비빈)/嬪妾(빈첩)

姉
훈음 손위 누이 자 　부수 계집 女(여) 　▶▶▶ 계집 女(여) + 저자 市(시) → 누나나 언니
누나나 언니의 호칭에 해당하는 글자이므로, 계집 女(여)는 의미요소고 市(시)는 발음기호다(일본어로는 자매를 '시마이'라고 함).
▪▪▪▪▪ 姉妹(姊(자매)/姉妹結緣(자매결연)/兄弟姉妹(형제자매)

妹
훈음 누이 매 　부수 계집 女(여) 　▶▶▶ 계집 女(여) + 아닐 未(미) → 여동생
여동생 즉 누이동생을 지칭하는 말로, 계집 女(여)가 의미요소고 未(미)는 발음기호이다.
▪▪▪▪▪ 姉妹(자매)/妹夫(매부)/妹弟(매제)/妹兄(매형)

姑
훈음 시어미 고 　부수 계집 女(여) 　▶▶▶ 계집 女(여) + 옛 古(고) → 오래된 여자 – 시어머니
집안에서 가장 오래된(古) 여자(女)는 고리타분(?)한 시어머니이다. 古(고)가 발음기호로 쓰였다.
▪▪▪▪▪ 姑婦(고부)/姑母(고모)/姑從(고종)

婦
훈음 며느리/아내 부 　부수 계집 女(여)
▶▶▶ 女(여) + 비 帚(추) → 청소하는 여자 – 며느리/아내
빗자루(帚)를 잡고 청소를 하는 여자(女)는 당연히 아내이며 며느리다. 두 글자 모두 의미요소에 사용됐다. 男尊女卑(남존여비) 사상이 그대로 드러난 글자다.
▪▪▪▪▪ 夫婦(부부)/姑婦(고부)/婦人(부인)/新婦(신부)

嫡
훈음 정실 적 　부수 계집 女(여)
▶▶▶ 계집 女(여) + 밑둥 啇(적) → 본부인
정실부인이란 본부인을 말하는 것으로 계집 女(여)를 의미요소로 啇(적)을 발음기호로 만들었다. 본부인이란 처음에 함께한 여자를 말하므로, 뿌리 啇(적)이 같은 여자(女)에서 보듯 의미요소에도 관여했음을 알 수 있다.
▪▪▪▪▪ 嫡子(적자)/嫡孫(적손)/嫡庶(적서)/嫡妻(적처)/嫡妾(적첩)

嫂
훈음 형수 수 　부수 계집 女(여)
▶▶▶ 계집 女(여) + 늙은이 叟(수) → 형제의 아내
형의 아내를 가리키거나 아우의 아내를 가리킬 때 쓰이는 말이므로, 계집 女(여)가 의미요소로 늙은이 叟(수)는 발음기호로 쓰였다.
▪▪▪▪▪ 兄嫂(형수)/弟嫂(제수)/季嫂(계수)

安(안)　　案(안)　　按(안)　　鞍(안)　　宴(연)　　汝(여)

安
[훈음] 편안할 안　[부수] 집 宀(면)　▶▶▶ 집 宀(면) + 계집 女(여) ➡ 집안에 여자가 있어야 한다.
집(宀)안엔 여자(女)가 있어야 집안과 남자가 편안하다 하여 편안할 安(안)자가 생겼다.
••••• 安定(안정)/安心(안심)/平安(평안)/安樂死(안락사)/安堵(안도)/安貧樂道(안빈낙도)/安息(안식)/
安易(안이)/ 安全保障(안전보장)

案
[훈음] 책상 안　[부수] 나무 木(목)　▶▶▶ 편안할 安(안) + 나무 木(목) ➡ 책상에서 대책을 세움
책상이 본뜻이므로 나무 木(목)이 의미요소고 安(안)은 발음기호다. 뜻이 여러 가지로 파생됐다.
••••• 案件(안건)/案內(안내)/提案(제안)/答案(답안)/圖案(도안)/法案(법안)/代案(대안)/草案(초안)

按
[훈음] 누를 안　[부수] 손 扌(수)　▶▶▶ 손 扌(수) + 安(안) ➡ 손으로 눌러 편하게 함
'누르고 어루만지고 문지르다'는 뜻을 전달하기 위한 것이므로 손 扌(수)가 의미요소고 安(안)은 발음기호이다.
••••• 按摩(안마)/按手祈禱(안수기도)/按排(안배)/按舞(안무)

鞍
[훈음] 안장 안　[부수] 가죽 革(혁)　▶▶▶ 가죽 革(혁) + 安(안) ➡ 앉기에 편하게 함
사람이 말을 탈 때 엉덩이를 편안하게 해 주는 馬具(마구)로서 鞍裝(안장)을 나타내기 위한 글자이므로, 鞍裝(안장)의 재료인 가죽 革(혁)이 의미요소고 安(안)은 발음기호이다.
••••• 鞍裝(안장)/鞍馬之勞(안마지로)

宴
[훈음] 잔치 연　[부수] 갓 머리 宀(면)　▶▶▶ 집 宀(면) + 날 日(일) + 계집 女(여) ➡ 여자를 데리고 오는 날
잔칫날을 뜻하는 글자이므로 해 日(일)이 의미요소이고 安(안)은 발음기호이다. 잔치 중에서 가장 큰 잔치는 역시 婚禮(혼례)를 말하므로 여자(女)를 데리고 오는 날(日)이 바로 그 집(宀)에 잔칫날이다.
••••• 宴會(연회)/饗宴(향연)/宴席(연석)

汝
[훈음] 너 여　[부수] 물 氵(수)　▶▶▶ 물 氵(수) + 계집 女(여)
어떤 강을 지칭하기 위한 것이었으므로 물 氵(수)가 의미요소고 女(여)는 발음기호이므로 뜻과는 아무런 관련이 없고, 훗날 2인칭 '너'로 많이 사용되기 시작했다.
••••• 汝等(여등)

父 아비 부

父(부)　　　釜(부)　　　斧(부)　　　夫(부)

父

훈음 아비 부　**부수** 제 부수　▶▶▶ ㅣ + 손 又(우) ➡ 도끼 들고 일터에서 일하는 아버지 모습

돌도끼나 몽둥이를 들고서 사냥하는 모습에서 '아버지'라는 글자인 父(부)가 탄생하였다.
가족을 부양할 책임이 있는 아버지의 일하는 모습에서 만들어진 글자다.

●●●●● 父子有親(부자유친)/父母(부모)/父傳子傳(부전자전)

釜

훈음 가마 부　**부수** 쇠 金(금)　▶▶▶ 아비 父(부) + 쇠 金(금)

무엇을 삶는 큰 쇠솥을 의미하는 글자이므로 솥의 재료인 쇠 金(금)이 의미요소로 父(부)는 발음기호로 사용됐다.

●●●●● 釜中生魚(부중생어)/釜山(부산)

斧

훈음 도끼 부　**부수** 도끼 斤(근)　▶▶▶ 아비 父(부) + 도끼 斤(근)

도끼를 나타내는 글자로 도끼 斤(근)이 의미요소고, 父(부)는 발음기호다.

●●●●● 斧鉞(부월)/磨斧爲針(마부위침)

夫

훈음 지아비 부　**부수** 큰 大(대)　▶▶▶ 큰 大(대)의 중간에 한 一(일) ➡ 상투 튼 남자

상투(一)를 튼 남자(人)라 하여 장가든 남자를 말하며 '남편, 지아비'로 호칭하게 되었으며, '장부, 일꾼'등의 뜻으로 파생됐다.

●●●●● 夫婦(부부)/丈夫(장부)/人夫(인부)/望夫石(망부석)

毋 말 무

| 毋(무) | 母(모) | 每(매) | 梅(매) | 侮(모) |
| 海(해) | 悔(회) | 敏(민) | 繁(번) | 毒(독) |

毋

훈음 말/없을 무 **부수** 제 부수

어머니는 늘 많은 일을 하면서도 묵묵부답(毋). 계집 女(여)와 한 一(일)이 합쳐진 글자로 숫자 一(일)이 아닌 두 개의 유방(ヽ)을 하나로 하였다는 것은 가슴가리개를 나타낸 것으로 '손을 대서 안 된다'는 뜻을 나타내어 금지사인 '말다'와 '없다'의 뜻과 아울러 부정사의 의미인 '아니다'의 뜻을 지니게 됐다.

••••• 毋論(무론)/毋慮(무려)

母

훈음 어미 모 **부수** 말 毋(무) ▶▶▶ 말 毋(무) + 점 ヽ(주) ➡ 유방이 강조된 여인

여인(女)의 유방(ヽ+ヽ)을 강조한 글자로 젖을 먹여야 하는 어미 母(모)자다.

••••• 母子(모자)/母性愛(모성애)/繼母(계모)/母胎(모태)/母國(모국)

每

훈음 언제나 매 **부수** 말 毋(무) ▶▶▶ 사람 人(인) 변형 + 말 毋(무) ➡ 단정한 머리 장식

어미 母(모) 위의 글자는 늘 단정한 장식 머리를 의미하는 것으로 여기에서 '매양, 늘'이라는 뜻이 파생되었다. 母(모)는 발음기호다.

••••• 每樣(매양)/每事(매사)/每番(매번)/每年(매년)

梅

훈음 매화나무 매 **부수** 나무 木(목) ▶▶▶ 나무 木(목) + 언제나 每(매)

매화나무를 가리키는 글자이므로 나무 木(목)이 의미요소고 매양 每(매)는 발음기호이다.

••••• 梅花(매화)/梅實(매실)/梅雨(매우)

侮

훈음 업신여길 모 **부수** 사람 亻(인) ▶▶▶ 사람 亻(인) + 언제나 每(매) ➡ 늘 바보 취급

언제나 사람을 바보 취급하여 마음의 상처를 주는 사람을 나타내기 위하여, 사람 亻(인)과 每(매) 모두를 의미요소로 每(매)는 발음기호도 겸한다. 늘(每) 마음(忄)에 사무치는 것이 참회(懺悔)의 뉘우칠 회(悔)

••••• 侮蔑(모멸)/侮辱(모욕)/悔恨(회한)/悔改(회개)/後悔莫及(후회막급)

海

훈음 바다 해 **부수** 물 氵(수) ▶▶▶ 물 氵(수) + 매양 每(매) ➡ 늘 한결같은 바다

바다를 표현하는 글자이므로 물 氵(수)가 의미요소고 每(매)가 발음기호이다. 늘 변함없는 모습이라는 뜻의 每(매)가 줄지도 않고 늘지도 않는 바다의 모습을 적절히 대변하고 있어 의미요소에도 간접 기여하고 있다.

••••• 海洋(해양)/海水(해수)/山海珍味(산해진미)/海軍(해군)

敏

훈음 재빠를 민 **부수** 칠 攵(복) ▶▶▶ 매양 每(매) + 칠 攵(복) ➡ 맞아야 정신 차림 – 손놀림

"머리에 비녀를 꽂고 머리 장식을 하는 손놀림이 무척 빠름"을 나타내는 글자로 장식 머리의 每(매)와 손놀림을 뜻하는 칠 복(攵-손을 의미)이 어우러져서 만들어진 글자다.

••••• 敏捷(민첩)/敏感(민감)/過敏(과민)/明敏(명민)

훈음 많을 번 **부수** 실 糸(사) ▶▶▶ 재빠를 敏(민) + 실 糸(사) ➡ 요란한 장식 - 주렁주렁 매달린 장식

"장식 머리에 주렁주렁 매달린 것이 많다"에서 파생된 글자로 두 글자 모두 의미요소이며, 실 糸(사)는 매달다의 의미로 敏(민)은 발음기호를 겸하기도 한다. 너무 많은 머리장식(丰)이 여인(母=女)에게 때로는 해롭다하여 독약(毒藥)의 독 독(毒)자가 만들어졌다.

●●●●● 繁榮(번영)/繁盛(번성)/繁殖(번식)/繁昌(번창)/頻繁(빈번)/解毒(해독)/毒劇物(독극물)

耂 늙은이/늙을 로

| 老(로) | 孝(효) | 酵(효) | 哮(효) | 考(고) |

老
훈음 늙을/늙은이 로 부수 제부수 ▶▶▶ 늙은이 耂(로) + 비수 匕(비) ➡ 지팡이에 의지하는 노인
긴 머리 휘날리고(耂) 등허리가 구부러진 지팡이에 의지하는 거동 불편한 사람(匕)을 묘사하여 늙은이 老(로)가 됐다. 여기서 비수 匕(비)는 지팡이의 상형이다.
●●●●● 老人(노인)/敬老堂(경로당)/老化(노화)/老弱者(노약자)

孝
훈음 효도 효 부수 아들 子(자) ▶▶▶ 늙은이 耂(로) + 아들 子(자) ➡ 늙은 부모를 부축하는 아들
지팡이(匕) 대신 효성 지극한 아들(子)이 아버지(耂)를 업고 있는 모습에서 '효도'라는 뜻이 파생됐다
●●●●● 孝道(효도)/不孝(불효)/孝心(효심)/反哺之孝(반포지효)

酵
훈음 술밑 효 부수 술 酉(유) ▶▶▶ 늙은이 老(로) + 술/술병 酉(유)
발효식품인 술(酉)을 효(孝)를 발음으로 발효(醱酵)/효모(酵母)의 술밑 효(酵)자가 만들어졌으며 으르렁대는 (口) 짐승의 모습을 효(孝)를 발음으로 포효(咆哮)의 으르렁거릴 효(哮)자인데 힘은 떨어지고 공격할 용기는 없는 늙은 호랑이나 사자가 할 수 있는 최상의 방법 중 하나는 그냥 소리를 질러서 겁주는 것?
●●●●● 酵素(효소)

考
훈음 상고할 고 부수 늙은이 老(로) ▶▶▶ 늙은이 耂(로) + 지팡이(丁)➡ 지팡이를 짚고 서 있는 노인
거동이 불편하여 지팡이를 짚고서 한 곳에 계속 머무르는 노인네(耂)를 상형화한 글자로 '생각하다, 상고하다, 돌아보다'의 의미가 파생됐다.
●●●●● 考慮(고려)/考察(고찰)/考試(고시)/詳考(상고)

| 者(자) | 著(저) | 躇(저) | 煮(자) | 諸(제) | 奢(사) | 暑(서) |
| 署(서) | 緒(서) | 屠(도) | 賭(도) | 堵(도) | 都(도) |

者
훈음 놈 자 부수 늙을 老(로) ▶▶▶ 늙을 耂(로) + 흰 白(백) ➡ 삶고 있는 모습
백발(白) 노인(耂)을 부양하지 않는 자식에게 "놈" 者(자)를 붙여도 무방할 듯하다. 원래는 무엇인가를 삶고 있는 모양에서 삶다가 본뜻이었으나 "놈"으로 바뀌었다. "아휴 저 놈을 확 씹어버리던가/삶아버려야지".
●●●●● 仁者無敵(인자무적)/記者(기자)/近者(근자)/或者(혹자)

著
훈음 분명할/나타날 저 부수 풀 ++(초) ▶▶▶ 풀 ++(초) + 놈 者(자) - 발음기호 ➡ 우후죽순
현저하게 드러나기 위해선 특별히 다른 것과 구별되는 것이 필요한데 대 죽(竹 - ++의 원 글자)이 왜 쓰였을까? "어떤 대상이 일시에 많이 생겨나는 현상"을 가리켜 雨後竹筍(우후죽순)이라 한다. 하룻밤 사이에 키가 엄청나게 자라는 竹筍(죽순)의 특성을 잘 살린 표현이다. 이와 같은 대나무의 특성을 살린 글자로 보인다. 풀이 무성히 자라자(著) 자꾸 발(足)이 풀에 걸려 가는데 어려움이 있는 모습이 주저(躊躇)의 머뭇거릴 저(躇)자이다.
●●●●● 著者(저자)/著名人士(저명인사)/顯著(현저)

煮 훈음 삶을 자 부수 불 灬(화) ▶▶▶ 놈 者(자) + 불 灬(화) ➡ 가마에 삶는 모습
솥에 콩(나물/고기)을 삶고 있는 모습이라는 설이 있다. 놈 자(者)가 주격조사로 쓰이자 원래의 '삶다'라는 의미를 살리기 위해 불 灬(화)발이 첨가된 글자다.
●●●●● 煮る(니루) – 일본어에서는 '삶다'로 자주 사용.

諸 훈음 모든/모두 제 부수 말씀 言(언) ▶▶▶ 말씀 言(언) + 놈 者(자) ➡ 잔치를 벌이는 동네 사람들
잡아 온 짐승(者)을 잡아 크게 마을 잔치를 벌이는 장면에서 모두가 떠들썩한(言) 모습
●●●●● 諸君(제군)/諸島(제도)/諸國(제국)/諸般(제반)

奢 훈음 사치할 사 부수 큰 大(대) ▶▶▶ 큰 大(대) + 놈 者(자) ➡ 넘쳐흐르는 모습
넘쳐나는 모습을 그린 글자로 큰 大(대)와 놈 者(자) 모두가 의미요소에 기여하였다. 놈 者(자)는 솥에 콩이나 곡물 등 음식물을 삶는 모습을 그린 글자로, 너무 많이(大) 삶아 솥에서 넘쳐나는 혹은 '충분하고도 남는'이라는 뜻을 전달하기에 적합한 조합이라 여겨진다.
●●●●● 奢侈(사치)/華奢(화사)/豪奢(호사)/驕奢(교사)

暑 훈음 더울 서 부수 해 日(일) ▶▶▶ 해 日(일) + 놈 者(자) ➡ 푹푹 삶는(찌는) 날씨
"푹푹 찌는 무더운 날씨"를 나타낸 글자로 해 日(일)이 의미요소이며, 삶는다가 원뜻이다. 놈 者(자)는 발음요소이다. 그러나 이 글자에 한해서만은 의미요소에 기여한 듯하다.
●●●●● 暴暑(폭서)/避暑(피서)/酷暑(혹서)/風寒暑濕(풍한서습)

署 훈음 관청 서 부수 그물 罒(망) ▶▶▶ 그물 罒(망) + 놈 者(자) ➡ 잡아 가두는 곳
잘못한 놈(者)을 잡아 가두는(罒) 즉 권위를 가진 곳을 가리키는 말로, 그물 罒(망)이 의미요소이며 者(자)는 발음요소이다. 후에 '쓰다'는 뜻도 가지게 됐다.
●●●●● 警察署(경찰서)/部署(부서)/署名(서명)/署長(서장)

緒 훈음 실마리 서 부수 실 糸(사) ▶▶▶ 실 糸(사) + 놈 者(자) ➡ 범인의 발자취를 따라감
헝클어진 실의 첫머리 즉 실마리를 뜻하기 위한 글자였으므로 실 糸(사)가 의미요소고 놈 者(자)는 발음기호이다.
●●●●● 端緒(단서)/緒論(서론)/緒戰(서전)/遺緒(유서)/情緒(정서)

屠 훈음 잡을 도 부수 주검 尸(시) ▶▶▶ 시체/주검 尸(시) + 놈 者(자) ➡ 동물을 잡는 사람
동물을 잡는 행위를 하는 즉 도살자를 나타내기 위한 글자이므로 사람의 상형인 주검 尸(시)를 의미요소로 者(자)는 발음요소로 쓰였다. 者(자)는 '삶다'의 의미를 가지고 있으므로 도살한 후 고기를 먹기 위해 삶는 장면에서 '잡을 屠(도)'자가 탄생했다.
※ 賭(도) – 걸 도 – 賭博(도박)/都(도) – 도읍 도 – 都邑(도읍)
●●●●● 屠殺(도살)/屠戮(도륙)

賭 훈음 걸 도 부수 조개 貝(패) ▶▶▶ 조개 貝(패) + 놈 者(자) ➡ 잡아온 동물 혹은 포로를 사다
노름은 옛날에도 생활의 일부였나 보다. 도박엔 당연히 돈이 오가야 하므로 돈을 상징하는 조개 貝(패)가 의미요소고 者(자)는 발음기호다. 짐승(者)이 침범치 못하도록 담(土)을 친 것이 도열(堵列)/안도(安堵)의 담 도(堵)자이다.
●●●●● 賭博(도박)/賭地(도지)

都 훈음 도읍/모조리 도 부수 고을 阝(읍) ▶▶▶ 놈 者(자) + 고을 阝(읍) ➡ 꽤 많은 사람이 모여 사는 고을
사람들(者)이 모여(阝) 사는 곳의 여러 명칭 중의 하나로 꽤 많은 사람들이 모여 사는 곳을 도읍이라 하며, 고을 邑(읍)에 해당하는 阝(부)가 의미요소고 者(자)는 발음기호다.
●●●●● 都市(도시)/都邑(도읍)/都城(도성)/都賣(도매)/都給(도급)/都合(도합)/都會地(도회지)/遷都(천도)/古都(고도)

長 긴/길 장

| 長(장) | 張(장) | 帳(장) | 漲(창) | 髟(표) | 髮(발) | 鬚(수) | 髯(염) |

長

훈음 길 장 **부수** 제 부수

긴 머리 풀어헤친 노인이 지팡이를 짚고 있는 모습에서 '길다'가 탄생했다.

●●●●● 長壽(장수)/長短(장단)/長蛇陣(장사진)/長途(장도)/一長一短(일장일단)/長幼有序(장유유서)/
長髮(장발)/長官(장관)/長子(장자)

張

훈음 베풀/떠벌릴 장 **부수** 활 弓(궁) ▶▶▶ 활 弓(궁) + 길 長(장) ➡ 활시위를 한껏 당긴 모습

활을 쏘기 위해 시위를 한껏 당긴 모습에서 '당기다, 크게 늘이다' 등의 본뜻이 생겼다. '떠벌리다, 베풀다, 펴다' 등의 의미가 파생되었으며 長(장)은 발음기호로 弓(궁)이 의미요소로 쓰였다.

●●●●● 表面張力(표면장력)/緊張(긴장)/誇張(과장)

帳

훈음 휘장 장 **부수** 수건 巾(건) ▶▶▶ 수건 巾(건) + 길 長(장) ➡ 늘어뜨린 천

揮帳(휘장)이란 위에서 아래로 길게 늘어뜨린 천을 말하므로 천의 상형인 수건 巾(건)이 의미요소고 길 長(장)은 발음기호 겸 의미요소다.

●●●●● 帳幕(장막)/通帳(통장)/帳簿(장부)/記帳(기장)/揮帳(휘장)

漲

훈음 불을 창 **부수** 물 氵(수) ▶▶▶ 물 氵(수) + 베풀 張(장) ➡ 활시위 당기듯 물이 불어남

물(氵)이 크게 불어나는 것을, 마치 활시위를 힘껏 당겨 부풀어나는 모습(張)에 비유하여 만든 글자로 두 글자 모두 의미요소이며 張(장)은 발음기호도 겸한다.

●●●●● 漲溢(창일)/漲水(창수)

髟

훈음 머리털 드리워질 표 **부수** 제 부수 ▶▶▶ 長(장) + 터럭 彡(삼) ➡ 긴 머리

머리털이 긴 모양을 나타내고자 한 글자로 '긴 머리'에 해당하는 長(장)자의 의미를 더 분명히 하기 위해 터럭 彡(삼)을 추가한 글자로 단독으로는 쓰이지 않는다. 머리털(髟)과 수염(須-모름지기 수)을 합하여 수염(鬚髟) 수(鬚)자와 털(髟)의 일종인 수염(鬚髟)을 염(冄)을 발음기호로 구레나룻 염(髯)자를 만들어냈다.

●●●●● 鬚眉(수미)/美髯(미염)

髮

훈음 터럭 발 **부수** 머리털 드리워질 髟(표) ▶▶▶ 긴 머리 髟(표) + 달릴 犮(발) ➡ 긴 머리털

머리털을 나타내기 위한 글자로 髟(표)가 의미요소고 犮(발)은 발음기호다.

●●●●● 毛髮(모발)/長髮(장발)/假髮(가발)/理髮(이발)/白髮(백발)/危機一髮(위기일발)/호호白髮(백발)

臣 신하 신

臣(신)　　　堅(견)　　　緊(긴)　　　腎(신)　　　賢(현)

臣

훈음 신하 신　부수 제 부수

결박되어 무릎을 꿇고 고개 숙인 채 위로 치켜뜬 '전쟁 포로의 눈'을 상형화한 글자로 눈을 치켜뜨다 보니 눈알이 굉장히 크게 그려진 글자로 눈알이 큰 관계로 이 역시 '자세히 보다'와 많은 관련이 있다.

••••• 臣下(신하)/忠臣(충신)/姦臣(간신)/君臣有義(군신유의)/臣僚(신료)/功臣(공신)/使臣(사신)

堅

훈음 굳을 견　부수 흙 土(토)　▶▶▶ 굳을 간(臣+又) + 흙 土(토) ➡ 몸이 땅처럼 굳어짐

"땅이 굳다"라는 것을 나타내기 위한 것이었으니 '흙 土'가 의미요소로 쓰였고 나머지는 발음기호다. 이 두 글자(臣+又)는 잡혀온 포로에게 손을 가까이 대려하자 지레 겁을 먹고 몸을 움츠리는 모습에서 '굳다'라는 뜻을 가진 글자이나 쓰이지는 않는다.

※ 堅(견) – 끌 견

••••• 堅固(견고)/堅果(견과)/堅實(견실)/堅持(견지)/中堅(중견)

緊

훈음 굳게 얽을 긴　부수 실 糸(사)　▶▶▶ 굳을 간(臣+又) + 실 糸(사) ➡ 팽팽한 실

팽팽히 당겨지는 긴장감을 나타내는 글자로 실 糸(사)가 의미요소이며 나머지가 발음요소이나 굳을 간(臣+又) 역시 몸이 움츠러드는 것이므로 의미요소에 기여했다.

••••• 緊張(긴장)/緊迫(긴박)/緊密(긴밀)/緊縮(긴축)/緊要(긴요)/緊急(긴급)

腎

훈음 콩팥 신　부수 肉(육)달 月(월)　▶▶▶ 臣(신) + 又(우) + 肉(육)달 月(월) ➡ 굳은 신체 조직

장기의 일부인 콩팥을 나타내는 것이므로 신체를 상징하는 肉(육)달 月(월)을 의미요소로 臣(신)은 발음기호로 사용됐다.

••••• 腎臟(신장)/腎囊(신낭)/海狗腎(해구신)

賢

훈음 어질 현　부수 조개 貝(패)　▶▶▶ 臣(신) + 又(우) + 조개 貝(패) ➡ 돈을 써서 종으로 거둠

몸이 움츠러드는 모습을 나타내는 이 두 글자(臣+又)에서 보듯 포박당한 죄인이 한없이 처량한 모습으로 돈(貝)을 써서 풀려나고자 한다 하여 '어질다, 현명하다'의 뜻이 파생됐다.

••••• 賢者(현자)/賢明(현명)/賢母良妻(현모양처)/聖賢(성현)

臧(장)　　　藏(장)　　　臟(장)　　　欌(장)

臧

훈음 착할 장　부수 신하 臣(신)　▶▶▶ 나뭇조각 爿(장) + 창 戈(과) + 신하 臣(신) ➡ 저항할 수 없는 포로

전쟁 포로를 잡아다 한 쪽 눈을 창으로 찔러 노예로 만드는 장면을 리얼하게 표현한 글자가 위의 글자이다. 처음엔 발음을 나타내는 爿(장)이 없고, 찌르는 창(戈)과 찔린 눈(臣)만 표기하다가 금문에 와서 爿(장)이 추가된 글자로 아무런 저항할 힘이 없는 노예의 상태에서 '착하다, 숨다, 노비'의 뜻이 파생되었다.

훈음 감출/곳집/소장 장 **부수** 풀 ++(초 ▶▶▶ 풀 ++(초) + 착할 臧(장) ➡ 노예를 숨김

풀 ++(초) 더미 속에 몸을 숨긴 노예(臧)가 본뜻으로 '숨다, 감추다'가 파생되었으며, 두 글자 모두 의미요소이며 臧(장)은 발음도 겸한다.

••••• 所藏(소장)/藏書(장서)/貯藏(저장)/埋藏(매장)

 훈음 오장 장 **부수** 肉(육)달 월(月) 肉(육)달 月(월) + 감출 藏(장) ▶▶▶ ➡ 숨겨진 臟器(장기)

몸 속의 모든 중요 성분들을 보관하고 숨겨 두는 五臟(오장)을 가리키는 말로 신체를 상징하는 육달 월(月)과 감출 藏(장) 모두가 의미요소며 藏(장)은 발음기호다.

••••• 五臟(오장) – 心(심), 腎(신), 肝(간), 肺(폐), 脾(비)

 훈음 장롱 장 **부수** 나무 木(목) ▶▶▶ 나무 木(목) + 감출 藏(장) ➡ 물건을 가두는 장

장롱이란 옷이며 이불이며 집 안의 물건들을 가둬 두는 것으로 주로 나무로 만들었으므로 나무 木(목)이 의미요소로 쓰였고 감출 藏(장)은 의미요소 및 발음기호로 쓰였다.

••••• 欌籠(장롱)/册欌(책장)

士 선비 사

士(사)	仕(사)	吉(길)	結(결)	志(지)	誌(지)
壹(일)	壽(수)	禱(도)	濤(도)	躊(주)	鑄(주)

士

훈음 선비 사 **부수** 제 부수

무기의 일종인 도끼(士)의 상형으로 권위의 상징으로 작은 도끼를 가질만한 남자 즉 어느 정도의 힘과 지혜를 가진 무사를 의미하다가 '선비'로 의미 확대된 글자이다.

⬥⬥⬥⬥⬥ 士官(사관)/陸士(육사)/士兵(사병)/士大夫(사대부)/技士(기사)

志

훈음 뜻 지 **부수** 마음 心(심) ▶▶▶ 마음 心(심) + 선비 士(사) ➡ 선비의 마음

선비(士)의 마음(心)이 곧 의지(意志)의 뜻 지(志)자이고 그 뜻(志)을 말(言)로 나타내어 적어놓은 것이 일지(日誌)/잡지(雜誌)의 기록할 지(誌)자이며 제단(豆) 위에(冖) 올려놓은 도끼(士) 한 자루의 모습에서 한 일(壹)자가 생겨났다.

⬥⬥⬥⬥⬥ 志向(지향)/志願(지원)/初志一貫(초지일관)/誌銘(지명)/誌上(지상)

仕

훈음 벼슬할 사 **부수** 사람 亻(인) ▶▶▶ 사람 亻(인) + 선비 士(사) ➡ 섬기는 사람

벼슬하는 사람을 더 분명하게 나타내기 위해 사람(亻인)을 의미요소로 士(사)는 발음기호로 도끼(士)즉 권력을 가지고 있는 사람(亻)에서 '벼슬하다'는 뜻이 파생됐다.

⬥⬥⬥⬥⬥ 給仕(급사)/奉仕(봉사)

吉

훈음 길할 길 **부수** 입 口(구) ▶▶▶ 선비 士(사) + 입 口(구) ➡ 도끼자루 썩는다.

여러 설이 있으나 무기 창고에 도끼가 그대로 방치되어 썩어 버릴 정도로 "전쟁이나 싸움이 없으니 이 얼마나 길한 일이냐?"라는 추리가 전문가들 사이에 인정받고 있는 설로서, 그렇다면 士(사)가 도끼요 口(구)는 도끼받침대를 상징한다.

⬥⬥⬥⬥⬥ 吉凶禍福(길흉화복)/吉日(길일)/吉兆(길조)/不吉(불길)/立春大吉(입춘대길)/吉祥寺(길상사)

結

훈음 맺을 결 **부수** 실 糸(사) ▶▶▶ 실 糸(사) + 길할 吉(길) ➡ 평화협정을 맺음

'두 개를 엮어(묶어) 하나로 만드는 것'을 나타내기 위한 글자로 실 糸(사)가 의미요소고 吉(길)은 발음기호이다.

⬥⬥⬥⬥⬥ 結婚(결혼)/姉妹結緣(자매결연)/締結(체결)

壽

훈음 목숨 수 **부수** 선비 士(사) ▶▶▶ 선비 士(사) + 工(공) + ノ(별)을 가로로 눕힘 + 입 口(구) + 마디 寸(촌)

士(사)는 늙을 老(로)자의 변형이므로 늙은 노인이 목숨을 오래 보존하여 여전히 움직이고(ノ) 먹고(口)한다 하여 '장수, 목숨'으로 뜻이 파생됐다. 발 족(足)을 의미요소로 목숨 수(壽)는 발음으로 주저(躊躇)의 머뭇거릴 주(躊)자이며 쇠 금(金)을 의미요소로 목숨 수(壽)는 발음으로 주조(鑄造)/주물(鑄物)의 쇠 부어 만들 주(鑄)

⬥⬥⬥⬥⬥ 壽命(수명)/長壽(장수)/萬壽無疆(만수무강)/十年減壽(십년감수)/白壽(백수)/鑄貨(주화)

훈음 빌 도 **부수** 귀신/보일 示(시)

▶▶▶ 귀신/보일 示(시) + 목숨 壽(수) ➡ 목숨을 살려 달라고 빌다/오래 살도록 빌다

목숨을 살려 달라고 비는 것보다 더 간절한 것이 없을 것이다. 따라서 제단을 상징하는 示(시)와 목숨을 상징하는 壽(수) 모두가 의미요소로 사용된 글자다. 壽(수)는 발음을 겸한다.

●●●●● 祈禱(기도)/祝禱(축도)

훈음 큰 물결 도 **부수** 물 氵(수) ▶▶▶ 물 氵(수) + 목숨 壽(수)

큰 파도와 큰 물결을 나타내는 글자로 물 氵(수)가 의미요소며 壽(수)는 발음요소이나 오래 산다는 측면에서는 '크다'에 영향을 준 것 같다.

●●●●● 波濤(파도)/疾風怒濤(질풍노도)

王 임금 왕

王(왕) 旺(왕) 狂(광) 皇(황) 惶(황) 遑(황) 弄(롱) 玉(옥) 主(주)

王
훈음 임금 왕 부수 구슬 玉(옥) 총 4획 ▶▶▶ 부수자가 아니라 구슬 玉(옥)이 부수자임
자루를 끼지 않은 큰 도끼의 상형으로 '무력, 권력'의 상징으로 자연스럽게 최고 지도자를 의미하게 되어 '임금, 왕'의 뜻으로 굳어졌다.
▶▶▶▶▶ 王宮(왕궁)/王室(왕실)/聖王(성왕)/王妃(왕비)

旺
훈음 성할 왕 부수 해 日(일) ▶▶▶ 해 日(일) + 임금 王(왕) ➡ 왕 같은 기세
세력이나 기운이 왕성한 모습을 나타내기 위해 옛사람들의 생각에 가장 강력한 물체로 여긴 태양 日(일)과 절대 권력자인 임금 王(왕)을 의미요소로 하여 만든 글자다.
▶▶▶▶▶ 旺盛(왕성)/興旺(흥왕)

狂
훈음 미칠 광 부수 개 犭(견) ▶▶▶ 개 犭(견) + 임금 王(왕) ➡ 왕 같은 개
미친개를 의미하므로 개 犭(견)을 의미요소로 王(왕)을 발음기호로 사용했다.
▶▶▶▶▶ 狂犬病(광견병)/熱狂(열광)/狂亂(광란)/狂信(광신)

皇
훈음 임금 황 부수 흰 白(백) ▶▶▶ 흰 白(백) + 임금 王(왕) ➡ 화려한 왕관
흰 白(백)은 임금이 쓰고 있는 왕관처럼 크고 화려한 장식을 가리키는 것으로 가장 뛰어난 임금(王)을 묘사했다는 설과, 코 自(자)의 1획이 줄어든 것으로 코가 얼굴에서 가장 튀어나온 부분으로 가장 앞선 왕을 가리키는 설이 있으며 임금님(皇) 앞에 나아갈 때의 심정(忄)은 즐거움 보단 두려움이 앞서므로 공황(恐惶)의 두려워 할 황(惶)자가 만들어졌으며 임금님 앞에서 허둥거리는 모습에서 遑急(황급)의 허둥거릴 황(遑)자도 생겨났다.
▶▶▶▶▶ 皇帝(황제)/皇宮(황궁)/秦始皇(진시황)/敎皇(교황)/황공무지(惶恐無地)/황송(惶悚)

玉
훈음 옥 옥 부수 구슬 玉(옥) ▶▶▶ 구슬을 꿰어 놓은 모습
둥근 옥 여러 개를 동전처럼 끈으로 꿰어 놓은 모양을 그린 그림글자로 '구슬, 옥'을 가리키며 王(왕)과 구별하기 위해 점(丶)을 하나 더 찍었다는 설 등등이 있으며 구슬(王→玉)을 두 손(卅)으로 만지는 장면에서 희롱(戲弄)/농담(弄談)의 희롱할 롱(弄)
▶▶▶▶▶ 碧玉(벽옥)/玉童子(옥동자)/玉石(옥석)/金科玉條(금과옥조)

主
훈음 주인 주 부수 점 丶(주) ▶▶▶ 점 丶(주) + 임금 王(왕) ➡ 촛대 위의 불꽃 심지
횃불의 상형으로 점 丶(주)가 심지의 불꽃이며, 王(왕)은 촛대나 횃불을 들고 있는 부분으로 임금과는 아무런 관련이 없다. 촛대(王) 위에서 지긋이 타고 있는 심지의 불꽃(丶)이 마치 모든 사물의 중심이 되므로 훗날 집안의 중심인 주인의 의미를 갖게 되었다.
▶▶▶▶▶ 主人(주인)/所有主(소유주)/主力(주력)/主人公(주인공)/主從(주종)/無主空山(무주공산)/民主主義(민주주의)

◆ 다음 글자의 음과 훈을 쓰시오.

( )厶( ) - ( )幺( ) - ( )子( ) - ( )女( ) - ( )父( ) - ( )母( )
( )老( ) - ( )疒( ) - ( )祖( )

◆ 다음 글자를 분해하시오.

1. 母 = [   ] + [   ]   2. 父 = [   ] + [   ]

3. 老 = [   ] + [   ]   4. 祖 = [   ] + [   ]

5. 다음 중 "가족 관계"라고 할 수 없는 것은?
  ① 祖孫   ② 母女   ③ 父子   ④ 君臣

6. "老"자와 관계 깊은 것은?
  ① 祖   ② 女   ③ 幺   ④ 疒

◆ 다음 중 주어진 글자로 이루어지는 단어를 2개 이상 한자 또는 한글로 쓰시오.

7. 子 - [   ]

8. 女 - [   ]

9. 父 - [   ]

10. 母 - [   ]

11. 老 - [   ]

12. 祖 - [   ]

◆ 다음 글자의 음과 훈을 쓰시오.

( )巳( ) – ( )包( ) – ( )祀( ) – ( )巷( ) – ( )港( ) – ( )選( )
( )饌( )

◆ 다음 글자를 분해하시오.

1. 選 = ☐ + ☐ + ☐   2. 饌 = ☐ + ☐

3. 祀 = ☐ + ☐   4. 巷 = ☐ + ☐

5. 包 = ☐ + ☐   6. 港 = ☐ + ☐

◆ 다음 글자를 소리 부분(聲符)과 뜻 부분(意符)으로 분해하시오.

7. 祀 = 소리 부분(聲符) ☐ + 뜻 부분(意符) ☐

8. 港 = 소리 부분(聲符) ☐ + 뜻 부분(意符) ☐

9. 選 = 소리 부분(聲符) ☐ + 뜻 부분(意符) ☐

10. 饌 = 소리 부분(聲符) ☐ + 뜻 부분(意符) ☐

11. 다음 중 "음"이 서로 다른 글자는?
   ① 己   ② 巳   ③ 祀   ④ 司

12. 다음 중 성격이 다른 한 글자는?
   ① 祝   ② 祀   ③ 祭   ④ 自

13. "港"자와 관계 깊은 것은?
   ① 木   ② 土   ③ 飮   ④ 船

◆ 다음 중 주어진 글자로 이루어지는 단어를 2개 이상 한자 또는 한글로 쓰시오.

14. 祀 – ☐☐☐☐☐☐   15. 巷 – ☐☐☐☐☐☐

16. 港 –    17. 選 –

18. 饌 –

◆ 다음 글자의 음과 훈을 쓰시오.

( )巴( ) – ( )把( ) – ( )芭( ) – ( )肥( ) – ( )邑( ) – ( )色( )
( )艶( ) – ( )絶( )

◆ 다음 글자를 분해하시오.

1. 艶 =   +   +

2. 色 =   +

3. 肥 =   +

4. 邑 =   +

5. 絶 =   +

6. 把 =   +

◆ 다음 글자를 소리 부분(聲符)과 뜻 부분(意符)으로 분해하시오.

7. 把 = 소리 부분(聲符)   + 뜻 부분(意符)

8. 芭 = 소리 부분(聲符)   + 뜻 부분(意符)

9. 肥 = 소리 부분(聲符)   + 뜻 부분(意符)

10. 다음 중 "음"이 서로 <u>다른</u> 글자는?
   ① 巴   ② 把   ③ 巳   ④ 波

11. 다음 중 "뜻"이 서로 <u>다른</u> 글자는?
   ① 邑   ② 村   ③ 里   ④ 國

12. "肥"자와 관계 깊은 것은?
   ① 다이어트   ② 곰, 사슴   ③ 공부하다   ④ 회의

13. 다음 중 서로 관계 <u>없는</u> 것은?
   ① 絶   ② 切   ③ 生   ④ 斷

◆ 다음 중 주어진 글자로 이루어지는 단어를 2개 이상 한자 또는 한글로 쓰시오.

14. 把 -
15. 芭 -
16. 肥 -
17. 邑 -
18. 色 -
19. 艶 -
20. 絶 -

◆ 다음 글자의 훈과 음을 쓰시오.

( )厶( ) – ( )私( ) – ( )幺( ) – ( )公( ) – ( )鬼( ) – ( )弘( )

◆ 다음 글자를 분해하시오.

1. 鬼 = ⬜ + ⬜ + ⬜ 2. 弘 = ⬜ + ⬜

3. 公 = ⬜ + ⬜ 4. 私 = ⬜ + ⬜

5. 다음 중 "음"이 서로 <u>다른</u> 글자는?
① 私 ② 糸 ③ 厶 ④ 幺

6. 다음 중 서로 관계 <u>없는</u> 것은?
① 魔 ② 神 ③ 虫 ④ 鬼

7. 다음 중 "뜻"이 서로 <u>다른</u> 글자는?
① 大 ② 弘 ③ 深 ④ 巨

8. "公"자와 <u>반대</u>의 뜻을 가진 글자는?
① 共 ② 私 ③ 甘 ④ 大

◆ 다음 중 주어진 글자로 이루어지는 단어를 2개 이상 한자 또는 한글로 쓰시오.

9. 私 -
10. 公 -
11. 鬼 -
12. 弘 -

◆ 다음 글자의 음과 훈을 쓰시오.

( )台( ) – ( )胎( ) – ( )怠( ) – ( )殆( ) – ( )跆( ) – ( )颱( )
( )始( ) – ( )治( )

◆ 다음 글자를 분해하시오.

1. 胎 = ☐ + ☐ + ☐   2. 跆 = ☐ + ☐

3. 始 = ☐ + ☐   4. 怠 = ☐ + ☐

◆ 다음 글자를 소리 부분(聲符)과 뜻 부분(意符)으로 분해하시오.

5. 胎 = 소리 부분(聲符) ☐ + 뜻 부분(意符) ☐

6. 怠 = 소리 부분(聲符) ☐ + 뜻 부분(意符) ☐

7. 殆 = 소리 부분(聲符) ☐ + 뜻 부분(意符) ☐

8. 颱 = 소리 부분(聲符) ☐ + 뜻 부분(意符) ☐

9. 治 = 소리 부분(聲符) ☐ + 뜻 부분(意符) ☐

10. 다음 중 "음"이 서로 다른 글자는?
① 台   ② 太   ③ 多   ④ 泰

11. "胎"자와 관계 없는 것은?
① 孕   ② 娠   ③ 妄   ④ 姙

12. "怠"자와 반대의 뜻을 가진 글자는?
① 勤   ② 病   ③ 巾   ④ 斤

13. "殆"자와 비슷한 뜻을 가진 글자는?
① 亻   ② 自   ③ 危   ④ 家

14. "始"자와 반대의 뜻을 가진 글자는?
① 戈   ② 先   ③ 終   ④ 卄

◆ 다음 중 주어진 글자로 이루어지는 단어를 2개 이상 한자 또는 한글로 쓰시오.

15. 胎 – ☐   16. 怠 – ☐

17. 殆 – ☐   18. 颱 – ☐

19. 始 – ☐   20. 治 – ☐

◆ 다음 글자의 음과 훈을 쓰시오.

( )去( ) – ( )却( ) – ( )脚(각) – ( )法( ) – ( )劫( ) – ( )怯( )

◆ 다음 글자를 분해하시오.

1. 脚 = [ ] + [ ] + [ ]
2. 却 = [ ] + [ ]
3. 法 = [ ] + [ ]
4. 去 = [ ] + [ ]

◆ 다음 글자를 소리 부분(聲符)과 뜻 부분(意符)으로 분해하시오.

5. 却 = 소리 부분(聲符) [ ] + 뜻 부분(意符) [ ]

6. 劫 = 소리 부분(聲符) [ ] + 뜻 부분(意符) [ ]

7. 怯 = 소리 부분(聲符) [ ] + 뜻 부분(意符) [ ]

8. 다음 중 "음"이 서로 다른 글자는?
   ① 各   ② 却   ③ 去   ④ 脚

9. "劫"자와 음이 같은 글자는?
   ① 怯   ② 法   ③ 甲   ④ 各

10. "怯"자와 반대의 뜻을 가진 글자는?
   ① 耐   ② 隹   ③ 心   ④ 勇

◆ 다음 글자로 이루어지는 단어를 2개 이상 한자 또는 한글로 쓰시오.

11. 去 – [ ]
12. 却 – [ ]
13. 脚 – [ ]
14. 法 – [ ]
15. 劫 – [ ]
16. 怯 – [ ]

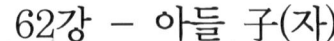
◆ 다음 글자의 음과 훈을 쓰시오.

( )子( ) – ( )孕( ) – ( )字( ) – ( )存( ) – ( )季( ) – ( )孝( )
( )李( ) – ( )孤( ) – ( )孟( ) – ( )孫( ) – ( )孔( ) – ( )學( )
( )教( )

◆ 다음 글자를 분해하시오.

1. 孫 = ☐ + ☐ + ☐   2. 孝 = ☐ + ☐

3. 孕 = ☐ + ☐   4. 孟 = ☐ + ☐

5. 學 = ☐ + ☐ + ☐ + ☐

6. 教 = ☐ + ☐ + ☐   7. 季 = ☐ + ☐

8. 李 = ☐ + ☐   9. 孔 = ☐ + ☐

10. 字 = ☐ + ☐   11. 存 = ☐ + ☐

◆ 다음 글자를 소리 부분(聲符)과 뜻 부분(意符)으로 분해하시오.

12. 字 = 소리 부분(聲符) ☐ + 뜻 부분(意符) ☐

13. 孤 = 소리 부분(聲符) ☐ + 뜻 부분(意符) ☐

14. 孔 = 소리 부분(聲符) ☐ + 뜻 부분(意符) ☐

15. 다음 중 "음"이 서로 다른 글자는?
    ① 字   ② 子   ③ 仔   ④ 孔

16. "孕"자와 관계 없는 것은?
    ① 妊   ② 母   ③ 舟   ④ 胎

17. 다음 중 서로 관계 <u>없는</u> 것은?
  ① 在   ② 有   ③ 辛   ④ 存

18. "孤"자와 관계 깊은 것은?
  ① 合   ② 年   ③ 軍   ④ 獨

19. "孟"자와 <u>반대</u>의 뜻을 가진 글자는?
  ① 季   ② 成   ③ 仙   ④ 友

◪ 다음 중 주어진 글자로 이루어지는 단어를 2개 이상 한자 또는 한글로 쓰시오.

20. 孕 -

21. 字 -

22. 存 -

23. 季 -

24. 孝 -

25. 孤 -

26. 孟 -

27. 孫 -

28. 孔 -

29. 學 -

30. 敎 -

◆ 다음 글자의 음과 훈을 쓰시오.

(   )姦(   ) - (   )妓(   ) - (   )妨(   ) - (   )妄(   )

◆ 다음 글자를 소리 부분(聲符)과 뜻 부분(意符)으로 분해하시오.

1. 妓 = 소리 부분(聲符) [   ] + 뜻 부분(意符) [   ]

2. 妨 = 소리 부분(聲符) [   ] + 뜻 부분(意符) [   ]

3. 妄 = 소리 부분(聲符) [   ] + 뜻 부분(意符) [   ]

4. "妨"자와 <u>반대</u>의 뜻을 가진 글자는?
    ① 訪   ② 助   ③ 斤   ④ 父

5. "妓"자와 비슷한 뜻을 가진 글자는?
    ① 好   ② 妄   ③ 娼   ④ 如

◆ 다음 중 주어진 글자로 이루어지는 단어를 2개 이상 한자 또는 한글로 쓰시오.

6. 姦 - [   ]   7. 妓 - [   ]

8. 妨 - [   ]   9. 妄 - [   ]

◆ 다음 글자의 훈과 음을 쓰시오.

(   )妖(   ) - (   )妙(   ) - (   )媛(   ) - (   )姿(   )

◆ 다음 글자를 분해하시오.

1. 媛 = [   ] + [   ] + [   ]   2. 姿 = [   ] + [   ]

3. 妙 = [   ] + [   ]   4. 妖 = [   ] + [   ]

◆ 다음 글자를 소리 부분(聲符)과 뜻 부분(意符)으로 분해하시오.

5. 妖 = 소리 부분(聲符) ▢ + 뜻 부분(意符) ▢

6. 媛 = 소리 부분(聲符) ▢ + 뜻 부분(意符) ▢

7. 姿 = 소리 부분(聲符) ▢ + 뜻 부분(意符) ▢

8. 다음 중 "아름답다, 예쁘다"는 뜻이 포함된 글자는?

① 媛　　　　　② 奸　　　　　③ 妄　　　　　④ 妨

◆ 다음 중 주어진 글자로 이루어지는 단어를 2개 이상 한자 또는 한글로 쓰시오.

9. 妖 – ▢　　　　　　　　　10. 妙 – ▢

11. 媛 – ▢　　　　　　　　　12. 姿 – ▢

◆ 다음 글자의 훈과 음을 쓰시오.

( )如( ) – ( )恕( ) – ( )奴( ) – ( )努( ) – ( )怒( ) – ( )婢( )
( )妾( ) – ( )接( ) – ( )要( ) – ( )腰( ) – ( )委( ) – ( )倭( )

◆ 다음 글자를 분해하시오.

1. 怒 = ▢ + ▢ + ▢　　　2. 努 = ▢ + ▢

3. 奴 = ▢ + ▢　　　　　　4. 奢 = ▢ + ▢

5. 恕 = ▢ + ▢ + ▢　　　6. 婢 = ▢ + ▢

7. 委 = ▢ + ▢　　　　　　8. 倭 = ▢ + ▢

9. 接 = ▢ + ▢ + ▢　　　10. 妾 = ▢ + ▢

11. 要 = ▢ + ▢　　　　　 12. 腰 = ▢ + ▢

◆ 다음 글자를 소리 부분(聲符)과 뜻 부분(意符)으로 분해하시오.

13. 努 = 소리 부분(聲符) ▢ + 뜻 부분(意符) ▢

14. 怒 = 소리 부분(聲符) ▢ + 뜻 부분(意符) ▢

15. 婢 = 소리 부분(聲符) [ ] + 뜻 부분(意符) [ ]

16. 接 = 소리 부분(聲符) [ ] + 뜻 부분(意符) [ ]

17. 腰 = 소리 부분(聲符) [ ] + 뜻 부분(意符) [ ]

18. 倭 = 소리 부분(聲符) [ ] + 뜻 부분(意符) [ ]

19. 다음 중 "음"이 서로 다른 글자는?
　① 奴　　　　② 恕　　　　③ 怒　　　　④ 努

20. "努"자와 비슷한 뜻을 가진 글자는?
　① 分　　　　② 男　　　　③ 攵　　　　④ 勉

21. 다음 "怒"자에 대한 일반적인 현상 중 맞지 않는 것은?
　① 혈압이 오른다　　　　　　② 소리를 지른다
　③ 폭력적이 되기 쉽다④ 잠을 잔다

22. 다음 중 서로 관계 없는 것은?
　① 僕　　　　② 婢　　　　③ 主　　　　④ 奴

23. 다음 중 "여자"와 관계 없는 글자는?
　① 腰　　　　② 奴　　　　③ 婢　　　　④ 妾

24. "妾"자와 관계 깊은 글자는?
　① 恕　　　　② 妻　　　　③ 要　　　　④ 委

25. "倭"자와 관계 깊은 것은?
　① 중국　　　　② 태국　　　　③ 일본　　　　④ 북한

◆ 다음 중 주어진 글자로 이루어지는 단어를 2개 이상 한자 또는 한글로 쓰시오.

26. 如 - [ ]　　　27. 恕 - [ ]

28. 奴 - [ ]　　　29. 努 - [ ]

30. 怒 - [ ]　　　31. 婢 - [ ]

32. 妾 - [ ]　　　33. 接 - [ ]

34. 要 –

35. 腰 –

36. 委 –

37. 倭 –

◆ 다음 글자의 음과 훈을 쓰시오.

( )好( ) – ( )姙( ) – ( )娠( ) – ( )娩( ) – ( )始( ) – ( )嫉( )

◆ 다음 글자를 분해하시오.

1. 娠 = ＿＿＿ + ＿＿＿ + ＿＿＿   2. 始 = ＿＿＿ + ＿＿＿

3. 娩 = ＿＿＿ + ＿＿＿   4. 娠 = ＿＿＿ + ＿＿＿

◆ 다음 글자를 소리 부분(聲符)과 뜻 부분(意符)으로 분해하시오.

5. 姙 = 소리 부분(聲符) ＿＿＿ + 뜻 부분(意符) ＿＿＿

6. 娠 = 소리 부분(聲符) ＿＿＿ + 뜻 부분(意符) ＿＿＿

7. 娩 = 소리 부분(聲符) ＿＿＿ + 뜻 부분(意符) ＿＿＿

8. 嫉 = 소리 부분(聲符) ＿＿＿ + 뜻 부분(意符) ＿＿＿

9. 다음 중 서로 관계 없는 것은?
   ① 娩   ② 孕   ③ 如   ④ 姙

10. 다음 중 서로 관계 없는 것은?
   ① 乳兒   ② 分娩   ③ 靑年   ④ 姙娠

11. "始"자와 반대의 뜻을 가진 글자는?
   ① 先   ② 終   ③ 前   ④ 中

◆ 다음 중 주어진 글자로 이루어지는 단어를 2개 이상 한자 또는 한글로 쓰시오.

12. 好 –

13. 姙 –

14. 娠 –

15. 娩 –

16. 始 –

17. 嫉 –

◘ 다음 글자의 훈과 음을 쓰시오.

```
(    )娘(    ) – (    )姪(    ) – (    )妻(    ) – (    )妾(    ) – (    )妃(    ) – (    )姉(    )
(    )妹(    ) – (    )姑(    ) – (    )婦(    ) – (    )嫡(    ) – (    )嫂(    )
```

◘ 다음 글자를 분해하시오.

1. 婦 = ⬜ + ⬜ + ⬜   2. 娘 = ⬜ + ⬜

3. 妻 = ⬜ + ⬜   4. 妾 = ⬜ + ⬜

5. 妃 = ⬜ + ⬜   6. 姑 = ⬜ + ⬜

7. 嫡 = ⬜ + ⬜   8. 嫂 = ⬜ + ⬜

9. 姉 = ⬜ + ⬜   10. 妹 = ⬜ + ⬜

◘ 다음 글자를 소리 부분(聲符)과 뜻 부분(意符)으로 분해하시오.

11. 娘 = 소리 부분(聲符) ⬜ + 뜻 부분(意符) ⬜

12. 姪 = 소리 부분(聲符) ⬜ + 뜻 부분(意符) ⬜

13. 妹 = 소리 부분(聲符) ⬜ + 뜻 부분(意符) ⬜

14. 姑 = 소리 부분(聲符) ⬜ + 뜻 부분(意符) ⬜

15. 嫡 = 소리 부분(聲符) ⬜ + 뜻 부분(意符) ⬜

16. 嫂 = 소리 부분(聲符) ⬜ + 뜻 부분(意符) ⬜

17. 다음 중 사회적 신분이 가장 높은 뜻의 글자는?
　　① 娘　　　　　② 妃　　　　　③ 妾　　　　　④ 姉

18. 다음 중 가족 관계가 <u>아닌</u> 것은?
　　① 婦　　　　　② 姑　　　　　③ 娘　　　　　④ 妹

19. 다음 중 나머지 셋과 성격이 <u>다른</u> 것은?
　　① 妾　　　　　② 妻　　　　　③ 婦　　　　　④ 姑

◆ 다음 중 주어진 글자로 이루어지는 단어를 2개 이상 한자 또는 한글로 쓰시오.

20. 娘 –

21. 姪 –

22. 妻 –

23. 妾 –

24. 妃 –

25. 姉 –

26. 妹 –

27. 姑 –

28. 婦 –

29. 嫡 –

30. 嫂 –

◆ 다음 글자의 훈과 음을 쓰시오.

(   )安(   ) – (   )案(   ) – (   )按(   ) – (   )鞍(   ) – (   )宴(   ) – (   )汝(   )

◆ 다음 글자를 분해하시오.

1. 宴 = [   ] + [   ] + [   ]

2. 安 = [   ] + [   ]

3. 按 = [   ] + [   ]

4. 案 = [   ] + [   ]

◆ 다음 글자를 소리 부분(聲符)과 뜻 부분(意符)으로 분해하시오.

5. 案 = 소리 부분(聲符) [   ] + 뜻 부분(意符) [   ]

6. 按 = 소리 부분(聲符) [   ] + 뜻 부분(意符) [   ]

7. 鞍 = 소리 부분(聲符) [   ] + 뜻 부분(意符) [   ]

8. 汝 = 소리 부분(聲符) [   ] + 뜻 부분(意符) [   ]

9. 다음 중 "음"이 서로 <u>다른</u> 글자는?
　① 安　　　　　② 按　　　　　③ 宴　　　　　④ 案

10. "安"자와 비슷한 뜻을 가진 글자는?
　① 珍　　　　　② 兩　　　　　③ 便　　　　　④ 兒

11. "按"자와 관계 깊은 것은?

① 머리   ② 목   ③ 손   ④ 발

12. 글자에 "女"자가 들어갔지만 "여자"와 관계 없는 것은?
    ① 好   ② 娘   ③ 婦   ④ 汝

13. "宴"의 일반적인 현상과 관계 없는 것은?
    ① 음식과 술   ② 음악, 노래   ③ 독서, 명상   ④ 흥청거림, 춤

◆ 다음 중 주어진 글자로 이루어지는 단어를 2개 이상 한자 또는 한글로 쓰시오.

14. 安 -

15. 案 -

16. 按 -

17. 鞍 -

18. 宴 -

6. 汝 -

◆ 다음 글자의 음과 훈을 쓰시오.

( )父( ) – ( )釜( ) – ( )斧( ) – ( )夫( )

◆ 다음 글자를 분해하시오.

1. 父 = ⬜ + ⬜   2. 斧 = ⬜ + ⬜

3. 釜 = ⬜ + ⬜   4. 夫 = ⬜ + ⬜

◆ 다음 글자를 소리 부분(聲符)과 뜻 부분(意符)으로 분해하시오.

5. 釜 = 소리 부분(聲符) ⬜   + 뜻 부분(意符) ⬜

6. 斧 = 소리 부분(聲符) ⬜   + 뜻 부분(意符) ⬜

7. 다음 중 "음"이 서로 다른 글자는?
   ① 釜   ② 后   ③ 斧   ④ 夫

8. "사람"을 뜻하는 것이 아닌 글자는?
   ① 婦   ② 夫   ③ 斧   ④ 父

9. "夫"자와 관계 없는 것은?
   ① 남편   ② 남자, 장정   ③ 하늘, 구름   ④ 상투, 동곳

◆ 다음 중 주어진 글자로 이루어지는 단어를 2개 이상 한자 또는 한글로 쓰시오.

10. 父 – ⬜

11. 釜 – ⬜

12. 斧 – ⬜

13. 夫 – ⬜

◆ 다음 글자의 음과 훈을 쓰시오.

( )毋( ) - ( )母( ) - ( )每( ) - ( )梅( ) - ( )悔( ) - ( )海( )
( )敏( ) - ( )繁( )

◆ 다음 글자를 분해하시오.

1. 海 = [　　] + [　　] + [　　]　　2. 每 = [　　] + [　　]

3. 敏 = [　　] + [　　]　　　　　　4. 繁 = [　　] + [　　]

◆ 다음 글자를 소리 부분(聲符)과 뜻 부분(意符)으로 분해하시오.

5. 每 = 소리 부분(聲符) [　　] + 뜻 부분(意符) [　　]

6. 梅 = 소리 부분(聲符) [　　] + 뜻 부분(意符) [　　]

7. 悔 = 소리 부분(聲符) [　　] + 뜻 부분(意符) [　　]

8. 海 = 소리 부분(聲符) [　　] + 뜻 부분(意符) [　　]

9. 繁 = 소리 부분(聲符) [　　] + 뜻 부분(意符) [　　]

10. 다음 중 "음"이 서로 다른 글자는?
　　① 梅　　　　② 每　　　　③ 悔　　　　④ 妹

11. "母"자와 관계 없는 것은?
　　① 父　　　　② 子　　　　③ 女　　　　④ 空

12. "悔"자와 반대의 뜻을 가진 것은?
　　① 夊　　　　② 廾　　　　③ 水　　　　④ 爪

13. 다음 중 서로 관계 없는 것은?
　　① 海　　　　② 洋　　　　③ 土　　　　④ 氵

14. 다음 중 성격이 나머지 셋과 <u>다른</u> 것은?

① 敏   ② 勇   ③ 鈍   ④ 速

◆ 다음 중 주어진 글자로 이루어지는 단어를 2개 이상 한자 또는 한글로 쓰시오.

15. 母 –

16. 母 –

17. 每 –

18. 梅 –

19. 侮 –

20. 海 –

21. 敏 –

22. 繁 –

◆ 다음 글자의 음과 훈을 쓰시오.

( )老( ) – ( )考( ) – ( )孝( ) – ( )者( )

◆ 다음 글자를 분해하시오.

1. 老 = [ ] + [ ]   2. 孝 = [ ] + [ ]

3. 考 = [ ] + [ ]   4. 者 = [ ] + [ ]

5. 다음 중 서로 관계 없는 것은?
  ① 孝   ② 奉   ③ 敬   ④ 止

6. "考"자와 비슷한 뜻이 아닌 글자는?
  ① 思   ② 慮   ③ 相   ④ 念

7. 다음 중 성격이 나머지 셋과 다른 것은?
  ① 翁   ② 婆   ③ 老   ④ 靑

◆ 다음 중 주어진 글자로 이루어지는 단어를 2개 이상 한자 또는 한글로 쓰시오.

8. 老 –

9. 考 –

10. 孝 –

11. 者 –

◆ 다음 글자의 훈과 음을 쓰시오.

( )者( ) – ( )煮( ) – ( )著( ) – ( )諸( ) – ( )奢( ) – ( )暑( )
( )署( ) – ( )緒( ) – ( )屠( ) – ( )賭( ) – ( )都( )

◆ 다음 글자를 소리 부분(聲符)과 뜻 부분(意符)으로 분해하시오.

1. 著 = 소리 부분(聲符) [　　] + 뜻 부분(意符) [　　]

2. 諸 = 소리 부분(聲符) [　　] + 뜻 부분(意符) [　　]

3. 暑 = 소리 부분(聲符) [　　] + 뜻 부분(意符) [　　]

4. 署 = 소리 부분(聲符) [　　] + 뜻 부분(意符) [　　]

5. 緒 = 소리 부분(聲符) [　　] + 뜻 부분(意符) [　　]

6. 屠 = 소리 부분(聲符) [　　] + 뜻 부분(意符) [　　]

7. 賭 = 소리 부분(聲符) [　　] + 뜻 부분(意符) [　　]

8. 都 = 소리 부분(聲符) [　　] + 뜻 부분(意符) [　　]

9. 다음 중 "음"이 서로 <u>다른</u> 글자는?
　① 煮　　　　② 者　　　　③ 玆　　　　④ 著

10. "者"자와 관계 깊은 것은?
　① 딱정벌레　　② 구름　　③ 남자　　④ 흐느끼다

11. "暑"자와 <u>반대</u>의 뜻을 가진 글자는?
　① 雨　　　　② 寒　　　　③ 伏　　　　④ 困

12. 다음 중 "음"이 서로 <u>다른</u> 글자는?
　① 屠　　　　② 庶　　　　③ 賭　　　　④ 都

13. 다음 중 서로 관계 <u>없는</u> 것은?
　① 死　　　　② 殺　　　　③ 屠　　　　④ 寧

14. 다음 중 "음"이 서로 <u>다른</u> 글자는?
　① 緒　　　　② 署　　　　③ 猪　　　　④ 暑

◆ 다음 중 주어진 글자로 이루어지는 단어를 2개 이상 한자 또는 한글로 쓰시오.

15. 者 – [　　　　　　　]

16. 煮 – [　　　　　　　]

17. 著 –

18. 諸 –

19. 奢 –

20. 暑 –

21. 署 –

22. 緒 –

23. 屠 –

24. 賭 –

25. 都 –

◆ 다음 글자의 음과 훈을 쓰시오.

( )長( ) - ( )張( ) - ( )帳( ) - ( )漲( ) - ( )髟( ) - ( )髮( )

◆ 다음 글자를 분해하시오.

1. 長 = [ ] + [ ] + [ ]   2. 張 = [ ] + [ ]

3. 帳 = [ ] + [ ]   4. 髟 = [ ] + [ ]

◆ 다음 글자를 소리 부분(聲符)과 뜻 부분(意符)으로 분해하시오.

5. 張 = 소리 부분(聲符) [ ]   + 뜻 부분(意符) [ ]

6. 帳 = 소리 부분(聲符) [ ]   + 뜻 부분(意符) [ ]

7. 漲 = 소리 부분(聲符) [ ]   + 뜻 부분(意符) [ ]

8. 다음 중 "음"이 서로 <u>다른</u> 글자는?
   ① 長   ② 張   ③ 帳   ④ 漲

9. "長"자와 <u>반대</u>의 뜻을 가진 글자는?
   ① 史   ② 西   ③ 短   ④ 單

10. "髮"자와 비슷한 뜻이 <u>아닌</u> 글자는?
    ① 毛   ② 髟   ③ 目   ④ 彡

◆ 다음 중 주어진 글자로 이루어지는 단어를 2개 이상 한자 또는 한글로 쓰시오.

11. 長 – [ ]   12. 張 – [ ]

13. 帳 – [ ]   14. 漲 – [ ]

15. 髟 – [ ]   16. 髮 – [ ]

◪ 다음 글자의 음과 훈을 쓰시오.

> ( )臣( ) - ( )臥( ) - ( )監( ) - ( )鑑( ) - ( )覽( ) -
> ( )濫( ) - ( )藍( ) - ( )鹽( ) - ( )臨( )

◪ 다음 글자를 분해하시오.

1. 濫 = ＿＿＿ + ＿＿＿ + ＿＿＿ 　　2. 監 = ＿＿＿ + ＿＿＿

3. 鑑 = ＿＿＿ + ＿＿＿ 　　4. 臨 = ＿＿＿ + ＿＿＿

5. 鹽 = ＿＿＿ + ＿＿＿ + ＿＿＿ 　　6. 藍 = ＿＿＿ + ＿＿＿

7. 臥 = ＿＿＿ + ＿＿＿ 　　8. 鑑 = ＿＿＿ + ＿＿＿

◪ 다음 글자의 음과 훈을 쓰시오.

> ( )臣( ) - ( )堅( ) - ( )緊( ) - ( )腎( ) - ( )賢( )

◪ 다음 글자를 분해하시오.

1. 緊 = ＿＿＿ + ＿＿＿ + ＿＿＿ 　　2. 腎 = ＿＿＿ + ＿＿＿

3. 堅 = ＿＿＿ + ＿＿＿ 　　4. 賢 = ＿＿＿ + ＿＿＿

◪ 다음 글자를 소리 부분(聲符)과 뜻 부분(意符)으로 분해하시오.

5. 堅 = 소리 부분(聲符) ＿＿＿ + 뜻 부분(意符) ＿＿＿

6. 緊 = 소리 부분(聲符) ＿＿＿ + 뜻 부분(意符) ＿＿＿

7. 腎 = 소리 부분(聲符) ＿＿＿ + 뜻 부분(意符) ＿＿＿

8. 鑑 = 소리 부분(聲符) ＿＿＿ + 뜻 부분(意符) ＿＿＿

9. 濫 = 소리 부분(聲符) [　　] + 뜻 부분(意符) [　　]

10. 藍 = 소리 부분(聲符) [　　] + 뜻 부분(意符) [　　]

11. 다음 중 "음"이 서로 <u>다른</u> 글자는?
　　① 申　　　　　② 臣　　　　　③ 堅　　　　　④ 腎

12. "堅"자와 비슷한 뜻을 가진 글자는?
　　① 軟　　　　　② 不　　　　　③ 由　　　　　④ 固

◪ 다음 중 주어진 글자로 이루어지는 단어를 2개 이상 한자 또는 한글로 쓰시오.

13. 臣 –

14. 臥 –

15. 覽 –

16. 濫 –

17. 臨 –

18. 監 –

19. 堅 –

20. 緊 –

21. 腎 –

22. 賢 –

◪ 다음 글자의 훈과 음을 쓰시오.

(　)臣(　) – (　)臧(　) – (　)藏(　) – (　)臟(　) – (　)欌(　)

◪ 다음 글자를 분해하시오.

1. 臧 = [　　] + [　　] + [　　]　　　2. 藏 = [　　] + [　　]

3. 臟 = [　　] + [　　]　　　　　　　4. 欌 = [　　] + [　　]

◆ 다음 글자를 소리 부분(聲符)과 뜻 부분(意符)으로 분해하시오.

5. 藏 = 소리 부분(聲符) [　　　] + 뜻 부분(意符) [　　　]

6. 臟 = 소리 부분(聲符) [　　　] + 뜻 부분(意符) [　　　]

7. 欌 = 소리 부분(聲符) [　　　] + 뜻 부분(意符) [　　　]

8. 다음 중 "음"이 서로 다른 글자는?
　① 臧　　　　② 藏　　　　③ 安　　　　④ 長

9. 다음 중 "臟"에 속하지 않는 것은?
　① 肝　　　　② 胃　　　　③ 心　　　　④ 足

◆ 다음 중 주어진 글자로 이루어지는 단어를 2개 이상 한자 또는 한글로 쓰시오.

10. 臧 - [　　　　　　　　]

11. 藏 - [　　　　　　　　]

12. 臟 - [　　　　　　　　]

13. 欌 - [　　　　　　　　]

◆ 다음 글자의 음과 훈을 쓰시오.

( )士( ) - ( )仕( ) - ( )吉( ) - ( )結( ) - ( )壽( ) - ( )禱( )
( )濤( )

◆ 다음 글자를 분해하시오.

1. 壽 = [   ] + [   ] + [   ]   2. 禱 = [   ] + [   ]

3. 濤 = [   ] + [   ]   4. 吉 = [   ] + [   ]

◆ 다음 글자를 소리 부분(聲符)과 뜻 부분(意符)으로 분해하시오.

5. 仕 = 소리 부분(聲符) [   ] + 뜻 부분(意符) [   ]

6. 結 = 소리 부분(聲符) [   ] + 뜻 부분(意符) [   ]

7. 禱 = 소리 부분(聲符) [   ] + 뜻 부분(意符) [   ]

8. 濤 = 소리 부분(聲符) [   ] + 뜻 부분(意符) [   ]

9. "吉"자와 비슷한 뜻을 가진 글자는?
   ① 奸   ② 福   ③ 尸   ④ 央

10. "壽"자와 비슷한 뜻을 가진 글자는?
   ① 尹   ② 士   ③ 命   ④ 亡

11. 다음 중 "음"이 서로 <u>다른</u> 글자는?
   ① 土   ② 仕   ③ 寺   ④ 士

12. "結"자와 비슷한 뜻을 가진 글자는?
   ① 約   ② 快   ③ 順   ④ 馬

◆ 다음 중 주어진 글자로 이루어지는 단어를 2개 이상 한자 또는 한글로 쓰시오.

13. 土 –

14. 仕 –

15. 吉 –

16. 結 –

17. 壽 –

18. 禱 –

19. 濤 –

◆ 다음 글자의 음과 훈을 쓰시오.

> (　　)王(　　) – (　　)旺(　　) – (　　)狂(　　) – (　　)皇(　　) – (　　)玉(　　) – (　　)全(　　)
> (　　)主(　　)

◆ 다음 글자를 소리 부분(聲符)과 뜻 부분(意符)으로 분해하시오.

1. 旺 = 소리 부분(聲符) 　　　　　 + 뜻 부분(意符) 　　　　

2. 狂 = 소리 부분(聲符) 　　　　　 + 뜻 부분(意符) 　　　　

3. 다음 중 "음"이 서로 <u>다른</u> 글자는?
　　① 往　　　　　　② 王　　　　　　③ 皇　　　　　　④ 旺

4. 다음 중 서로 관계 <u>없는</u> 것은?
　　① 皇　　　　　　② 王　　　　　　③ 民　　　　　　④ 帝

5. "主"자와 반대의 뜻이 <u>아닌</u> 글자는?
　　① 奴　　　　　　② 從　　　　　　③ 夫　　　　　　④ 婢

6. "玉(구슬 옥)"자와 관계 깊은 것은?
　　① 珠　　　　　　② 皇　　　　　　③ 全　　　　　　④ 主

◆ 다음 중 주어진 글자로 이루어지는 단어를 2개 이상 한자 또는 한글로 쓰시오.

7. 王 –

8. 旺 –

9. 狂 –

10. 皇 –

11. 玉 –

12. 全 –

13. 主 –